I0866372

Lutz Grunwald · Heidi Pantermehl · Rainer Schreg (Hrsg.)

Hochmittelalterliche Keramik am Rhein

RGZM – TAGUNGEN

Band 13

Römisch-Germanisches Zentralmuseum
Forschungsinstitut für Archäologie

R G Z M

Römisch-Germanisches Zentralmuseum
Forschungsinstitut für Archäologie

Lutz Grunwald · Heidi Pantermehl · Rainer Schreg (Hrsg.)

HOCHMITTELALTERLICHE KERAMIK AM RHEIN

EINE QUELLE FÜR PRODUKTION UND ALLTAG DES 9. BIS 12. JAHRHUNDERTS

Tagung im Römisch-Germanischen Zentralmuseum, 6. bis 7. Mai 2011

Verlag des Römisch-Germanischen Zentralmuseums Mainz 2012

Redaktion: Claudia Nickel, Heidi Pantermehl (RGZM)
Satz: Dieter Imhäuser, Hofheim a. T.
Umschlaggestaltung: Reinhard Köster unter Verwendung eines Fotos von H. Pantermehl (RGZM)

Bibliografische Information der Deutschen Nationalbibliothek

Die Deutsche Nationalbibliothek verzeichnet diese Publikation in der Deutschen Nationalbibliografie: Detaillierte bibliografische Daten sind im Internet über **http://dnb.d-nb.de** abrufbar.

ISBN 978-3-88467-191-7
ISNN 1862-4812

Herstellung: Strauss GmbH, Mörlenbach
Printed in Germany.

INHALT

VORWORT

Keramik spielt in der Archäologie eine enorme Rolle. Sie wird seit der Jungsteinzeit allgemein verwendet und erhält sich meist bestens im Boden. Sie kann auf ganz verschiedene Weise produziert, geformt und verziert werden und eignet sich daher fast immer für Datierungsfragen. Die bewährten antiquarischen Untersuchungsmethoden wurden in den letzten drei Dezennien durch eine Reihe von archäometrischen Verfahren ergänzt, um Fragen der benutzten Rohstoffe, Herstellung, Verwendung und Datierung zu klären.
In den vergangenen Jahren trat die mittelalterliche Keramik in den Forschungen des Römisch-Germanischen Zentralmuseums wieder in den Vordergrund, so im internationalen Großprojekt »Reiterkrieger, Burgenbauer – Die frühen Ungarn und das ›Deutsche Reich‹ vom 9. bis zum 11. Jahrhundert«. Ein richtiggehender Keramik-Forschungsschwerpunkt wird zudem in Mayen eingerichtet, wo man sich bislang hauptsächlich der Steinverarbeitung gewidmet hat. Im Fokus steht nun die im Industrierevier Osteifel ebenso bedeutende mittelalterliche Töpferei. Obwohl sich die ökonomischen und ökologischen Grundlagen Europas in dieser Zeit stark wandelten, fehlen bislang zusammenfassende Betrachtungen des überregionalen Wirtschaftsgefüges und der Produktivität an Sachgütern fast gänzlich. Um hier einen großen Schritt zu tun, ergriffen MitarbeiterInnen des in Mayen ansässigen Forschungsbereichs Vulkanologie, Archäologie und Technikgeschichte sowie der Abteilung Frühes Mittelalter des Zentralmuseums die Initiative für eine Tagung. Während des am 6. und 7. Mai 2011 in Mainz abgehaltenen internationalen Zusammentreffens wurde besonders hinterfragt, welchen Beitrag das archäologische Leitfossil des Handels, die Keramik, zur Klärung der offenen Fragen leisten kann. Im Mittelpunkt der Betrachtungen standen die regionalen Verbreitungsgebiete der Keramikgruppen und die Entwicklungsdynamik der Keramikproduktion. Bei den Untersuchungen sollten auch die politischen Ereignisse sowie der Prozess der zunehmenden Marktbildung und Urbanisierung mit der Einrichtung von handelsorientierten Versorgungshäfen berücksichtigt werden. Exemplarisch stand der Rhein als wichtige Handels- und Kommunikationsroute im Mittelpunkt der Betrachtungen. An diesem großräumig verbindenden Strom stoßen unterschiedliche historische Regionen aneinander, deren jeweilige Keramik verschiedene Entwicklungen durchlaufen hat. Der Rhein bietet somit eine gute Grundlage für systematische Vergleiche der unterschiedlichen, aber miteinander verwobenen Entwicklungsstränge.
Während der Veranstaltung skizzierten die ReferentInnen die angesprochenen Themen aus ihrer jeweiligen regionalen Perspektive. Beleuchtet wurden sowohl die lokal vorkommenden Keramikarten als auch die Verbreitung der großteils über die zentralen Umschlagsorte in Umlauf gelangten Waren. Die Vielfalt der Beiträge des vorliegenden Tagungsbandes soll ein besseres Verständnis für die Warenströme entlang des Rheins ermöglichen. Brüche und Kontinuitäten im Wirtschaftsgefüge des 9. bis 12. Jahrhunderts treten schärfer hervor und lassen sich historisch deuten. Ein herzliches »Danke« allen, die unsere Tagung und den nun vorliegenden Band ermöglicht haben.

Mainz, Dezember 2011
Falko Daim

RAINER SCHREG

KERAMIK DES 9. BIS 12. JAHRHUNDERTS AM RHEIN

FORSCHUNGSPERSPEKTIVEN FÜR PRODUKTION UND ALLTAG

Produktion und Alltag sind auf den ersten Blick zentrale Themen einer archäologischen Keramikforschung. Die große Mehrzahl der Forschungsarbeiten zur Keramik geht in der einen oder anderen Weise auch darauf ein, doch zeigen sich deutliche methodische Defizite bei der Interpretation. Viele Auslegungen stützen sich auf sehr stark vereinfachende Konzepte, wie beispielsweise ethnische Interpretationen, »herrschaftliche Bindung« oder einen traditionellen Kulturbegriff. Die sozialen Dynamiken wie auch die vielfältigen Faktoren, die Produktion und Nutzung der Keramik beeinflussten, werden dadurch oft nur ansatzweise erfasst. Ziel dieses einführenden Beitrages ist es, aus einer knappen – in gewisser Weise sicher unvollständigen und von einer südwestdeutschen Perspektive geprägten – Forschungsbilanz diese Desiderate genauer zu benennen. Dazu wird ein Modell zur Keramikentwicklung in Südwestdeutschland vorgestellt, das exemplarisch die komplexen Zusammenhänge zwischen Keramikproduktion und Alltag aufzeigt.

ARCHÄOLOGISCHE KERAMIKFORSCHUNG IM WESTLICHEN MITTELEUROPA UND SPEZIELL AM RHEIN

Obwohl die Erforschung mittelalterlicher Keramik bis in das 19. Jahrhundert zurückreicht, als etwa Constantin Koenens Gefäßkunde 1895 bis ins Mittelalter ausgriff [1], wurden doch erst in den 1920er und 1930er Jahren – überwiegend in Mitteldeutschland – Standards der Keramikbearbeitung gesetzt. Damals wurden Grundprinzipien der Beschreibung und zeichnerischen Dokumentation entwickelt und Fragestellungen formuliert [2]. Die späten 1950er und 1960er Jahre waren durch eine Vielzahl bis heute grundlegender Arbeiten die entscheidenden Jahre der archäologischen Keramikforschung im westlichen Mitteleuropa und insbesondere in den Regionen entlang des Rheins. In diese Phase des allgemeinen Aufschwungs der Archäologie des Mittelalters gehören beispielsweise die Arbeiten von Wolfgang Hübener zu Haithabu [3] und die Untersuchung der Keramik aus den frühen Stadtkerngrabungen in Frankfurt am Main durch Otto Stamm [4]. Im Jahre 1965 gab Hermann Hinz im Rahmen einer Ausstellung über Karl den Großen in Aachen einen ersten Überblick über die karolingische Keramik in Mitteleuropa. Region für Region ging er die verschiedenen Landschaften durch und konnte jeweils deren sehr unterschiedlichen Charakter hinsichtlich ihrer Keramik zeigen [5]. Während Hinz noch vorrangig formenkundlich arbeitete, war in den 1950er Jahren im Rheinland unter dem Einfluss der provinzialrömischen Archäologie das Warenart-Konzept aufgekommen [6]. Neben den bis dahin bestimmenden formalen und stilistischen Merkmalen wurden die Scherbenbeschaffenheit und Herstellungstechnik in die Analysen einbezogen. Diese Faktoren waren für die Keramik des Rheinischen Vorgebirges lange Zeit die wichtigsten Kriterien. Uwe Lobbedeys 1962 abgeschlossene Untersuchungen mittelalterlicher Keramik verhalfen dem Warenartkonzept auch in Süddeutschland zum Durchbruch, doch wurde es hier stärker als im Rheinland durch formaltypologische Kriterien ergänzt [7]. Lobbedey gelang es, ein regional fundiertes relativchronologisches System aufzubauen, das aber zugleich eine mitteleuropäische Perspektive bot [8]. Die Zeit des 8. bis 12. Jahrhunderts ist dennoch bis heute vielerorts eine Periode, für die nur wenige chronologische Fixpunkte bestehen. Nach dem Ende der gut erforschten beigabenführenden Gräberfelder und vor dem Einsetzen der massenhaften stadtarchäologischen Befunde seit dem 12. Jahrhundert sind wir vor allem auf Kirchen- und Burgengrabungen angewiesen, auch wenn inzwischen deutlich wird, dass die Gräberfelder und mit ihnen die Beigabensitte an Mosel und Mittelrhein noch bis ins 8., teilweise sogar bis ins 9. Jahrhundert weiter laufen [9]. Kirchengrabungen erbrachten häufig gute stratigraphische Beobachtungen (**Abb. 1**) [10], weisen aber meist nur geringe Fundzahlen auf.

Keramikfunde von Burgen decken – nebst jüngeren Perioden – vor allem den Zeitraum des 11./12. Jahrhunderts ab [11], während für das 9./10. Jahrhundert nur auf wenige Plangrabungen zurückgegriffen werden kann [12]. Versuche, schriftliche Erstnennungen der Burgen als chronologische Fixpunkte für die Keramikchronologie einzusetzen [13], sind teilweise methodisch verfehlt, da sie die Lückenhaftigkeit der schriftlichen Überlieferung unterschätzen und insbesondere die schlecht überlieferten frühen Phasen nur ungenügend abdecken. Grabungen in ländlichen Siedlungen haben in den vergangenen Jahrzehnten vermehrt zur Kenntnis regionaler Keramikspektren beigetragen [14]. Allerdings blieben viele Siedlungsgrabungen – und auch die Keramik – unpubliziert oder schwer zugänglich [15]. Erhaltungsbedingt sind in den ländlichen Siedlungen meist keine stratigraphischen Abfolgen zu beobachten, so dass sich Keramikauswertungen in der Regel an benachbarten Fundkomplexen orientieren mussten. Wichtiger sind daher die relativ wenigen Grabungen in den Töpfereien selbst, von denen hier die in Mayen [16] und im rheinischen Vorgebirge [17] nebst jenen in der Nordschweiz [18] genannt seien. Nur in relativ wenigen Fällen ist es bisher gelungen, naturwissenschaftliche Datierungen als Grundlage der Keramikchronologie zu nutzen [19]. Dendrochronologische Daten konnten punktuell wichtige Korrekturen liefern [20], blieben insgesamt jedoch zu selten, um regional längere Zeiträume abzudecken. Eine bemerkenswerte Ausnahme stellen die nachträglich gewonnenen Datierungen für die Niederungsburgen im Rheinland dar [21]. Münzschatzgefäße sind prinzipiell eine wichtige Quelle für die Absolutchronologie, doch bleiben auch sie zu selten, um allein eine zuverlässige Datierungsgrundlage darzustellen [22]. Gleiches gilt für münzdatierte Siedlungsbefunde [23].

Die Forschungsgrundlagen sind in den verschiedenen Regionen entlang des Rheins sehr unterschiedlich. Am Alpenrhein, wie in der Zentralschweiz überhaupt, fällt es sehr schwer, Keramikkomplexe des 8. bis 12. Jahrhunderts zu benennen. Am Hochrhein ist die Situation etwas günstiger, zumal hier mit den Grabungen in der Wüstung Berslingen [24] sowie einigen Untersuchungen in ländlichen Siedlungen im Umland von Basel [25] inzwischen einige Fundkomplexe zur Verfügung stehen. Am südlichen Oberrhein hat die Arbeit von Madeleine Châtelet für den älteren Abschnitt die relevanten Fundkomplexe ausgewertet und regionale Entwicklungen aufgezeigt [26]. Für die Zeit ab dem 10. Jahrhundert wird die Situation jedoch deutlich problematischer. Madeleine Châtelet hat uns im Vorfeld der Tagung darauf hingewiesen, dass es im Elsass sehr schwer ist, Keramikfunde dieser Zeit zuzuweisen. Tatsächlich brechen im Elsass relativ viele ländliche Siedlungen, aus denen die Masse der Keramikfunde stammt, vergleichsweise früh im Verlauf des 9. und 10. Jahrhunderts ab [27]. Am südöstlichen Oberrhein ist ein Nebeneinander Älterer gelber Drehscheibenware und nachgedrehter Keramik festzustellen (**Abb. 2**), wobei sich zwischen dem 8. und dem 11. Jahrhundert wohl nur relativ geringe typologische Veränderungen ergeben [28].

Insgesamt sind es in Südwestdeutschland, wo keine entsprechenden dominierenden Töpfereizentren vorliegen, nach wie vor die Stadt- und Kirchenarchäologie, die die Grundlage zur chronologischen Gliederung der Keramik liefern [29]. Lobbedeys Untersuchungen basierten mit Komplexen aus Ulm und Esslingen auf den frühesten stratigraphischen Grabungen der Mittelalterarchäologie in Baden-Württemberg. Seitdem konnten vor allem in den 1970er und 1980er Jahren einige weitere stratigraphische Auswertungen von Stadt- und Kirchengrabungen (**Abb. 1**) das Chronologiegerüst absichern und präzisieren [30]. Die Arbeiten von Uwe Gross bieten inzwischen eine breite Materialbasis, die es erlaubt, regionale Verbreitungsgebiete einzelner Keramikgruppen zu analysieren [31]. Als problematisch erweist sich für die südlichen Regionen allerdings das Fehlen einer vergleichenden Relativchronologie, wie sie etwa für den Niederrhein [32] oder die Landschaften

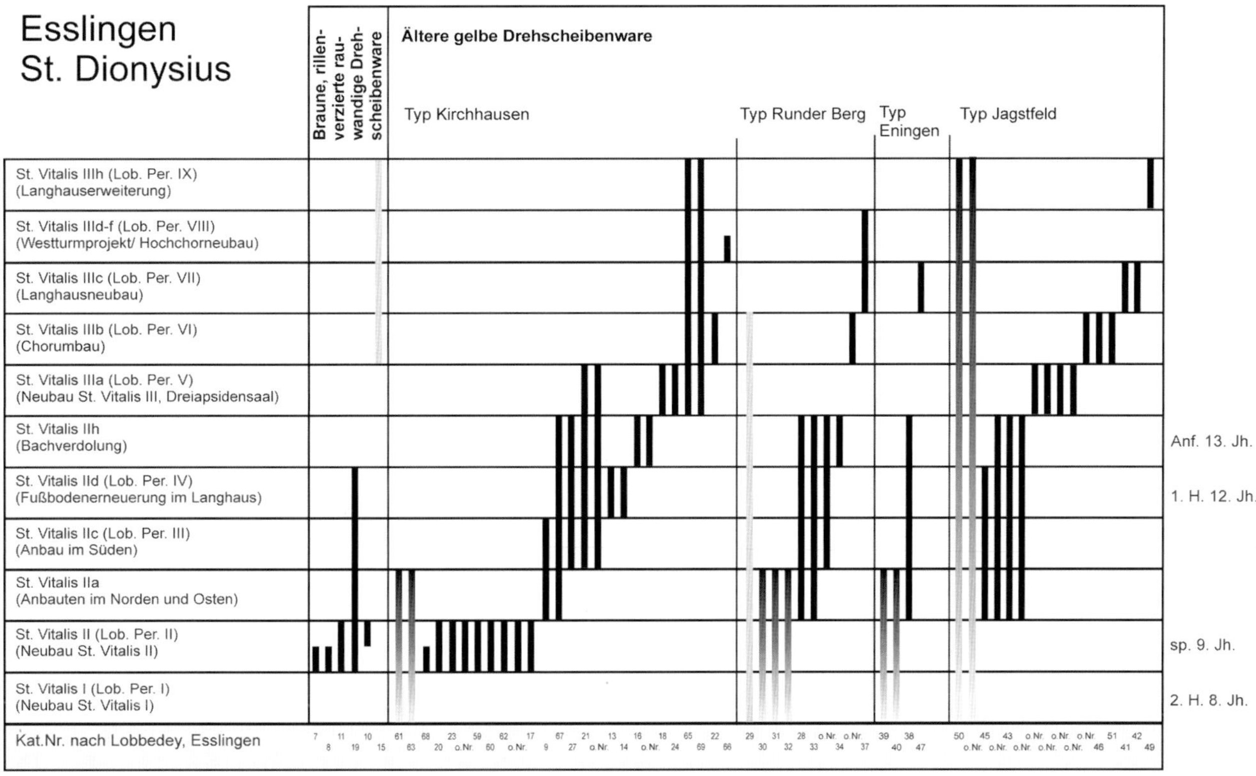

Abb. 1 Stratigraphische Gliederung der Keramikfunde aus Esslingen, St. Dionysius.

am südlichen Oberrhein erarbeitet werden konnten[33]. Das System von Lobbedey hatte sich im Lauf der Zeit als zu grobmaschig erwiesen und die Forschung ist überwiegend zu einer vorgeblich absolutchronologischen Einordnung der Funde übergegangen. Da aber im Lauf der Forschung immer mehr Datierungsfixpunkte gewonnen werden konnten, fällt es heute schwer, den Überblick zu behalten: Regionale Trends sind so zudem kaum zu erkennen. Die grau hinterlegten Horizonte I bis XII in **Abbildung 2** stellen deshalb einen Versuch dar, die alte Lobbedey'sche Relativchronologie zu aktualisieren und auf das gesamte Mittelalter und die frühe Neuzeit auszudehnen[34].

Entlang des Oberrheins sind die wenigen früh- und hochmittelalterlichen Zentren wie Breisach[35], Ladenburg[36] und Frankfurt am Main[37] von Bedeutung, da stadtarchäologische Untersuchungen hier stratifizierte Fundkomplexe erbracht haben. Linksrheinisch, in der Südpfalz und in Rheinhessen, ist der Forschungsstand bisher sehr ungenügend, da eine Stadtarchäologie in den Zentren Speyer, Worms und Mainz nur über relativ geringe Ressourcen verfügt. Daher sind es derzeit ländliche Siedlungen und Burgen, denen für die Keramikforschung hier besondere Bedeutung zukommt[38]. Auch am Mittelrhein liegen bisher nur wenige stadtarchäologische Untersuchungen vor, wie überhaupt Grabungen der Archäologie des Mittelalters hier noch sehr spärlich sind. Wichtige Fundkomplexe stammen aus Ingelheim[39] und der alt gegrabenen, bisher im Detail noch immer unpublizierten Siedlung Gladbach bei Neuwied[40]. Am Niederrhein entstanden überwiegend auf der Basis stratigraphischer Beobachtungen an Niederungsburgen mehrere relativchronologische Abfolgen. Die frühen Auswertungen konnten jedoch nur auf einige wenige Töpfereifunde zurückgreifen[41], so dass die Gliederung des Materials von weit entfernten Absatzgebieten aus, etwa von der Bachbettstratigraphie in Haithabu, vorgenommen werden musste. Erst in den 1970er Jahren setzte eine bis heute im Wesentlichen ungebrochene Ausgrabungstätigkeit in den rheinischen Töpfereizentren ein[42], die nun auch eine Neubewertung und Korrelation älterer Fundkomplexe ermöglicht hat[43].

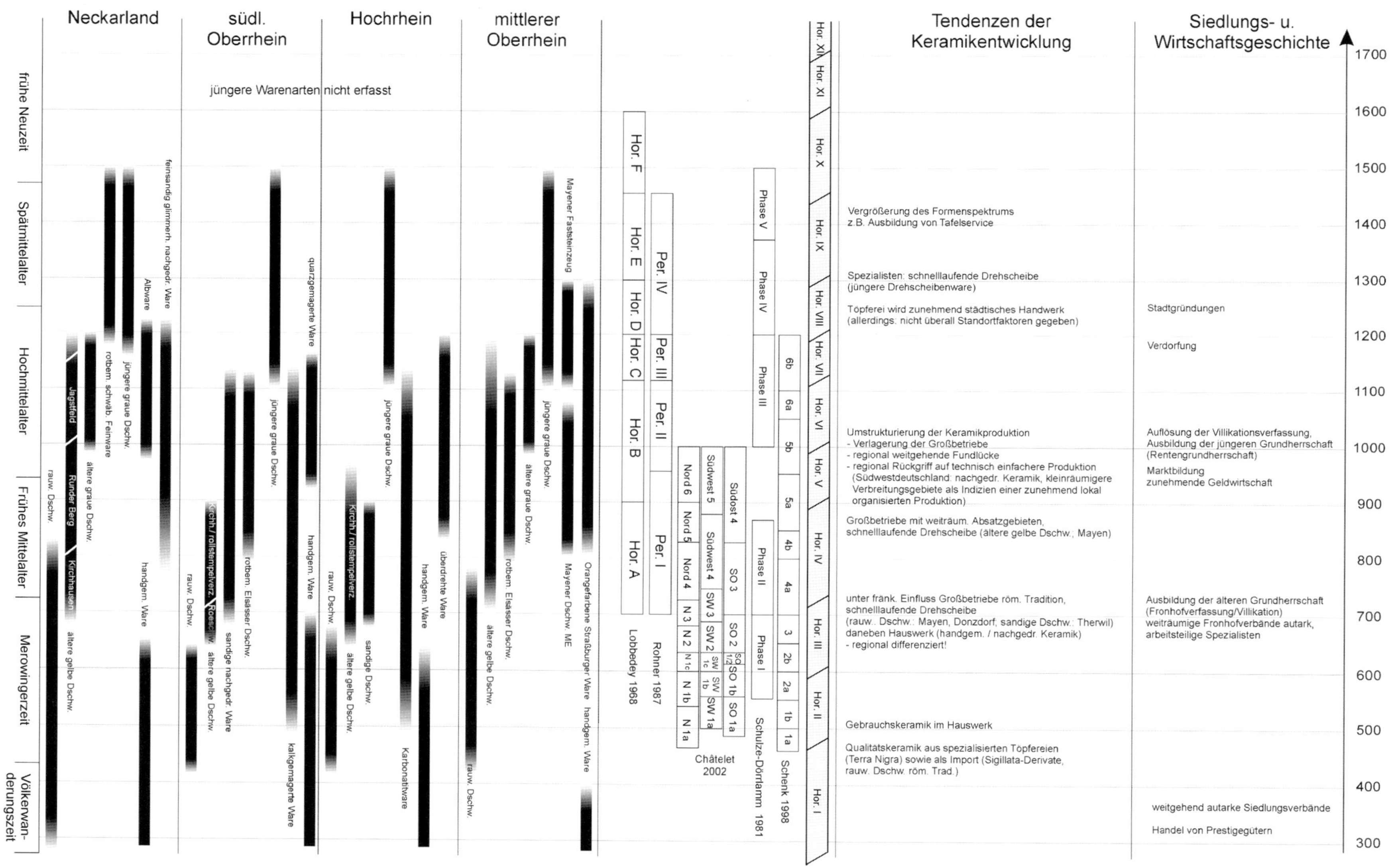

Abb. 2 Übersicht über die Keramikentwicklung in ausgewählten Regionen Südwestdeutschlands. Die Horizonte I-XII aktualisieren die älteren Gliederungsversuche. Sie sind nicht absolutchronologisch festgelegt, sondern definieren sich anhand der regional gängigen Warenarten. Dabei ist nicht jede Form Horizont-spezifisch!

Dieser sehr kursorische Überblick zeigt den unterschiedlichen Stand der Forschung in den Fundlandschaften entlang des Rheins, die teils eine sehr unterschiedliche Quellenlage und auch unterschiedliche Forschungsansätze aufweisen. Da heute die Keramikforschung bzw. die Mittelalterarchäologie überhaupt in hohem Maße auf regionaler oder gar kommunaler Basis stattfinden, reicht der Blick selten in benachbarte Fundregionen. Das hat Auswirkungen auf die Terminologie und die vorliegenden Verbreitungskarten. Beispielsweise ist bisher wenig bekannt über die Zusammenhänge der rollstempelverzierten Älteren gelben Drehscheibenware am Oberrhein mit vergleichbarer Keramik aus Frankfurt am Main oder Nordhessen[44]. Ebenso fehlt es an vergleichenden Studien, die die Ältere gelbe Drehscheibenware in Bezug zur Keramikentwicklung im Westen setzen[45]. Übergreifende Synthesen und Handbücher sind selten[46]. Ebenso fehlt es für das frühe und hohe Mittelalter derzeit auch an einer geeigneten wissenschaftlichen Diskussionsplattform, etwa im Sinne eines übergreifenden Arbeitskreises[47].

PERSPEKTIVEN AUF PRODUKTION UND ALLTAG

Obwohl man den Quellenwert von Keramik für die Erforschung von Produktion und Alltag schon lange erkannt hat, zeigt sich bei genauerem Hinsehen eine bemerkenswerte Unsicherheit bei der Interpretation und eine Fokussierung auf einige wenige Themenkomplexe. Deutlich wird dies beispielsweise bei Günter Fehrings Einführung in die Archäologie des Mittelalters, aber auch bei Walter Janssens Auswertung des spätmittelalterlichen Fundkomplexes aus dem Spital in Bad Windsheim. Fehring, der theoretische Ansätze vollkommen ablehnt, verkennt die Aussagemöglichkeiten der Keramik völlig: Sie kommt bei ihm dementsprechend nur im Kontext chronologischer Studien vor[48].
Janssen möchte hingegen mit der Vorlage des Massenfundes von Bad Windsheim explizit »ein Beispiel dafür geben, was die Archäologie des Mittelalters zur mittelalterlichen Kulturgeschichte beizutragen vermag«[49]. Er will dazu die Funde in das »Kulturganze ihrer Zeit« stellen und ihnen »den Platz zuweisen, den sie in der allgemeinen Kultursituation ihrer Zeit beanspruchen müssen«[50]. In der Folge behandelt Janssen die sozialgeschichtliche Interpretation, die eine Zuweisung zu einer Oberschicht beinhaltet, und wirtschaftsgeschichtliche Aspekte. Diese betreffen die Produktionsorte der Keramik sowie deren Verbreitung. Hieraus schließt er auf eine lokale Versorgung des Spitals einerseits, aber auch auf die Einbindung Bad Windsheims in einen einheitlichen süddeutschen Kulturraum.
Janssens Arbeit fällt zwar nicht unmittelbar in den hier interessierenden Kontext der Keramikforschung zum frühen und hohen Mittelalter am Rhein. Sie ist aber eine der wenigen Untersuchungen, die explizit etwas über den theoretischen Hintergrund der dominierenden Interpretationsansätze erkennen lässt und beispielsweise verrät, was sich Archäologen unter »Kulturgeschichte« vorstellen[51]. Seine Themen sind diejenigen, die auch in dem uns interessierenden Forschungsgebiet von zentraler Bedeutung sind. Produktion und Alltag werden von der Keramikforschung insbesondere aus einer wirtschafts- und sozialgeschichtlichen Perspektive betrachtet, wobei die Zuweisung zu sozialen Gruppen und die herrschaftliche Bedingtheit großen Raum einnehmen. Die wirtschaftsgeschichtliche Betrachtung richtet sich in der Regel auf die Töpfereistandorte und auf die Verbreitungsgebiete. Den Töpfereien und auch einigen technischen Fragen zur Herstellung mittelalterlicher Keramik gilt schon lange ein spezielles Forschungsinteresse[52]. Auch die Möglichkeit, anhand von Keramikverbreitungen Handelsrouten und Absatzgebiete aufzuzeigen, wurde schon häufig genutzt[53]. Bezüglich der großen rheinischen Töpfereien ist seit langem der sehr weite Export bekannt und gut erforscht[54]. Für andere Warenarten, wie die »oberrheinische« Ältere gelbe Drehscheibenware, wurden entsprechende Verbreitungen bisher nur zufällig erkannt[55] oder müssen beim heutigen Forschungsstand unsicher bleiben[56]. Die Bestimmung kleinräumiger Absatzgebiete und Transportwege, wie sie für die Mero-

wingerzeit anhand der Stempelverzierungen gelungen sind[57], ist für den hier interessierenden Zeitraum nur begrenzt erfolgt[58].

Gerade in dieser Fragestellung lag die Motivation, schon früh analytische Methoden einzusetzen[59]. Trotz einiger erfolgreicher neuerer Arbeiten sind es aber bislang noch immer vergleichsweise wenige Studien, die Analysenserien mittels mineralogischer Untersuchungen, NAA (Neutronenaktivierungsanalyse) und RFA (Röntgenfluoreszenzanalyse) realisiert haben[60]. Mehrfach zeigte sich, dass optisch definierte Warenarten nicht mit chemischen oder mineralogischen Gruppierungen übereinstimmen müssen, dass aber mit multivariaten Analysen und genügend Referenzdaten vielfach die Produkte einzelner Töpfereizentren durchaus unterschieden werden können. In dieses Feld der wirtschaftsgeschichtlichen Fragen gehören auch Untersuchungen der Keramiktechnologie. Lange, heute weitgehend abgeschlossene Debatten gab es beispielsweise um die Produktionsweise der Kugeltöpfe[61] und auch um die Herstellung so genannter nachgedrehter Waren[62]. »Experimentelle Archäologie« spielt hier bisher kaum eine Rolle. Sie wird weitgehend in museumsdidaktischem Umfeld betrieben, wo eine wissenschaftliche Reflektion über Versuchsanordnungen und gewonnene Erfahrungen selten stattfindet. Experimente gibt es zwar hinsichtlich der Rekonstruktion von Brennöfen, doch fehlen Studien über Fehlbrände, Gebrauchseigenschaften (wie die Wärmeleitfähigkeit, die Bruch- und Abriebresistenz) und Gebrauchsspuren. Hier sind generell Defizite festzustellen, die insbesondere aber auch das hier interessierende Arbeitsfeld betreffen.

Das zweite große Forschungsfeld zu Produktion und Alltag stellen die Versuche dar, Keramik als Quelle für die Identität einzelner Gruppen oder für Fragen der Herrschaftsverhältnisse zu nutzen. Da ethnische Interpretationen, über deren Relevanz und methodisch-theoretische Praktikabilität seit langem gestritten wird[63], für die früh- und hochmittelalterlichen Landschaften am Rhein nur eine untergeordnete Rolle spielen[64], soll dieses Problemfeld hier nicht weiter thematisiert werden. In unserem Kontext sind die zahlreichen Versuche viel wichtiger, Keramikproduktion und -verbreitung mit herrschaftlichen Strukturen zu verknüpfen. Kurt Böhner beobachtete bei der Vorlage von Ofenbefunden aus Walberberg und Pingsdorf 1956 die häufige Lage der frühmittelalterlichen Töpfereien im Eifel-Vorgebirge »in der unmittelbaren Umgebung von Wasserburgen oder großen Hofanlagen«[65]. Er schloss daraus auf die Anlage der Töpfereien bei frühmittelalterlichen Hofanlagen und postulierte, dass die Töpfer »sich hier wohl kaum als gänzlich unabhängige Handwerker und Unternehmer angesiedelt«, sondern in einem Abhängigkeitsverhältnis zu den Herren jener Höfe gestanden hätten[66]. Gegenüber einer solchen Argumentation aus der Siedlungstopographie heraus – die die keineswegs gesicherte Entwicklung dieser späteren Burgen und Höfe aus frühmittelalterlichen Gehöftanlagen voraussetzt und die Möglichkeiten der Umstrukturierung im ländlichen Siedlungsgefüge unterschätzt – wurde vor allem der Vergleich von Verbreitungsgebieten mit historisch bekannten Territorien verfolgt. Ein Beispiel dafür ist die frühe, rollstempelverzierte Ältere gelbe Drehscheibenware, die Gross mit der Grundherrschaft des Klosters Weißenburg in Verbindung gebracht hat. In ähnlicher Weise hat Châtelet argumentiert, dass sich in den Keramikverbreitungen am südlichen Oberrhein die Bistümer Konstanz, Basel und Straßburg widerspiegeln[67].

Gemessen an den sehr vielfältigen Aspekten von Alltag deckt die Forschung damit nur einen sehr kleinen Ausschnitt ab. Als alltäglichem, eher unscheinbarem Gebrauchsgut kommt der Keramik die Faszination des »Authentischen« zu. Kochtöpfe, Kannen und Becher erwecken auch heute noch das Bild alltäglicher Handlungen. Trotz des meist eher gering geschätzten ästhetischen Wertes von Keramik sind Töpfe und Scherben bei Ausstellungen und Publikationen inzwischen etablierte Icons sowohl für einen tristen bäuerlichen Alltag als auch für eine prunkvolle adlige Tafel. In Forschungsarbeiten schlägt sich dies jedoch nur in relativ geringem Umfang nieder, da sich ein echter Erkenntnisgewinn erst einstellt, wenn es gelingt, lokale Besonderheiten etwa im Formenspektrum herauszuarbeiten oder die Funde in einen konkreten Handlungskontext zu stellen[68]. Die Möglichkeiten dafür sind im frühen und hohen Mittelalter bei noch eher spärlicher schriftlicher wie bildlicher Überlieferung nicht allzu häufig.

Auch Verteilungsanalysen von Keramikfunden innerhalb flächig gegrabener Siedlungen, wie sie anderswo erfolgreich vorgelegt worden sind[69], fehlen für die Landschaften entlang des Rheins weitgehend[70]. Das ist freilich insbesondere eine Folge der schwierigen Befundsituation im Bereich ländlicher Siedlungen. Hier fehlen alte Oberflächen und es fällt schwer, einzelne Hofpläne herauszuarbeiten, auf deren Grundlage eine Analyse von Aktivitätszonen Sinn machen würde[71].
Erfolgversprechender sind Betrachtungen, die längere Zeiträume ins Blickfeld nehmen und nach Kulturwandel fragen, wie er auch an Keramikfunden ablesbar wird. Gerade im Zeitraum vom 9. bis zum 12. Jahrhundert konnten einige wichtige Veränderungen beobachtet werden, die eine genauere Analyse Wert sind. Neben technischen Innovationen – z. B. der Etablierung der fußgetriebenen Töpferscheibe[72], im Ofenbau[73], in der Entwicklung des Steinzeugs[74], der Bleiglasur[75] oder der Entstehung der Ofenkeramik[76] – zeigen sich auch Veränderungen in den Gefäßformenspektren, den Fundhäufigkeiten wie auch den Verbreitungsgebieten.
Viele archäologische Interpretationen fassen keramische Gruppen auch in jüngerer Zeit als Entitäten auf, die entweder mit konkreten Personengruppen identifiziert oder abstrakt als »Kulturkreise« klassifiziert werden. Zu nennen sind hier die ethnischen Interpretationen beispielsweise »slawischer Keramik«[77], die Vorstellung, dass sich Warenarten durch wandernde Töpfer ausbreiten oder durch das Aussterben der Handwerker zu einem Ende kommen[78]. Im Hintergrund steht, wie die zitierte Arbeit von Janssen zeigt, ein Verständnis von Kulturgeschichte, das Kultur als etwas Statisches begreift, wo sehr viel detaillierter auf soziale Prozesse wie solche der Integration, des sinkenden Kulturguts, oder Veränderungen der Wirtschaftssysteme geachtet werden müsste.
Anstelle des traditionellen, meist statisch gedachten Kulturbegriffes, bietet sich – in Anlehnung an die Kulturökologie[79] sowie die Zivilisationstheorie[80] – ein Kulturverständnis an, das diese als Ausdruck eines gesellschaftlichen Prozesses, als stetige Adaption an sich ändernde Umstände begreift. Diese umfassen neben äußeren, auf der ereignishistorischen Ebene angesiedelten Faktoren wie beispielsweise Kriege oder Naturkatastrophen vor allem auch technische Innovationen, soziale Differenzierung und Rivalität innerhalb der Gesellschaft sowie sich verändernde wirtschaftliche Strukturen. Dabei sind all diese Faktoren, wie auch die handelnden Menschen durch vielzählige Interdependenzen untereinander verbunden.

KERAMIKENTWICKLUNG IN SÜDWESTDEUTSCHLAND

Nach dieser Skizze des Forschungsstandes soll im zweiten Teil die Keramikentwicklung in Südwestdeutschland dazu herangezogen werden, einige mögliche Faktoren der Entwicklung zu diskutieren. Einen groben Überblick über die Keramikentwicklung in der Region gibt die knappe und im Detail inzwischen ergänzungsbedürftige Darstellung bei Schreg 1997 sowie in einer groben Übersicht die **Abbildung 2**. Detaillierter hat Gross einige der Entwicklungsstränge beschrieben und dabei sehr genau die formalen Veränderungen der Keramik herausgearbeitet[81].

Vielfältiger Wandel

Knapp zusammengefasst beobachtet man eine steigende Bedeutung so genannter nachgedrehter Keramik zu Lasten der qualitativ hoch stehenden Älteren gelben Drehscheibenware (**Abb. 3**). Im Hochmittelalter finden sich in ganz Südwestdeutschland verschiedene, regional verbreitete nachgedrehte Waren[82]. Dabei handelt es sich um eine Gruppe von Keramik, die allenfalls auf einer langsam laufenden Drehscheibe, z. T. aber wohl auch tatsächlich in Wulst- und Plattentechnik hergestellt wurde. Charakteristische Herstellungs-

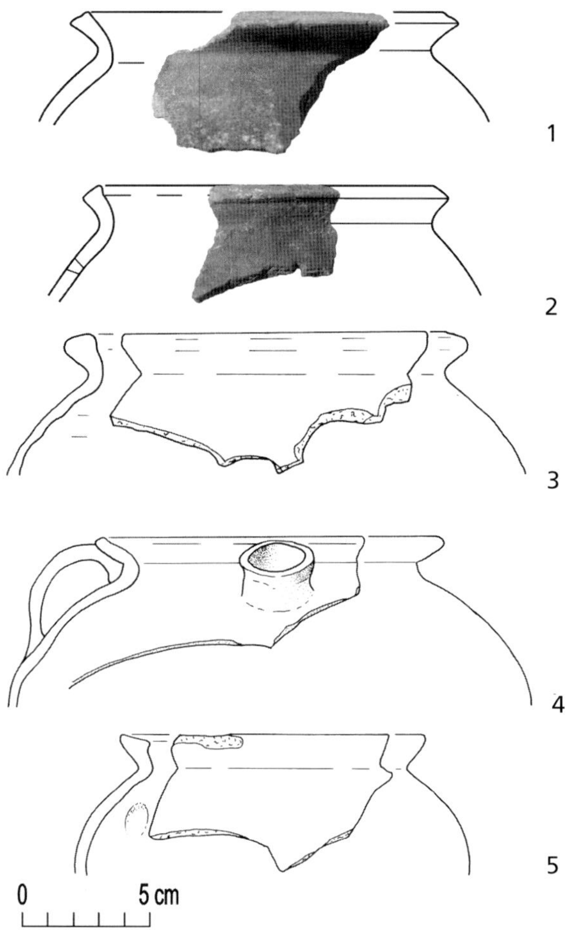

Abb. 3 Beispiele nachgedrehter Ware und Älterer gelber Drehscheibenware: **1-2** Merdingen (FR), Sammlung A. Kley; **3-5** Altdorf (BB), Töpferei Gartenstraße.

merkmale liegen mit Fingereindrücken im Randbereich und am Bodenknick vor. Die Ränder sind gegenüber der Wandung oft verdickt und scheinen angesetzt – besonders deutlich bei der so genannten Albware [83]. Im Unterschied zu den frühmittelalterlichen Drehscheibenwaren treten häufig Bodenzeichen auf. Bislang sind nur wenige Töpfereien bekannt, in denen nachgedrehte Keramik produziert wurde: in Münchenstein in der Nordschweiz [84] und in der Wüstung Wülfingen [85].

Bei allen regionalen Unterschieden, die sich vor allem in den formalen Kriterien wie der Randformen (ausgebogene, abgestrichene Ränder bzw. Kragleistenränder) oder der Bodenzeichen [86] innerhalb der nachgedrehten Waren fassen lassen, gibt es eine Reihe von Gemeinsamkeiten: Die Scherben sind zumeist relativ spröde und dünnwandig. Sehr häufig weisen die Gefäße der nachgedrehten Waren Gebrauchsspuren auf. Nach meinen empirischen Beobachtungen sind Kesselstein wie auch anhaftende organische Reste bei der nachgedrehten Keramik weit häufiger als bei der Älteren gelben Drehscheibenware [87]. Ausgesprochen häufig treten auch Reparaturlöcher auf. Der Formenbestand der nachgedrehten Waren ist sehr eingeschränkt. Es kommen im Wesentlichen nur noch einfache Töpfe vor. Eine ähnliche Tendenz ist freilich auch bei der Älteren gelben Drehscheibenware der Typen Runder Berg und Jagstfeld zu verzeichnen, die aber gelegentlich noch Becher, Henkeltöpfe und Flaschen kennt.

Deutlich treten uns die nachgedrehten Waren erst im 11. und 12. Jahrhundert mit der so genannten Albware und der feinsandig, glimmerhaltigen nachgedrehten Ware im Neckarland und auf der Schwäbischen Alb bzw. der quarzgemagerten nachgedrehten Ware am Oberrhein entgegen (Horizont VI/VII). Die Anfänge dieser nachgedrehten Keramik sind aufgrund der oben beschriebenen Seltenheit chronologischer Fixpunkte

nur grob zu fassen, zumal die Formen offenbar sehr langlebig sind. Die Entwicklung beginnt bereits in der jüngeren Merowingerzeit. Jüngere Typen der Älteren gelben Drehscheibenware können sich aber beispielsweise im Neckarland bis in das 12. Jahrhundert halten. Wenn der Forschungsstand nicht zu sehr täuscht, ist hier vor allem das 11. Jahrhundert eine Phase der Umstrukturierung. In dieser Zeit nehmen die Albware und die feinsandig glimmerhaltige Ware klarere Konturen an.
Allerdings scheint der mit dem Aufkommen der nachgedrehten Keramik verbundene Wandel nicht überall gleichzeitig erfolgt zu sein. Weiter im Osten, auf der östlichen Schwäbischen Alb sowie in Oberschwaben [88] bestimmen – ähnlich wie in Bayern [89] – handgemachte und nachgedrehte Waren schon seit dem Frühmittelalter das Bild. Bei Regensburg kann eine lokale Produktion rauwandiger Drehscheibenware nachgewiesen werden, die aber im 8. Jahrhundert vollständig durch rauwandig-sandige nachgedrehte Ware und die ebenfalls nachgedrehte Goldglimmerware abgelöst wird [90]. Im 7. Jahrhundert, und damit sehr früh, erscheint der Übergang auch am südlichen Oberrhein. Wenig später tritt er um 800 in der Nordschweiz auf. Hier wird die sandige Drehscheibenware wohl unter Einfluss vom Oberrhein durch »überdrehte Waren« ersetzt [91]. Im Neckarland und am nördlichen Oberrhein halten sich Drehscheibenwaren länger. Während Ausläufer der merowingerzeitlichen rauwandigen Drehscheibenware (braune, meist rillenverzierte rauwandige Drehscheibenware bzw. Typ Neuhausen) wohl noch bis ins 9. Jahrhundert genutzt wurden [92], wird die Ältere gelbe Drehscheibenware bis ins Hochmittelalter an verschiedenen Standorten produziert [93]. Dabei ist jedoch eine Verkleinerung der Verbreitungsgebiete zu beobachten (Horizont V-VII).
Parallel zu der steigenden Bedeutung der nachgedrehten Waren sind auch bei den weiterhin produzierten älteren Drehscheibenwaren markante Veränderungen zu beobachten. So reduziert sich das in der Merowingerzeit noch recht breite Formenspektrum seit der Karolingerzeit auf wenige Töpfe und Henkeltöpfe mit Ausguss [94]. Seit dem 9. Jahrhundert verschwinden auch die im frühen Mittelalter üblichen Verzierungen mit Rollstempeln, Riefen und – seltener – Rillen weitgehend. Erst im 11./12. Jahrhundert wird bei Gefäßen des Typs Jagstfeld wieder eine Verzierung mit geritzten einfachen Wellenlinien üblich. Nur die rotbemalte Elsässer Drehscheibenware bildet offenbar eine Ausnahme. Legt man unsere moderne Klassifikation und typologische Verknüpfungen zugrunde, so ist auch eine Verlagerung der Töpfertraditionen zu sehen: Die Tradition der Älteren gelben Drehscheibenware, die am Oberrhein beginnt, wird in den späteren Jahrhunderten vor allem in ihren östlichen Randgebieten gepflegt (Typ Runder Berg und Typ Jagstfeld).
Am Oberrhein, wo in den Frühphasen (Typen Roeschwoog und Kirchhausen) die Produktionsstätten lokalisiert waren (Horizont III-IV), entwickeln sich die Ältere graue Drehscheibenware sowie kleinräumig verbreitete Varianten der Älteren gelben Drehscheibenware (Typen Wiesloch und Wiligartaburg) (Horizont V/VI). Am nördlichen Oberrhein spielt die nachgedrehte Ware nur eine vergleichsweise geringe Rolle. Stattdessen sind hier kleinräumig verbreitete Drehscheibenwaren anzutreffen [95]. Allerdings lassen sich hier in der Glimmerware und den Kugeltopfformen zunehmende Einflüsse aus dem Norden erkennen. Gross konnte hier zeigen, dass von Ort zu Ort die Warenartspektren wohl in Abhängigkeit von den vor Ort relevanten Grundherrschaften [96] höchst unterschiedlich sind.
Am Ende des hier betrachteten Zeitraums steht erneut ein Wandel (Horizont VII zu VIII). Die nachgedrehten Waren werden durch die jüngeren Drehscheibenwaren abgelöst. Diese jüngeren Drehscheibenwaren umfassen in der Definition von Lobbedey sehr unterschiedliche Warenarten. In Südwestdeutschland sind das die jüngere graue Drehscheibenware, die rotbemalte schwäbische Feinware sowie die orange engobierte Drehscheibenware, die vor allem in Oberschwaben und am Bodensee anzutreffen ist. Teils ist eine Entwicklung aus den älteren Drehscheibenwaren zu erkennen. Im Fall der rotbemalten Schwäbischen Feinware zeigen sich Traditionen der älteren gelben, im Fall der jüngeren grauen Drehscheibenware am nördlichen Oberrhein solche aus der Älteren grauen Drehscheibenware. Teils ist aber auch eine Tradition aus den nachgedrehten Waren zu erkennen, und zwar sowohl aus der Albware [97], als auch aus der feinsandig glimmerhaltigen,

nachgedrehten Ware [98]. Für diese jüngeren Drehscheibenwaren sind nun auch wieder Töpfereistandorte nachzuweisen, die jedoch zunächst noch nicht als »städtisch« bezeichnet werden können [99].

Phasen des Wandels

Abbildung 2 verzeichnet neben den Laufzeiten der wichtigsten Warenarten auch einige der bisherigen relativchronologischen Gliederungen. Sie sind für die Zwecke dieser Übersicht nur grob miteinander, überwiegend auf Basis der vorgeschlagenen absolutchronologischen Ansätze, korreliert. Die grau hinterlegte Spalte mit den Horizonten I bis XII versucht die von Lobbedey erarbeiteten Horizonte für den südwestdeutschen Raum zu aktualisieren und auf eine längere Zeitspanne auszudehnen. Die Horizonte können über verschiedene Leitformen definiert werden. Ihre absolutchronologische Einordnung, wie sie **Abbildung 2** wiedergibt, kann nur eine grobe Orientierung darstellen, da mit regionalen Unterschieden zu rechnen ist.
Vor dem Hintergrund dieser Relativchronologie lassen sich grob drei Phasen unterscheiden, in denen ein Wandel der dominierenden Warenarten, der Herstellungstechniken und Verbreitungsgebiete festzustellen ist:
Phase 1 – die Phase der älteren Drehscheibenwaren,
Phase 2 – die Phase dominierender nachgedrehter Waren,
Phase 3 – die Phase der jüngeren Drehscheibenware.
Dabei ist zu vermerken, dass Phase 1 nicht flächendeckend festzustellen ist, sondern in einigen Regionen die noch früheren rauwandigen Drehscheibenwaren direkt von nachgedrehter Keramik abgelöst werden.

Faktoren des Wandels

Da – insbesondere bei der zunehmenden Bedeutung der nachgedrehten Waren – absolutchronologisch starke regionale Unterschiede auszumachen sind, ist von einer langen Dauer des Wandels auszugehen. Deshalb muss man einerseits annehmen, dass langfristige Faktoren hier eine wichtigere Rolle als kurzfristige Ereignisse spielen könnten, aber auch, dass sich im Lauf der Jahrhunderte die Faktoren selbst verändert haben. Der regional zu beobachtende direkte Übergang von rauwandiger Drehscheibenware zu nachgedrehten Waren – also der regionale Ausfall der Phase 2 – ist ein Indiz, dass räumlich unterschiedlich wirkende Faktoren eine wichtige Rolle spielten. **Abbildung 4** präsentiert ein Modell, das einen möglichen Rahmen für die Entwicklung der Keramik im frühen und hohen Mittelalter bietet. Es versucht, diese Entwicklung als einen komplexen Prozess zu verstehen, an dem gesellschaftliche, soziale wie ökologische Faktoren beteiligt sind. Das Schema interpretiert das Aufkommen der nachgedrehten Waren als Folge einer Regionalisierung der Keramikproduktion, die sich aus veränderten gesellschaftlichen und ökologischen Rahmenbedingungen ergab. Einerseits ist schon länger bekannt, dass Organisationsformen wie die Grundherrschaft kein festgefügtes System darstellten, sondern regional und in der Zeit sehr variabel waren. In Südwestdeutschland konnte Werner Rösener für die Grundherrschaft des Klosters Weißenburg – die man mit der Produktion und Distribution der Älteren gelben Drehscheibenware in Verbindung gebracht hat – solche Veränderungen aufzeigen [100]. Möglicherweise durch die Ungarneinfälle geriet das Kloster am Ende des 9. Jahrhunderts in eine Krise, die dazu führte, dass zeitweise Höfe leer standen und es zur Reduktion der Meierhöfe kam. Über diese wirtschaftlichen Konsequenzen erfahren wir nur wenig, da die schriftlichen Quellen vor allem Besitz und ein Abgabe-Soll verzeichnen. Sie lassen damit die wirtschaftlichen Beziehungen sehr einseitig erscheinen. Die Korrelation qualitativ hochwertiger Drehscheibenwaren mit den Einzugsgebieten der Klöster lässt

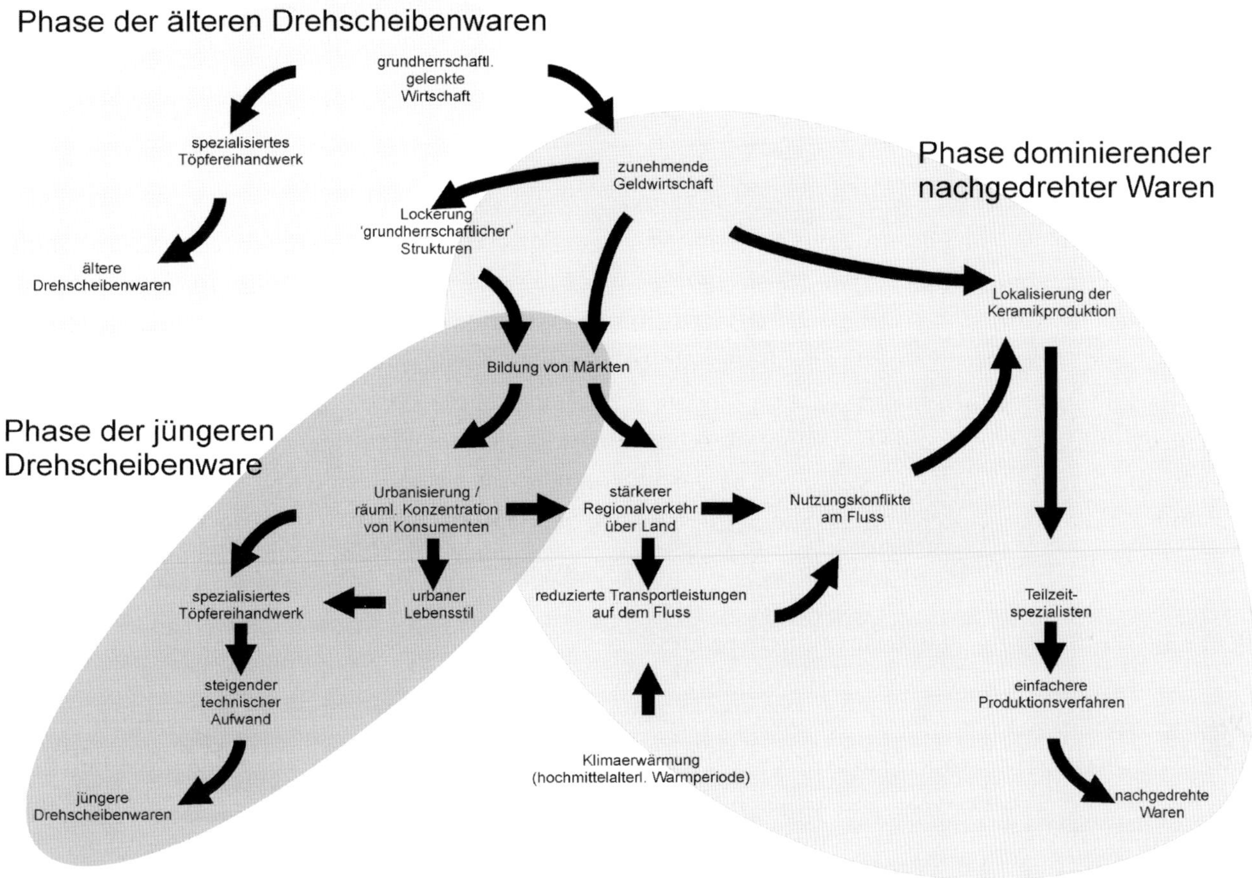

Abb. 4 Potentielles Faktorengefüge der Keramikentwicklung im frühen und hohen Mittelalter Südwestdeutschlands.

aber darauf schließen, dass ein erheblicher Teil des Keramikbedarfs im Frühmittelalter aus den grundherrschaftlichen Zentren bezogen wurde (**Abb. 5**). Da aber das Warenartspektrum in den einzelnen Regionen meist beschränkt ist und nur selten, wie beispielsweise am unteren Neckar, mehrere konkurrierende Waren auftreten, ist anzunehmen, dass auch solche Konsumenten die Chance hatten, Keramik zu erwerben, die nicht unmittelbar zur Grundherrschaft gehörten. Die Verfügungsgewalt über Töpfer ist anders als bei metallverarbeitenden Handwerken an sich kein Instrument der Macht. Denkbar wäre aber durchaus, dass die zentrale Bereitstellung von Wirtschafts- und Haushaltsgütern ein Instrument war, durch Arbeitsteilung die Bauern von nicht-agrarischen Tätigkeiten freizustellen und eine Grundausstattung der abhängigen Höfe zu gewährleisten [101]. Spätestens mit der intensiveren Geldwirtschaft des 11./12. Jahrhunderts und der Ablösung der Abgaben und Frondienste durch Zahlungen dürften einzelne Grundherren diese Leistungen reduziert haben. Theoretisch hätten sich die Bauern ihre Keramik nun vielleicht von den grundherrschaftlichen Handwerkern kaufen können. Weil diesbezüglich offenbar keine Bannrechte bestanden, dürfte eine Produktion in Eigenregie günstiger gewesen sein. Da die lokale Töpferei aber allenfalls von Teilzeitspezialisten neben der Landwirtschaft durchgeführt werden konnte, war eine einfachere Produktion angemessen. Zugleich konnten Gefäße nicht sofort, sondern nur während der Töpfersaison im Sommer ersetzt werden und wurden deswegen häufig repariert. Möglicherweise ergibt sich aus diesem Kontext auch ein Erklärungsmodell der an nachgedrehter Keramik häufigen Bodenzeichen (**Abb. 6**) [102]. Sie könnten dem nur auf Bestellung arbeitenden – wahrscheinlich des Lesens und Schreibens unkundigen – Töpfer als Markierung einzelner Bestellmargen innerhalb einer Ofenfüllung gedient haben. Die Keramikentwicklung wäre also

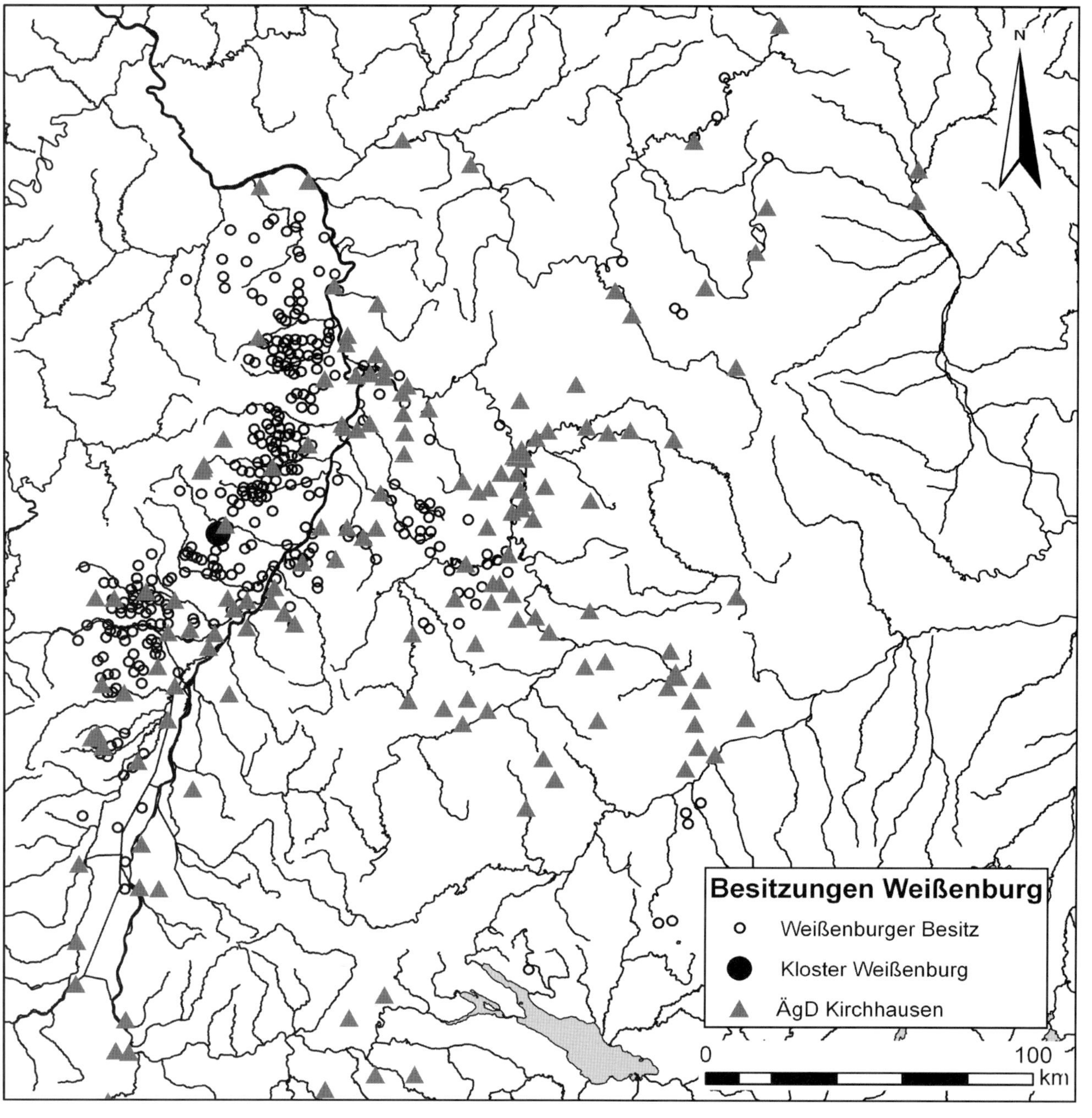

Abb. 5 Vergleichende Kartierung der Besitzverteilung des Klosters Weißenburg (nach Hist. Atlas Baden-Württemberg VIII,2 und LAGIS Hessen Karte 9, Besitzkarte frühkarolingischer Klöster [1961]) sowie der Älteren gelben Drehscheibenware Typ Kirchhausen (nach Gross 1991 mit Ergänzungen). – (Graphik Verfasser).

nicht unmittelbar mit der Entwicklung und dem Niedergang der ›Grundherrschaft‹ verbunden zu sehen, sondern vielmehr mit deren unterschiedlicher Rolle bei der Produktion und Redistribution von Alltagsgütern [103]. Möglicherweise kommt hier aber auch ein weiterer Faktor ins Spiel, der bislang von der Forschung nicht thematisiert worden ist, nämlich die sich verschlechternden Bedingungen des Transports über größere Distanzen. Wie zahlreiche Verbreitungskarten zeigen, wurde Keramik bevorzugt über Wasser transportiert. Seit der Karolingerzeit, als man noch in die Sicherung und den Ausbau der Wasserwege investiert hatte, nahm deren Bedeutung aus den unterschiedlichsten Gründen ab. Diese konnten zunehmende Nutzungs-

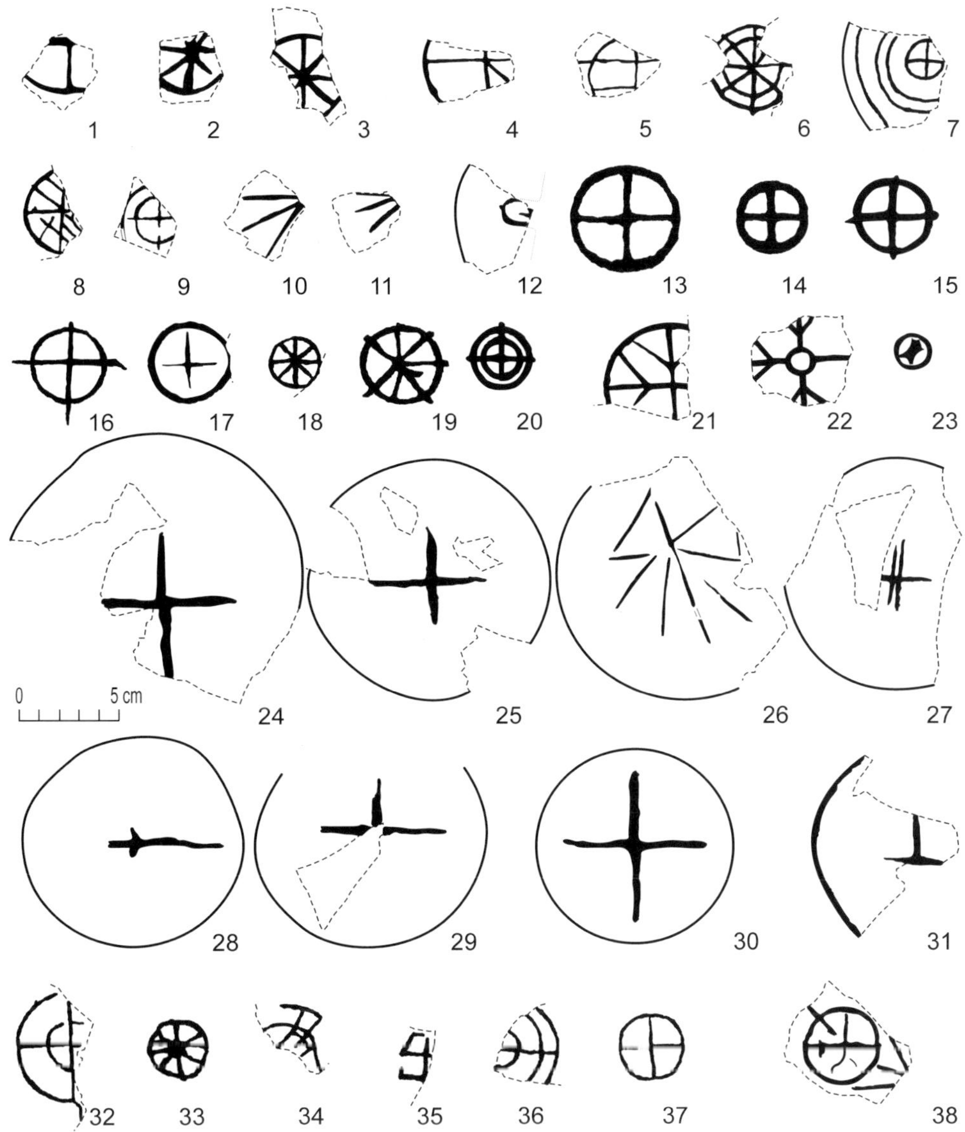

Abb. 6 Bodenzeichen aus Keramikkomplexen Südwestdeutschlands; vgl. Anm. 102.

konkurrenz von Müllern, Fischern und Transporteuren um die Flussläufe, aber auch sinkende Niederschläge während der mittelalterlichen Warmzeit [104] sein. Am Beispiel der Keramik aus dem Kanton Schaffhausen hat Kurt Zubler auf die veränderten Handelsstrukturen im Bezug zum Rhein hingewiesen [105]: Orientierten sich im Frühmittelalter die Keramikimporte am Rhein, so ist für die späteren Jahrhunderte eine rückläufige Bedeutung für den Keramikhandel anzunehmen – im Unterschied zur nach wie vor hohen Bedeutung des Rheins, wie allein schon die Entstehung der Stadt Schaffhausen zeigt.

Mit der Ausbildung der städtischen Zentren entstanden Verbrauchergemeinschaften, denen eine Selbstversorgung mit Keramik nicht mehr möglich war, da der Zugang zu den nötigen Ressourcen sehr viel eher beschränkt war, als in einer bäuerlichen Gemeinschaft. Damit entstand zunehmend ein Markt, der von den alten herrschaftlichen Töpfereien ebenso wie von den ländlichen Töpfereien bedient werden konnte. Im 12./13. Jahrhundert entsteht daraus die jüngere graue Drehscheibenware (Phase 4) [106]. Bemerkenswert an diesem Prozess ist die Entstehung einer neuen Vielfalt des Gefäßformenspektrums einerseits und der Ausbildung sehr weiträumiger Standardformen, die auf eine intensive Kommunikation und Mobilität zwischen den Städten schließen, aber auch einen neuen »urbanen Lebensstil« erkennen lassen. Keramik wird hier zum Ausdruck des Habitus und spiegelt neuartige soziale Faktoren und Prozesse wider, die mit dem Begriff des »sinkenden Kulturgutes« wohl nur ungenügend erfasst sind.

FAZIT

Um Keramikfunde als Quelle für die Produktion und den Alltag zu nutzen, ist es notwendig, sie in einen größeren Kontext zu stellen. Die Komplexität menschlicher Gesellschaften, historischer Zusammenhänge und Umweltfaktoren bringt für die Archäologie die Herausforderung mit sich, genau zu prüfen, welche Schlüsse sich aus den Funden tatsächlich ziehen lassen. Mehr als bisher ist es dazu notwendig, Hypothesen zu formulieren, auf deren Grundlage das Für und Wider einzelner Faktoren abgewogen werden kann. Die hier gegebene Skizze der Keramikentwicklung ist in diesem Sinne als Hypothese zu verstehen. Sie kann bisher nicht in allen Punkten verifiziert werden. Sie ist aber in der Lage, die bekannten Phänomene ausreichend zu erklären. Gleichwohl werden dabei einige Themenfelder deutlich, die weiteren Klärungsbedarf haben. Das betrifft – selbstverständlich – zunächst die Chronologie und zwar insbesondere die Frühphase der nachgedrehten Waren, aber auch die Relation der unterschiedlichen handwerklichen Traditionen. Entsteht die nachgedrehte Keramik in einem anderen sozialen Umfeld als die Ältere gelbe Drehscheibenware, wie es das hier skizzierte Modell postuliert? Die sozialen Aspekte von Keramik, die man nicht auf die Differenzierung von Bevölkerungsschichten reduzieren darf, wurden freilich im skizzierten Modell weitgehend ausgeklammert.

Deutlich wird, dass unterschiedliche Perspektiven auf Alltag und Produktion gefragt sind, die die Zusammenhänge zwischen den politischen, sozialen wie ökologischen Faktoren genauer analysieren. Die Beiträge des Mainzer Kolloquiums zeigen zudem, dass man mit starken regionalen Unterschieden zu rechnen hat, deren genaue Analyse und Vergleich jedoch dazu beitragen kann, die historischen Prozesse und gegebenenfalls auch die konkreten Akteure – seien es Wikinger, Ungarn, die örtlichen Herrschaften oder die lokalen, überwiegend bäuerlichen Gesellschaften – zu benennen.

Anmerkungen

1) Koenen 1887.
2) Schirmer 1939.
3) Hübener 1950/51; Hübener 1959.
4) Stamm 1962.
5) Hinz 1965.
6) Böhner u.a. 1950.
7) In der Schweiz und in Bayern blieb hingegen die formal-typologische Bearbeitung lange Zeit üblich. – Vgl. Meyer 1989; Dannheimer 1973; Wintergerst 2003a.
8) Lobbedey 1968.
9) Vgl. die Beiträge Saal S. 179ff. u. Grunwald S. 143ff.
10) Fehring u.a. 1995. – Schäfer/Gross 1983.
11) z.B. Meyer 1989.
12) Kaschau 1976.
13) Bizer/Götz 1989.
14) Janssen 1978. – Schulze 1981. – Zubler 2000. – Heege 1997. – Vgl. Beitrag Weiler-Rahnfeld S. 225ff.
15) Lommerzheim 1988. – Dickmans 1992. – Nack 1989.
16) Eiden 1976. – Wegner 1990. – Redknap 1999. – Vgl. Beitrag Grunwald S. 143ff.
17) Mehrere Beiträge bei Heege 2007. – Vgl. Beitrag Müssemeier/Schneider S. 191ff.
18) Vgl. Beitrag Marti S. 21ff.
19) Vgl. Beitrag Rünger S. 231ff.
20) Gildhoff 1992. – Gross 2009. – Vgl. Beitrag Ade/Dumitrache S. 41ff.
21) Friedrich 1994.
22) Stilke 2003.
23) Vgl. Beitrag Obst S. 97ff.
24) Zubler 2000. – Vgl. Beitrag Zubler S. 27ff.

25) Marti 2000. – Vgl. Beitrag Marti S. 21 ff.
26) Châtelet 2002.
27) Schreg 2006, 330 f. – Vgl. Beitrag Koziol S. 55 ff.
28) Vgl. Beitrag Haasis-Berner/Schoenenberg S. 49 ff.
29) Vgl. Beitrag Ade/Dumitrache S. 41 ff.
30) Scholkmann 1978a. – Scholkmann 1978b. – Schäfer/Gross 1983.
31) Gross 1991a. – Vgl. Beitrag Gross S. 63 ff.
32) Heege 1995. – Friedrich/Nobis 1998.
33) Châtelet 2002.
34) Vgl. hier S. 10.
35) Bücker 2007.
36) Schallmayer/Gross 1983. – Schneid 1988.
37) Wintergerst 2002.
38) z. B. Schenk 1998. – Vgl. die Beiträge Pantermehl S. 77 ff., Knöchlein S. 127 ff. und Barz S. 91 ff.
39) Martini 2002.
40) Eine Bearbeitung der Altgrabung von Neuwied-Gladbach wird durch den Autor und L. Grunwald vorbereitet. Als Teil der geplanten Publikation liegen Manuskripte von Walter Sage und Kurt Böhner vor.
41) Fremersdorf 1932.
42) Janssen 1987. – Redknap 1999. – Sanke 2001. – Sanke 2002.
43) Friedrich/Nobis 1998. Vgl. die Beiträge Keller S. 209 ff. und Müssemeier/Schneider S. 191 ff.
44) Vgl. Mathias/Schotten 2002. – Vgl. dazu Beitrag Hanauska S. 105 ff.; Sonnemann S. 121 ff.
45) Vgl. Beitrag Pantermehl S. 77 ff.
46) Lüdtke/Schietzel 2001. – Schreg 1997.
47) Das seit 1968 durchgeführte Internationale Symposium Keramikforschung (ehemals Hafnerei-Symposium) hat sich von seinen eher volkskundlich-/ethnographischen Anfängen zunehmend der Archäologie und früheren Epochen des Mittelalters geöffnet. Thematisch orientierter arbeitende, regionale Arbeitskreise konnten sich bislang leider nicht etablieren (Landesdenkmalamt Baden-Württemberg 1997).
48) Fehring 2000, 37 f.
49) Janssen 1995, 7.
50) Ebenda 30.
51) Vgl. Schreg 2010a.
52) van der Leeuw 1980. – Heege 2007.
53) Hübener 1950/51.
54) Ebenda.
55) Gross 1999/2000.
56) z. B. Hernö 2010, 172 f.
57) Koch 1973.
58) Châtelet 2002, Abb. 150. – Gross 1991a, Abb. 76-81.
59) Frechen 1958. – Janssen/de Paepe 1976.
60) Châtelet u. a. 2005. – Schneider 2000. – Helfert u. a. 2011. – Vgl. Beitrag Xu/Hofmeister S. 161 ff.
61) Mildenberger 1951. – Lüdtke 2001, 101 ff.
62) Gross 1991a, 21 f. – Vgl. hier S. 7 ff.
63) Studien aus der Historical Archaeology zeigen, dass die üblichen ethnischen Interpretationen zu kurz greifen und einer Erkenntnis der komplexen Prozesse von Identitäten und deren materiellem Niederschlag eher hinderlich sind. – Vgl. z. B. als Fallstudie: Schreg 2010b.
64) Vgl. aber z. B.: Gross 1990. – Gross 1991b, 149 f. – Châtelet 2002, 200.
65) Böhner 1955/56.
66) Ebenda 373 ff.
67) Gross 1987. – Gross 2004. – Châtelet 2002, 185 ff. – Marti 2000, 262. – Vgl. Beitrag Gross S. 63 ff.
68) Vgl. Müller 2006.
69) z. B. Bentz 2002. – Démians d'Archimbaud 1980.
70) Genannt sei: Heege 1997, 104-109. Über die chronologische Differenzierung diente Keramik indes mehrfach zur Darstellung von Siedlungsverlagerungen. – Vgl. Schenk 1998.
71) Grabungen in einem Haus der Wüstung Würzbach zeigen anhand des Zerscherbungsgrades der Keramik Bereiche stärkerer Begehungen: Schreg 2009.
72) Leterme 2008.
73) Heege 2007.
74) Stephan 1988.
75) Mämpel 1996.
76) Tauber 1980.
77) z. B. Losert 1993.
78) z. B. Wintergerst 2003b, 449.
79) Dazu Finke 2008.
80) Elias 1994.
81) Gross 2008. – Vgl. auch Beitrag Gross S. 63 ff.
82) Die unpublizierte Arbeit Gildhoff 1998 konnte nicht eingesehen werden.
83) Schreg 2006. – Gross 1991a.
84) Marti 2000, 264. – Vgl. Beitrag Marti S. 21 ff.
85) Schulze 1976/77, 191.
86) Dazu Gross 1991a, 138 f.
87) Derzeit kann allerdings wohl nicht ausgeschlossen werden, dass dies damit zusammenhängt, dass die nachgedrehte Keramik vorsichtiger gewaschen wird, während die härter gebrannte, helle gelbe Drehscheibenware zu stärkerem Schrubben animiert.
88) Leinthaler 2003.
89) Wintergerst 2005.
90) Wintergerst 2003b.
91) Marti 2000, 263.
92) Schreg 2006, 121 ff. – Gross 2008.
93) Schreg/Meyerdirks 2002.
94) Das Ende der Beigabensitte reduziert freilich auch die Überlieferungschancen für zahlreiche Formen wie Flaschen, Becher, Tüllenkannen mit T-Rand, die auch in merowingerzeitlichen Siedlungskomplexen deutlich seltener auftreten als unter den Grabbeigaben.
95) Vgl. die Beiträge Pantermehl S. 77 ff. und Knöchlein S. 127 ff.
96) Gross 1991a, 157.
97) Bizer 2006, 38 ff.
98) Bräuning u. a. 2009, 78.
99) Vgl. Gross 1999.
100) Rösener 1991, 83 ff.
101) Vgl. Beitrag Mittendorff S. 239 ff. mit der Unterscheidung zwischen institutionellem und kommerziellem Handel.
102) Nachweise zu **Abb. 6**: 1-12 Unterregenbach Grabung Frankenbauer (Lobbedey 1972, Beil. 61. 69). – 13-23 Forchtenberg, Wüstung Wülfingen (Schulze 1981). – 24 Renningen Neuwiesenäcker (Schreg 2006, 27, 9). – 25 Renningen, Schwanenstr. 1 (Schreg 2006, Taf. 58, 6). – 26 Ulm, Grüner Hof (Bräuning u. a. 2007, Abb. 24, 22). – 27. 38 Urspring (Gde. Lonsee), Breiter Weg (Maier 1994). – 28-32 Hirsau (Stadt Calw), St. Peter und Paul (Gross 1991c). – 32-37 Ulm, Stadtgraben (Bräuning/Schreg 1998).
103) Dementsprechend ist nicht in allen Regionen eine enge Korrelation zwischen Keramikverbreitung und Grundherrschaften zu erwarten. – Vgl. Beitrag Hanauska S. 105 ff.
104) Schreg 2003.
105) Vgl. Beitrag Zubler S. 27 ff.
106) Vgl. Klápště 1998.

Literatur

Bentz 2002: E. Bentz, Building function, social space and reconstruction of daily life: a South Scandinavian case study. In: J. Klápště (Hrsg.), The rural house from the migration period to the oldest still standing buildings. Ruralia IV, 8.-13. September 2001, Bad Bederkesa, Lower Saxony, Germany. Památky Arch. Suppl. 15 (Prague 2002) 3-12.

Bizer 2006: C. Bizer, Oberflächenfunde von Burgen der Schwäbischen Alb ein Beitrag zur Keramik- und Burgenforschung. Forsch. u. Ber. Arch. Mittelalter Baden-Württemberg 26 (Stuttgart 2006).

Bizer/Götz 1989: C. Bizer / R. Götz, Vergessene Burgen der Schwäbischen Alb (Stuttgart 1989).

Böhner 1955/56: K. Böhner, Frühmittelalterliche Töpferöfen in Walberberg und Pingsdorf. Bonner Jahrb. 155/156, 1955/56, 372-385.

Böhner u.a. 1950: K. Böhner / P. Zholen / R. v. Uslar, Ausgrabungen in den Kirchen von Breberen und Doveren (Regierungsbezirk Aachen). Bonner Jahrb. 150, 1950, 192-228.

Bräuning/Schreg 1998: A. Bräuning / R. Schreg, Die Keramikfunde – ein Exkurs. In: A. Bräuning, Um Ulm herum. Untersuchungen zu mittelalterlichen Befestigungsanlagen in Ulm. Forsch. u. Ber. Arch. Mittelalter Baden-Württemberg 23 (Stuttgart 1998) 67-79.

Bräuning u.a. 2007: A. Bräuning / R. Schreg / D. Brenner, Archäologische Ausgrabungen auf dem »Grünen Hof« in Ulm. Ein Vorbericht zu den Grabungen 1998/99 und 2001. Ulm u. Oberschwaben 53/54, 2007, 29-86.

2009: A. Bräuning / U. Schmidt / R. Schreg, Ulm. Arch. Stadtkataster Baden-Württemberg 35 (Esslingen 2009).

Bücker 2007: Ch. Bücker, Der Breisacher Münsterberg. Ein Zentralort im frühen Mittelalter. Freiburger Beitr. Arch. u. Gesch. 11 (Rahden/Westf. 2007).

Châtelet 2002: M. Châtelet, La céramique du Haut Moyen Âge du sud de la vallée du Rhin supérieure (Alsace et Pays de Bade). Typologie, chronologie, technologie, économie et culture. Europe Médiévale 5 (Montagnac 2002).

Châtelet u.a. 2005: M. Châtelet / M. Picon / G. Thierrin-Michael u.a., Une centralisation des ateliers de céramiques au VIIe siècle? Bilan d'un programme d'analyses sur la production de la céramique en Alsace et en Pays de Bade pendent la période du Haut Moyen Âge. Arch. Méd. (Paris) 35, 2005, 11-38.

Dannheimer 1973: H. Dannheimer, Keramik des Mittelalters aus Bayern. Beitr. Volkstumsforsch. 21 (Kallmünz/Opf. 1973).

Démians d'Archimbaud 1980: G. Démians d'Archimbaud, Rougiers: village médiéval de Provence; approches archéologiques d'une société rurale méditerranéenne (Lille 1980).

Dickmans 1992: F. Dickmans, Die Wüstung Zimmern auf der Gemarkung Stebbach, Gemeinde Gemmingen. Keramik und Siedlungsstruktur im südwestdeutschen Vergleich [Diss. Univ. Freiburg i. Br. 1992].

Eiden 1976: H. Eiden, Frühmittelalterliche Töpferöfen in Mayen. In: Ausgrabungen an Mittelrhein und Mosel 1963-1976. Trierer Zeitschr. Beih. 6 (Trier 1976) 293-310.

Elias 1994: N. Elias, Über den Prozess der Zivilisation. Soziogenetische und psychogenetische Untersuchungen. Suhrkamp-Taschenbuch Wissenschaft 158-159 (Frankfurt a.M. [18]1994).

Fehring 2000: G. P. Fehring, Die Archäologie des Mittelalters. Eine Einführung (Stuttgart [3]2000).

Fehring u.a. 1995: G. P. Fehring / B. Scholkmann / P. R. Anstett (Hrsg.), Die Stadtkirche St. Dionysius in Esslingen a. N. Archäologie und Baugeschichte. Forsch. u. Ber. Arch. Mittelalter Baden-Württemberg 13 (Stuttgart 1995).

Finke 2008: P. Finke, Kulturökologie. In: A. Nünning / V. Nünning (Hrsg.), Einführung in die Kulturwissenschaften. Theoretische Grundlagen – Ansätze – Perspektiven (Stuttgart 2008) 248-279.

Frechen 1958: J. Frechen, Die Petrographische Untersuchung der Keramik und ihre Ergebnisse. In: K. Böhner (Hrsg.), Die fränkischen Altertümer des Trierer Landes. Germ. Denkmäler Völkerwanderungszeit B 1 (Berlin 1958) 63-68.

Fremersdorf 1932: F. Fremersdorf, Badorf. Germania 16, 1932, 231.

Friedrich 1994: R. Friedrich, Die frühen Perioden der Motte Husterknupp. Neue Untersuchungen zur Keramik. Château Gaillard 16, 1994, 207-213.

Friedrich/Nobis 1998: R. Friedrich / G. Nobis, Mittelalterliche Keramik aus rheinischen Motten. Funde aus den Regierungsbezirken Köln und Düsseldorf. Rhein. Ausgr. 44 (Köln, Bonn 1998).

Gildhoff 1992: C. Gildhoff, Archäologische Untersuchungen zur Frühgeschichte der Stadt Rottweil. Arch. Ausgr. Baden-Württemberg 1992, 314-320.

1998: C. Gildhoff, Studien zur Herstellung und Verbreitung nachgedrehter Keramik des frühen und hohen Mittelalters in Südwestdeutschland. Dargestellt am Beispiel der Siedlungskeramik von Stetten an der Donau (Freiburg i. Br. 1998).

Gross 1987: U. Gross, Beobachtungen zur Verbreitung frühmittelalterlicher Keramikgruppen in Südwestdeutschland. Arch. Inf. 10/1, 1987, 194-202.

1990: U. Gross, Slavische und slavisch beeinflußte Funde zwischen Altmühl und Oberrhein. Die Welt der Slawen. Halbjahresschr. Slavistik 35, 1990, 318-333.

1991a: U. Gross, Mittelalterliche Keramik zwischen Neckarmündung und Schwäbischer Alb. Bemerkungen zur räumlichen Entwicklung und zeitlichen Gliederung. Forsch. u. Ber. Arch. Mittelalter Baden-Württemberg 12 (Stuttgart 1991).

1991b: U. Gross, Zwei keramische »Fremdlinge« der Reihengräberzeit aus dem südlichen Baden. Arch. Nachr. Baden 46, 1991, 17-21.

1991: U. Gross, Die Keramik-, Bein- und Metallfunde in dem gemauerten Schacht bei St. Peter und Paul. In: Hirsau St. Peter und Paul 1091-1991. Zur Archäologie und Kunstgeschichte. Forsch. u. Ber. Arch. Mittelalter Baden-Württemberg 10, 1 (Stuttgart 1991) 139-178.

1999/2000: U. Gross, Schwäbische Importe im hochmittelalterlichen Regensburg. Funde der Älteren, gelbtonigen Drehscheibenware aus der Engelburgergasse und dem Scheugässchen. Denkmalpfl. Regensburg 1999/2000, 87-90.

1999: U. Gross, Töpferei des Hoch- und Spätmittelalters im städtischen Umfeld. In: R. Röber (Hrsg.), Von Schmieden, Würflern und Schreinern. Städtisches Handwerk im Mittelalter. ALManach 4 (Stuttgart 1999) 111-127.

2004: U. Gross, Keramikverbreitung im 8. Jahrhundert als Hinweis auf Handel und Gliederung des politischen Raumes. In: H.

U. Nuber / H. Steuer / L. Zotz u. a. (Hrsg.), Der Südwesten im 8. Jahrhundert aus historischer und archäologischer Sicht. Archäologie und Geschichte (Stuttgart 2004) 257-274.

2008: U. Gross, Transitionen – Übergangsphänomene bei südwestdeutschen Keramikgruppen des frühen und hohen Mittelalters. In: Stratigraphie und Gefüge. Beiträge zur Archäologie des Mittelalters und der Neuzeit und zur historischen Bauforschung; Festschr. H. Schäfer. Forsch. u. Ber. Arch. Mittelalter Baden-Württemberg 28 (Stuttgart 2008) 139-150.

2009: U. Gross, Drehscheibenware des frühen und hohen Mittelalters in Ulm. In: U. Gross / A. Kottmann / J. Scheschkewitz (Hrsg.), Frühe Städte – Frühe Pfalzen. Neue Forschungen zu zentralen Orten des Früh- und Hochmittelalters in Süddeutschland und der Nordschweiz. Arch. Inf. Baden-Württemberg 58 (Stuttgart 2009) 51-58.

Heege 1995: A. Heege, Die Keramik des frühen und hohen Mittelalters aus dem Rheinland. Stand der Forschung; Typologie, Chronologie, Warenarten. Arch. Ber. 5 (Bonn 1995).

1997: A. Heege, Hambach 500: Villa rustica und früh- bis hochmittelalterliche Siedlung Wüstweiler (Gemeinde Niederzier), Kreis Düren. Rhein. Ausgr. 41 (Köln, Bonn 1997).

2007: A. Heege (Hrsg.), Töpferöfen – Pottery kilns – Fours de potiers. Die Erforschung frühmittelalterlicher bis neuzeitlicher Töpferöfen (6.-20. Jh.) in Belgien, den Niederlanden, Deutschland, Österreich und der Schweiz. Basler H. Arch. 4 (Basel 2007).

Helfert u. a. 2011: M. Helfert / O. Mecking / F. Lang u. a., Neue Perspektiven für die Keramikanalytik. Zur Evaluation der portablen energiedispersiven Röntgenfluoreszenzanalyse (P-ED-RFA) als neues Verfahren für die geochemische Analyse von Keramik in der Archäologie. Frankfurter Elektronische Rundschau Altkde. 14, 2011, 1-30.

Hernö 2010: A. Hernö, Studien zu frühmittelalterlichen Gräberfeldern im westlichen Westfalen (Bocholt-Lankern, Wulfen-Deuten, Dorsten-Lembeck) (Münster 2010).

Hinz 1965: H. Hinz, Die karolingische Keramik in Mitteleuropa. In: W. Braunfels / H. Schnitzler (Hrsg.), Karl der Grosse. Lebenswerk und Nachleben. III. Karolingische Kunst (Düsseldorf [1]1965) 262-287.

Hübener 1950/51: W. Hübener, Zur Ausbreitung einiger fränkischer Keramikgruppen nach Nord- und Mitteleuropa im 9.-12. Jahrhundert. Arch. Geogr. 1, 1950/51, 105-111.

1951: W. Hübener, Zur Ausbreitung einiger fränkischer Keramikgruppen nach Nord- und Mitteleuropa im 9.-12. Jahrhundert. Arch. Geogr. 2, 1951, 105-111.

1959: W. Hübener, Die Keramik von Haithabu. Ausgr. Haithabu 2 (Neumünster 1959).

Janssen 1978: W. Janssen, Ausschnitte aus einer fränkischen Siedlung in Köln-Porz. Bonner Jahrb. 178, 1978, 427-478.

1987: W. Janssen, Die Importkeramik von Haithabu. Ausgr. Haithabu 9 (Neumünster 1987).

1995: W. Janssen, Der Windsheimer Spitalfund aus der Zeit um 1500. Ein Dokument reichsstädtischer Kulturgeschichte des Reformationszeitalters. Wiss. Beib. Anzeiger Germ. Nationalmus. 11 (Nürnberg 1995).

Janssen/de Paepe 1976: H. L. Janssen / P. de Paepe, Petrological Examination of Medieval Pottery from South Limburg and the Rhineland. Ber. ROB 26, 1976, 217-225.

Kaschau 1976: B. Kaschau, Die Drehscheibenkeramik aus den Plangrabungen 1967-1972. Der Runde Berg bei Urach II (Sigmaringen 1976).

Klápště 1998: J. Klápště, Die Anfänge der jüngeren mittelalterlichen Keramik in Böhmen als kulturhistorisches Problem. Arch. Rozhledy 50, 1998, 138-156.

Koch 1973: R. Koch, Absatzgebiete merowingerzeitlicher Töpfereien des nördlichen Neckargebietes. Jahrb. Hist. Ver. Heilbronn 27, 1973, 31-43.

Koenen 1887: C. Koenen, Zur karolingischen Keramik. Westdt. Zeitschr. Gesch. u. Kunst IV/4, 1887, 354-366.

Landesdenkmalamt Baden-Württemberg u. a. 1997: Landesdenkmalamt Baden-Württemberg u. a., Mittelalterliche Keramik in Baden-Württemberg und den Schweizer Kantonen Basel-Stadt, Baselland und Schaffhausen. Fundstellen und Forschungsstand (Hertingen 1997).

Leinthaler 2003: B. Leinthaler, Eine ländliche Siedlung des frühen Mittelalters bei Schnaitheim, Lkr. Heidenheim. Materialh. Arch. Baden-Württemberg 70 (Stuttgart 2003).

Leterme 2008: C. Leterme, Töpferräder und Töpferscheiben: archäologische Befunde und zeitgenössische Abbildungen. In: W. Melzer (Hrsg.), Archäologie und mittelalterliches Handwerk. Eine Standortbestimmung. Soester Beitr. Arch. 9 (Soest 2008) 157-168.

Lobbedey 1968: U. Lobbedey, Untersuchungen mittelalterlicher Keramik vornehmlich aus Südwestdeutschland. Arbeiten Frühmittelalterforsch. 3 (Berlin 1968).

1972: U. Lobbedey, Keramik. In: G. P. Fehring (Hrsg.), Unterregenbach. Kirchen, Herrensitz, Siedlungsbereiche. Die Untersuchungen der Jahre 1960-1963 mit einem Vorbericht über die Grabungen der Jahre 1964-1968. Forsch. u. Ber. Arch. Mittelalter Baden-Württemberg 1 (Stuttgart 1972) 184-206.

Lommerzheim 1988: R. P. H. Lommerzheim, Die frühmittelalterlichen Siedlungen von Merdingen und Breisach-Hochstetten in Südbaden [Diss. Univ. Bonn 1988].

Losert 1993: H. Losert, Die früh- bis hochmittelalterliche Keramik in Oberfranken. Zeitschr. Arch. Mittelalter Beih. 8 (Köln 1993).

Lüdtke 2001: H. Lüdtke, Grauware des 12.-15. Jahrhunderts. In: H. Lüdtke / K. Schietzel (Hrsg.), Handbuch zur mittelalterlichen Keramik in Nordeuropa. Schr. Arch. Landesmus. Schleswig 6 (Neumünster 2001) 83-174.

Lüdtke/Schietzel 2001: H. Lüdtke / K. Schietzel (Hrsg.), Handbuch zur mittelalterlichen Keramik in Nordeuropa. Schr. Arch. Landesmus. Schleswig 6 (Neumünster 2001).

Mämpel 1996: U. Mämpel, Keramik und keramische Glasur. In: U. Lindgren (Hrsg.), Europäische Technik im Mittelalter 800-1400. Tradition und Innovation (Berlin 1996) 287-288.

Maier 1994: K. H. Maier, Eine mittelalterliche Siedlung auf Markung Urspring (Gemeinde Lonsee, Alb-Donau-Kreis). Materialh. Arch. Baden-Württemberg 23 (Stuttgart 1994).

Marti 2000: R. Marti, Zwischen Römerzeit und Mittelalter. Forschungen zur frühmittelalterlichen Siedlungsgeschichte der Nordwestschweiz (4.-10. Jahrhundert). Arch. u. Mus. 41 A/B (Liestal 2000).

Martini 2002: A. Martini, Die mittelalterliche Keramik aus Ingelheim am Rhein [Diss. Univ. Bamberg 2002].

Mathias/Schotten 2002: M. Mathias / J.-H. Schotten, Die mittelalterliche Keramik aus Holzheim. In: N. Wand (Hrsg.), Holzheim bei Fritzlar. Archäologie eines mittelalterlichen Dorfes. Kasseler Beitr. Vor- u. Frühgesch. 6 (Rahden/Westf. 2002) 157-244.

Meyer 1989: W. Meyer, Die Frohburg. Ausgrabungen 1973-1977. Schweizer Beitr. Kulturgesch. u. Arch. Mittelalter 16 (Olten 1989).

Mildenberger 1951: G. Mildenberger, Zur Herstellung der mittelalterlichen Kugeltöpfe. Germania 29, 1951, 63-66.

Müller 2006: U. Müller, Zwischen Gebrauch und Funktion. Studien zur Funktion von Sachkultur am Beispiel mittelalterlichen Handwaschgeschirrs (5./6. bis 15./16. Jahrhundert). Zeitschr. Arch. Mittelalter Beih. 20 (Bonn 2006).

Nack 1989: G. Nack, Versuch der Datierung einer früh- bis hochmittelalterlichen Siedlung anhand der Irdenware aus der Wüstung Sülchen bei Rottenburg am Neckar, Kreis Tübingen [unpubl. Magisterarbeit Univ. Freiburg i. Br. 1989].

Redknap 1999: M. Redknap, Die römischen und mittelalterlichen Töpfereien in Mayen. In: H.-H. Wegner (Hrsg.), Ber. Arch. Mittelrhein u. Mosel 6 (= Trierer Zeitschr. Beih. 24) (Trier, Koblenz 1999) 11-401.

Rösener 1991: W. Rösener, Grundherrschaft im Wandel. Untersuchungen zur Entwicklung geistlicher Grundherrschaften im südwestdeutschen Raum vom 9. bis 14. Jahrhundert. Veröff. MPI Gesch. 102 (Göttingen 1991).

Sanke 2001: M. Sanke, Gelbe Irdenware. In: H. Lüdtke / K. Schietzel (Hrsg.), Handbuch zur mittelalterlichen Keramik in Nordeuropa. Schr. Arch. Landesmus. Schleswig 6 (Neumünster 2001) 271-428.

2002: M. Sanke, Die mittelalterliche Keramikproduktion in Brühl-Pingsdorf. Technologie – Typologie – Chronologie. Rhein. Ausgr. 50 (Mainz 2002).

Schäfer/Gross 1983: H. Schäfer / U. Gross, Die ehemalige Peterskirche in Vaihingen/Enz. Forsch. u. Ber. Arch. Mittelalter Baden-Württemberg 8 (Tübingen 1983) 5-56.

Schallmayer/Gross 1983: E. Schallmayer / U. Gross, Die mittelalterlichen und neuzeitlichen Befunde und Funde der Grabungen auf dem Gelände des Domhofes in Ladenburg, Rhein-Neckar-Kreis, 1980 und 1981. Forsch. u. Ber. Arch. Mittelalter Baden-Württemberg 8 (Tübingen 1983) 79-138.

Schenk 1998: H. Schenk, Die Keramik der früh- bis hochmittelalterlichen Siedlung Speyer »Im Vogelsang«. Arch. Forsch. Pfalz 1 (Neustadt a. d. Weinstraße 1998).

Schirmer 1939: E. Schirmer, Die deutsche Irdenware des 11.-15. Jahrhunderts im engeren Mitteldeutschland. Irmin 1 (Jena 1939).

Schneid 1988: I. Schneid, Früh- und hochmittelalterliche Keramik aus Ladenburg a. N., Rhein-Neckar-Kreis. Das Material der Grabungen an der Realschulstraße und am Kellereiplatz (Würzburg 1988).

Schneider 2000: G. Schneider, Archäometrische Untersuchungen zur reduzierend gebrannten rauhwandigen Drehscheibenkeramik (Gruppen 5, 8, 9) vom Runden Berg. Fundber. Baden-Württemberg 24, 2000, 453-460.

Scholkmann 1978a: B. Scholkmann, Sindelfingen, obere Vorstadt. Eine Siedlung des hohen und späten Mittelalters. Forsch. u. Ber. Arch. Mittelalter Baden-Württemberg 3 (Stuttgart 1978).

1978b: B. Scholkmann, Zum Stand der Erforschung mittelalterlicher Keramik in Baden-Württemberg. Zeitschr. Arch. Mittelalter 6, 1978, 149-159.

Schreg 1997: R. Schreg, Keramik aus Südwestdeutschland. Eine Hilfe zur Beschreibung, Bestimmung und Datierung archäologischer Funde vom Neolithikum bis zur Neuzeit. Lehr- u. Arbeitsmat. Arch. Mittelalter u. Neuzeit (Tübingen 1997).

2003: R. Schreg, Struktureller Wandel des Verkehrs als Forschungsproblem der Archäologie. Die These vielfältiger Veränderungen im Verkehrswesen während der staufischen Zeit. Mitt. Dt. Ges. Arch. Mittelalter u. Neuzeit 14, 2003, 65-70.

2006: R. Schreg, Dorfgenese in Südwestdeutschland. Das Renninger Becken im Mittelalter. Materialh. Arch. Baden-Württemberg 76 (Stuttgart 2006).

2009: R. Schreg, Development and abandonment of a cultural landscape – archaeology and environmental history of medieval settlements in the northern Black Forest. In: J. Klápště / P. Sommer (Hrsg.), Medieval rural settlement in marginal landscapes. Ruralia 7 (Turnhout 2009) 315-333.

2010a: R. Schreg, Archäologie des Mittelalters und der Neuzeit: eine historische Kulturwissenschaft par excellence? In: M. Dreyer / J. Kusber / J. Rogge u. a. (Hrsg.), Historische Kulturwissenschaften. Positionen, Praktiken und Perspektiven. Mainzer Hist. Kulturwiss. 1 (Bielefeld 2010) 335-366.

2010b: R. Schreg, Panamanian coarse handmade earthenware as melting pots of African, American and European traditions? Post-Medieval Arch. 44/1, 2010, 135-164.

Schreg/Meyerdirks 2002: R. Schreg / U. Meyerdirks, Töpfereiabfälle der älteren gelben Drehscheibenware aus Altdorf, Kreis Böblingen. Arch. Ausgr. Baden-Württemberg 2002, 243-244.

Schulze 1976/77: M. Schulze, Die Wüstung Wülfingen am Kocher. Jahrb. RGZM 23/24, 1976/77, 154-211.

1981: M. Schulze, Die mittelalterliche Keramik der Wüstung Wülfingen am Kocher, Stadt Forchtenberg, Hohenlohekreis. Forsch. u. Ber. Arch. Mittelalter Baden-Württemberg 7 (Tübingen 1981) 4-148.

Stamm 1962: O. Stamm, Spätrömische und frühmittelalterliche Keramik der Altstadt Frankfurt a. M. Schr. Frankfurter Mus. Vor- u. Frühgesch. 1 (Frankfurt a. M. 1962).

Stephan 1988: H.-G. Stephan, Steinzeug und Irdenware: Diskussionsbeiträge zur Abgrenzung und Definition mittelalterlicher deutscher Steinzeuggruppen. In: D. R. M. Gaimster / M. Redknap / H.-H. Wegner (Hrsg.), Zur Keramik des Mittelalters und der frühen Neuzeit im Rheinland. BAR Internat. Ser. 440 (Oxford 1988) 81-117.

Stilke 2003: H. Stilke, Mittelalterliche keramische Münzschatzgefäße aus dem Rheinland. Führer Rhein. Landesmus. Bonn 143 (Köln 2003).

Tauber 1980: J. Tauber, Herd und Ofen im Mittelalter. Untersuchungen zur Kulturgeschichte an archäologischem Material vornehmlich der Nordschweiz (9.-14. Jahrhundert). Schweizer Beitr. Kulturgesch. u. Arch. Mittelalter 7 (Olten 1980).

van der Leeuw 1980: S. E. van der Leeuw, Keramikproduktion und Keramikhandel. Methodische Probleme ihrer Erforschung. In: Beiträge des Lübeck-Symposiums 1978 zur Geschichte und Sachkultur des Mittelalters und der Neuzeit. Lübecker Schr. Arch. u. Kulturgesch. 4 (Frankfurt a. M. 1980) 185-206.

Wegner 1990: H.-H. Wegner, Mittelalterliche Töpfereibetriebe in Mayen. Archäologische Untersuchungen »In den Burggärten«. Arch. Mittelrhein u. Mosel 4 (Koblenz 1990).

Wintergerst 2002: M. Wintergerst, Hoch- und spätmittelalterliche Keramik aus der Altstadt Frankfurt am Main. Schr. Arch. Mus. Frankfurt 18 (Frankfurt a. M. 2002).

Wintergerst 2003a: E. Wintergerst, Bemerkungen zur Keramik und den Kleinfunden des Mittelalters und der frühen Neuzeit aus Sandau. In: H. Dannheimer / R. Gebhard (Hrsg.), Sandau. Archäologie im Areal eines altbaierischen Klosters des frühen Mittelalters. Münchner Beitr. Vor- u. Frühgesch. 55 (München 2003) 259-317.

2003b: E. Wintergerst, Rauhwandige Drehscheibenware aus Regensburg und seiner Umgebung. Technologiekontinuität zwischen Antike und Mittelalter? In: I. Ericsson / H. Losert (Hrsg.), Aspekte der Archäologie des Mittelalters und der Neuzeit. Festschr. W. Sage. Bamberger Schr. Arch. Mittelalter u. Neuzeit 1 (Bonn 2003) 446-453.

2005: E. Wintergerst, Die Ausgrabungen im ehemaligen Kreuzgang des Niedermünsters in Regensburg. Regensburger Stud. 10 (Regensburg 2005).

Zubler 2000: K. Zubler, Wiedererstandenes Leben im Mittelalterdorf Berslingen. Das Fundmaterial. In: K. Bänteli / M. Höneisen / K. Zubler (Hrsg.), Berslingen – ein verschwundenes Dorf bei Schaffhausen. Mittelalterliche Besiedlung und Eisenverhüttung im Durachtal. Schaffhauser Arch. 3 (Schaffhausen 2000) 83-159.

Zusammenfassung / Abstract

Keramik des 9. bis 12. Jahrhunderts am Rhein – Forschungsperspektiven für Produktion und Alltag

Ausgehend von einer Forschungsbilanz der verschiedenen Keramiklandschaften entlang des Rheins skizziert der einführende Beitrag Methoden und Konzepte, die herangezogen wurden, um Aussagen zu Produktion und Alltag zu treffen. Hier zeigen sich in der Praxis erhebliche Defizite, die unter anderem auch auf das spezifisch archäologische Kulturverständnis zurückzuführen sein dürften. In einem zweiten Teil dient Südwestdeutschland mit seiner zumindest regional ausgeprägten Phase dominierender nachgedrehter Keramik als Beispiel, einige mögliche Faktoren der Keramikentwicklung des 9. bis 12. Jahrhunderts zu diskutieren. Dazu wird das Chronologiesystem von Uwe Lobbedey aktualisiert und ein Modell der Keramikentwicklung vorgestellt, das unterschiedliche Faktoren wie beispielsweise gesellschaftliche und wirtschaftliche Veränderungen berücksichtigt, aber auch ökologische Zusammenhänge einbezieht.
Der Beitrag zeigt die Notwendigkeit, die Keramikfunde in einen größeren Kontext zu stellen, um den Quellenwert von Keramikfunden zu Fragen von Produktion und Alltag auch tatsächlich auszunutzen.

Pottery of the 9th to 12th century along the River Rhine – perspectives of research in production and daily life

Based on a short review of the state of pottery research in several landscapes along the River Rhine this introductory paper deals with methods and concepts used in mediaeval archaeology to analyze ceramic finds, in order to learn about production and daily life. Many shortcomings can be shown, at least some of them deriving from traditional assumptions of ›culture‹. The second part of the paper discusses changes in pottery styles and techniques from the 9th to 12th century. Southwest Germany with its spatial-temporal specific phenomenon of slow-turned earthenware is used to present a model of possible interrelated factors, such as social, economic or even environmental ones. For this purpose the relative chronology of mediaeval pottery from southwest Germany as presented by Uwe Lobbedey in the 1970s has been updated.
The paper shows the need for putting pottery finds within a broader context to use their historical value to full capacity.

Translation: C. Bridger

RETO MARTI

IMPORTIERTE KERAMIK DES 9./10. JAHRHUNDERTS IN DER NORDSCHWEIZ

ÜBERLEGUNGEN ZU IHRER INTERPRETATION

Die Erforschung der früh- und hochmittelalterlichen Keramik der Schweiz hat in den letzten Jahren große Fortschritte gemacht. Das im Herbst 2010 durchgeführte »Kolloquium zur Mittelalterarchäologie in der Schweiz – Siedlungsbefunde und Fundkomplexe der Zeit zwischen 800 und 1350« bestätigte dies eindrücklich [1]. Die Tagung hat aber auch erhebliche Lücken aufgezeigt, die es in Zukunft näher zu ergründen gilt. Dazu gehört etwa, dass außerhalb der Nordschweiz bisher kaum Keramik des 9./10. Jahrhunderts bekannt ist. Die folgenden Überlegungen beschränken sich deshalb auf den Raum südlich von Basel, aus dem bisher die umfangreichsten Fundkomplexe des Zeitraums vorliegen.

Auch für den Basler Raum gilt es einschränkend festzuhalten, dass zwar ein recht großer Keramikbestand zur Verfügung steht, die Datierungsqualität der Fundkomplexe gerade im fraglichen Zeitraum aber durchaus noch zu wünschen übrig lässt. Die Grundzüge sind jedoch erkennbar [2]: Im 8. Jahrhundert hatte sich der Formenbestand weitgehend auf einfache Töpfe reduziert, was bereits ein gewisses Desinteresse an keramischen Erzeugnissen signalisiert. Im 9. Jahrhundert begann eine Umbruchzeit mit grundlegenden Veränderungen. Bis um die Mitte des Jahrhunderts blieb die kursierende Keramik von einer seit der Merowingerzeit regional produzierten sandigen Drehscheibenware dominiert, die sich im Fundgut leicht identifizieren lässt und von der mehrere Produktionsstätten bzw. Töpferöfen archäologisch untersucht sind [3]. Die jüngsten Erzeugnisse dieser Ware sind eher kleinvolumig, schwer und schlecht gebrannt, oft mit viel zu dicken oder zu dünnen Böden, die den ungeübten Umgang mit der Fußtöpferscheibe verraten (**Abb. 1, 1**). Nach der Zeit um 850 verschwand diese Ware. An ihre Stelle traten überdrehte, also handgeformte, auf einem drehbaren Untersatz bzw. einer Handtöpferscheibe überarbeitete Gefäße der, so genannten sandigen überdrehten Ware. Sie wurde – nach der Tonzusammensetzung zu schließen – weiterhin in den althergebrachten Töpfereien hergestellt (**Abb. 1, 2**).

Die sandige überdrehte Ware erreichte jedoch nie die Dominanz der älteren, scheibengedrehten Variante. Wenn die bisher zur Verfügung stehenden Fundkomplexe nicht täuschen, scheint ab etwa 850 vielmehr ein ungewöhnlich großer Teil der Keramik importiert worden zu sein. Darunter gehören Töpfe der so genannten glimmergemagerten überdrehten Ware aus dem südlichen Elsass (**Abb. 1, 3**), der kalkgemagerten überdrehten Ware aus dem Breisgau (**Abb. 1, 4**) und vor allem der gelben Drehscheibenware aus dem nördlichen Elsass sowie – etwas weniger häufig – aus dem nordbadischen Raum (**Abb. 1, 5**)[4]. Dabei scheint vor allem die südelsässische Glimmerware einen großen Einfluss auf die regionale Keramikproduktion ausgeübt zu haben. Denn letztere übernahm nicht nur deren auffallend bauchige Formen mit gestauchten und gekehlten Trichterrändern, sondern passte sich auch in der Tonzusammensetzung an. Als Magerung wurde bald nicht mehr der feine Molassesand wie in den Generationen zuvor, sondern ein heterogenerer, grobkörnigerer Zuschlag hinzugefügt, der Gesteinsfragmente, Quarz und Feldspat enthält. So entstand die sandig-körnige überdrehte Ware (**Abb. 1, 6**). Dass damit auch ein Wechsel von den mehrfach nachgewiesenen stehenden Töpferöfen des Frühmittelalters zu den liegenden des Hochmittelalters einherging, lässt sich vorläufig anhand der veränderten Brandfarben lediglich vermuten [5]. Die weitere Entwicklung hin zur feinen überdrehten Ware, die mit dem Übergang von den Trichterrändern zu den Lippenrändern in der Zeit um 1000 absolutchronologisch und formaltypologisch wieder gut fassbar wird (**Abb. 1, 7**), verlief innerhalb

der Region ohne erkennbare Brüche. Im 11./12. Jahrhundert bewegen sich die Anteile der Keramikimporte nur noch im Promillebereich.
Die angesprochenen Veränderungen im Keramikspektrum des 9./10. Jahrhunderts lassen sich am besten auf statistischem Weg visualisieren, auch wenn es an dieser Stelle in der Kürze nicht möglich ist, Details wie beispielsweise die Geschlossenheit der ausgezählten Fundkomplexe im Einzelfall zu diskutieren[6]. Die **Abbildung 2** zeigt am Beispiel von Grubenhaus-Verfüllungen aus den größten bisher archäologisch untersuchten Siedlungen Lausen-Bettenach und Reinach-Dorf (beide Kt. Basel-Landschaft) die prozentualen Anteile der erwähnten Warenarten in chronologischer Abfolge. Keramische Importe aus dem Oberrheintal kommen zwar schon früher immer wieder vor[7], im 9. Jahrhundert sind sie jedoch geradezu die Regel. Nicht selten erreichen sie dabei Anteile von 30 % und mehr. Erst im Laufe des 10. Jahrhunderts – mit den Fundkomplexen G34, G54, G37 etc. (Lausen) bzw. G13, S5, G15 etc. (Reinach) – nehmen die regional produzierten Waren wieder deutlich Überhand.
Die statistische Basis ist aktuell noch bescheiden. Zudem ist der Befund in Lausen-Bettenach deutlicher ausgeprägt als in Reinach-Dorf, was zum Teil sicher der unterschiedlichen lokalen Entwicklung geschuldet ist[8]. Unter Berücksichtigung aller Beobachtungen – des statistischen Befundes, der Tatsache, dass die regionalen Töpfereien in der Zeit davor nur eine qualitativ sehr mediokre Drehscheibenkeramik herzustellen wussten, sowie des Einflusses, den die elsässische Glimmerware auf die weitere regionale Keramikentwicklung hatte – scheint dennoch der Schluss gerechtfertigt, dass hinter den Beobachtungen mehr steckt als ein gewöhnlicher Warenimport. Es ist vielmehr zu vermuten, dass die Importkeramik insbesondere im 9. Jahrhundert zeitweilig regelrecht als Ersatz für die mangelhafte oder gar mangelnde regionale Produktion herhalten musste. Doch was war der Auslöser für diese Entwicklung? Liegt ihr eine »hausgemachte« Krise des regionalen Töpfergewerbes zugrunde oder wurde sie durch neue Kräfte ausgelöst, die in den einheimischen Markt drängten? Und welcher Art wären diese Kräfte gewesen: grundherrschaftlicher, marktwirtschaftlicher oder gar politischer?
In Anbetracht der dürftigen Quellenlage ist es schwierig, dafür verbindliche Antworten zu finden. Einige Indizien weisen jedoch darauf hin, dass zum Teil tatsächlich grundherrschaftliche Verbindungen eine Rolle gespielt haben dürften. So ist die Verteilung der Importe innerhalb einer Siedlung zuweilen auffallend auf einzelne Befunde konzentriert, was gegen eine flächendeckende und eher für eine personen- oder haushaltsgebundene Versorgung spricht[9]. In Richtung grundherrschaftliche Versorgung weist auch eine jüngst entdeckte Siedlung in Oberdorf (Kt. Basel-Landschaft), die mit großer Wahrscheinlichkeit mit dem Ort »Onoldswil« zu identifizieren ist, in der gemäß einer Königsurkunde von 835 das elsässische Kloster Murbach mehrere Gehöfte und einen Herrenhof besaß. Die darin entdeckte Keramik stammt in einer ersten Siedlungsphase zum überwiegenden Teil aus dem Elsass (Glimmerware und gelbe Drehscheibenware)[10]. Auch andere karolingische Quellen weisen auf wichtige Besitzungen elsässischer Grundherren in der Nordwestschweiz hin, die unter anderem offenbar als Verbindungsstützpunkte für weiter südlich im Aareraum gelegene Güter dienten[11].
Wie auch immer der beobachtete Warentransfer zustande kam, muss dabei keineswegs die Keramik selbst im Mittelpunkt gestanden haben. Im Gegenteil: Dass auch in den großen Beständen aus Lausen und Reinach stets nur Einzelstücke und nie Serien gleicher Gefäße gefunden wurden, spricht eher gegen eine Lieferung direkt ab den Töpfereien. Die Heterogenität weist eher darauf hin, dass die Gefäße jeweils dem Bestand des gewöhnlichen Warenumlaufs, also zum Beispiel einem Haushalt, entnommen worden waren und womöglich bloß als Verpackung in die Region gelangten. Man brauchte die Gefäße in erster Linie zwar zweifelsohne zum Kochen, wovon nicht selten Schmauchspuren und Ablagerungen zeugen. Daneben dürften sie aber auch zum Aufbewahren von Lebensmitteln gedient haben, für deren Lagerung sich Säcke beziehungsweise geflochtene oder hölzerne Behältnisse weniger gut eigneten (z. B. Eingemachtes, Eingesottenes, Butter, Fett, Salz).

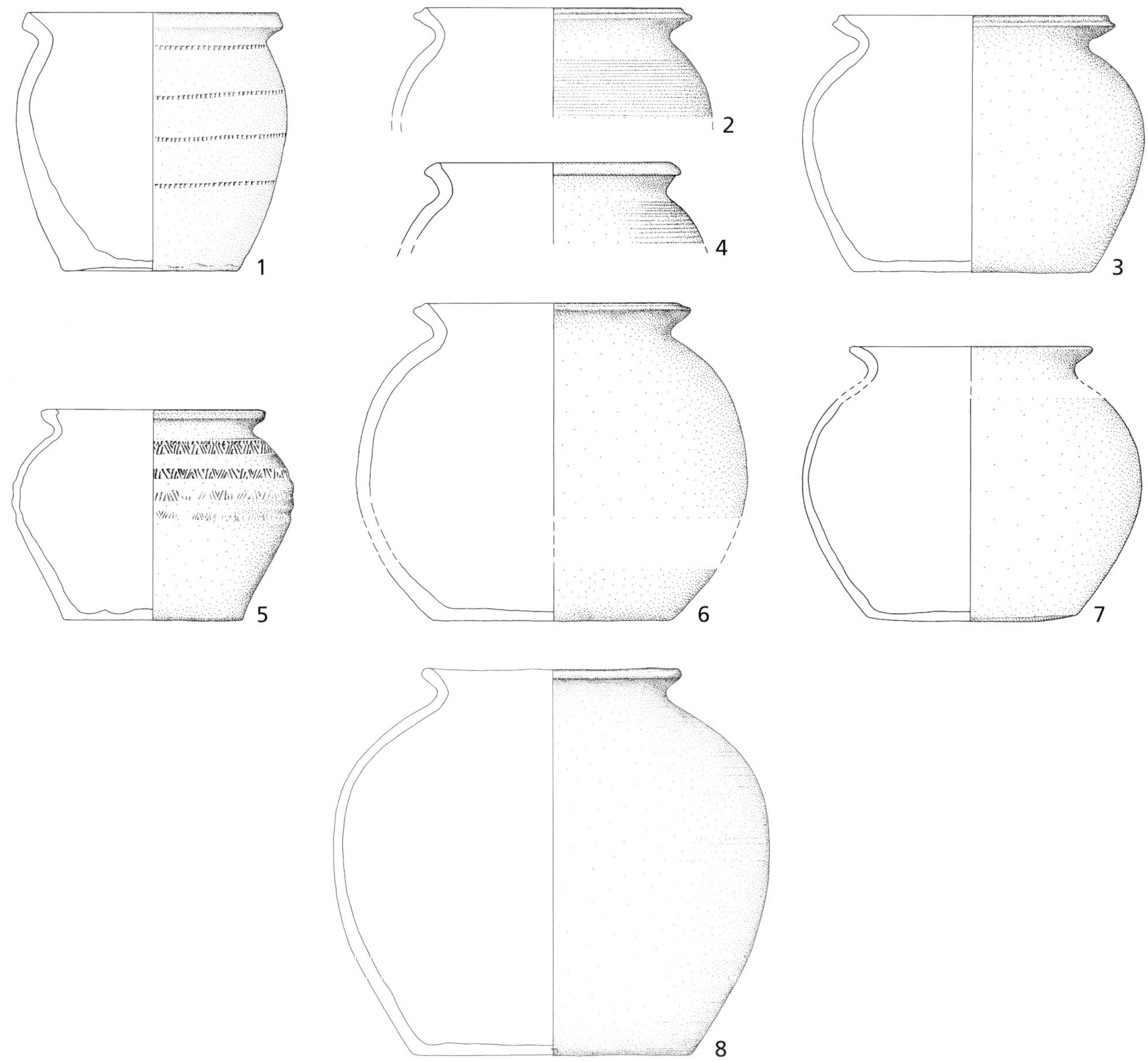

Abb. 1 Beispiele von Keramikgefäßen aus datierten Fundkomplexen der Region Basel: **1** sandige Drehscheibenware, Mitte 9. Jahrhundert (Reinach, Ofen II); **2** sandige überdrehte Ware, späteres 9. Jahrhundert (Lausen, Grube 28); **3** glimmergemagerte überdrehte Ware (ebenda); **4** kalkgemagerte überdrehte Ware, erste Hälfte 10. Jahrhundert (Reinach, Grube G15); **5** gelbe Drehscheibenware, späteres 9. Jahrhundert (Lausen, Grube 28); **6** sandig-körnige überdrehte Ware, früheres 10. Jahrhundert (Lausen, Grube 54); **7-8** feine überdrehte Ware, frühes bzw. erste Hälfte 11. Jahrhundert (Reinach, Grube G19 und Füllinsdorf-Altenberg, Phase 1). – (Zeichnungen G. Schneider, Archäologie Baselland). – M. 1:3.

Auffallend ist, wie markant sich die Zusammensetzung der Keramik in den Fundkomplexen ab der Jahrtausendwende veränderte: Nicht nur Importe verschwinden fast vollständig aus dem Warenangebot, sondern auch Menge und Qualität der Keramik nehmen ab dem 11. Jahrhundert signifikant zu (**Abb. 1, 8**). In den benachbarten Regionen des Schweizer Mittellandes und der Nordostschweiz zeigt sich eine ähnliche Entwicklung, wenn auch mit einiger zeitlicher Verzögerung[12]. Es hat den Anschein, als ob die Region und das einheimische Gewerbe sich wirtschaftlich soweit erholt hätten, dass sie sich gegen die Konkurrenz aus den benachbarten Regionen wieder behaupten konnten. Die Erstarkung des regionalen Gewerbes dürfte auch auf den Gütertransfer innerhalb von größeren Grundherrschaften eingewirkt und so die Entwicklung zusätzlich begünstigt haben.

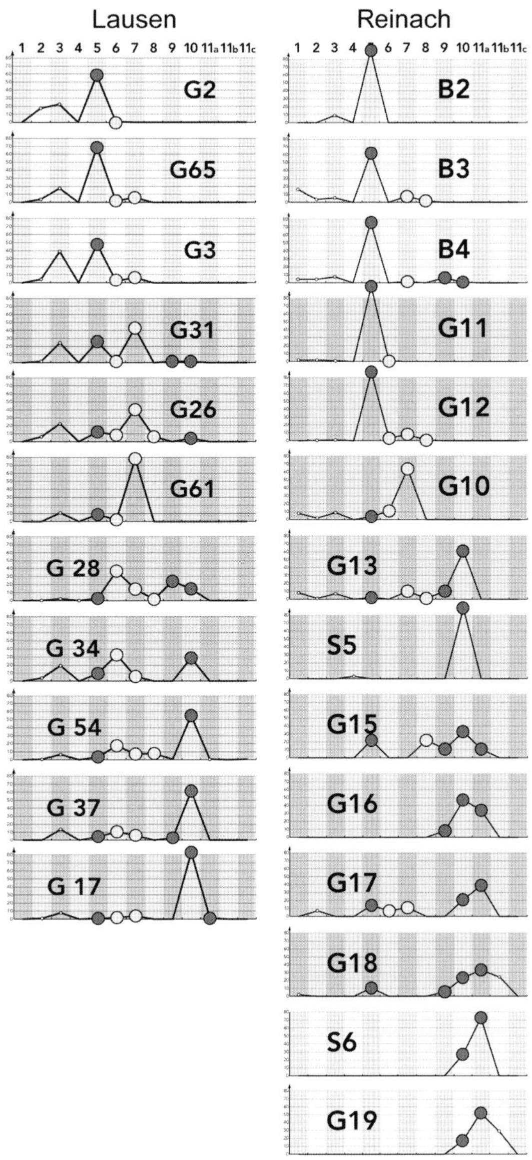

1 römische Waren
2 scheibengedrehte Feinkeramik
3 rauhwandige Drehscheibenware
4 kalkgemagerte graue Drehsch.
5 sandige Drehscheibenware
6 glimmergemagerte überdr. Ware
7 gelbtonige Drehscheibenware
8 kalkgemagerte überdrehte Ware
9 sandige überdrehte Ware
10 sandig-körnige überdrehte Ware
11a feine überdrehte Ware (a)
11b feine überdrehte Ware (b)
11c feine überdrehte Ware (c)

Abb. 2 Lausen BL, Bettenach (linke Spalte) und Reinach BL, Dorf (rechte Spalte): Ausschnitt aus der Seriation früh- und hochmittelalterlicher Fundensembles auf der Basis der prozentualen Anteile der Warenarten Nr. 1-11c. Die Fundkomplexe des 9./10. Jahrhunderts sind dunkel hinterlegt, die lokalen Waren (5, 9, 10, 11a) mit dunklen, die importierten Waren (6, 7, 8) mit hellen Punkten markiert. Die ältesten Fundkomplexe sind oben, die jüngsten unten in der Spalte.

Aber auch die politische Großwetterlage könnte für das Warenangebot in der Region, bei dem die Keramik wohl nur die archäologisch am besten fassbare Spitze des Eisberges darstellt, mit verantwortlich gewesen sein. So wäre denkbar, dass der Rückgang der Importe im Laufe des 10. Jahrhunderts, der zu einer weiteren Reduktion von Fundkomplexen aus der Zeit führte, mit den Unsicherheiten zusammenhing, welche die Ungarn- und Sarazeneneinfälle in Mitteleuropa verursacht haben. Umgekehrt ist der materiell deutlich fassbare Aufschwung nach der Jahrtausendwende gut im Zusammenhang mit der Eingliederung des Königreichs Burgund ins Deutsche Reich – besiegelt 1006 und vollzogen 1032/33 – vorstellbar [13].

Anmerkungen

1) Mittelalterarchäologie 2011.
2) Dazu zusammenfassend, unter Vorlage neuerer Fundkomplexe: Marti 2011a. – Für bereits länger bekannte Fundkomplexe vgl. Marti 2000, dort bes. 202-266.
3) Zuletzt Marti 2007, 3-16.
4) Zu den Waren und den zugehörigen Keramikanalysen, die auch Nordschweizer Funde einschlossen: Châtelet u. a. 2005, 11-38. – Marti u. a. 2006.
5) Marti 2000, 263-266. – Zur Entwicklung der Ofentechnologie im fraglichen Zeitraum vgl. Heege 2007, dort bes. 114-116.
6) Vgl. Anm. 2.
7) Gehäuft beispielsweise Ende 6./Anfang 7. Jahrhundert offenbar im Zuge einer Aufsiedlung des südlichen Basler Hinterlandes: Marti 2004.
8) Zu Lausen siehe Marti 2000, dort bes. 271-276. – Zu Reinach siehe Marti 2000, dort bes. 278f.; Marti 2004; vgl. Marti 2011b. – Die beiden Siedlungen liegen an verschiedenen Verkehrsrouten und immerhin fast 20 km auseinander.
9) Marti 2000, 227. 262. 336f.
10) Grabungsareal 2009. Der Befund ist anders als Reinach und Lausen auffallend fundarm: Gemäß einer ersten Durchsicht liegen 26 Fragmente Glimmerware und 12 Fragmente gelber Ware gegenüber 24 Fragmenten lokaler sandiger Ware vor; vgl. Archäologie Baselland, Jahresbericht 2009, 46-55. – Archäologie Baselland, Jahresbericht 2010, 44-53. – Marti 2011.
11) Marti 2000, dort bes. 304-306; vgl. Marti 2011c, 143-160 bes. 156f.
12) Heege 2011. – Homberger/Zubler 2010, bes. 42.
13) Vgl. Marti 2000, 306f. 360f. (mit Lit.); Erkens 1998. – Für den vergleichbaren, etwas späteren Aufschwung im bernischen Mittelland postuliert Heege ebenfalls politische Hintergrunde, nämlich die Expansion des süddeutschen Hauses Zähringen nach der Verleihung des Rektorats über Burgund (1127): Heege 2011, 417.

Literatur

Châtelet u. a. 2005: M. Châtelet / M. Picon / G. Thierrin-Michael / Y. Waksman, Une centralisation des ateliers de céramique au VIIe siècle? Bilan d'un programme d'analyses sur la production de la céramique en Alsace et en Pays de Bade pendant la période du haut Moyen Age. Arch. Médiévale 35, 2005, 11-38.

Erkens 1998: F.-R. Erkens, Konrad II. (um 990-1039), Herrschaft und Reich des ersten Salierkaisers (Regensburg 1998).

Heege 2007: A. Heege (Hrsg.), Töpferöfen – Pottery kilns – Fours de potiers. Die Erforschung frühmittelalterlicher bis neuzeitlicher Töpferöfen (6.-20. Jh.) in Belgien, den Niederlanden, Deutschland, Österreich und der Schweiz. Basler H. Arch. 4 (Basel 2007).

2011: A. Heege, Materielle Kultur im Kanton Bern 1150-1350. Die wichtigsten Fundstellen und das Fundspektrum aus der Gerechtigkeitsgasse in Bern (nach 1191 und bis 1300). In: Mittelalterarchäologie 2011, 417-426.

Homberger/Zubler 2010: V. Homberger / K. Zubler, Mittelalterliche und neuzeitliche Keramik der Region Schaffhausen. Typologie, Seriation und Materialvorlage. Beitr. Schaffhauser Arch. 3 (Schaffhausen 2010).

Marti 2000: R. Marti, Zwischen Römerzeit und Mittelalter. Forschungen zur frühmittelalterlichen Siedlungsgeschichte der Nordwestschweiz (4.-10. Jahrhundert). Arch. u. Mus. 41 A (Liestal 2000).

2004: R. Marti, »Luteo operi, sine quo tamen non transigetur« – Frühmittelalterliche Keramik im Spiegel gesellschaftlicher und kulturräumlicher Veränderungen in der Nordwestschweiz. In: R. Marti / G. Graenert / A. Motschi / R. Windler (Hrsg.), Hüben und drüben – Räume und Grenzen in der Archäologie des Frühmittelalters. Festschr. M. Martin. Arch. u. Mus. 48 (Liestal 2004) 191-215.

2007: R. Marti, The early medieval potteries from Basle's hinterland (Switzerland) – origin, production and diffusion of the pottery ware. In: J. Klápště / P. Sommer (Hrsg.), Arts and Crafts in Medieval Rural Environment. Ruralia 6, 2007, 3-16.

2011a: R. Marti, Keramik der Nordwestschweiz – Typologie und Chronologie. In: Mittelalterarchäologie 2011, 269-291.

2011b: R. Marti, Grubenhaus bis Wohnturm – Siedlungsbefunde im ländlichen Raum der Nordwestschweiz. In: Mittelalterarchäologie 2011, 11-21.

2011c: R. Marti, Der Oberaargau am Beginn der Geschichte: das frühe Mittelalter (5.-9. Jahrhundert). In: Archäologie des Oberaargaus. Ur- und Frühgeschichte 13000 v. Chr. bis 700 n. Chr. (Langenthal 2011) 143-160.

Marti u. a. 2006: R. Marti / G. Thierrin-Michael / M.-H. Paratte Rana / R. Fellner u. a., Develier-Courtételle: un habitat rural mérovingien. Vol. 3: Céramiques et autres objets en pierre, verre, os, bois et terre cuite. Cahiers Arch. Jurassienne 15 (Porrentruy 2006).

Mittelalterarchäologie 2011: Archäologie Schweiz / Schweizerische Arbeitsgemeinschaft für Archäologie des Mittelalters und der Neuzeit / Schweizerischer Burgenverein (Hrsg.), Siedlungsbefunde und Fundkomplexe der Zeit zwischen 800 und 1350. Kolloquium zur Mittelalterarchäologie der Schweiz, Frauenfeld 28./29.10.2010 (Basel 2011).

Zusammenfassung / Abstract

Importierte Keramik des 9./10. Jahrhunderts in der Nordschweiz. Überlegungen zu ihrer Interpretation

Eine Serie von Fundkomplexen aus dem Raum südlich von Basel zeigt, dass sich das Keramikspektrum im 9./10. Jahrhundert markant änderte. Diese Entwicklung wurde von auffallend viel Importkeramik begleitet, die das bescheidene lokale Töpfergewerbe in der Folge stark beeinflusste. Sie könnte auf grundherrschaftlichen Verbindungen ins Elsass beruhen, die in der fraglichen Zeit in den seltenen Schriftquellen ansatzweise fassbar werden. Auch die nächste, um die Jahrtausendwende einsetzende Phase, die durch einen markanten Fund- und Qualitätsanstieg der lokalen Waren sowie den fast vollständigen Wegfall der Importkeramik gekennzeichnet ist, könnte mit herrschaftlichen Veränderungen zusammenhängen: der Eingliederung der Region ins »Deutsche Reich«.

Imported pottery of the 9th/10th century in northern Switzerland. Thoughts on its interpretation

A series of finds assemblages from the area south of Basle shows that the pottery spectrum markedly changed within the 9th/10th century. This development was accompanied by conspicuously much imported pottery, which subsequently greatly influenced the modest local pottery manufacture. The development could derive from manorial connections with Alsace, which in the period in question can be rudimentally understood from the few written sources. The following phase, too, which began around 1000 and is marked by a considerable increase in finds and quality of the local wares, as well as the almost complete cessation of the imported pottery, could be connected with territorial changes, i.e. the integration of the region into the German Empire.

Translation: C. Bridger

KURT ZUBLER

UMBRUCH UND ENTWICKLUNG

MITTELALTERLICHE KERAMIK IN DER REGION SCHAFFHAUSEN – (K)EIN LEITFOSSIL DES HANDELS

UNTERSUCHUNGSGEBIET

Fast vollständig rechtsrheinisch gelegen, umfasst das Gebiet des Kantons Schaffhausen den östlichen Teil des Klettgaus, den Randen bis zum Wutachtal und Teile des Hegaus. Die Kontaktzone des Kantons mit dem Rhein reicht vom Ausfluss des Bodensees bis zum Rheinfall beziehungsweise bis zu den weiter südwestlich, ebenfalls am Rhein liegenden Dörfern Buchberg und Rüdlingen, dem so genannten unteren Kantonsteil, in welchem bislang keine aussagekräftigen mittelalterlichen Funde zum Vorschein gekommen sind.

QUELLENLAGE

In Anbetracht des schmalen archäologischen Bestandes, wie er sich im Kanton Schaffhausen sowie in den benachbarten linksrheinischen Gebieten vor allem vom 8. bis ins 10. Jahrhundert darstellt, kann der Versuch, sich über die historische Interpretation von Keramikfunden dieser Zeit auszulassen, durchaus als gewagt bezeichnet werden [1]. Da die Archäologie aber auch immer die Erforschung von Lücken, Löchern und Zäsuren erfordert [2] und das Untersuchungsgebiet bei aller Kargheit doch interessante Forschungsresultate aufweist, sollen nachfolgend einige Hypothesen diskutiert werden. Damit diese mit der notwendigen Zurückhaltung gewürdigt werden können, wird als Erstes die unterschiedliche Quellenlage im Verlauf des Mittelalters aufgezeigt (**Abb. 1**). Dies geschieht nicht in Form einer detaillierten Darstellung aller Befunde und Funde, sondern indem rein quantitativ dargestellt wird, in wie vielen Gemarkungen pro Zeitabschnitt

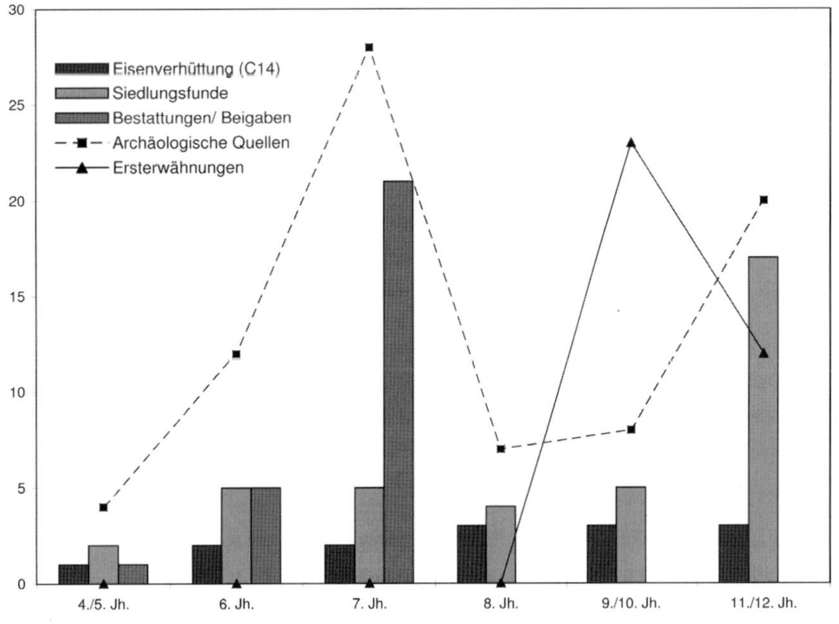

Abb. 1 Archäologische Quellen: Anzahl der Gemarkungen mit Spuren von Eisenverhüttung, Siedlungsfunden oder beigabenführenden Bestattungen (Bestand Kantonsarchäologie Schaffhausen). Historische Quellen: Anzahl der Gemarkungen mit Ersterwähnungen (Mittelalterliche Siedlungen 2010). – (Graphik Verfasser).

jeweils Siedlungs- oder Bestattungsspuren[3] beziehungsweise schriftliche Ersterwähnungen belegt sind. Als Grundraster dient eine Karte der mittelalterlichen Siedlungen des Kantons Schaffhausen (**Abb. 2**)[4], auf welcher neben jeder Siedlungsstelle einerseits die ältesten archäologischen Spuren und andererseits die historische Ersterwähnung notiert sind.

4./5. Jahrhundert

Die Zeit der frühen alemannischen Besiedlung ist mit Siedlungsfunden aus Oberbargen sowie Siedlungs- und Grabfunden aus Schleitheim nur in zwei Gemarkungen belegt. Auf dem Gebiet von Oberbargen finden sich zudem Überreste einer Eisenverhüttung, deren Anfänge vermutlich ebenfalls ins 5. Jahrhundert zurückreichen. Die Fundstellen von Schleitheim liegen etwas abseits des ehemaligen römischen *vicus Iuliomagus*, der sich entlang der Durchgangsstraße erstreckte, die vom Legionslager Windisch zum Kastellort Hüfingen im Donauquellgebiet führte. Auffallend ist, dass sich beide Orte am nördlichen Rand des Kantons befinden. Die Keramik der beiden Siedlungsstellen ist zwar teilweise vorgelegt, wissenschaftlich aber noch weitgehend unbearbeitet[5].

6. Jahrhundert

Die Nachweise des 6. Jahrhunderts sind bereits etwas zahlreicher. Siedlungsfunde und Bestattungen ließen sich an je fünf Stellen nachweisen, wobei die Fundplätze Stein am Rhein-Burg mit Sakralbau und Kirchengräbern für beide Befundgattungen zählt[6]. Spuren der Eisenverhüttung sind neben Oberbargen auch im Gebiet der Stadt Schaffhausen nachgewiesen. Die mögliche Dauer der jeweiligen Eisenproduktion reicht bis in das 8. bzw. 10. Jahrhundert[7]. Der engere Zeitraum und die Frage, ob die Verhüttung kontinuierlich oder phasenweise stattfand, ist anhand der wenig trennscharfen ^{14}C-Daten nicht zu klären.

7. Jahrhundert

Die Ausbreitung des archäologischen Quellenbestandes erreicht im 7. Jahrhundert ihren Höhepunkt. Der Landesausbau scheint die Region Schaffhausen damals flächendeckend erfasst zu haben. Auch für diese Zeitspanne stützt sich die Aussage jedoch auf einen sehr lückenhaften archäologischen Forschungsstand. Neben denselben fünf Siedlungs- und zwei Verhüttungsplätzen des 6. Jahrhunderts sind die zusätzlichen Fundpunkte ausschließlich auf Grabfunde zurückzuführen. Bestattungen des 7. Jahrhunderts liegen aus 27 Gemarkungen vor. Es handelt sich dabei entweder um Reihengräberfelder, Grabgruppen, einzelne Gräber oder in zwei Fällen um Funde, die als Grabbeigaben interpretiert werden können. Mit Ausnahme des unteren Kantonsteils sind die Nachweise mehr oder weniger im ganzen Kantonsgebiet verteilt.

8. Jahrhundert

Mit dem Verschwinden der Beigabensitte am Ende des 7. Jahrhunderts versiegen die Quellen drastisch. Zwar wird ergänzend zu den beiden bereits bekannten Verhüttungsplätzen die wenig aussagekräftige Schlackenhalde von Bargen-Dorfplatz mittels C^{14}-Daten ins 8.-10. Jahrhundert datiert und damit für das

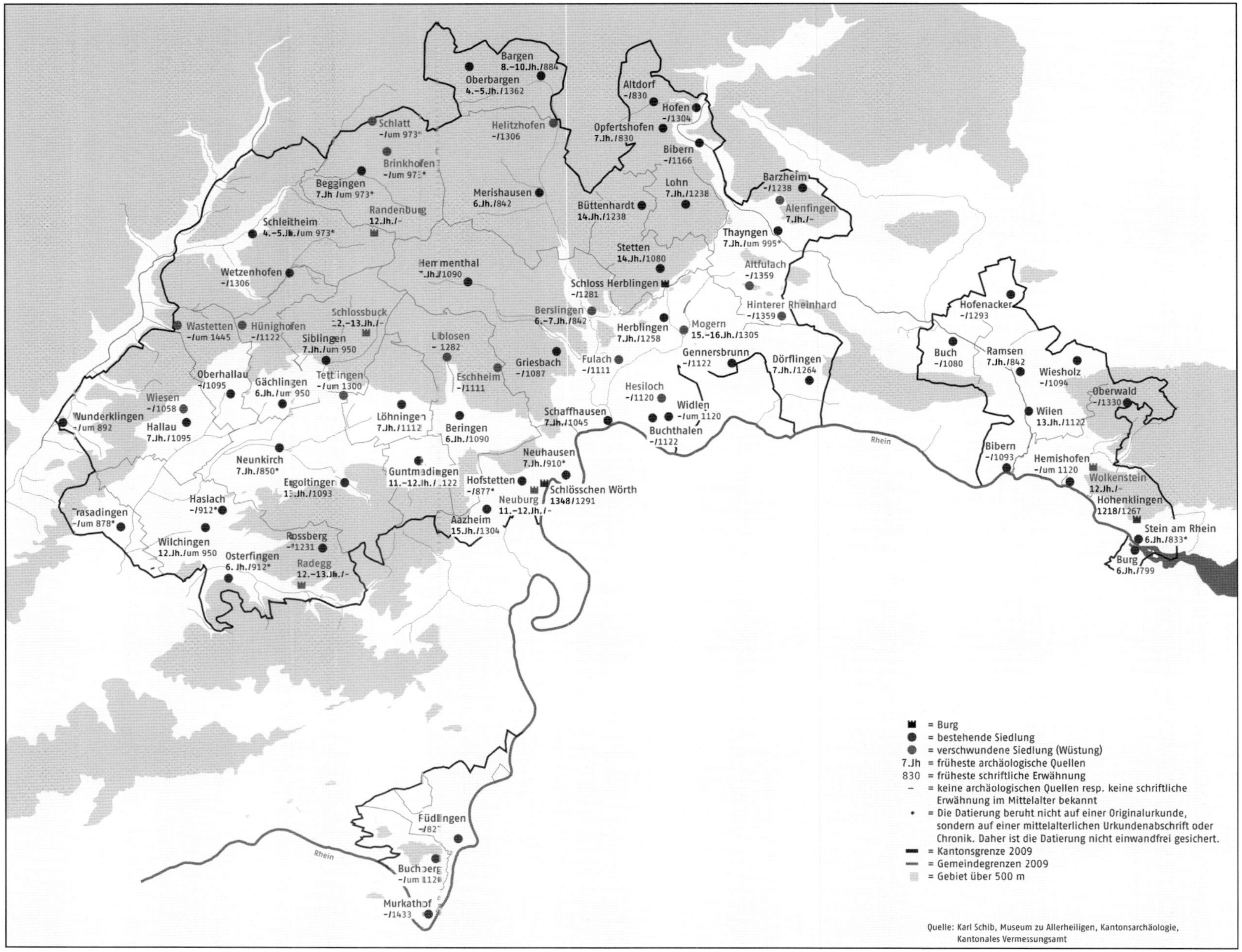

Abb. 2 Mittelalterliche Siedlungen im Kanton Schaffhausen mit den frühesten schriftlichen Erwähnungen und den frühesten archäologischen Quellen. – (Nach Mittelalterliche Siedlungen 2010).

Durachtal eine bemerkenswert konstante Eisenproduktion nachgewiesen, die noch bis ins Spätmittelalter weiterverfolgt werden kann[8]. Im Wesentlichen aber stützt sich die archäologische Forschung für diese Zeit auf die zwei ausgegrabenen Siedlungsplätze von Schaffhausen-Berslingen und Osterfingen-Oberdorf sowie die beiden Kirchengrabungen von Schleitheim-Dorfkirche und Stein am Rhein-Burg. Letztere tragen mit drei Wandscherben bzw. einigen Fragmenten eines Topfes aber nicht allzu viel zur Fragestellung der Tagung bei[9]. Weitere interessante Keramik dieser Zeit findet sich unter Lesefunden aus einer Baugrube von Schleitheim-Brüel, Fundstelle »im Hof« (**Abb. 3**).

9./10. Jahrhundert

Im 9. und 10. Jahrhundert zeigt sich wenig Veränderung im archäologischen Bestand. Als neue Fundstelle mit Keramik des späten 10. Jahrhunderts ist Merishausen, Fundstelle »beim Schulhaus« zu nennen[10]. Da die Überlieferung von Funden und Befunden aus Osterfingen-Oberdorf in dieser Zeit sehr schwach ist und aus den Kirchengrabungen von Schleitheim und Stein am Rhein-Burg kaum Funde vorliegen, bleibt einzig die Fundstelle Schaffhausen-Berslingen als von Belang übrig.
Markant setzt in dieser Zeit dagegen die schriftliche Überlieferung ein. Auf die erste Nennung der Kirche Burg bei Stein am Rhein im Jahr 799 n. Chr. folgen ab dem zweiten Viertel des 9. Jahrhunderts Ortserwähnungen in dichter Folge. Mit 23 Ersterwähnungen bilden die schriftlichen Quellen nun den wichtigsten Nachweis für eine differenzierte Siedlungsstruktur des Kantongebiets.

11./12. Jahrhundert

Nach der Jahrtausendwende nimmt die Häufigkeit der Siedlungsfunde allmählich zu. Die Qualität der Belege bleibt jedoch sehr unterschiedlich. Als neue Siedlungstypen sind Städte und Burganlagen zu nennen. Unter den 17 Gemarkungen mit Fundstellen weisen etliche nur sehr wenig Fundmaterial und teilweise keinerlei Befunde auf. Knapp die Hälfte setzt erst im 12. oder sogar am Übergang vom 12. ins 13. Jahrhundert ein. Hierzu zählen vier der fünf Burgstellen. Neben Merishausen, Fundplatz »beim Schulhaus« und dem weiterhin ergiebigen Schaffhausen-Berslingen erhalten die Städte zunehmend Bedeutung. Die zahlreichen Befunde und das umfangreiche Fundmaterial der Städte Schaffhausen und weniger ausgeprägt Stein am Rhein bilden die wichtigsten archäologischen Quellen des Hoch- und Spätmittelalters.

Töpfereien

Zwischen den römischen und den spätmittelalterlichen Belegen fehlen aussagekräftige Befunde der Keramikherstellung im Kanton Schaffhausen vollständig. Dem als möglicher Brennofenrest angesprochenen Befund von Merishausen, Fundplatz »beim Schulhaus« fehlen für einen überzeugenden Nachweis eindeutige Indizien. So vermisst man unter anderem jegliche Fehlbrände und Bruchkeramik bzw. Scherben von Gefäßkeramik überhaupt[11].

Insgesamt zeigt der archäologische Forschungsstand also einen Höhepunkt im 7. Jahrhundert und bricht im Zeitraum vom 8.-10. Jahrhundert regelrecht ein. Ab dem 9. Jahrhundert kompensieren historische Quellen und später die langjährigen stadtarchäologischen Beobachtungen der Stadt Schaffhausen den Ausfall.

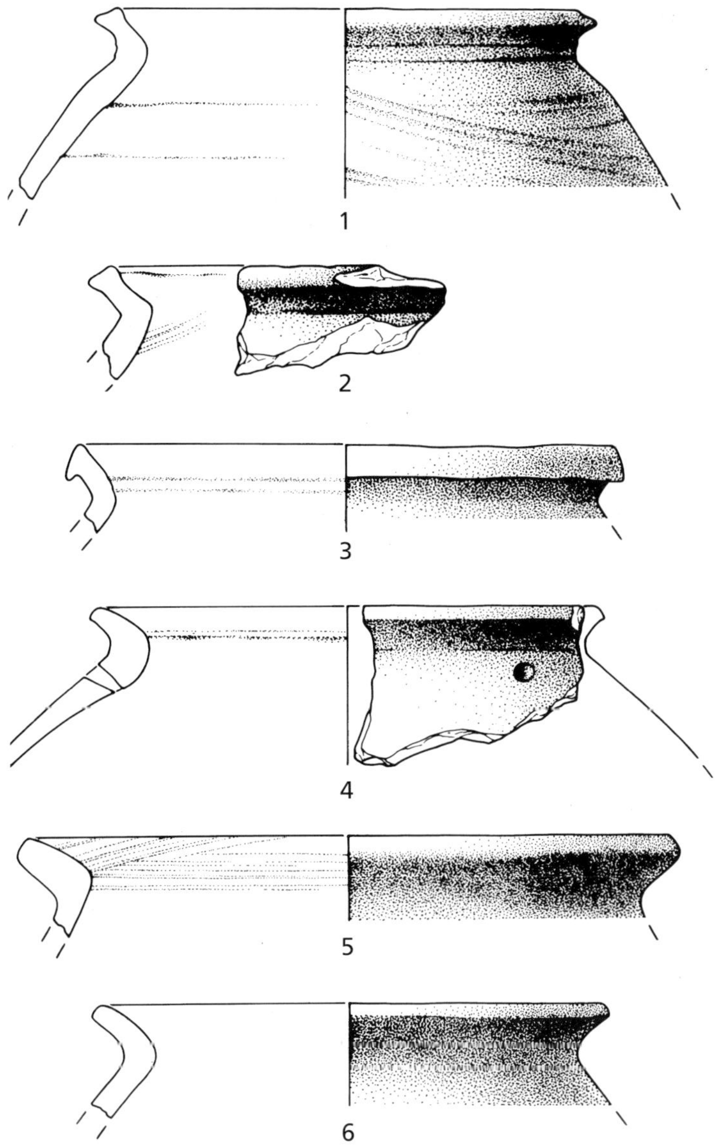

Abb. 3 Schleitheim-Brüel, Fundplatz »im Hof«, Lesefunde: **1-3** Kabonatitware (8. bis frühes 9. Jahrhundert); **4-6** Nachgedrehte Waren (spätes 10. bis frühes 12. Jahrhundert). – (Zeichnungen Kantonsarchäologie Schaffhausen). – M. 1:4.

Als Ursache dafür ist einerseits die unterschiedliche Erkennbarkeit der Befundgattungen zu nennen. So sind Mauerreste oder Bestattungen mit Knochen und altertümlichen Beigaben spektakulär und können auch von Laien als archäologisch bedeutsam erkannt werden. Die Chance auf Zufallsfunde und allenfalls anschließende Ausgrabungen sind deutlich größer als bei den »weichen« Strukturen und den oft unspektakulären Funden aus dem Siedlungskontext. So dürften angeschnittene Grubenhäuser, Pfostengruben oder Kulturschichten oft nicht erkannt oder nicht gemeldet worden sein. Andererseits ist in Betracht zu ziehen, dass ein guter Teil der mittelalterlichen Siedlungsspuren unter den heutigen Dörfern verborgen liegt bzw. durch die Bebauung der letzten Jahrhunderte zerstört wurde [12]. Die zahlreichen Befunde und Funde der archäologischen Untersuchungen in dicht bebauten Städten lassen allerdings vermuten, dass bei systematischer Beobachtung auch im ländlichen Raum deutlich mehr Siedlungsspuren zu entdecken wären.

KERAMIKENTWICKLUNG IM KANTON SCHAFFHAUSEN

Die früh- und hochmittelalterliche Keramikentwicklung lässt sich vor allem anhand der vom späten 6. bis in die Mitte des 12. Jahrhunderts datierten Funde aus Berslingen nachzeichnen. Wie oben gezeigt, sind je nach Zeitabschnitt weitere Fundstellen von Bedeutung.

Vorspann: 6./7. Jahrhundert

Der Gefäßbestand der beiden noch nicht abschließend ausgewerteten merowingerzeitlichen Fundstellen Gächlingen-Niederwiesen [13] und Schleitheim-Brüel [14] sowie aus den ins späte 6. und 7. Jahrhundert zu datierenden ältesten Komplexen aus Berslingen [15] umfasst vorwiegend rau- und dickwandige, mit zerstoßenem alpinen Geröll gemagerte Keramik. Ergänzend dazu finden sich in allen drei Fundstellen Lavezgefäße. Im Unterschied zum linksrheinischen Kanton Zürich, wo die Rauwandige Drehscheibenware zu überwiegen scheint [16], liegt in den Schaffhauser Fundstellen ein höherer Anteil handgemachter Ware vor [17]. Bei der Auswertung der Berslinger Keramik konnten wir feststellen, dass die Differenzierung nach Warenarten für die lokale Gliederung weniger ergiebig ist als die petrografische Unterscheidung in Magerungstypen. Hinsichtlich der Frage nach Produktion und Handel hingegen könnte es sich anders verhalten. Es ist durchaus denkbar oder sogar wahrscheinlich, dass Keramik mit gleicher Magerung aber unterschiedlicher Herstellungsart an verschiedenen Orten oder durch unterschiedliche Personen produziert wurde. Möglich wäre etwa, dass handgemachte Keramik lokal hergestellt und Drehscheibenkeramik regional oder überregional verhandelt wurde. Es fehlen aber überzeugende Indizien: Einerseits fasst die petrografische Einheitlichkeit die Waren lokal zusammen und andererseits klafft mit dem vollständigen Fehlen von archäologisch nachgewiesenen Produktionsstätten eine Forschungslücke, die entscheidende Hinweise zu diesem Fragenkreis verbirgt. Folgen wir der Hypothese von Madeleine Châtelet, dass handgemachte Keramik im Feld- oder Grubenbrand und Drehscheibenware im Töpferofen hergestellt wurde [18], könnte das Fehlen von Töpferöfen auf den Import von Rauwandiger Drehscheibenware hinweisen. Für die entsprechenden Schaffhauser Funde sind aber die passenden Produktionsstandorte außerhalb der Region ebenfalls nicht bekannt oder noch nicht als solche erkannt. Allerdings geht Châtelet bei der Rauwandigen Drehscheibenware im südlichen Oberrheingebiet von einer zwar professionellen, aber trotzdem dezentralen, kleinteiligen Produktion mit mehreren Töpfereien pro Region aus [19]. Die fehlenden Schaffhauser Öfen wären demnach eher als Lücke der archäologischen Bodenforschung zu deuten.

Umbruch: Spätes 7. bis frühes 9. Jahrhundert

Im Verlauf oder gegen Ende des 7. Jahrhunderts verschwindet die Rauwandige Drehscheibenware aus der Region Schaffhausen. Wenn wir davon ausgehen, dass die Rauwandige Drehscheibenware nicht oder nur innerregional verhandelt wurde, so fällt mit ihr nicht nur eine bestimmte Ware, sondern für das folgende halbe Jahrtausend mit der schnell rotierenden Drehscheibe eine gut entwickelte, effiziente Herstellungsmethode weg. Die Lücke füllen vorerst die weiterhin produzierte, nun aber mit Sand gemagerte, handgemachte rauwandige Ware und im 8. sowie vermutlich im frühen 9. Jahrhundert die Importkeramik in Form von Karbonatitware aus dem Kaiserstuhlgebiet und gelber Drehscheibenware aus der Gegend nördlich von Straßburg.

Zu den bereits vorgelegten Fundstellen mit Scherben dieser Waren[20] ist inzwischen der Fundkomplex von Schleitheim-Brüel, Fundplatz »im Hof«, gekommen. Die bisher noch unpublizierten Funde wurden im Jahr 2002 vom Schleitheimer Heimatforscher Willi Bächtold bei der Begehung einer Baugrube aus einer schwärzlichen Kulturschicht aufgesammelt. Die archäologisch nicht weiter untersuchte Fundstelle liegt unweit nördlich der frühmittelalterlichen Siedlung Schleitheim-Brüel und westlich der Dorfkirche im Bereich des heutigen Dorfes[21]. Das Fundmaterial von Schleitheim-Brüel, Fundplatz »im Hof«, umfasst neben wenig Metall und Schlacke ein heterogenes Spektrum mit prähistorischer bis spätmittelalterlicher Keramik. Von besonderem Interesse sind dabei drei Randfragmente der Karbonatitware (**Abb. 3, 1-3**), die sich formal gut mit den bereits bekannten Randformen aus Osterfingen und Berslingen vergleichen lassen[22]. Der Kenntnisstand erweitert sich damit in erstaunlicher Richtung: Importware aus dem südlichen Oberrheingebiet findet sich im Kanton Schaffhausen wohl insgesamt nicht besonders zahlreich, aber doch auffälligerweise in vier der fünf Fundstellen mit Keramik des 8. Jahrhunderts. Sie ist absolut gesehen sogar häufiger als die »lokale« Ware, zumindest soweit letztere als Keramik dieser Zeit bekannt und erkannt ist.

Der im Kanton Schaffhausen feststellbare Umbruch in der Keramikversorgung findet im Herkunftsgebiet der Importkeramik Parallelen und Unterschiede. Im südlichen Oberrheingebiet verschwinden verschiedene in dezentralen Werkstätten hergestellte Warenarten, darunter die Rauwandige Drehscheibenware, im Verlauf der zweiten Hälfte des 7. Jahrhunderts. Die Keramikproduktion scheint danach ausschließlich in zentralisierten Werkstätten zu erfolgen[23]. Bis ins 10. Jahrhundert verbleiben nur noch drei Warenarten von jeweils sehr einheitlicher Machart und Formgebung, die je in einer spezifischen Region Verbreitung finden. Hierunter sind die gelbe Drehscheibenware im nördlichen Gebiet um Straßburg und die Karbonatitware im Breisgau zu nennen. Obwohl sehr unterschiedlich in der Herstellung – Drehscheibe und Ofenbrand für die gelbe Drehscheibenware, Wulstaufbau und Feld- oder Grubenbrand für die Karbonatitware – geht Madeleine Châtelet in beiden Fällen von professionellen Werkstätten mit jeweils kulturell unterschiedlich geprägten Handwerkstraditionen aus.

Besteht im Ende der Rauwandigen Drehscheibenware eine gewisse zeitliche Übereinstimmung, so gestaltet sich deren Nachfolge im Kanton Schaffhausen ganz anders. Die handgemachte rauwandige Ware, die am südlichen Oberrhein ebenfalls verschwindet, läuft hier weiter. Eine eigentliche Ersatzware bleibt bis ins späte 8./ frühe 9. Jahrhundert aber aus. In Anbetracht der Importfunde läge es nahe, den Ersatz im Import zu sehen, doch scheinen diese Waren im Wesentlichen der regionalen Versorgung und nicht einem eigentlichen Export über das südliche Oberrheingebiet hinaus gedient zu haben. Dieser Sachverhalt steht gänzlich im Unterschied etwa zur exportorientierten Mayener Ware mit ihrer eindrücklichen Produktions- und Verbreitungsgeschichte[24].

Wie im Elsass und im Breisgau kann dieser Umbruch auch im Kanton Schaffhausen kaum auf einer unabhängigen Entwicklung des Töpferhandwerks beruhen. Vermutlich dokumentiert diese Hinterlassenschaft den allmählichen Untergang des alemannischen Adels bzw. die Zerschlagung und Ablösung der bestehenden wirtschaftlichen und herrschaftlichen Strukturen durch die Karolinger und die damit verbundene Ausbreitung der fränkischen Grundherrschaft[25]. Möglicherweise wäre sodann die Bezeichnung »Importkeramik« falsch gewählt, weil es sich nicht um ein allgemeines Handelsgut, sondern ein personenbezogenes Inventar handeln könnte, das mit dem fränkischen Zugriff auf Inneralemannien quasi begleitend ins Land gekommen ist. Denkbar wäre auch eine Mischform, indem sich karolingische Statthalter nicht mit Keramik an sich, sondern mit exklusiven, in Keramik verpackten Gütern aus dem Elsass und dem Breisgau versorgt hätten[26]. Die deutliche Konzentration der Importkeramik in zwei Berslinger Grubenhäusern und in Haus 6 von Osterfingen-Oberdorf könnte darauf hinweisen, dass diese nur in ausgewählten Haushalten Verwendung fand. In Osterfingen ist zudem bemerkenswert, dass Haus 6 als Steinbau ausgeführt war, was für einen ländlichen Bau dieser Zeit doch ungewöhnlich ist und auf eine herausragende Bewohnerschaft hindeutet[27]. In Berslingen fallen zudem Sporenfunde und ein Grubenhaus mit Knochen von viel Wildbret als Indizien einer gehobenen Lebensart auf[28].

Gemächliche Entwicklung: 9. und 10. Jahrhundert

Der Zufluss von oberrheinischer Keramik scheint in den Jahrzehnten nach 800 zu versiegen. Die Machtentfaltung und der Machterhalt müssen offenbar nicht mehr über entsandte Personen gewährleistet werden, da der Ausbau der Grundherrschaft und die Kirchenorganisation unterdessen ihre Wirkung entfalten. Im Kantonsgebiet zeigt sich das im Einsetzen einer schriftlichen Überlieferung, die vor allem Güterübertragungen an klösterliche Grundherrschaften festhält. Neben die noch immer hergestellte handgemachte rauwandige Ware tritt nun eine auffällig dünnwandige Ware mit Kalkmagerung, die ebenfalls mit den Händen gefertigt wurde. Keramik dieser Art findet sich zweimal vergesellschaftet mit gelber Drehscheibenware und muss daher spätestens ins frühe 9. Jahrhundert datiert werden. Es handelt sich hierbei um das erste Auftreten der so genannten nachgedrehten Waren, die das keramische Fundgut bis ins. 13. Jahrhundert prägen. Die Gefäße dieser Warenart zeichnen sich im 9. und 10. Jahrhundert durch ein einheitliches, sehr typenarmes und gleichzeitig langlebiges Formenspektrum aus (**Abb. 4**). Die entsprechenden Ränder – im Wesentlichen Trichterränder – verändern sich kaum, was ihre Aussagekraft in Datierungsfragen stark beeinträchtigt. Diese Beschreibung der Keramik des 9. und 10. Jahrhunderts findet Übereinstimmung mit den übergeordneten Merkmalen, die Madeleine Châtelet für die Erzeugnisse der zentralisierten Regionalproduktionen am südlichen Oberrhein festgehalten hat: Formenarmut, Einheitlichkeit und dünne Gefäßwandung[29]. Es scheint also, dass der Aufbau von zentralisierten Werkstätten in unserer Region zwar mit einer Verzögerung von gut hundert Jahren, aber trotzdem nach dem gleichen Muster eingesetzt hat[30]. Es ist anzunehmen, dass eine innerhalb der grundherrschaftlichen Strukturen organisierte, regulierte und vermutlich zentralisierte Produktion die Versorgung mit Keramik sicherstellte. Mit der umfassenden herrschaftlichen Durchdringung konnte das Wirtschaftsleben tief greifend kontrolliert, aber scheinbar kaum stimuliert werden. Die Gesamtmenge der Keramik, die einigermaßen zuverlässig dem 9. und 10. Jahrhundert zugerechnet werden kann, ist gering. Die Gründe hierfür dürften nicht nur in der schlechten Quellenlage liegen, sondern auch in einer spürbaren Keramikarmut. Die zentralisierte Produktion scheint demnach die Wirtschaftsleistung eher gebremst und die Versorgung der Allgemeinheit verschlechtert zu haben. Auf eine Verknappung des Angebots an Töpferwaren weist auch die deutliche Zunahme an Flicklöchern hin.

Insgesamt verlief die wirtschaftliche und gesellschaftliche Entwicklung unserer Gegend nach der Durchsetzung der Grundherrschaft gemächlich. Handelsaktivitäten fanden nur in beschränktem Maß statt und waren durch wenige Teilnehmer dominiert. Als bäuerliches Hinterland diente das Gebiet der Region Schaffhausen vorwiegend der landwirtschaftlichen Produktion. Die Bedeutung des Güterverkehrs auf dem Rhein über die Stromschnellen bei Schaffhausen und den Rheinfall hinaus ist schwierig einzuschätzen.

Dynamik: 11. und 12. Jahrhundert

Ab dem späten 10. Jahrhundert zeichnet sich im keramischen Formenschatz eine zunehmende Diversifizierung ab. Bis ins frühe 12. Jahrhundert beschränkt sich diese Entwicklung vorwiegend auf die Topfränder, die sich vielfältiger und wandelbarer zeigen (**Abb. 5**). Die Töpfereierzeugnisse stehen in der Tradition der nachgedrehten Waren des 9./10. Jahrhunderts, sind nun aber nicht mehr mit Kalk, sondern mit überwiegend feinen, kristallinen Bestandteilen gemagert. Die Gefäßwand wird noch etwas dünner, die Oberflächen

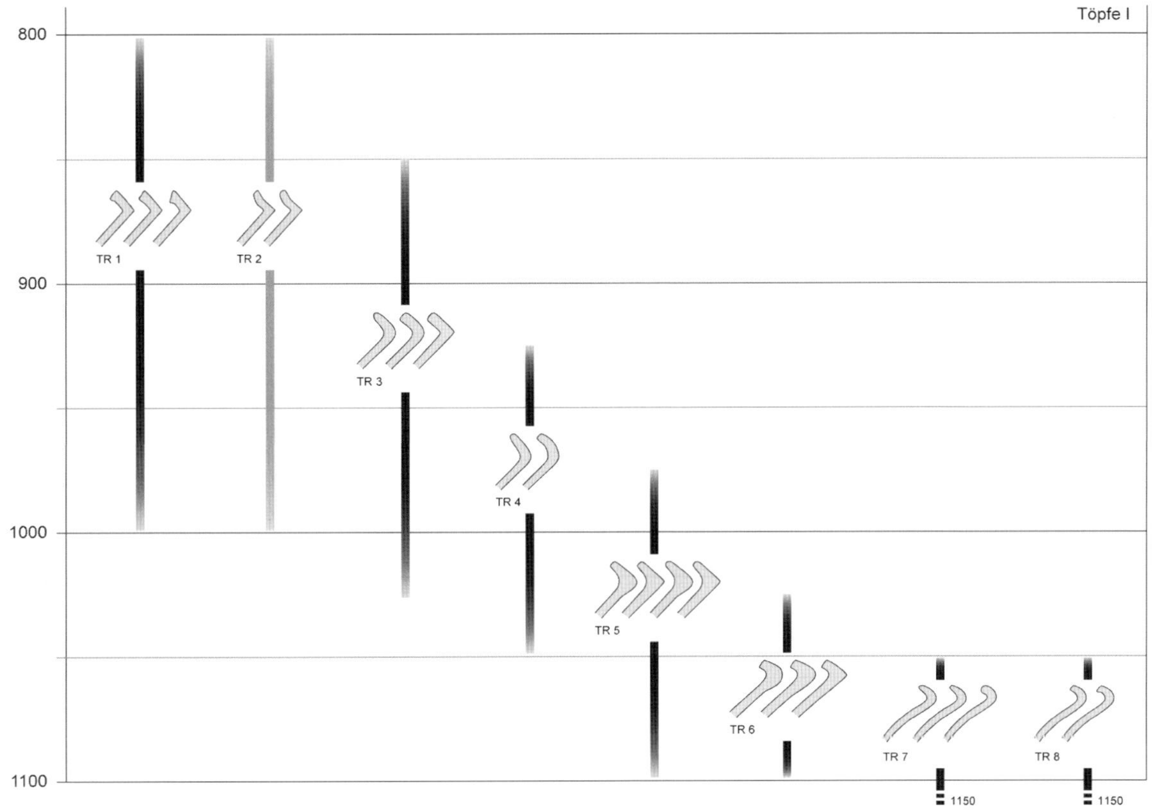

Abb. 4 Nachgedrehte Waren. Typenspektrum der Topfränder in der Region Schaffhausen. 8.-11. Jahrhundert. – (Nach Homberger/Zubler 2010).

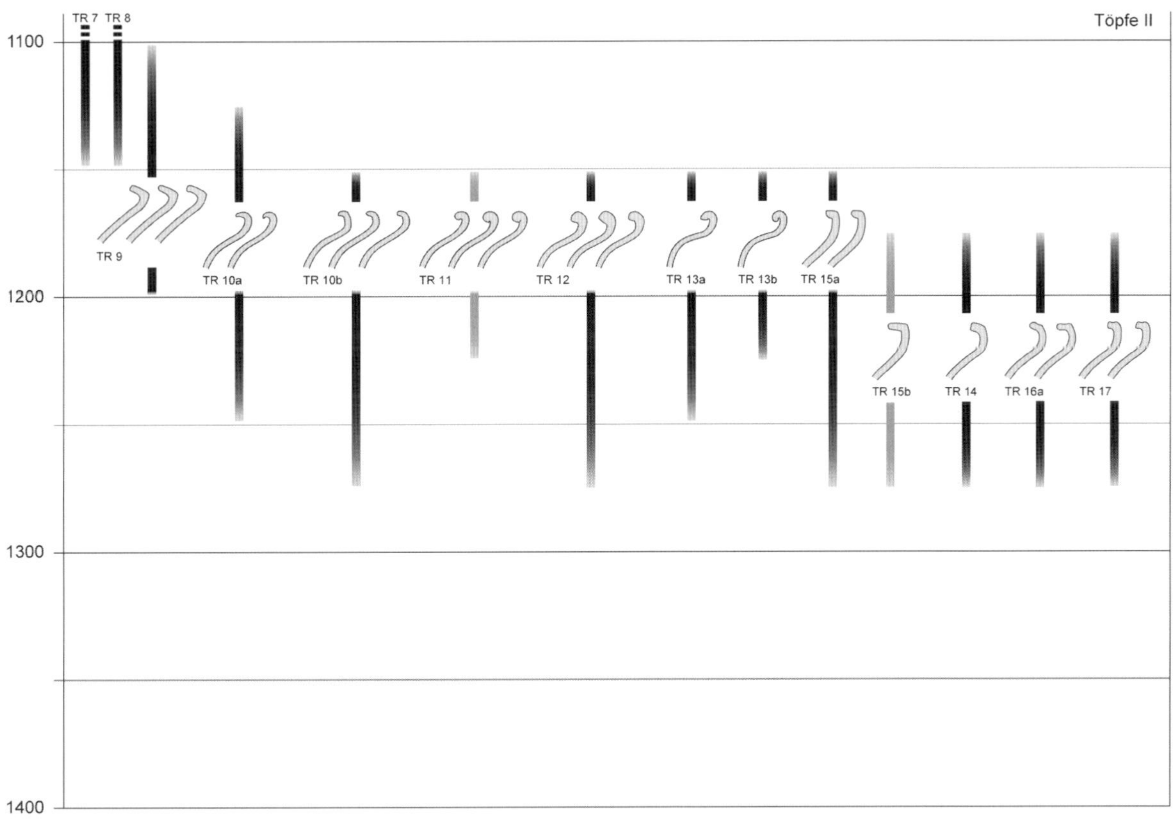

Abb. 5 Nachgedrehte Waren. Typenspektrum der Topfränder in der Region Schaffhausen, 12./13. Jahrhundert. Einige Formen (TR18-TR20), die erst im späten 12. bzw. im 13. Jahrhundert aufkommen, sind nicht abgebildet. – (Nach Homberger/Zubler 2010).

werden sorgfältiger überarbeitet. Im Verlauf des 12. Jahrhunderts nimmt die Vielfalt weiter zu: Neue Gefäßformen wie Pfannen, Schüsseln und Ofenkeramik tauchen auf. Hinzu kommen im frühen 13. Jahrhundert Dreibeingefäße. Auf den Gefäßoberflächen werden erste Glasuren aufgetragen. Das Spektrum der Randtypen wird immer breiter (**Abb. 5**)[31]. Das Töpfereinhandwerk scheint sich von seinen strukturellen Fesseln lösen zu können und seinen Gestaltungsspielraum zurückzugewinnen. Parallel dazu verlagert sich das wirtschaftliche Geschehen an den Rhein. Spätestens im 11. Jahrhundert wird mit der Verleihung von Münz- und Marktrechten in Schaffhausen und Stein am Rhein der Bezug zum Rhein wichtiger. Insbesondere die Stadt Schaffhausen entwickelt sich zum Regionalzentrum mit herrschaftlichen Rechten in weiten Gebieten des Kantons. Das Töpfereigewerbe ist nun wohl vorwiegend in den Marktorten zu suchen. Wann genau und in welchen Schritten der Übergang von zentral regulierten zu mehr oder weniger unabhängig produzierenden Werkstätten stattfindet, ist nicht abschließend zu beurteilen. Aufgrund der Keramikentwicklung könnte der Strukturwandel bereits im späten 10. Jahrhundert begonnen und sich im Urbanisierungsprozess des 11. und 12. Jahrhunderts durchgesetzt haben.

Nach der Jahrtausendwende entwickelt sich das Wirtschaftsleben in der Region mit zunehmender Dynamik. Insbesondere das rasche Wachstum der Stadt Schaffhausen ist auf starke Handelsaktivitäten auf dem Rhein zurückzuführen. Es kann davon ausgegangen werden, dass diese Zunahme auf einer größeren Zahl von Handelsteilnehmenden und größerer Handelsfreiheit beruht. Dies ändert jedoch nichts am regionalen Charakter der Schaffhauser Keramik. Selbst nachdem der Hochrhein als Handelsroute immer mehr an Bedeutung gewinnt und die Umladestation bei Schaffhausen entscheidend zu Wachstum und Wohlstand der Stadt beiträgt, fällt die Keramik als Leitfossil des Handels weitgehend aus. Weder sind exportorientierte Keramikindustrien wie im Rheinland nachzuweisen noch umgekehrt Importmengen wie in den Niederlanden[32]. Andererseits zeigt sich bei der nun verbesserten Quellenlage, dass die Keramikregion sich über den Rhein hinaus erstreckt. Das Fundmaterial des angrenzenden Kantons Zürich, insbesondere der Städte Winterthur und Zürich lässt sich bis ins Spätmittelalter gut mit der Schaffhauser Keramik vergleichen[33].

SCHLUSSFOLGERUNGEN

Die an der Tagung vorgestellten Beiträge zeigen große Unterschiede der Produktions- und Handelsgeschichte der verschiedenen Regionen. Es ist demnach einerseits nach der Absatzorientierung der Produktionsstandorte und andererseits nach den Handelsaktivitäten der Regionen zu unterscheiden. So kann das Verbreitungsgebiet der Ware eines auf überregionalen Export ausgerichteten Standorts tatsächlich einen Teil der ehemaligen Handelsbeziehungen spiegeln und damit dem Modell gerecht werden, das mit der Bezeichnung der Keramik als Leitfossil des Handels implizit angelegt wird (**Abb. 6**). Gleichzeitig sind aber Regionen zu beobachten, die eine fast ausschließlich als regional zu charakterisierende Keramikverbreitung aufweisen. Es wird sich dabei meist nicht um das Abbild einer zentralisierten Regionalproduktion, sondern um einen gemeinsamen Austauschraum mit kulturellen, politischen und wirtschaftlichen Dimensionen handeln. Zu bemerken ist, dass dieser Raum jedoch nicht vom überregionalen Handel ausgeschlossen wird, sondern sich auf überregionale Handelrouten ausrichten kann, wie es die Region Schaffhausen zeigt. Die Keramik nimmt in diesem Fall nicht am überregionalen Handel teil, sondern versorgt vielmehr einen innerregionalen Handels- oder Integrationsraum, der sich unter anderem an der Handelsroute des Rheins orientiert (**Abb. 7**). Im größeren Maßstab betrachtet, könnten sich solche regionalen Wirtschafträume sequentiell überlagern (**Abb. 8**).

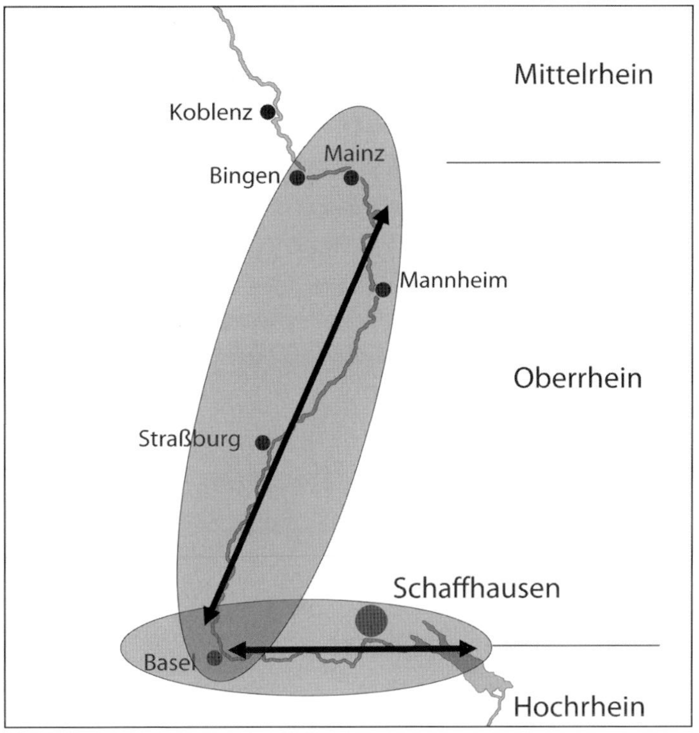

Abb. 6 Modell des überregionalen Handels mit Töpfereiwaren. Die Verbreitung der Keramik (graue Fläche) erfolgt entlang dem Rhein als überregionalem Handelsweg (langer Pfeil).

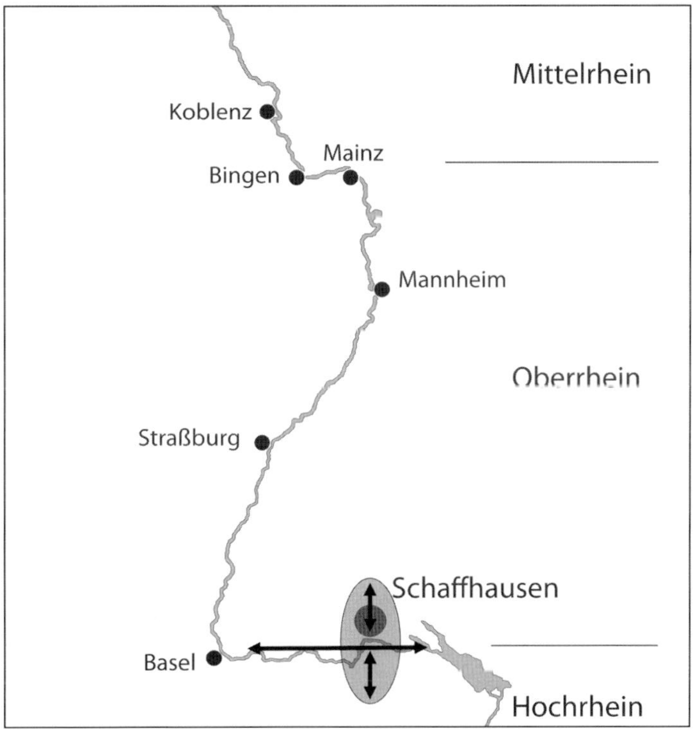

Abb. 7 Modell des regionalen Handels mit Töpfereiwaren über den Rhein hinweg. Die Verbreitung der Keramik erfolgt innerhalb einer Austauschregion (graue Fläche), die Bezug nimmt (kleine Pfeile) auf den Fluss als Route für den überregionalen Handel (langer Pfeil).

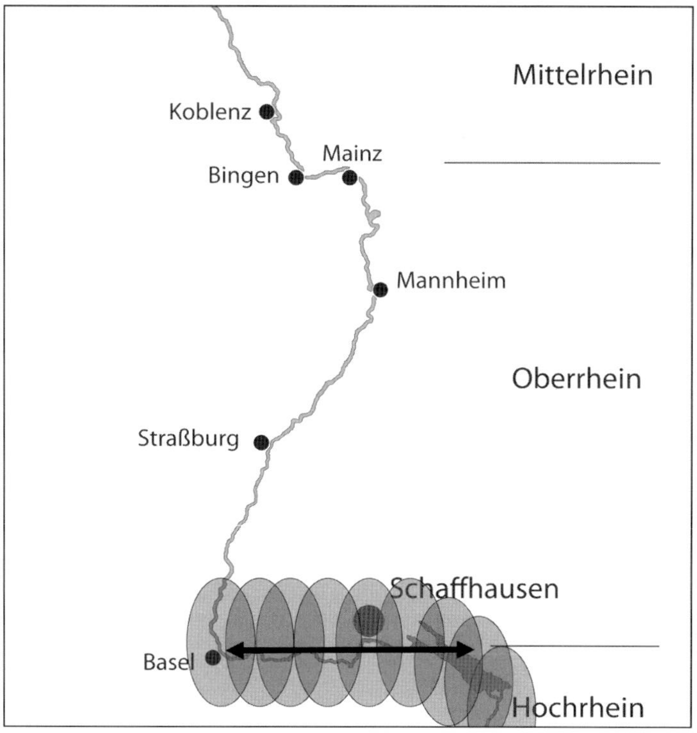

Abb. 8 Modell des regionalen Handels mit Töpfereiwaren über den Rhein hinweg. Die Verbreitung der Keramik erfolgt innerhalb mehrerer sich überlappender Austauschregionen (graue Flächen), die Bezug auf den Fluss als Route für den überregionalen Handel nehmen (langer Pfeil).

Anmerkungen

1) Für kritische Hinweise und die Unterstützung bei der Erstellung der Abbildungen bedanke ich mich bei Valentin Homberger und Regula Ackermann.
2) Vgl. beispielsweise die Überlegungen zum Fehlen von Siedlungen im 5./6. Jahrhundert bzw. zum Siedlungsabbruch um 1200 bei Schreg 2006, 304f. 320.
3) Die Bestattungsnachweise wurden nur bis zum Ende der Beigabensitte aufgenommen. Eine zuverlässige zeitliche Zuweisung von beigabenlosen Gräbern gelingt nur ausnahmsweise. Zudem stehen die beigabenlosen Bestattungen in der Regel im Bezug zu einer Kirche und damit im Siedlungskontext.
4) Mittelalterliche Siedlungen 2010. Die Karte wurde durch Marc Wüst für die historische Dauerausstellung des Museums zu Allerheiligen Schaffhausen in Zusammenarbeit mit der Kantonsarchäologie Schaffhausen erarbeitet. Für die Genehmigung des Abdrucks bedanke ich mich beim zuständigen Kurator Daniel Grütter.
5) Zubler 2000c. – Höneisen 2002.
6) Höneisen 1993.
7) Beck/Senn 2000, 247.
8) Beck/Senn 2000.
9) Höneisen 2002, 25 Taf. 112, 7-8. – Höneisen 1993, 380f. Taf. 33.391.
10) Zubler 2000b.
11) Höneisen 2000, 206-209.
12) Zur Siedlungsdynamik und zur Erkennbarkeit von archäologischen Strukturen: Schreg 2006, 303-318.
13) Unpublizierter Bestand, Kantonsarchäologie Schaffhausen. Petrografische Analyse in Zubler 2000a. Weitere noch unbearbeitete Funde und Befunde dieser Zeitstellung kamen 2002-2006 bei den Ausgrabungen der bandkeramischen Siedlung auf der benachbarten Parzelle Gächlingen-Goldäcker zum Vorschein.
14) Höneisen 2002.
15) Zubler 2000a.
16) Windler 2010, 144-146.
17) Zubler 2000a, 94.
18) Châtelet 2002, 168-170. – Eher skeptisch dazu: Heege 2007, 50f.
19) Châtelet 2002, 169f.
20) Schaffhausen-Berslingen, Osterfingen-Oberdorf, Schleitheim-Dorfkirche: Zubler 2000a, 85-91. 98. 113-115.
21) Zur Topographie der Schleitheimer Fundstellen vgl. Höneisen 2002, 12. 14. 33.
22) Zubler 2000a, 113-115. – Die Funde von Schleitheim-Brüel, Fundplatz »im Hof«, wurden für den vorliegenden Aufsatz nicht umfassend ausgewertet. Es wird deshalb nur ein Auszug der bei kurzer Durchsicht erfassten offensichtlichen Randfragmente des 8.-12. Jahrhunderts vorgestellt.
23) Châtelet 2002, 170-173.
24) Vgl. Beitrag Grunwald.
25) Zur Ausbreitung der Grundherrschaft als Begründung für die Vereinheitlichung der keramischen Erzeugnisse in Südwestdeutschland: Gross 2004, 262.
26) Zum Zusammenhang von grundherrschaftlichem Fernbesitz und regionsfremder Keramik sowie zur Keramik als Verpackungsmaterial: Gross 2004, 268f.
27) Guyan 1950, 193-215 Taf. 65-70.

28) Zubler 2000a, 115 f. 143 f. 166.
29) Châtelet 2002, 165-168. 208.
30) Zubler 2000a, 155-158.
31) Zu Warenarten und Gefäßentwicklung bis ins mittlere 12. Jahrhundert: Zubler 2000a. – Zur Typenentwicklung der mittelalterlichen Keramik und insbesondere der Dynamik im 12. und 13. Jahrhundert: Homberger/Zubler 2010.
32) Vgl. die Beiträge verschiedener Autoren in diesem Band.
33) Bei der Erarbeitung einer Typologie und Seriation der mittelalterlichen Keramik der Region Schaffhausen konnte sehr weitgehende Übereinstimmung der Waren und Formen im links- und rechtrheinischen Gebiet festgestellt werden: Homberger/Zubler 2010.

Literatur

Bänteli/Höneisen/Zubler 2000: K. Bänteli / M. Höneisen / K. Zubler, Berslingen – ein verschwundenes Dorf bei Schaffhausen. Schaffhauser Arch. 3 (Schaffhausen 2000).

Beck/Senn 2000: B. Beck / M. Senn, Zur Eisenverhüttung im Durachtal. In: Bänteli/Höneisen/Zubler 2000, 241-269.

Châtelet 2002: M. Châtelet, La céramique du Haut Moyen Âge du sud de la vallée du Rhin supérieure (Alsace et Pays de Bade). Typologie, chronologie, technologie, économie et culture. Europe Médiévale 5 (Montagnac 2002).

Gross 2004: U. Gross, Keramikverbreitung im 8. Jahrhundert als Hinweis auf Handel und Gliederung des politischen Raumes. In: H. U. Nuber / H. Steuer / Th. Zotz, Der Südwesten im 8. Jahrhundert aus historischer und archäologischer Sicht. Archäologie und Geschichte. Freiburger Forsch. erstes Jahrtausend 13 (Ostfildern 2004) 257-274.

Guyan 1950: W. U. Guyan, Die frühmittelalterliche Siedlung von Osterfingen (Kt. Schaffhausen). Zeitschr. Schweizer. Arch. u. Kunstgesch. 11, 1950, 193-215.

Heege 2007: A. Heege (Hrsg.), Töpferöfen – Pottery kilns – Fours de potiers. Die Erforschung frühmittelalterlicher bis neuzeitlicher Töpferöfen (6.-20. Jh.) in Belgien, den Niederlanden, Deutschland, Österreich und der Schweiz. Basler H. Arch. 4 (Basel 2007).

Hofer 2010: N. Hofer (Hrsg.), Handbuch zur Terminologie der mittelalterlichen und neuzeitlichen Keramik in Österreich. Fundber. Österreich Materialh. A, Sonderh. 12 (Wien 2010).

Homberger/Zubler 2010: V. Homberger / K. Zubler, Mittelalterliche und neuzeitliche Keramik der Region Schaffhausen. Typologie, Seriation und Materialvorlage. Beitr. Schaffhauser Arch. 3 (Schaffhausen 2010).

Höneisen 1993: M. Höneisen (Hrsg.), Frühgeschichte der Region Stein am Rhein. Archäologische Forschungen am Ausfluss des Untersees. Schaffhauser Arch. 1 (Schaffhausen 1993).

2000: M. Höneisen, Die Siedlungsspuren des mittelalterlichen Merishausen. In: Bänteli/Höneisen/Zubler 2000, 203-209.

2002: M. Höneisen, Die frühmittelalterliche Siedlung. In: A. Burzler / M. Höneisen / J. Leicht / B. Ruckstuhl, Das frühmittelalterliche Schleitheim – Siedlung, Gräberfeld und Kirche. Schaffhauser Arch. 5 (Schaffhausen 2002) 17-36.

Mittelalterliche Siedlungen 2010: M. Wüst / K. Zubler / M. Höneisen / V. Homberger, Mittelalterliche Siedlungen im Kanton Schaffhausen [unpublizierte Karte für die historische Dauerausstellung des Museums zu Allerheiligen Schaffhausen, Schaffhausen 2010].

Schreg 2006: R. Schreg, Dorfgenese in Südwestdeutschland: Das Renninger Becken im Mittelalter. Materialh. Arch. Baden-Württemberg 76 (Stuttgart 2006).

Windler 2010: R. Windler, Ein frühmittelalterlicher Werkplatz und eine Uferverbauung an der Eulach bei Winterthur. Jahrb. Arch. Schweiz 93, 2010, 137-171.

Zubler 2000a: K. Zubler, Wiederentstandenes Leben im Mittelalterdorf Berslingen. Das Fundmaterial. In: Bänteli/Höneisen/Zubler 2000, 83-159.

2000b: K. Zubler, Die mittelalterlichen Funde von Merishausen. In: Bänteli/Höneisen/Zubler 2000, 210-222.

2000c: K. Zubler, Die mittelalterlichen Funde von Bargen. In: Bänteli/Höneisen/Zubler 2000, 236-240.

Zusammenfassung / Abstract

Umbruch und Entwicklung. Mittelalterliche Keramik in der Region Schaffhausen – (k)ein Leitfossil des Handels

Im Verlauf des Mittelalters schwankt die Quellenlage im Gebiet des Kantons Schaffhausen stark. Während aus dem 7. Jahrhundert fast flächendeckend Grabfunde bekannt sind, kennen wir im gesamten Frühmittelalter nur wenige Siedlungsplätze. Die historische Überlieferung setzt im 9. Jahrhundert mit Schenkungen an die Klöster Reichenau und St. Gallen ein. Fundstellen aus der Zeit nach der Jahrtausendwende finden sich vermehrt am Rhein. Nach dem Verschwinden der Rauwandigen Drehscheibenware im Verlauf des 7. Jahrhunderts entwickelt sich im 9. Jahrhundert eine dünnwandige Ware. Diese prägt die Keramikherstellung bis ins 13. Jahrhundert. Über lange Zeit verändert sich das Formenspektrum kaum. Im Verlauf des 11./12. Jahrhunderts wird das Töpfereihandwerk zunehmend dynamischer. Importkeramik spielt nur in der quellenarmen Karolingerzeit eine Rolle. In vier von fünf Fundstellen finden sich mit gelber Drehscheiben- und Karbonatitware Importe aus dem Westen. Es ist davon auszugehen, dass dieses Phänomen die karolingische Durchdringung des alemannischen Raumes widerspiegelt. Außerhalb des 8. und frühen 9. Jahrhunderts ist die Keramik der Region Schaffhausen durchweg regionaler Art und kein Leitfossil des Handels.

Upheaval and development. Mediaeval pottery in the region of Schaffhausen: a type fossil of trade – yes or no?

For the area of the Canton Schaffhausen the amount of evidence swings considerably in the course of the Middle Ages. Whereas in the 7th century grave-finds are known from almost everywhere, we know only a few settlement sites throughout the whole early mediaeval period. The historical sources begin in the 9th century with donations to the monasteries of Reichenau and St. Gallen. An increase of settlement sites from the period after A. D. 1000 can be found on the Rhine. After the disappearance of the coarse wheel-thrown pottery during the 7th century, a thin-walled ware developed during the 9th century, which dominated pottery-production up to the 13th century. The range of forms hardly changed over a long period. In the course of the 11th/12th century pottery-making became increasingly more dynamic. Imported pottery only played a role during the Carolingian era, for which sources are scarce. Four from five sites display imports from the west in the form of yellow, wheel-thrown ware and carbonatite ware. One can assume that this phenomenon refects the Carolingian penetration of the Alemannic area. Apart from the 8th and early 9th century the pottery in the region of Schaffhausen was entirely regional in nature and did not form a type fossil of trade.

Translation: C. Bridger

DOROTHEE ADE · MARIANNE DUMITRACHE

NEUE ERKENNTNISSE ZUR KONSTANZER KERAMIK DES 12. JAHRHUNDERTS

Die Erneuerung der Kanalisation und die Neugestaltung der Marktstätte in der ehemaligen Bischofsstadt Konstanz am Bodensee führten zwischen 1989 und 1992 zu Rettungsgrabungen, die im Vorlauf der Baumaßnahmen durchgeführt wurden [1]. Im Vordergrund der Untersuchungen standen Fragen zur Entstehung und Nutzung der 1225 zum ersten Mal urkundlich erwähnten Marktstätte [2]. Ihre zentrale Lage im Altstadtgefüge, südlich der wohl im 11. Jahrhundert umwehrten bischöflichen Marktsiedlung, begünstigte ihre Entwicklung »zu dem größten Lebensmittelmarkt« [3] der Bürgerstadt (**Abb. 1**). Die 2,50 m breiten, Ost-West orientierten Grabungsschnitte erbrachten wichtige Aufschlüsse zur Rekonstruktion der topographischen Entwicklung des am Seeufer angelegten Marktes (**Abb. 2**).
Ein überraschendes Ergebnis ist der dendrochronologisch vor 1130 datierte Beginn der Baulandgewinnung zur Anlage der Marktstätte in der Flachwasserzone des Bodenseeufers. Damit ist die großangelegte mehrphasige Aufschüttung fast ein Jahrhundert älter als erwartet. Außerdem zeigen die Bodenaufschlüsse, dass die Aufschüttungen nur bis zur Sigismundstraße reichten. Östlich davon entstand ein Hafenbecken. Eine

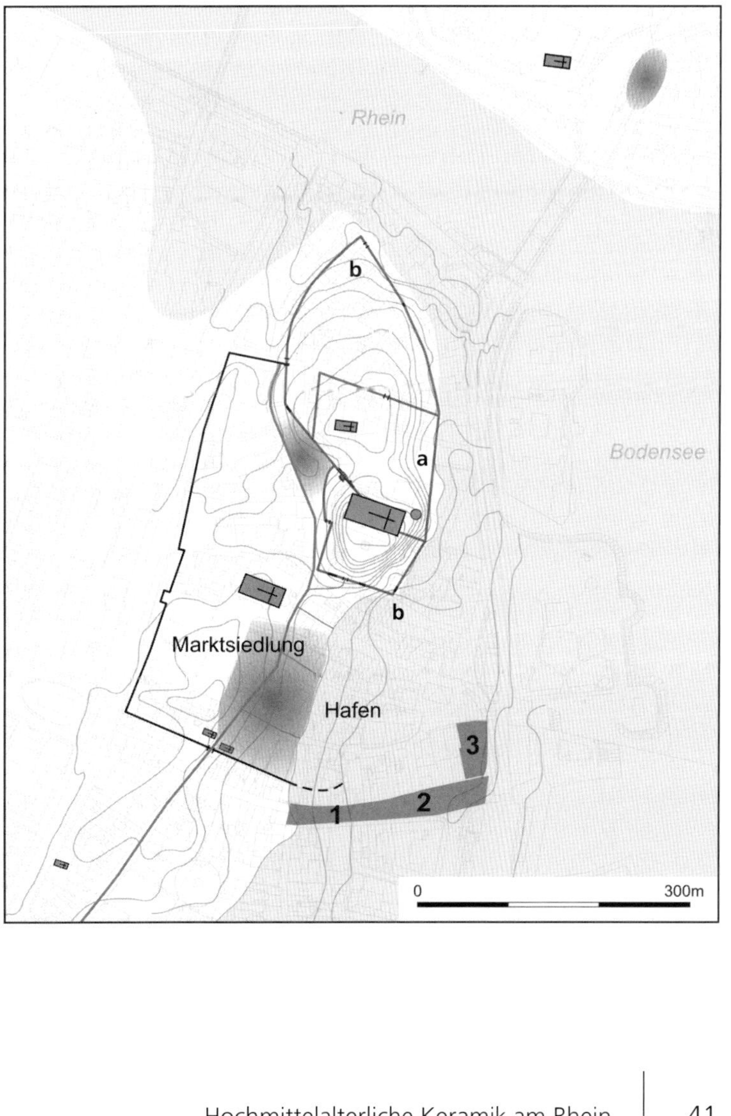

Abb. 1 Lage der Marktstätte südöstlich der bischöflichen Marktsiedlung: **1** obere Marktstätte. – **2** untere Marktstätte. – **3** Heiliggeist Spital. Rekonstruierter Plan von Konstanz mit dem Verlauf der spätantiken Kastellmauern (**a**), der frühmittelalterlichen Erweiterung (**b**) und der Ummauerung der Marktsiedlung (schwarz). – (Plangrundlage Röber 2009, 108 Abb. 4; Ergänzungen M. Dumitrache).

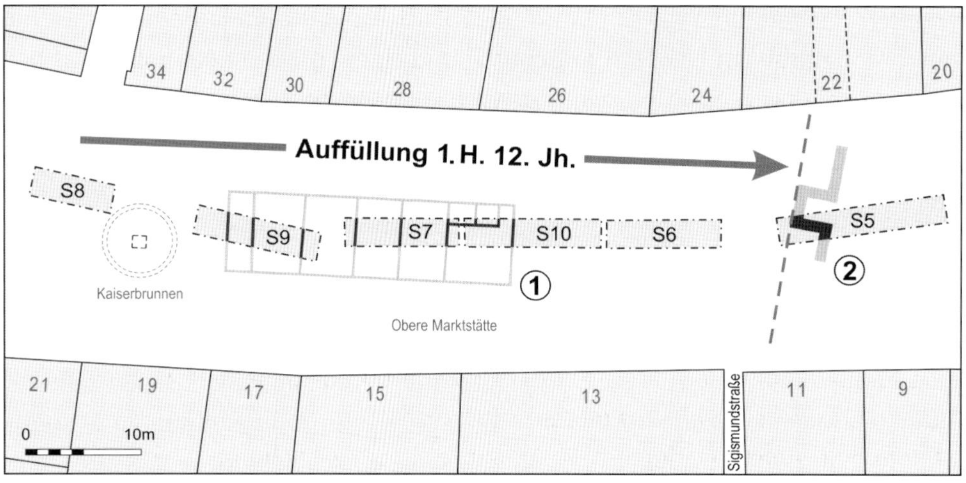

Abb. 2 Grabungsschnitte S 5 bis S 10 auf der oberen Marktstätte entlang der geplanten Kanaltrasse: **1** Rekonstruiertes Pfosten-Schwellriegelhaus (zweite Hälfte 12. Jahrhundert). – **2** Kaianlage (zweites Viertel 13. Jahrhundert). – (Plan Landesamt für Denkmalpfl. Baden-Württemberg, Regierungspräsidium Stuttgart).

zugehörige Uferbefestigung in Form einer Trockenmauer ist ab dem Ende des zweiten Viertel des 13. Jahrhunderts belegt. Auf dem neu aufgeschütteten Gelände wurde in den Jahren nach 1165/66 ein 25 m langer, Ost-West ausgerichteter Pfosten-Schwellriegelbau errichtet. Er dominierte den Platz über eine Generation und ging in einem Schadenfeuer um 1200 unter. Der Nachfolgebau ist mit 50 m doppelt so lang wie das Pfostengebäude. Es handelt sich um einen zweigeteilten Großbau, der am Hafen als repräsentatives, feuerresistenteres Steinhaus mit einem stadteinwärts anschließenden Ständerbau errichtet wurde. Dieser zweimalig von Grund auf erneuerte Großbau fällt schließlich dem verheerenden Stadtbrand von 1398[4] zum Opfer. Eine Identifizierung mit der ab der Mitte des 13. Jahrhunderts schriftlich belegten »Metzig« liegt auf der Hand[5]. Der nachfolgende Neubau ist archäologisch zwar nicht mehr fassbar, jedoch durch Schrift- und Bildquellen[6] bis zu seinem Abbruch 1764[7] belegt. Nach 1400 verfüllte man mit Brand- und Bauschutt das inzwischen 250 Jahre alte Hafenbecken an der unteren östlichen Marktstätte. Heute präsentiert sich die Marktstätte als große Freifläche. Sie ist das Ergebnis einer modernen Platzgestaltung, die mit Baulandgewinnungsmaßnahmen im ersten Drittel des 12. Jahrhunderts ihren Anfang nahm.

Seit dem Jahr 2009 werden im Rahmen eines vom Landesamt für Denkmalpflege Baden-Württemberg im Regierungspräsidium Stuttgart finanzierten und geförderten Auswertungsprojekts die Befunde von Marianne Dumitrache, damalige Grabungsleiterin, und die keramischen Funde von Dorothee Ade ausgearbeitet. Während die Befunde mit z. T. sehr komplizierten Feinstratigraphien für alle Perioden ausgewertet werden, liegt der Schwerpunkt der Keramikaufarbeitung auf dem umfangreichen Fundmaterial der Perioden I-VII des 12. und 13. Jahrhunderts. Zwar liegen zur zeitlichen Einordnung der Befunde und Bauphasen verschiedene dendrochronologisch bestimmte Hölzer vor, die Auswertung der Keramik spielt aber dennoch eine wichtige Rolle: Zum einen lassen sich mit ihr Befunde der mitunter meterweit voneinander entfernten Schnitte miteinander verknüpfen bzw. auf ihre »Gleichzeitigkeit« überprüfen, zum anderen dient sie zur Kontrolle der Dendrodaten. Ist eine sekundäre Verwendung auszuschließen, ermöglichen letztere wiederum eine feinere Datierung der Keramik im Bodenseeraum. Um die Masse der Funde in dem für das Projekt vorgegebenen Rahmen bewältigen zu können, werden alle Scherben durchgesehen. Von den häufig auftretenden Töpfen und Schüsseln werden die Rand-, Boden- und verzierten Wandscherben aufgenommen, von den seltener auftretenden Formen wie Kannen, Dreifußtöpfen, Deckeln, Ofenkacheln und anderen Sondergefäßen, alle Fragmente.

An Warengruppen konnten bei der fast ausschließlich von Hand aufgebauten, meist weniger sorgfältig nachgedrehten Ware lediglich eine feiner und eine gröber gemagerte Variante unterschieden werden, wobei erstere überwiegt. Beide sind meist reduzierend gebrannt und zeigen unterschiedliche Grautöne. Vorwiegend bei Schüsselfragmenten der fein gemagerten Ware finden sich als dritte Variante Scherben mit einer oxidierend gebrannten, orangefarbenen bis roten Außenhaut und einem grauen Kern. Alle Scherben sind außen mehr oder weniger sorgfältig verstrichen oder überdreht und zeigen innen deutliche Bearbeitungsspuren.

Die besten Vergleiche für das Gefäß- und Randformenspektrum finden sich in dem gut aufgearbeiteten Fundmaterial der Region Schaffhausen, dem mittels Seriation weitere Keramikkomplexe aus der Nordschweiz angeschlossen werden konnten[8]. Die aus dieser Auswertung entstandene Typologie und deren chronologische Einordnung bilden die Ausgangsbasis für die Bearbeitung der vorliegenden Konstanzer Funde.

Die hier vorgestellten Ergebnisse beschränken sich auf die Funde aus den Aufschüttungen der Flachwasserzone im Uferbereich zur Landgewinnung. Die älteste, fast immer direkt auf dem Seeton aufliegende, 0,6-0,9 m starke Aufschüttung (Periode II) erbrachte eine stattliche Anzahl von ca. 1150 Keramikscherben. Wohl unmittelbar danach folgte eine zweite Auffüllung (Periode III) mit ca. 620 Scherben, die in Schnitt 9 durch eine Ost-West orientierte Faschinenwand begrenzt war. Die Hölzer lassen auf eine Erbauung 1129/30 oder in den frühen 1130er Jahren schließen. Aus einer dritten, ca. 0,3 m starken Aufschüttung (Periode IIIa), die nach dem Bau einer Holzwand eingefüllt wurde, barg man ca. 410 Scherben. Faschinen- und die Holzwand waren Hilfskonstruktionen zur Aufschüttung des Geländes. Diese war spätestens um 1165/66 abgeschlossen, als auf dem neu gewonnenen Gelände der Pfosten-Schwellriegelbau (Periode IV) entstand. Die Aufschüttungen in Periode III erfolgten in ca. 35 Jahren, die der Periode II dürfte, da Spuren von Begehungen fehlen, unmittelbar vor 1130 eingebracht worden sein. Damit ergibt sich ein bemerkenswert »enger« Datierungsrahmen.

Für die Datierung sind die Randscherben von Töpfen, die 4-9 % der Gesamtmenge ausmachen[9], am wichtigsten. Im Vergleich mit dem Material aus der Region Schaffhausen lässt sich der Anteil der Altfunde aus dem 11. und in geringerem Maße aus dem 10. Jahrhundert vor 1130 mit 36 % und zwischen 1130 und 1165 mit 27 % errechnen. Es finden sich hauptsächlich Trichterränder (TR 2, 4-6)[10]. Am häufigsten liegt der am Randumbruch verdickte Typ TR 5 (**Abb. 3, 2**), der auch bei der im Gebiet zwischen Schwarzwald, mittlerer Schwäbischer Alb und Donau verbreiteten »Albware« als älteste Randformvariante auftritt[11].

Der Anteil der im Vergleich mit den Schweizer Funden als zeitgenössisch zu betrachtenden Keramik steigt von der ersten bis zur dritten Auffüllung von 53 % (TR 7-9, 10a; 10c) über 54 % (TR 7-12) auf 73 %[12]. Zeitgleich könnte auch eine Randscherbe der Älteren gelben Drehscheibenware vom Typ Jagstfeld aus der ersten Auffüllung sein (**Abb. 3, 1**)[13], der vom ausgehenden 10. bis zur Mitte des 12. Jahrhunderts in Gebrauch war. Südlich der Donau und auch in Konstanz findet sich diese Ware nur selten[14]. Betrachten wir die »zeitgenössische« Keramik, so sind Randscherben mit schlankem ausschwingendem Rand und gerundeter, spitz zulaufender, mitunter auch verdickter (TR 7; **Abb. 3, 3**) oder schräg nach außen abgestrichener Randlippe (TR 8; **Abb. 3, 4**) vor 1130 mit 75 % und nach 1130 mit weniger als 30 % belegt. In der Nordschweiz werden sie von der Mitte des 11. bis zur Mitte des 12. Jahrhunderts datiert[15]. Die Anzahl der im ganzen 12. Jahrhundert verbreiteten Ränder mit flach nach außen geknickter Randlippe (TR 9; **Abb. 3, 7**)[16] bleibt bescheiden mit abnehmender Tendenz, ebenso die der horizontal ausbiegenden Ränder (TR 10a; **Abb. 3, 5**), die nach der Schaffhausener Chronologie ab dem zweiten Viertel des 12. Jahrhunderts auftreten[17], wohingegen die in Konstanz vorliegende dickere, kürzere Variante (TR 10c; **Abb. 3, 8**) eher zunimmt.

Konnten bislang die Nordschweizer Ergebnisse bestätigt werden, so gibt es bei den Rollrändern (TR 11) und kantig profilierten Wulsträndern (TR 12) Unterschiede. Deren Aufkommen wird auf der Grundlage eines um 1150 münzdatierten Fundkomplexes vom Uetliberg-Uto-Kulm bei Zürich erst ab der Mitte des 12. Jahrhunderts angesetzt, was aber aufgrund der Befundlage nicht zwingend ist[18]. Bei der Marktstätte treten sie mit wenigen Exemplaren (**Abb. 3, 9-10**) schon vor 1130 auf und stellen danach die größte Gruppe innerhalb des immer größer werdenden Randformenspektrums dar. Eine entsprechend frühe Datierung ist

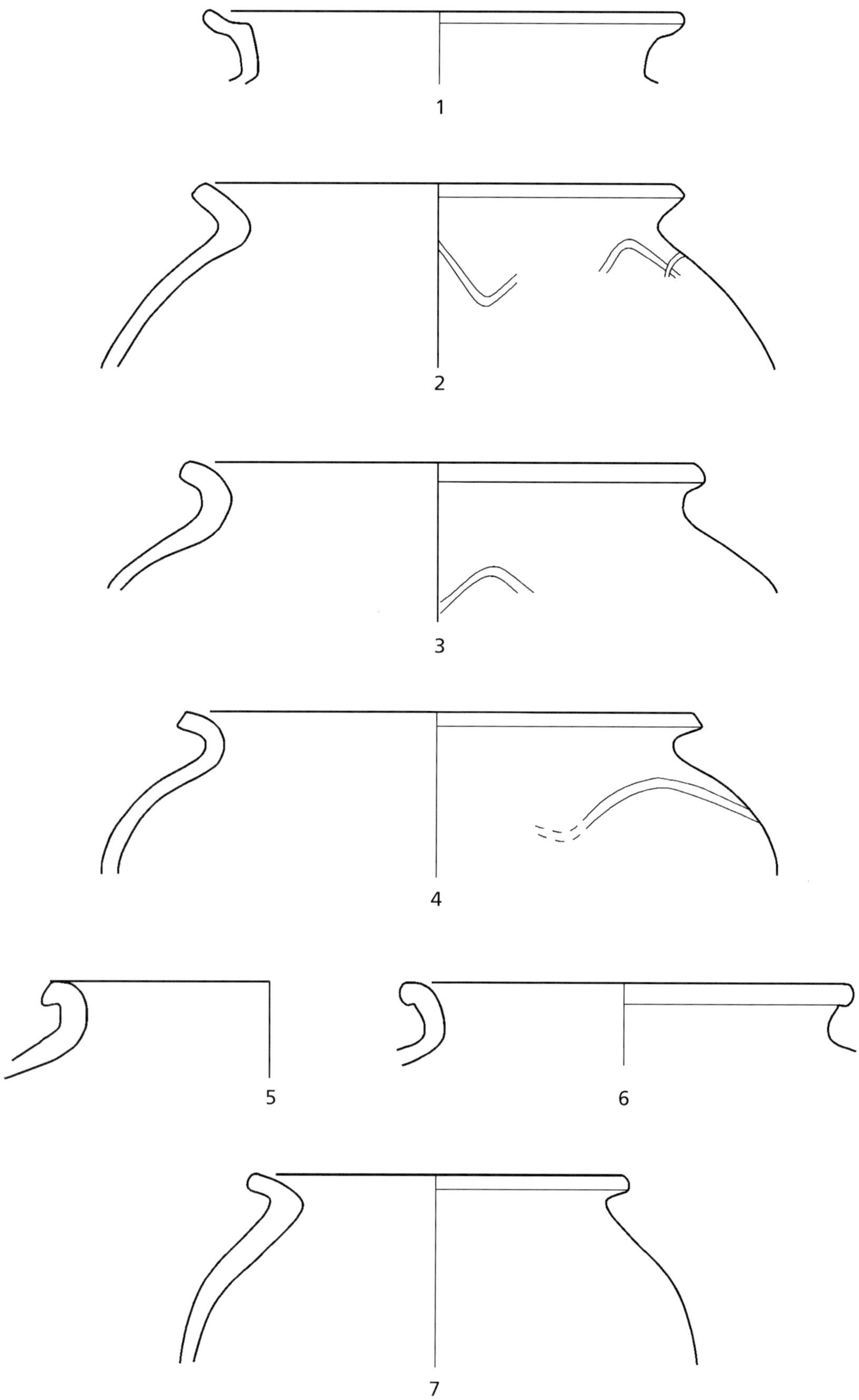

Abb. 3 Konstanz, Marktstätte. Keramiktypen: **1** Ältere gelbe Drehscheibenware, Typ Jagstfeld. – **2-15** nachgedrehte Ware: **2** TR 5; **3** TR 7; **4** TR 8; **5** TR 10a; **6** TR 10b; **7** TR 9a.

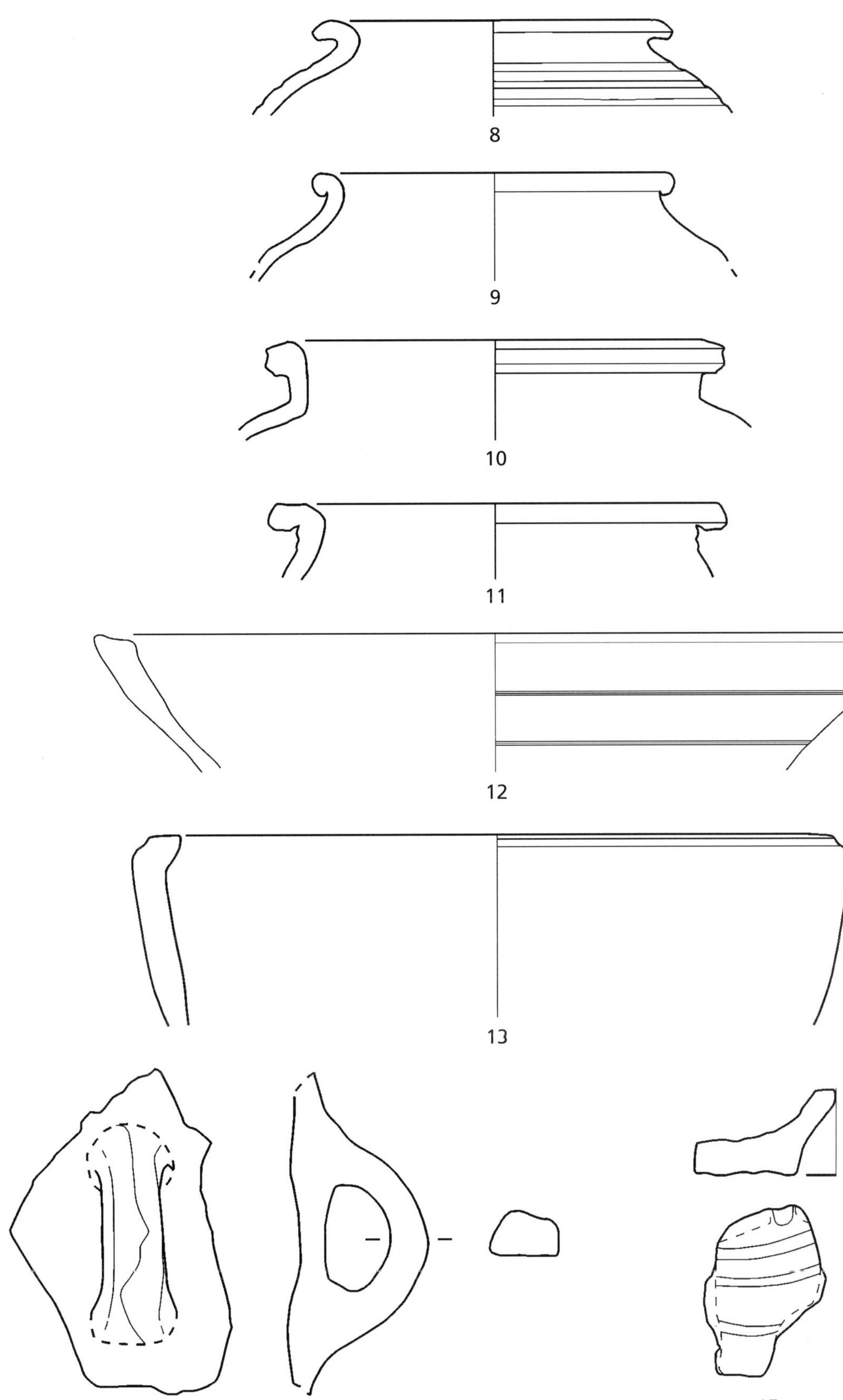

Abb. 3 Konstanz, Marktstätte. Keramiktypen: **8** TR 9c; **9** TR 11; **10** TR 12; **11** TR 16a; **12. 14** Schüssel SR 1; **13** napfartige Schüssel oder Pfanne; **15** Deckel. – 1-4. 6. 11. 15 Per. II; 5. 7. 8. 10 Per. III; 9 Per. IIIa. – M. 1:2; 12 M. 1:3. – (Tafel Landesamt für Denkmalpfl. Baden-Württemberg, Regierungspräsidium Stuttgart; Montage H. Pantermehl).

auch in Ravensburg belegt[19]. Ein Aufkommen vor 1130 wäre somit auch für die in die zweite Hälfte des 12. Jahrhunderts datierte Variante TR 10b der horizontal ausbiegenden, gerundeten Ränder anzunehmen (**Abb. 3, 6**), die auf dem Uetliberg mit Wulsträndern zusammen auftritt[20] und aus Konstanz mit einem Exemplar aus Periode II und dreien aus Periode III vorliegt.

Mit jeweils ein bis zwei Scherben sind in der zweiten Auffüllung Typen vertreten, deren Beginn im letzten Viertel des späten 12. Jahrhunderts angesetzt wird, wie der schräg nach außen gelegte Rand mit Kehlung auf der Oberseite (Typ 16a; **Abb. 3, 11**), der auch horizontal und verdickt sein kann (TR 17) oder ein dreieckig verdickter und gekehlter Rand (Typ 18d)[21]. Ob diese schon um 1165 auftreten oder Irrläufer sind, wie das Randstück eines Dreifußtopfes oder fünf Wandscherben der für Konstanz typischen engobierten Ware[22], bleibt unsicher. Schwierig zu beurteilen ist auch das Auftreten von Leistenrändern, deren einfache, senkrecht abgestrichene Variante (TR 20a) aus Periode II und III je zweimal vorliegen, während die schräg abgestrichenen und unterschnittenen Formen (TR 20b. e-f) nur ein- bis zweimal vorkommen. Die Leistenränder werden im Schweizer Raum erst in das zweite Viertel des 13. Jahrhunderts, in Südwestdeutschland in ihrer frühen Ausformung aber noch in das 12. Jahrhundert datiert[23]. Dennoch ist nicht auszuschließen, dass es sich bei den weiter entwickelten Leistenrändern um Irrläufer handelt. Das Fragment eines gewölbten Deckels mit breitem, rillenverziertem Rand (**Abb. 3, 15**) aus Periode II könnte noch aus dem ersten Drittel des 12. Jahrhunderts stammen[24].

Schon aus Periode II liegen sieben Fragmente von großen, dickwandigen Schüsseln mit einem Durchmesser zwischen 35 und 38 cm vor, die mit Henkeln ausgestattet wurden, mit Horizontalriefen sowie -rillen verziert sind (**Abb. 3, 12. 14**) und in der Periode III eine deutliche Zunahme zeigen. Sie gehören zum Typ SR 1, der in der Region Schaffhausen erst ab dem letzten Viertel des 12. Jahrhunderts[25], aus Bayern und inzwischen auch aus Ravensburg aber schon im 11. Jahrhundert belegt ist[26]. Daneben gibt es steilere, dünnwandigere, napfartige Exemplare von 20 bis 22 cm Durchmesser (**Abb. 3, 13**)[27], möglicherweise Pfannen, die in der Schweiz ab dem ersten Viertel des 12. Jahrhunderts vorkommen[28], wobei zugehörige Grifftüllen im Konstanzer Material fehlen.

Ebenfalls aus Periode II stammen 17 Wand- und Bodenscherben von mit breiten unregelmäßigen Rillen verzierten Topf- oder Becherkacheln. Die Randscherbe aus der zweiten Aufschüttung entspricht den auf der Frohburg bei Olten (Kt. Solothurn) in die erste Hälfte des 12. Jahrhundert datierten Becherkacheln[29], während in der Region Schaffhausen Kacheln erst seit der Mitte des 12. Jahrhunderts vorkommen[30].

Die Funde aus der Konstanzer Hafenaufschüttung bringen somit wichtige neue Erkenntnisse zur Keramik des 12. Jahrhunderts im Bodenseeraum und zeigen besonders enge Beziehungen zum östlichen Hochrheingebiet. Bezüge gibt es auch zu der bislang keramisch nur spärlich erfassten Region südlich der Donau, die jedoch noch weiter untersucht werden muss[31].

Anmerkungen

1) Dumitrache 1993, 331 f. – Dumitrache 2000, 116 f., Fundstelle 161. – Da eine Untersuchung der gesamten 185 m langen Kanaltrasse aus finanziellen und organisatorischen Gründen nicht möglich war, wurden 10 Grabungsschnitte von 8-10 × 2,5 m angelegt. Diese wurden bis auf den anstehenden, ca. 3 m tief liegenden Seeton ausgegraben. Weitere sechs auf der oberen Marktstätte angelegte und nur einen Meter tief ausgegrabene Schnitte erbrachten nicht die erhofften archäologischen Fakten (Dumitrache 1993, 333 Abb. 2).

2) Margitstat/Marktgestade – Markt am Ufer: Beyerle 1902, 14-16. – Häuserbuch 1908, 175. – Maurer 1989, 120. Die Nennung steht in Verbindung mit dem auf der Nordseite der unteren Marktstätte gelegenen Heilig-Geist-Spital (heutige Nr. 4).

3) Maurer 1989, 120. 243.

4) Häuserbuch 1906, 39. – Maurer 1989, 245.

5) Erstnennung in einer Urkunde datiert 1. April 1258 (»*[...] domus [...] site in vico, qui vulgariter dicitur Märckstat, prope macellum [...]*« (TUB 1924, 148. – Meier 1989, 214).

6) Hofmann 1978.
7) Häuserbuch 1906, 34.
8) Zubler 2000. – Homberger/Zubler 2010.
9) Periode II (70 Randscherben), Periode III (56 Randscherben), Periode IIIa (18 Randscherben).
10) Homberger/Zubler 2010, 29f.
11) Gross 1991, 143-145 Abb. 105, 1-2; 106, 7. – Fingerlin 1988, 209 Abb. 161.
12) 18 Randscherben aus Periode IIIa sind eine zu geringe Basis für eine statistische Aussage.
13) Weitere wenige Scherben fanden sich sowohl in Periode II als auch in Periode III.
14) Gross 2008, 142. – Gross 2009, 53-55. – Schmid 2009a, 79 Anm. 216. – Schmid 2009b, 68.
15) Homberger/Zubler 2010, 30. 40.
16) Ebenda.
17) Ebenda 30. 41.
18) Ebenda 133f. – Zubler 2000, 120.
19) Schmid 2009a, 78.
20) Homberger/Zubler 2010, 133f.
21) Ebenda 32f. 41f.
22) Junkes 1992, 340-343. – Junkes 1991, 82-84. 94.
23) Homberger/Zubler 2010, 35f. 41. 43. – Zubler 2000, 118 Taf. 34, 14 (frühes Exemplar in Berslingen). – Ade-Rademacher/Rademacher 1993, 102. – Kaltwasser 1995, 262f. – Schmid 2009, 71. 75-77. – Schmid 2009a, 79.
24) Vgl. ein ähnliches, aber anders verziertes Exemplar der Albware aus Mengen (Schmid 2009b, 70 Taf. 6, 85). Vergleichbare Stücke werden in der Schweiz erst in die zweite Hälfte des 13. Jahrhunderts datiert: Pfrommer/Gutscher 1999, 150.
25) Homberger/Zubler 2010, 24. 39. 42.
26) Wintergerst 1999, 35. – Schmid 2008, 122f. – Schmid 2009a, 78. 80. Die frühen Ravensburger Exemplare sind steilwandiger.
27) Periode II 3 St., Periode III 6 St.
28) Homberger/Zubler 2010, 23 (PFR 1a-b). 39. 42. – Zubler 2000, 109 Abb. 81 u. 120. Siehe auch: Ravensburg/Veitsburg, Mitte 11. bis Mitte 12. Jahrhundert: Ade-Rademacher/Rademacher 1993, 95f.
29) Tauber 1980, 296 Abb. 222, c9. – Meyer 1989, 66. 146 B 22-27.
30) Homberger/Zubler 2010, 20. 39.
31) Vergleichbar und in der Literatur immer wieder erwähnt sind hochmittelalterlichen Funde, die fälschlich einer Fundstelle in Hilzingen-Weiterdingen, Lkr. Konstanz, zugeschrieben werden (Aufdermauer 1992, 271 Abb. 192), die aber in Wirklichkeit aus der Grabung Marktstätte, Konstanz, stammen und zum Beitrag Dumitrache 1992 gehören.

Literatur

Ade-Rademacher/Rademacher 1993: D. Ade-Rademacher / R. Rademacher, Der Veitsberg bei Ravensburg. Forsch. u. Ber. Arch. Mittelalter 16 (Stuttgart 1993).

Aufdermauer 1992: J. Aufdermauer, Ein mittelalterlicher Keller mit Spuren eines Webstuhls aus Hilzingen-Weiterdingen, Kreis Konstanz. Arch. Ausgr. Baden-Württemberg 1992, 267-271.

Beyerle 1902: K. Beyerle, Grundeigentumsverhältnisse und Bürgerrecht im mittelalterlichen Konstanz. 2: Die Konstanzer Grundeigentumsurkunden der Jahre 1152-1371 (Heidelberg 1902).

Dumitrache 1992: M. Dumitrache, Zum Abschluss der Untersuchungen auf der Marktstätte in Konstanz. Arch. Ausgr. Baden-Württemberg 1992 (Stuttgart 1992) 331-335. – Dazu gehört Abb. 192 auf S. 271 (Beitrag Aufdermauer 1992).

1993: M. Dumitrache, Der Konstanzer Hafen im 12.-14. Jahrhundert im Lichte der archäologischen Ausgrabungen auf der Marktstätte und in der Brotlaube. In: M. Gläser (Hrsg.), Archäologie des Mittelalters und Bauforschung im Hanseraum. Festschr. G. P. Fehring (Rostock 1993) 331-340.

2000: M. Dumitrache, Konstanz. Archäologischer Stadtkataster Baden-Württemberg 1 (Stuttgart 2000).

Fingerlin 1988: G. Fingerlin, Zur Fortsetzung der frühmittelalterlichen Siedlungsgrabung in Stetten, Stadt Mühlheim a. D., Kreis Tuttlingen. Arch. Ausgr. Baden-Württemberg 1988, 209-211.

Gross 2008: U. Gross, Transitionen – Übergangsphänomene bei südwestdeutschen Keramikgruppen des frühen und hohen Mittelalters. In: Stratigraphie und Gefüge. Beiträge zur Archäologie des Mittelalters und der Neuzeit und zur historischen Bauforschung. Festschr. H. Schäfer. Forsch. u. Ber. Arch. Mittelalter Baden-Württemberg 28 (Esslingen 2008) 137-147.

2009: U. Gross, Drehscheibenware des frühen und hohen Mittelalters in Ulm. In: U. Gross u. a. (Hrsg.), Frühe Pfalzen – Frühe Städte. Neue Forschungen zu zentralen Orten des Früh- und Hochmittelalters in Süddeutschland und der Nordschweiz. Arch. Inf. Baden-Württemberg 58, 2009, 51-58.

Häuserbuch 1906. F. Hirsch, Konstanzer Häuserbuch 1 (Heidelberg 1906).

1908: K. Beyerle / A. Maurer, Konstanzer Häuserbuch 2 (Heidelberg 1908).

Hofmann 1978: E. Hofmann, Konstanz – alte Stadt in alten Bilder (Konstanz 1978).

Homberger/Zubler 2010: V. Homberger / K. Zubler, Mittelalterliche und neuzeitliche Keramik der Region Schaffhausen. Typologie, Seriation und Materialvorlage. Beitr. Schaffhauser Arch. 3 (Schaffhausen 2010).

Junkes 1991: M. Junkes, Die spätmittelalterliche Geschirrkeramik der Grabung Konstanz/Fischmarkt [unpubl. Diss. Univ. Kiel 1991].

1992: M. Junkes, Keramikgeschirr aus Konstanz. In: Landesdenkmalamt Baden-Württemberg u. Stadt Zürich (Hrsg.), Stadtluft, Hirsebrei und Bettelmönch – Die Stadt um 1300 (Stuttgart, Zürich 1992) 340-345.

Kaltwasser 1995: S. Kaltwasser, Die hochmittelalterliche Keramik der Grabungen auf dem »Harmonie«-Gelände in Freiburg. In: M. Untermann, Das »Harmonie«-Gelände in Freiburg im Breisgau. Forsch. u. Ber. Arch. Mittelalter Baden-Württemberg 19 (Stuttgart 1995) 247-312.

Maurer 1989: Konstanz im Mittelalter I. Von den Anfängen bis zum Konzil (Konstanz ²1996).

Meier 1989: F. Meier, Konstanzer Stadterweiterungen im Mittelalter. Grundstücksbezogene Untersuchungen zur Erschließungsgeschichte und Sozialtopographie einzelner Quartiere (Konstanz 1989).

Meyer 1989: W. Meyer, Die Frohburg – Ausgrabungen 1973-1977. Schweizer Beitr. Kulturgesch. Arch. Mittelalter 16 (Zürich 1989).

Pfrommer/Gutscher 1999: J. Pfrommer / D. Gutscher, Laufen. Rathausplatz. Eine hölzerne Häuserzeile in einer mittelalterlichen Kleinstadt: Hausbau, Sachkultur und Alltag. Schriftenr. Erziehungsdir. Kt. Bern (Bern 1999).

Röber 2009: R. Röber, Zwischen Antike und Mittelalter. Thesen zur Ausgestaltung und räumlichen Entwicklung ausgewählter Bischofssitze an Rhein und Donau. In: U. Gross u. a. (Hrsg.), Frühe Pfalzen – Frühe Städte. Neue Forschungen zu zentralen Orten des Früh- und Hochmittelalters in Süddeutschland und der Nordschweiz. Arch. Inf. Baden-Württemberg 58, 2009, 103-136.

Schmid 2008: B. Schmid, Ausgebrannt, überflutet – und weitergenutzt. Ein hochmittelalterliches Handwerkerhaus im Ravensburger Humpisquartier. In: Stratigraphie und Gefüge. Beiträge zur Archäologie des Mittelalters und der frühen Neuzeit und zur historischen Bauforschung. Festschr. H. Schäfer. Forsch. u. Ber. Arch. Mittelalter Baden-Württemberg 28 (Esslingen 2008) 137-147.

2009a: B. Schmid, BauArchäologie im Ravensburger Humpisquartier. Materialh. Arch. Baden-Württemberg 87 (Stuttgart 2009).

2009b: B. Schmid, Archäologische Untersuchungen im Stadtgebiet von Mengen, Kreis Sigmaringen. Forsch. u. Ber. Arch. Mittelalter Baden-Württemberg 27 (Stuttgart 2009).

Tauber 1980: J. Tauber, Herd und Ofen im Mittelalter. Schweizer Beitr. Kulturgesch. u. Arch. Mittelalter 7 (Olten, Freiburg i. Br. 1980).

TUB: Thurgauisches Urkundenbuch, 3. Band (Frauenfeld 1924).

Wintergerst 1999: M. Wintergerst, Die Ausgrabungen »Ledergasse 1« in Regensburg (1982). Materialh. Arch. Mittelalter u. Neuzeit 4 (Rahden/Westf. 1999).

Zubler 2000: K. Zubler, Wiedererstandenes Leben im Mittelalterdorf Berslingen. Das Fundmaterial. In: K. Bänteli / M. Höneisen / K. Zubler, Berslingen – ein verschwundenes Dorf bei Schaffhausen. Schaffhauser Arch. 3 (Schaffhausen 2000) 83-159.

Zusammenfassung / Abstract

Neue Erkenntnisse zur Konstanzer Keramik des 12. Jahrhunderts

Die Auswertung der von 1989 bis 1992 durchgeführten Rettungsgrabung auf der Marktstätte der ehemaligen Bischofsstadt Konstanz erbringt wichtige Erkenntnisse zur Keramik im Bodenseeraum, die in Baden-Württemberg bislang kaum aufgearbeitet wurde. Vorgestellt werden hier die Ergebnisse der hochmittelalterlichen Funde aus den Hafenaufschüttungen, die sich mit Hilfe von dendrochronologischen Daten in einen relativ engen Zeitrahmen kurz vor 1130 (Per. II) bzw. zwischen 1130 und 1165 (Per. III, IIIa) einordnen lassen. Die Aufschüttungen enthalten auch ältere Ware des 10. und 11. Jahrhunderts, die nach 1130 deutlich abnimmt. Gut sichtbar werden die engen Bezüge zur Keramik und deren Formen am Hochrhein und in der Nordschweiz. Die dort gewonnene Chronologie wird zum Teil bestätigt, verschiedene Typen treten im Konstanzer Material jedoch schon früher auf.

New knowledge on Constance pottery of the 12th century

The evaluation of rescue excavations carried out between 1989 and 1992 on the market-site of the former episcopal town of Constance is yielding important information on pottery in the area of Lake Constance, which has been hitherto hardly worked upon in Baden-Württemberg. Here we present the results of the high mediaeval finds from the harbour fillings, which using dendrochronological dating can be relatively closely dated to shortly before 1130 (period II) and between 1130 and 1165 (period III, IIIa). The fillings also contain older ware of the 10th and 11th centuries which decrease considerably after 1130. One can readily see the close connections to pottery and their forms on the Upper Rhine and in northern Switzerland. The chronology gained there can be partly confirmed, various types, though, occur earlier in the material from Constance.

Translation: C. Bridger

ANDREAS HAASIS-BERNER · VALERIE SCHOENENBERG

DIE KERAMIK AM ÜBERGANG ZUM HOCHMITTELALTER AM SÜDÖSTLICHEN OBERRHEIN

ZUM NATURRAUM

Für den folgenden Aufsatz wurde der Raum zwischen Basel und nördlicher Ortenau untersucht (**Abb. 1**: Ortenaukreis, Lkr. Emmendingen, Lkr. Breisgau-Hochschwarzwald, Lkr. Lörrach). Im Westen bildet der Rhein die Grenze des Arbeitsgebietes. Im Osten reicht das untersuchte Areal bis an den Schwarzwald, der erst im Verlauf des Untersuchungszeitraums nach und nach besiedelt wurde. Es handelt sich um eine Region von ca. 150 km Länge und ca. 30 km Breite. Die am Übergang zum Hochmittelalter hier auftretenden Keramikwaren werden im Folgenden überblickshaft dargestellt.

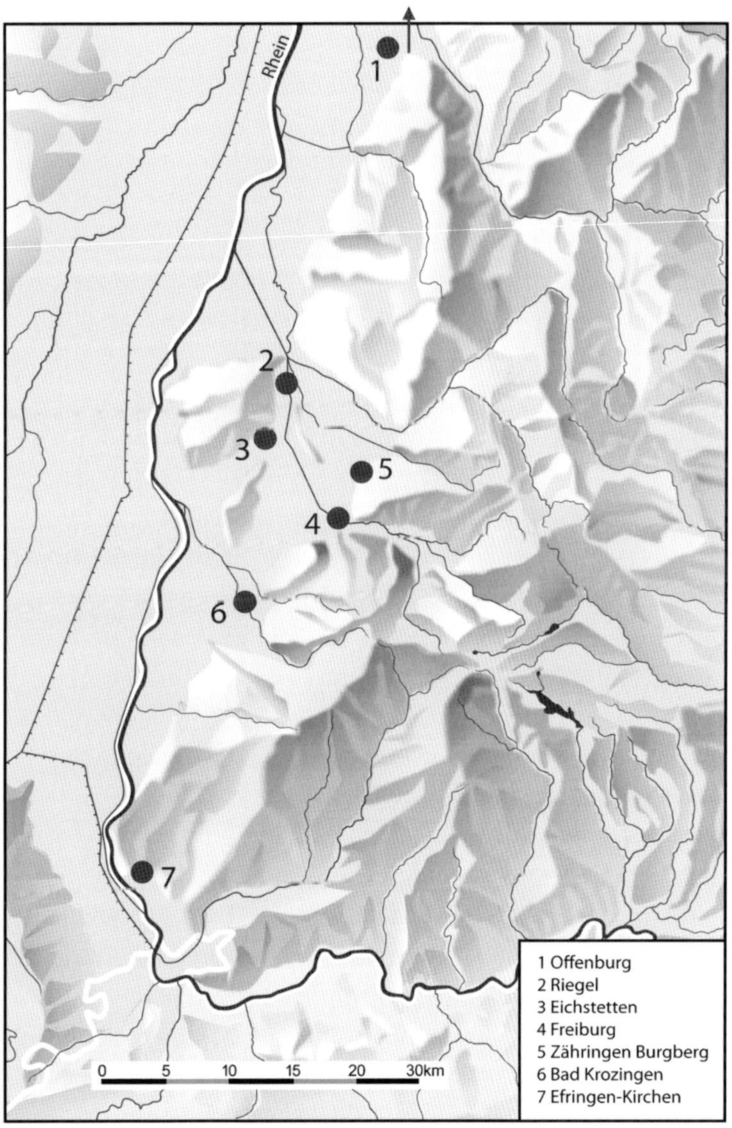

Abb. 1 Überblick über das Bearbeitungsgebiet und die im Text genannten Fundstellen.

KALKGEMAGERTE WAREN

Die kalkgemagerten Waren zeichnen sich durch eine uneinheitliche Brandatmosphäre aus. Die Färbung des Kerns kann von grau über rötlich braun bis dunkelbraun/grau variieren. Der Mantel ist vorwiegend dunkelgrau, braun bis dunkelbraun und manchmal fast schwarz. Bei vielen Gefäßen liegt eine fleckige Oberfläche vor. Charakteristisch ist die Magerung des Tones mittels eines Kalkgesteins, dessen einzige Bezugsquelle in ganz Europa der Kaiserstuhl darstellt[1]. Anhand der Magerungskorngrößen können zwei Varianten unterschieden werden: Eine grobkörnigere (Korngrößen von 0,1 bis 0,15 cm) und eine feinere Ausprägung (Korngrößen von 0,01 bis 0,1 cm). Hauptsächlich wurden im Arbeitsgebiet bislang bauchige Töpfe mit flachen Standböden bekannt; seltener treten Schalen und Schüsseln auf. Krüge und Flaschen fallen kaum ins Gewicht[2]. Die Gefäße wurden in Wulsttechnik hergestellt und auf der langsam drehenden Töpferscheibe überformt, was vor allem an den Gefäßinnenseiten erkennbar ist (nachgedreht). Das Spektrum der Verzierungen umfasst Wellenlinien als einzelne Elemente oder Linienbänder. Außerdem liegt Kammstrich vor. An Randformen überwiegen bei der gröberen Variante ausladende einfache Trichterränder. Bei der feineren Ausprägung treten innen gekehlte, ausbiegende Ränder, einfache oder leicht verdickte sowie nach außen verdickte Trichterränder auf. Die Ware ist regional begrenzt verbreitet und lässt sich auf der rechten Rheinseite von der Kinzig bis etwa zur Möhlin mit einem Schwerpunkt um den Kaiserstuhl nachweisen. Jüngst erfolgte Siedlungsgrabungen erweitern die bereits bei Madeleine Châtelet[3] kartierte Warenverbreitung durch Funde aus Bad Krozingen/Glöcklehofareal, Eichstetten/Adlergarten und Eichstetten/Kirche (**Abb. 2, 1**).

Zur Datierung: Die grob gemagerten Typen kommen tendenziell eher in früheren Befundzusammenhängen vor (6. bis 8. Jahrhundert)[4]. Die feiner gemagerten Stücke scheinen entwickeltere Formen darzustellen und treten vom 8. bis in das 10. Jahrhundert auf[5]. Die feinere kalkgemagerte Ware unterscheidet sich haptisch von ihren Vorläufern durch eine sich glatter anfühlende Oberfläche, die sich teilweise kaum von jener der nachgedrehten quarzgemagerten Ware unterscheidet (s. u.).

QUARZGEMAGERTE WAREN

Die quarzgemagerten Waren wurden vorwiegend unter oxidierender Brandatmosphäre hergestellt (Kern orange bis grau, Mantel braun-grau bis orangebraun). Dem Ton wurden kantige oder runde Quarzsandkörner zugegeben. Auch hier kann aufgrund der Korngröße eine Differenzierung in eine gröbere und eine feinere Variante vorgenommen werden: Die grobe Variante umfasst Korngrößen bis 0,15 cm, die feinere enthält Korngrößen bis 0,05 cm. Außerdem ist die Magerungsdichte hier geringer als bei der gröberen Variante. Selten treten auch Ziegel- oder sehr feine Glimmerpartikel auf. Das Gefäßspektrum beschränkt sich vorwiegend auf bauchige Töpfe mit flachen Standböden. Die grobe Variante wurde in Wulsttechnik mit Überformung auf der langsam drehenden Scheibe hergestellt (nachgedreht). In Verbindung mit der Zugabe feinerer Magerungskorngrößen ist die zunehmende, jedoch nicht ausschließliche Fertigung auf der schnell drehenden Töpferscheibe zu beobachten. Verzierungen treten an beiden Varianten kaum auf. Wenn doch, dann handelt es sich um einfache Wellenlinien. Die Randformen beschränken sich bei der groben Variante auf leicht ausbiegende Trichterränder. Bei der feineren Variante reicht die Varianz von gestauchten Trichterrändern über nach außen gezogene oder verdickte Lippenränder bis hin zu einfachen Ausprägungen der Randlippe. Diese Waren sind im gesamten Oberrheingraben verbreitet. Sie konnten beispielsweise in Freiburg[6] für die jüngere Phase aufgearbeitet werden. An neuen Fundstellen wurden für solche Gefäße in den letzten Jahren Bad Krozingen/Glöcklehofareal (**Abb. 2, 2**) und Offenburg/Poststraße (**Abb. 2, 3**) bekannt.

Beide Orte belegen ein Nebeneinander der jüngeren Variante der kalkgemagerten Ware und der frühen Variante der quarzgemagerten Ware.
Zur Datierung: Die gröber gemagerte Variante tritt in Befunden des 10./11. Jahrhunderts[7] beziehungsweise auch noch des 11./12. Jahrhunderts auf[8]. Die feiner gemagerte Variante fand sich bislang ausschließlich in Befunden des 11./12. Jahrhunderts[9] (vgl. **Abb. 2, 4**).

GELBE DREHSCHEIBENWARE

Diese Ware erhielt ihre Bezeichnung nach ihrem typischen Aussehen, da sie sich deutlich von der zeitgleichen, überwiegend uneinheitlich gebrannten Ware unterscheidet. Die Bezeichnung wurde von Uwe Lobbedey eingeführt. Die aktuelle Beschreibung, Verbreitung und Datierung geht auf Uwe Gross und Madeleine Châtelet zurück. Anhand von Dünnschliffen ist es Châtelet gelungen, drei verschiedene Gruppen zu unterscheiden, von denen zwei im Nordelsass und im südöstlichen Oberrhein verbreitet sind. Die Magerung besteht überwiegend aus Quarzsand. Die Gefäße – meistens Töpfe, aber auch Flaschen, Schüsseln und Röhrenkannen, ganz selten Deckel – wurden auf der schnelldrehenden Töpferscheibe hergestellt. Die Oberfläche ist gelblich, in geringerer Zahl rötlich. Die Keramik wurde hart bis sehr hart gebrannt. Häufig sind mehrere parallele, horizontale Riefen auf der Oberseite der Schulter nachzuweisen. Hier brachte man auch – besonders im 8./9. Jahrhundert – Verzierungen aus geometrischem Rollstempeldekor an (z. B. **Abb. 2, 2** unten rechts). Ganz selten wurde die Oberfläche geglättet und bemalt. Wie die Verbreitung der Funde, aber auch die chemische Untersuchung der Keramik nahelegt, dürfte die Herstellung in und um Soufflenheim (Elsass) erfolgt sein. Die Festlegung des Produktionsbeginnes anhand von Funden aus einem dendrochronologisch datierten Brunnen aus dem frühen 7. Jahrhundert ist nicht zwingend zu übernehmen. Konsens ist die Laufzeit von der Zeit um 700 bis ins 10. Jahrhundert[10].

ZUR ALLGEMEINEN ENTWICKLUNG DER KERAMIKPRODUKTION

Während des gesamten Zeitraums von etwa 500 bis um 1000 stellt die am Kaiserstuhl gefertigte, kalkgemagerte Ware mit Anteilen von 60-80 % die Masse der Keramik. In den Bereichen, die mehr als 40 km vom Kaiserstuhl entfernt sind, d. h. im Raum nördlich von Basel und in der mittleren und nördlichen Ortenau, scheint der Anteil deutlich abzunehmen.
Im 7. Jahrhundert »sterben« die feintonigen, auf der schnelldrehenden Töpferscheibe hergestellten Waren sowie die rauwandige Gefäßausprägungen, die in der Merowingerzeit bestimmend waren, aus. Gleichzeitig kommt es zu einer Reduzierung des Formenspektrums auf gleichartige Töpfe sowie zu einem weitgehenden Verzicht auf Verzierungen. In der Herstellungstechnik kann man in den folgenden Jahrhunderten eine Entwicklung von grobkörniger zu immer feinerer Magerung des Tones sowie die immer stärkere Verwendung der Handtöpferscheibe beobachten. In der Forschung wurden die im 7. Jahrhundert auftretenden Veränderungen durch die »regionale Zentralisierung der Produktionsstätten im ganzen südlichen Oberrhein« erklärt[11].
Um 700 kommt die gelbe Drehscheibenware auf. Sie wurde aus dem Raum um Straßburg in das Arbeitsgebiet und dort insbesondere in den Raum rund um den Kaiserstuhl importiert. Das Importgut erreicht aber, sofern es überhaupt vertreten ist, nur 5-10 % des Fundaufkommens. Die gelbe Drehscheibenware stellt jedoch ein wichtiges Element für die Datierung dar. An vielen topografisch herausragenden Fundstellen, wie z. B. dem Zähringer Burgberg, dem Fronhofbuck in Riegel und dem Bergrain in Efringen-Kirchen, hat man

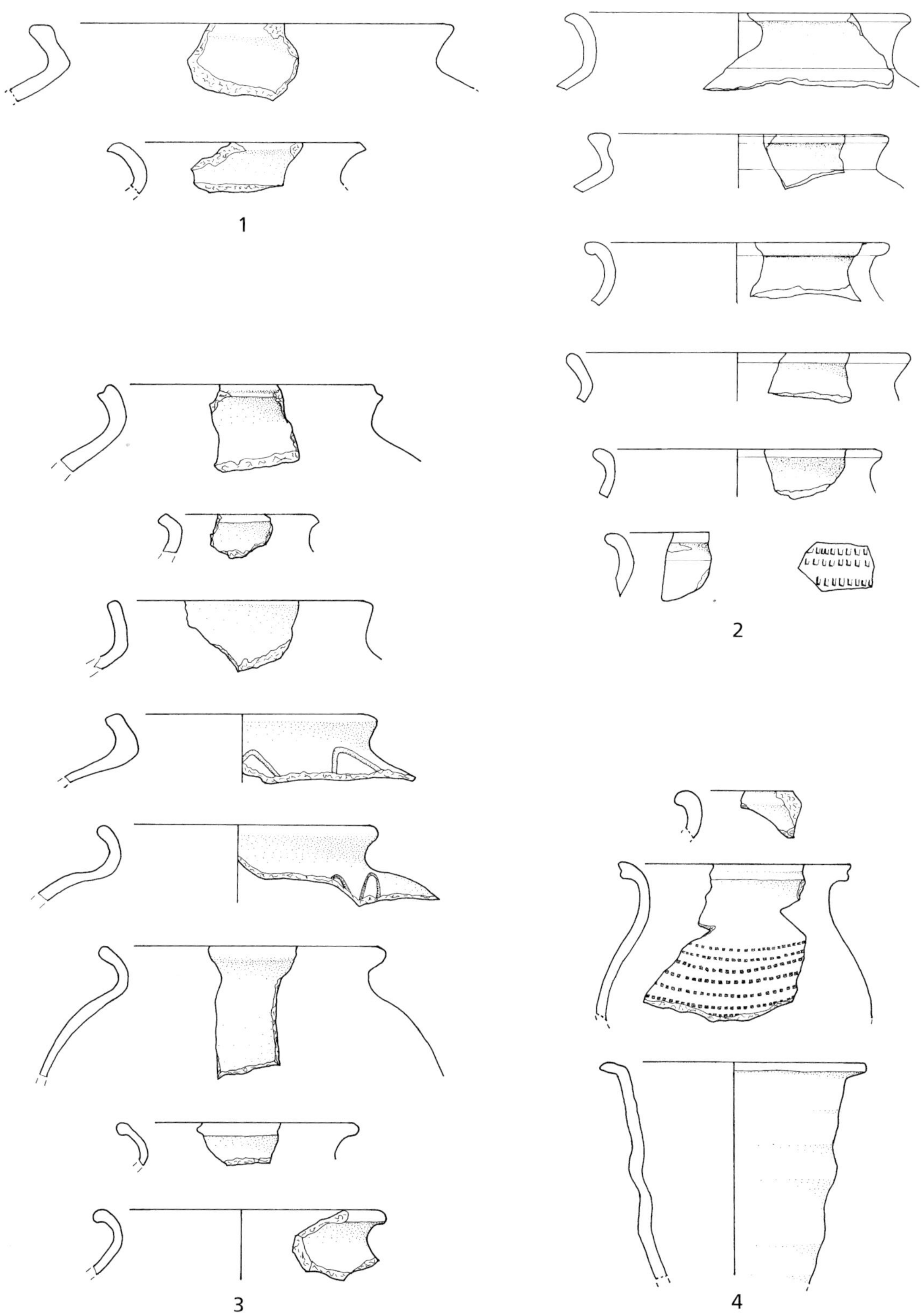

Abb. 2 **1** Eichstetten, Evangelische Kirche, 11. Jahrhundert: kalkgemagerte Waren. – **2** Bad Krozingen, Glöcklehof, Befund 93 (Grubenhaus), 11. Jahrhundert: quarzgemagerte Waren, unten rechts gelbe Drehscheibenware mit Rollstempeldekor. – **3** Offenburg, Poststraße, Befund 3 (Grubenhaus), 11./12. Jahrhundert: quarzgemagerte nachgedrehte Waren. – **4** Offenburg, Burgerhofareal, Befund 1559 (Erdkeller), 12. Jahrhundert: von oben nach unten quarzgemagerte nachgedrehte Ware, Straßburger Ware, quarzgemagerte Becherkachel.

den Eindruck, dass sich ein lokaler Bezug zum Herstellungsraum im Elsass abzeichnet, was möglicherweise als herrschaftlicher Einfluss interpretiert werden kann.

Ab der späten Merowingerzeit tritt die quarzgemagerte Ware auf. Mit dem Übergang zu immer höheren Brenntemperaturen im 10./11. Jahrhundert kommen ihre technischen Vorteile gegenüber der kalkspatgemagerten Ware zum Tragen. Sie wird schließlich zur bestimmenden Warenart des Hochmittelalters.

Dieser Zeitraum ist der eigentliche Wendepunkt in der Keramikproduktion. Das wichtigste Element des Wandels ist eine immer bessere Ofentechnologie. Dies ermöglicht ausgewogen gestaltete und einheitlich gebrannte Gefäße mit einer einheitlichen Oberflächenfarbe. Der nächste qualitative Sprung in der Keramikproduktion ist dann in der Mitte des 13. Jahrhunderts mit der Einführung der schnelldrehenden Töpferscheibe und der Entwicklung der reduzierend grau gebrannten Waren und ihren vielfältigen Formen zu erkennen. Dieser Vorgang ist sicherlich im engen Zusammenhang mit der sich entwickelnden Bürgerschaft einerseits und den Adelsherrschaften mit ihren Tischsitten beziehungsweise dem sich spezialisierenden städtischen Handwerk andererseits zu sehen.

Anmerkungen

1) Châtelet 2002a, 57f.
2) Ebenda 60.
3) Ebenda 186.
4) Ebenda 153f.
5) Ebenda 160. – Zubler 2000, 104.
6) Kaltwasser 1995.
7) Châtelet 2002a, 63. 159 (»céramique à dégraissant silicieuse«).
8) Zubler 2000, 107.
9) Ebenda 105f. – Kaltwasser 1995, 260f.
10) Gross 1995, 36-48.
11) Châtelet 2002b, 271.

Literatur

Châtelet 2002a: M. Châtelet, La céramique du Haut Moyen Âge du sud de la vallée du Rhin supérieure (Alsace et Pays de Bade). Typologie, chronologie, technologie, économie et culture. Europe Médiévale 5 (Montagnac 2002).

2002b: M. Châtelet, Eine bisher wenig betrachtete Warengruppe: Die kalkgemagerte Keramik des Breisgaus. In: Ch. Bücker u. a., Regio Archaeologica. Archäologie und Geschichte an Ober- und Hochrhein. Festschr. G. Fingerlin (Freiburg i. Br. 2002) 269-276.

Gross 1991: U. Gross, Mittelalterliche Keramik zwischen Neckarmündung und Schwäbischer Alb. Forsch. u. Ber. Arch. Mittelalter Baden-Württemberg 12 (Stuttgart 1991).

Kaltwasser 1995: S. Kaltwasser, Die hochmittelalterliche Keramik der Grabung auf dem »Harmonie«-Gelände in Freiburg. In: M. Untermann, Das »Harmonie«-Gelände in Freiburg im Breisgau. Forsch. u. Ber. Arch. Mittelalter Baden-Württemberg 19 (Stuttgart 1995) 247-356.

Zubler 2000: K. Zubler, Wiedererstandenes Leben im Mittelalterdorf Berslingen – Das Fundmaterial. In: K. Bänteli / M. Höneisen / K. Zubler, Berslingen – ein verschwundenes Dorf bei Schaffhausen. Mittelalterliche Besiedlung und Eisengewinnung im Durachtal. Schaffhauser Arch. 3 (Schaffhausen 2000) 83-162.

Zusammenfassung / Abstract

Die Keramik am Übergang zum Hochmittelalter am südöstlichen Oberrhein

Neuere Fundstellen aus dem Gebiet des südöstlichen Oberrheins lieferten Keramikfragmente, die sich den gängigen Schemata zur hochmittelalterlichen Keramik eingliedern ließen. Gleichzeitig festigen sie aber auch das Wissen um Entwicklungslinien. Dabei sind im Bearbeitungsgebiet drei Warenarten geläufig: Neben die im Kaiserstuhlgebiet vorherrschende »kalkgemagerte Ware« tritt die »quarzgemagerte Ware«. Die Varianten beider Gruppen wandeln sich in einer zeitlichen Entwicklungslinie von gröberen zu feineren Typen. Mengenmäßig geringer vorhandene, dafür als Datierungsanhaltspunkte sehr geschätzte Stücke, sind die immer wieder auftretenden Fragmente der gelben Drehscheibenware aus dem Elsass. Nach einer Vorstellung der einzelnen Warenarten in einem ersten Teil, liegt der Fokus in einem zweiten Abschnitt auf der allgemeinen Entwicklung der Keramikproduktion im Bearbeitungsraum.

The pottery of the southeastern Upper Rhineland during the transition to the High Middle Ages

New findsites in the area of the southeastern Upper Rhineland produced pottery sherds which could be integrated into the normal schemes of high mediaeval pottery. At the same time, however, they consolidate knowledge about the strands of development. Within the area under investigation there are three types of ware: Apart from the lime-tempered ware dominant in the area of the Kaiserstuhl the quarz-tempered ware appears. The variants of both groups change in a chronological line of development from coarser to finer types. Although quantitatively less, fragments of yellow wheel-turned ware from Alsace occasionally appear and provide welcome pointers to dating. Following a presentation of the individual types of ware in a first part, the focus in a second part lies in the general development of the pottery production within the area of investigation. Translation: C. Bridger

AGNIESZKA KOZIOL

LA CÉRAMIQUE DE L'HABITAT DE ROESCHWOOG (DÉP. BAS-RHIN, ALSACE)

La construction d'un lotissement d'habitation à Roeschwoog (dép. Bas-Rhin, Alsace) a donné lieu, de mai à juillet 2010, à une opération de fouille préventive au lieu-dit «Am Wasserturm». La commune se situe dans la plaine du Rhin, à quelques kilomètres seulement du fleuve (**fig. 1**). Localisé à l'entrée sud du village, le terrain soumis à la fouille correspond à deux zones: au nord, un ensemble funéraire et un paléochenal du Rhin actif dès l'âge du Bronze; au sud, un habitat rural du haut Moyen Âge. Ce site offre, pour la première fois en Alsace, l'opportunité d'étudier un ensemble funéraire et l'habitat qui lui est contemporain. Plus encore, l'habitat a livré un matériel riche et abondant, qui représente près de 15000 fragments, quasi-exclusivement composé de pâte claire. L'étude de ce lot, qui fait partie des ensembles les plus conséquents mis au jour jusqu'à aujourd'hui pour la période du haut Moyen Âge dans la région, sera l'occasion d'approfondir les connaissances sur l'évolution des pâtes claires en Alsace [1].

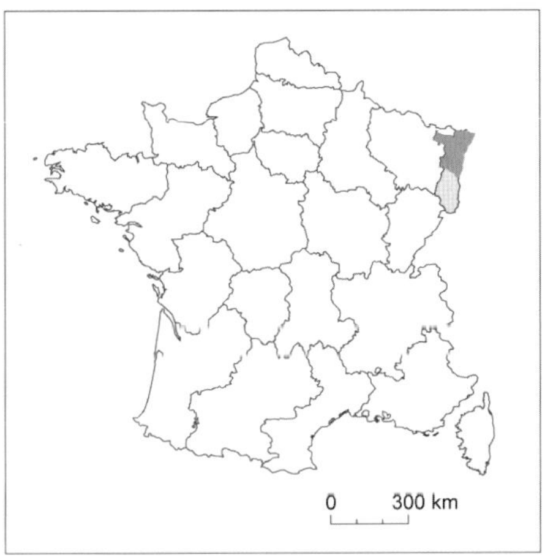

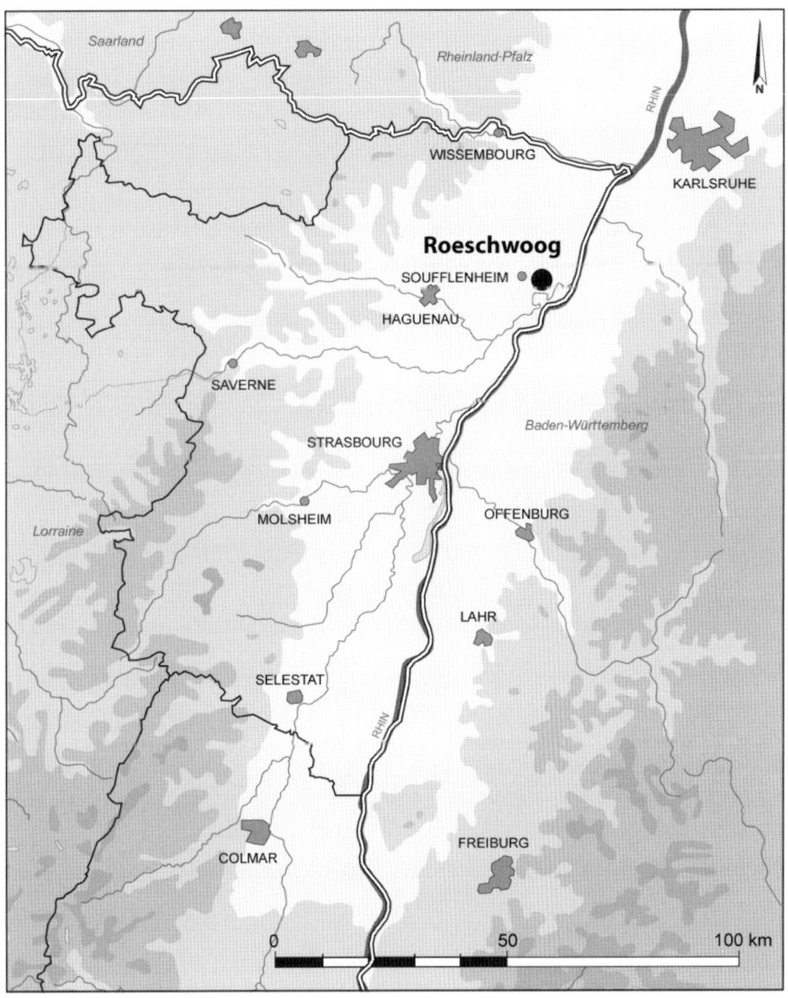

Fig. 1 Carte de localisation de la commune de Roeschwoog. – (DAO Isabelle Clerc-Dechanez).

CONTEXTE DE DÉCOUVERTE

La zone funéraire se compose de 39 sépultures, réparties de manière assez lâche sur une superficie d'environ 2350 m². Les plus anciennes tombes sont mises en place dès la fin du 6e siècle. L'aire funéraire se développe ensuite de manière régulière, s'étendant vers l'est, jusqu'au dernier tiers du 10e siècle.
L'habitat se situe à environ 200 m au sud. Il était déjà connu par une fouille de sauvetage réalisée en 1995 sous la direction de Madeleine Châtelet, Marina Lasserre et Jean Baldinger, au lieu-dit «Schwartzacker»[2]. L'occupation est attestée à partir du deuxième tiers du 7e siècle. Deux phases successives ont été mises en évidence; elles correspondent toutes deux au même type d'occupation: six bâtiments sur poteaux plantés, un grenier, un puits et treize cabanes excavées ont été identifiés. Dans la deuxième moitié du 9e siècle, le site n'est plus occupé par l'habitat et semble dévolu à des activités agricoles grâce à la mise en place d'un fossé parcellaire. L'existence de ce dernier est attesté au moins jusqu'à la fin du 10e siècle par la découverte, dans son comblement, d'une sépulture datée par radiocarbone.

UN ENSEMBLE DOMINÉ PAR LA PÂTE CLAIRE

Le corpus entier recueilli dans les structures de l'habitat compte 14833 tessons. Pour l'étude céramologique, seuls ont été pris en compte les ensembles considérés comme clos, ayant fait l'objet d'un comblement rapide (les cabanes excavées, deux fosses et le puits). Ainsi, ce sont 13 structures qui ont permis de rassembler 9509 fragments pour 1013 individus.
Ce lot se compose à 99,99 % de pâte claire. Quelques rares fragments de céramique à pâte rugueuse ainsi que grise tournée ont été isolés, mais ne constituent pas un échantillon suffisant pour être pertinent (respectivement deux et cinq fragments). Un type de pâte indéterminé a été identifié dans deux structures (huit fragments). Il s'agit d'une pâte rouge, tournée, d'aspect assez bien cuit. Les inclusions sont fines, mais fréquentes. Enfin, les productions du début de la période mérovingienne (pâte grossière non tournée et pâte fine tournée) ne sont présentes qu'à l'état résiduel.
Les fragments de pâte claire se répartissent entre deux catégories technologiques: l'alsacienne (61,3 %) et la granuleuse (38,6 %) (**fig. 2**). Dans le travail de référence établi pour cette période dans la région[3], la distinction entre ces deux catégories était encore incertaine. Un programme d'analyses mené depuis sur ce type de pâte a permis de préciser les différentes provenances de la céramique. Ainsi, la dénomination «pâte claire commune» est remplacée par celle de «pâte claire alsacienne». De même, la céramique dite «à pâte claire bien cuite» est renommée «céramique à pâte claire granuleuse»[4].
La pâte claire alsacienne constitue le groupe majoritaire (6923 fragments). Elle apparaît dès le deuxième tiers du 7e siècle, et remplace progressivement toutes les productions antérieures (rugueuse, fine tournée, grossière non tournée). Au début du 8e siècle, elle devient la catégorie dominante en Basse Alsace. Les analyses géo-chimiques ont permis de situer sa production dans la région de Soufflenheim, mais le ou les ateliers n'ont pas encore été localisés[5]. D'un point de vue technologique, la pâte est globalement fine mais comporte souvent de fines inclusions siliceuses, en quantité variable. Quelques exemples plus grossiers sont également présents. La cuisson est elle aussi irrégulière, la pâte ayant une dureté moyenne à élevée. La couleur varie du blanc à l'orangé, du gris au bleuté.
La pâte claire granuleuse compte 4361 fragments. Elle apparaît en Alsace à la même période que la pâte claire alsacienne. Majoritaire au début de sa diffusion, elle connaît une diminution de sa fréquence dès le début du 8e siècle, au profit de la pâte alsacienne. Les analyses citées précédemment ont montré une origine différente et ont fixé sa région de production dans le nord du Bade-Wurtemberg. La pâte est toujours

Fig. 2 Vue en détail des pâtes claires alsacienne et granuleuse.

très bien cuite, d'aspect parfois grésé, de dureté élevée. Le dégraissant est souvent grossier et apparent en surface. Les couleurs connaissent les mêmes variations que celles de la pâte claire alsacienne.

PÉRIODISATION DES ENSEMBLES

Du point de vue typo-chronologique, cette étude se réfère à la chronologie de référence établie pour l'Alsace[6]. Les caractères techniques et morphologiques ont permis de rattacher ces ensembles à une période allant du deuxième tiers du 7e siècle à la deuxième moitié du 9e siècle[7]. Cette fourchette chronologique correspond aux phases Nord 2 (630/650 à 670/680), Nord 3 (670/680 à 720/730) et Nord 4 (720/730 à 840/850[8]) de la chronologie régionale. Pour cette dernière phase, une monnaie découverte dans la cabane 3050 confirme l'attribution chronologique: il s'agit d'une monnaie de Charlemagne, frappée entre 771 et 793/4[9].

LES ÉVOLUTIONS TECHNOLOGIQUES ET MORPHOLOGIQUES OBSERVÉES À ROESCHWOOG

L'étude quantitative confirme la majorité des caractéristiques déjà connues pour cette période. La phase Nord 2 est caractérisée par une plus forte proportion de pâte granuleuse provenant du Bade-Wurtemberg au détriment de la pâte claire alsacienne (**fig. 3**). À la phase suivante (Nord 3), les deux types de pâte sont présents en quantité quasiment équivalente. Ce n'est qu'à la phase Nord 4 que la pâte alsacienne devient majoritaire.

Au niveau technologique, les deux catégories de pâte connaissent sensiblement la même évolution. À la phase Nord 2, toutes deux présentent des caractères très variables. La finesse de la pâte (fréquence et taille des inclusions) est très variable, l'épaisseur des panses et des fonds irrégulière. La couleur de la pâte varie du blanc au gris foncé, de l'ocre à l'orange. La dureté est elle aussi inégale d'une céramique à l'autre et il est parfois difficile de distinguer la pâte alsacienne de la granuleuse. Ces caractéristiques tendent à s'uniformiser pendant les phases Nord 3 et Nord 4: la pâte devient plus fine et mieux cuite, l'épaisseur des parois diminue et devient plus régulière d'une céramique à l'autre. Ces évolutions témoignent d'une maîtrise progressive des techniques de montage et de cuisson.

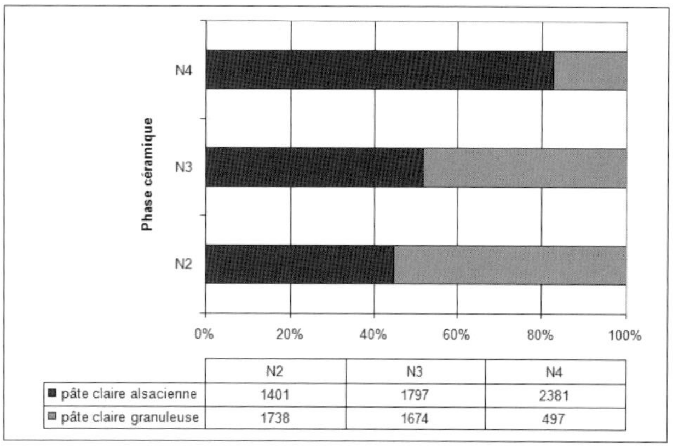

Fig. 3 Évolution de la proportion des types de pâte par phases.

L'évolution générale des décors tend vers une augmentation et une grande diversification des types (**fig. 4**). Les décors sont peu présents en phase Nord 2; ils sont principalement représentés par des impressions de petits carrés ou de rectangles à la molette. Dès la phase Nord 3, les types de molette se multiplient et les cannelures sont plus fréquentes. Enfin, la phase Nord 4 est caractérisée par une très grande diversité de types de molette et on compte de nombreux fragments décorés de cannelures, de lignes incisées horizontales et ondées, de peinture (**fig. 6**). Dans ce domaine, l'évolution entre les deux types de pâte claire montre des différences (**fig. 4**). La pâte claire granuleuse connait une évolution progressive: les décors augmentent de manière continue, pour atteindre, en phase Nord 4, près de 18 % de la totalité des fragments. En revanche, la pâte claire alsacienne est moins souvent décorée en phase Nord 2, et connait un pic de fréquence à la phase Nord 3.
Par ailleurs, la diversification des décors caractéristique de la phase Nord 3 est nettement moins perceptible sur la pâte granuleuse que sur l'alsacienne. Pour cette dernière, ce sont les cannelures qui restent majoritaires ainsi que les carrés à la molette, tandis que la pâte alsacienne porte déjà des décors plus complexes (croisillons, chevrons, décors composites). Il s'agit peut-être d'un des aspects à explorer pour documenter les modalités d'importation de la céramique allemande et éclaircir ses interactions avec la (les) production(s) locale(s).Du point de vue morphologique, les pots sont la forme dominante pour les deux types de pâte, quelle que soit la période considérée. Les profils des céramiques connaissent une évolution sensible, passant

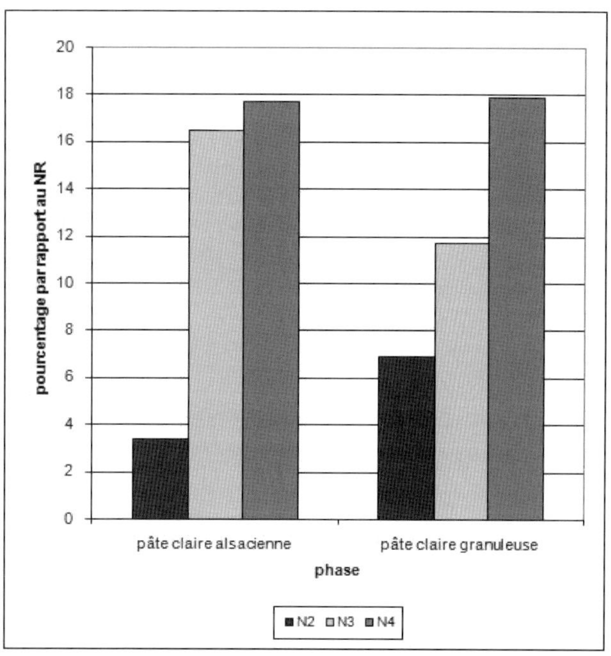

Fig. 4 Évolution de la fréquence des décors par phase, en fonction des types de pâte.

progressivement d'une forme ovoïde en phase Nord 2 à une forme plus arrondie en phase Nord 3. La phase Nord 4 est quant à elle marquée par des pots très globulaires. Les bords, d'abord allongés, vont progressivement devenir plus courts. À la phase Nord 2, les lèvres sont de section tronconique ou à légère dépression interne, quelquefois en amande. Dès la phase suivante, les lèvres triangulaires courtes ou à gorge interne marquée commencent à devenir plus fréquentes, avant de devenir, en phase Nord 4, les types principaux. Une forme remarquable a été isolée; elle est représentée par sept individus dans une cabane de la phase Nord 2. Il s'agit de pots avec une oreille de préhension perforée ajoutée sur la lèvre (**fig. 5**). Tous portent un décor moleté de petits carrés; quatre sont en pâte alsacienne et trois en pâte granuleuse. De tels exemples sont rares dans la bibliographie régionale et constituent ici la troisième occurrence observée en Alsace [10]. Quelques formes ouvertes ont également été identifiées. Peu fréquentes dans les habitats de cette période, elles correspondent à des bols ou écuelles (**fig. 5-6**) [11].

CONCLUSION ET PERSPECTIVES

Avec le développement de l'archéologie préventive et les fouilles extensives, de plus en plus d'ensembles du haut Moyen Âge sont mis au jour en Alsace. Leur étude permet d'affiner le cadre typochronologique et d'enrichir notre connaissance des pâtes claires alto-médiévales.

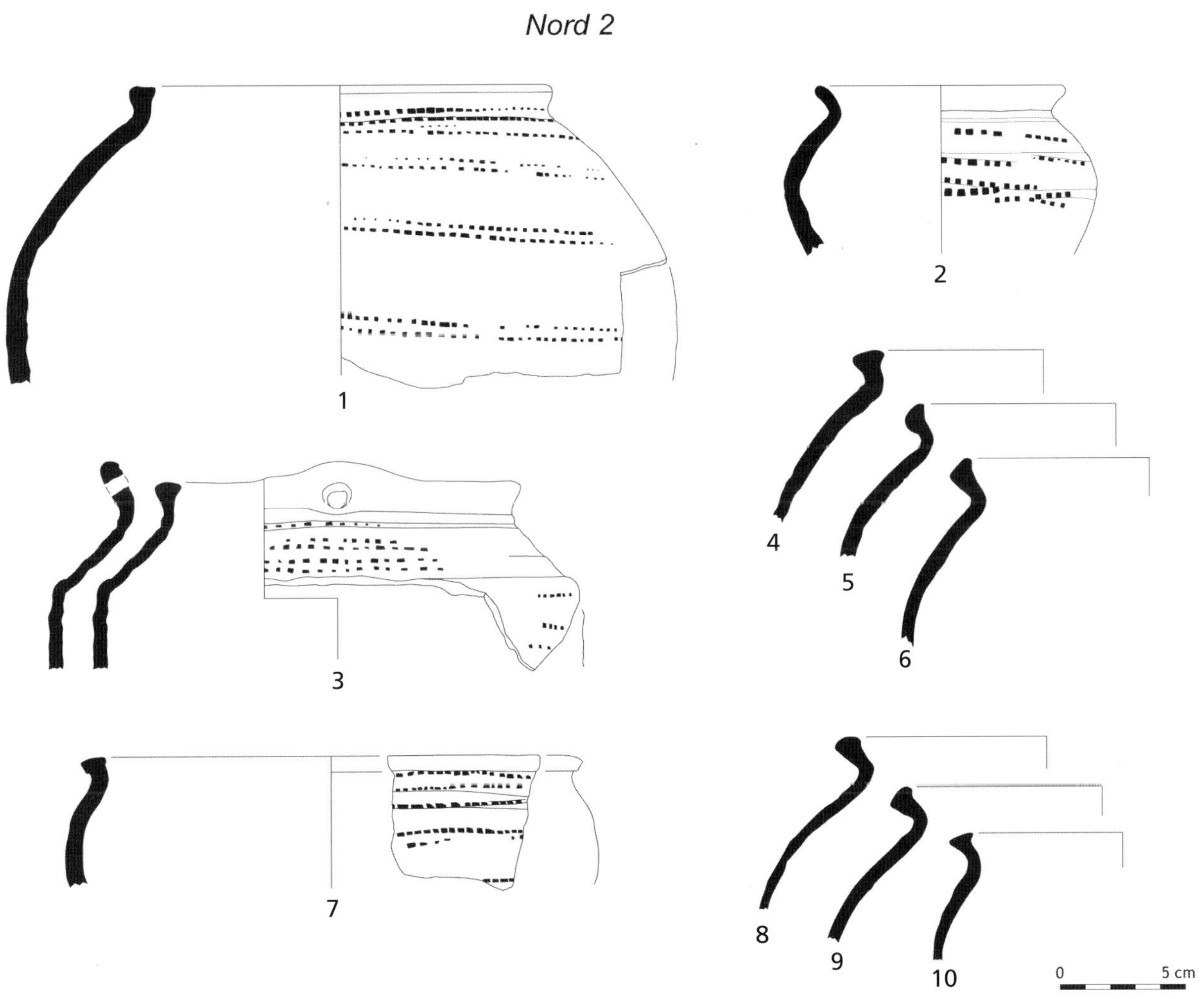

Fig. 5 Céramiques de la phase Nord 2: **1-6** pâte claire granuleuse; **7-10** pâte claire alsacienne. – Échelle 1:3.

Fig. 6 Céramiques des phases Nord 3 et Nord 4: **1-7. 15-19** pâte claire alsacienne; **8-14** pâte claire alsacienne. – Échelle 1:3.

Pourtant, la pâte claire granuleuse importée du Bade-Wurtemberg manque encore de documentation dans la région. La difficulté, assez récurrente, pour la distinguer de la pâte claire alsacienne, ainsi qu'une représentation moins fréquente à partir du 8e siècle n'ont pas toujours permis de caractériser clairement ses évolutions particulières. Par ailleurs, ses relations avec la production alsacienne restent encore imprécises. L'ensemble céramique de Roeschwoog est alors l'occasion de compléter ces données, grâce notamment à la taille remarquable de l'échantillon. Cette abondance de matériel, peu observée sur les sites ruraux du haut Moyen Âge, est sans doute à mettre en relation avec la proximité du lieu de production, localisé aux environs de Soufflenheim. Le lot issu de la fouille de «Schwartzacker» avait d'ailleurs servi, en raison de sa taille, de site de référence pour l'établissement de la typochronologie des céramiques du 7e siècle[12].

Les premières observations menées sur le lot du site «Am Wasserturm» montrent que les deux types de pâte évoluent de manière sensiblement égale pendant la période considérée. Cependant, une étude plus poussée des caractères morphologiques et technologiques serait souhaitable, dans la mesure où certaines différences sont d'ores et déjà perceptibles. Une mise en parallèle et des comparaisons fines avec la céramique du Bade-Wurtemberg pourraient permettre de documenter les modalités de l'importation de la pâte granuleuse en Alsace.

Notes

1) L'étude de la céramique a été réalisée dans le cadre du rapport d'opération (Koziol et al. 2011b) dans des délais assez courts. Certains aspects, notamment morphologiques, n'ont pas pu être exploités dans le détail. Cette présentation constitue par conséquent une première approche, qu'il conviendra d'affiner dans une étude ultérieure.
2) Châtelet 2000.
3) Châtelet 2002.
4) Châtelet et al. 2005.
5) Ibidem.
6) Châtelet 2002.
7) Les datations détaillées ainsi que l'argumentaire ne sont pas présentés ici; ils sont disponibles dans le rapport (Koziol et al. 2011b).
8) La découverte de deux monnaies sur le site de Marlenheim «La Peupleraie 2» a permis de préciser la datation de cette phase et de l'étendre jusqu'au milieu du 9e siècle (Châtelet et al. 2002, 93).
9) Depeyrot 1998, 27-29.
10) Un exemplaire provient de Schaeffersheim «Oberbaderscheimerfeld», un autre d'Ensisheim «Les Octrois» (Châtelet 2002, 96).
11) Des formes de ce type ont été découvertes sur le site voisin de Roeschwoog « Schwartzacker » (Châtelet 2000, 279-280) ainsi qu'à Nordheim «Am Neuen Berg» (Koziol et al. 2011a, 150-151).
12) Châtelet 2000.

Bibliographie

Châtelet 2000: M. Châtelet, L'habitat du haut Moyen Âge de Roeschwoog «Schwartzacker» (Bas-Rhin): découverte d'un four à chaux et d'un nouveau site de référence pour la céramique. Revue Arch. Est 2000, 249-293.

Châtelet 2002: M. Châtelet, La céramique du Haut Moyen Âge du sud de la vallée du Rhin supérieure (Alsace et Pays de Bade). Typologie, chronologie, technologie, économie et culture. Europe Médiévale 5 (Montagnac 2002).

Châtelet et al. 2002: M. Châtelet / J. Baudoux / A. Baudry / A. Gebhardt / V. Matterne / J. Moesgaard / J. Wiethold / J.-H. Yvinec / W. Tegel / E. Boës, Marlenheim La Peupleraie 2. Sur les marges d'une villa romaine et d'un habitat du haut Moyen Âge (6e-12e siècles). DFS de sauvetage urgent (23.07.2001-17.09.2001). INRAP Grand-Est Sud, SRA Alsace (Strasbourg 2002).

2005: M. Châtelet / M. Picon / G. Thierrin-Michael / Y. Waksman, Une centralisation des ateliers de céramiques au VIIe siècle? Bilan d'un programme d'analyses sur la production de la céramique en Alsace et en Pays de Bade pendant la période du haut Moyen Âge. Arch. Médiévale 35, 2005, 11-38.

Depeyrot 1998: G. Depeyrot, Le numéraire carolingien. Corpus des monnaies, deuxième édition augmentée, collection Moneta (Paris 1998).

Koziol et al. 2011a: A. Koziol / A. Esteban / A. Gelé / M. Landolt / K. Leroy / O. Putelat / C. Schaal / S. Vauthier / T. Vigreux / D. Aoustin / P. Biellmann, Nordheim Am Neuen Berg (67). Rapport final d'opération de fouille préventive. Pôle d'Archéologie Interdépartemental Rhénan, SRA Alsace (Strasbourg 2011).

2011b A. Koziol / F. Abert / A. Pélissier / A. Gelé / O. Putelat / C. Schaal / F.-X. Simon / T. Vigreux / D. Aoustin / F. Médard, Roeschwoog Am Wasserturm. Un habitat et un ensemble funéraire du haut Moyen Âge (7e-9e siècles). Rapport final d'opération de fouille préventive. Pôle d'Archéologie Interdépartemental Rhénan, SRA Alsace (Strasbourg 2011).

Zusammenfassung / Abstract / Résumé

Die Keramik aus der Siedlung von Roeschwoog (dép. Bas-Rhin, Elsass)

Die Gemeinde Roeschwoog (Elsass, Bas-Rhin) liegt in der Rheinebene, etwa 30km nördlich von Straßburg und 5km vom Rhein entfernt. Der Bau einer Wohnsiedlung ermöglichte die Untersuchung des Areals durch eine archäologische Ausgrabung, die ein kleines Gräberfeld des Frühmittelalters und einen Teil der ihm zugehörigen Siedlung zutage förderte. Die Belegung des Gräberfeldes ist vom Ende des 6. bis zum Ende des 10. Jahrhunderts nachgewiesen, der Beginn der Siedlung ist demzufolge in das zweite Drittel des 7. bis in die Mitte des 9. Jahrhunderts einzuordnen. Die Ausgrabungen der Siedlungsbefunde brachte eine große Menge an Keramik zu Tage, insgesamt 15000 Fragmente fast ausschließlich der Älteren gelben Drehscheibenware, deren Untersuchung drei Phasen der regionalen Chronologie unterscheiden ließ. Das Hauptaugenmerk bei der Erforschung des Siedlungsplatzes liegt schließlich auf der Möglichkeit, die Entwicklung der lokalen und importierten Warenarten im durchgehenden Verlauf von mehr als zwei Jahrhunderten näher zu beleuchten.

The pottery from the settlement of Roeschwoog (dép. Bas-Rhin, Alsace)

The borough of Roeschwoog (Alsace, Upper Rhine) lies in the Rhine valley some 30km north of Strasbourg and 5km from the Rhine. The building of a housing-estate allowed the investigation of the area by an archaeological excavation which revealed a small, early medieval cemetery and a part of the associated settlement. The cemetery was in use from the end of the 6th to the end of the 10th century. As a result the begin of the settlement is datable to the second third of the 7th to the middle of the 9th century. The excavations of the settlement features brought to light a large amount of pottery. Altogether some 15,000 fragments of almost exclusively Older yellow wheel-turned ware came to light, the analysis of which allows a classification into three phases of the regional chronology. The main focus of the investigation into the settlement site lies in the possibility of throwing more light onto the development of the local and imported wares during the course of more than two centuries. Translation: C. Bridger

La céramique de l'habitat de Roeschwoog (dép. Bas-Rhin, Alsace)

La commune de Roeschwoog (Alsace, Bas-Rhin) se situe dans la plaine alluviale du Rhin, à 30km au nord de Strasbourg, à quelques kilomètres seulement du fleuve. La construction d'un lotissement d'habitation a donné lieu à une fouille préventive, qui a permis de mettre au jour un ensemble funéraire du haut Moyen Âge et une partie de l'habitat qui lui est associé. Le fonctionnement de l'aire funéraire commence dès la fin du 6e siècle jusqu'à la fin du 10e siècle. L'habitat est quant à lui occupé à partir du deuxième tiers du 7e siècle au milieu du 9e siècle, la différence de datation s'expliquant par l'aspect partiel de l'exploration. La fouille des structures qui composent cet habitat (bâtiments sur poteaux plantés, cabanes excavées, puits) a permis de recueillir un ensemble remarquable de céramique, représentant près de 15000 fragments, composé quasi-exclusivement de pâte claire. L'étude de la céramique a permis d'identifier trois phases de la chronologie régionale. L'intérêt principal de ce lot réside dans l'opportunité d'étudier l'évolution de la céramique locale et d'importation au sein d'un ensemble conséquent, sur une période de plus de deux siècles.

UWE GROSS

KERAMIKGRUPPEN DES 8. BIS 12. JAHRHUNDERTS AM NÖRDLICHEN OBERRHEIN

ZUR FRAGE VON VERBREITUNGSGEBIETEN UND PRODUKTIONSSTÄTTEN

IMPORTWAREN

»Auf den Spuren« der hier aus chronologischen Gründen nicht relevanten Erzeugnisse der Älteren Mayener Ware (= rauwandige Ware der ausgehenden Spätantike und des beginnenden Frühmittelalters)[1] und der zu Teilen[2] wohl gleichfalls aus Mayen[3] stammenden Rotgestrichenen Ware[4], treten zumindest im nordwestlichen Teil des betrachteten Gebietes (i. e. Neckarmündungsraum) in spätmerowingischer bis ottonischer Zeit weitere Produkte auf, die immer wieder mit dem Töpferzentrum in der Eifel in Verbindung gebracht werden. Es sind dies die so genannten Tatinger Ware[5] sowie die meist, freilich nicht immer steinzeugartig hart gebrannte Jüngere Mayener Ware[6]. Während mit der Badorfer Ware die karolingische rheinische Warenart hierzulande überhaupt nicht in Erscheinung tritt, lassen sich dagegen wenigstens einige Reliefbandamphoren[7] anführen.

Ganz anders sieht es mit der Pingsdorfer Ware aus. Sie ist gut repräsentiert, allerdings – wie die zuvor genannten Erzeugnisse – ebenfalls nur bis knapp südlich von Heidelberg[8]. Auch an bedeutenden Plätzen entlang des südlicheren Oberrheins wie Straßburg, Breisach, Freiburg oder Basel ist kaum oder überhaupt kein einschlägiges Material nachweisbar.

REGIONALE WAREN

Unter den regional hergestellten Waren steht im zu betrachtenden Zeitraum des 8. bis 12. Jahrhunderts die Ältere gelbe Drehscheibenware (ÄgDW) bedeutungsmäßig an erster Stelle.

Für die karolingische bis frühottonische Periode können die Kartierungen[9] – obwohl sie noch nicht den allerneuesten Kenntnisstand widerspiegeln – ein deutliches Zeugnis ablegen (**Abb. 1**)[10].

Neben den seit langem im Raum um Soufflenheim im nördlichen Elsass (im Mittelalter: Speiergau) vermuteten Töpfereien[11] dürfte es auch eine nahe benachbarte Produktionsstätte auf der badischen Rheinseite in der Wüstung Muffenheim auf der Gemarkung Rastatt gegeben haben[12]. Der von Uwe Lobbedey in den 1960er Jahren postulierte Ofen in Buchsweiler/Bouxwiller ist zu streichen[13]. Dafür sind Töpfer mit Abgabeverpflichtung an das Kloster Lorsch in Hoh-Frankenheim bei Brumath schriftlich überliefert[14]. Anders als die elsässischen Gefäße mit ihren z. T. sehr vielfältigen Rollrädchendekoren[15] scheint man sich in Muffenheim mit dem schlichten Rechteckrollstempel begnügt zu haben[16].

Einer der wenigen durch Ofenbefunde gesicherten und nicht nur durch als Fehlbrände angesprochene Keramikfunde identifizierten Töpfereistandorte der ÄgDW ist Wiesloch. Hier entdeckte man 1976[17] und nochmals 1995[18] Öfen aus spätkarolingisch–ottonischer Zeit. Soweit bislang erkennbar, konzentriert sich die dem nunmehr vorherrschenden Zeitgeschmack entsprechend unverzierte Keramik auf die weitere Nachbarschaft des Herstellungsortes (**Abb. 2**)[19]. Die jüngsten, seit etwa dem entwickelten 10. Jahrhundert auf-

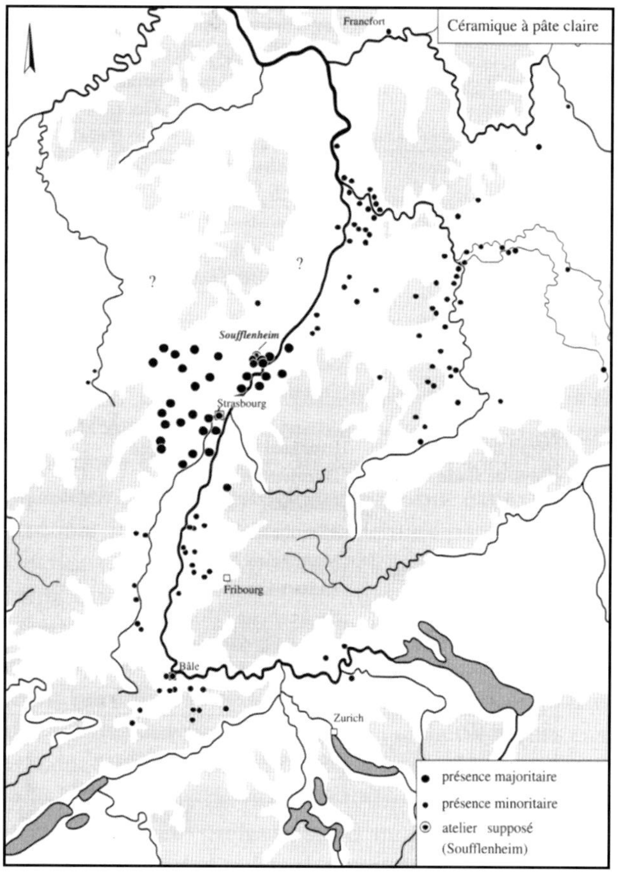

Abb. 1 Verbreitung der Älteren gelben Drehscheibenware (ohne Typen Runder Berg und Jagstfeld). – (Nach Châtelet u. a. 2005).

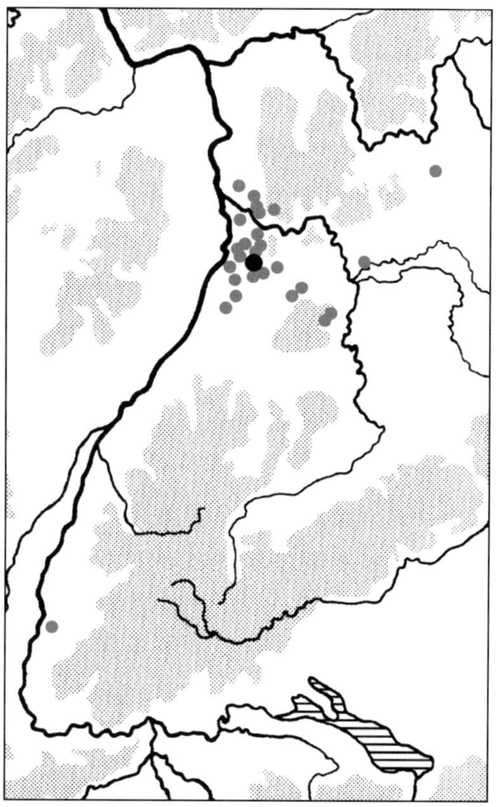

Abb. 2 Verbreitung der Wieslocher Variante der Älteren gelben Drehscheibenware (schwarzer Punkt: Ofenstandort Wiesloch).

tretenden Ausprägungen der oberrheinischen ÄgDW waren allem Anschein nach fast ausschließlich in der Südpfalz, dem nördlichen Elsass und in Baden in dem Gebiet südlich von Karlsruhe und nördlich von Offenburg in größerer Menge im Umlauf. Für die schon erwähnte unterelsässische Region um Soufflenheim sind fortdauernde Töpfereiaktivitäten anzunehmen, die diesen Kleinraum zum bedeutendsten keramischen Zentrum im weiteren Südwestdeutschland machen.

Da es sich bei Scherben aus dem Billigheimer Ortsteil Ingenheim nahe Landau leider nicht, wie dies Helmut Bernhard 1986 in seinem Fundbericht angedeutet hat[20], um Fehlbrände handelt[21], fasst man in der südlichen Pfalz noch immer keinen Hafnerort, der für das dort umlaufende nachkarolingische Geschirr u. a. vom Typ Wiligartaburg[22] verantwortlich ist[23]. Vom 8. bis in das 12. Jahrhundert fertigte man wohl in/um Soufflenheim als Seitenzweig der ÄgDW auch Keramik (ganz überwiegend Kannen und Becher) mit rotem Maldekor – die so genannte Rotbemalte Elsässer Ware[24].

In der Frühzeit weisen die Gefäße analog zu den zeitgleichen Behältern der ÄgDW kräftig geriefte und profilierte Oberflächen auf[25]. Die Kombination von Farb- und Rollrädchenzier, wie man sie aus dem Rheinland von der bemalten Badorf- oder auch Hunneschans-Ware kennt, ist dagegen nahezu unbekannt[26]. Bei der Orangefarbenen Straßburger Ware[27] hat man es mit der kleinsten Warenart Elsässer Provenienz zu tun, von der auch in Südwestdeutschland derzeit eher schwache Spuren zu finden sind. Sie besitzt den unschätzbaren Vorzug, dass man in dem schon im Namen ausgedrückten Entstehungsort an mehreren Stellen Hafnereiüberreste vielleicht schon des 11., sicher aber des 12. Jahrhunderts angetroffen hat[28]. Nicht im oxidierenden Brand, wohl aber im Formenschatz bestehen zwischen einerseits der spätesten oberrheinischen ÄgDW, der Rotbemalten Elsässer Ware sowie der Orangefarbenen Straßburger Ware auf der einen und der Älteren grauen Drehscheibenware (ÄgrDW)[29] auf der anderen Seite sehr enge Beziehungen[30].

Im nördlichen Teil des hier zu betrachtenden Raumes dominiert die letztgenannte Warenart seit dem 10. Jahrhundert, bis sie um 1200 von der gleichfalls reduzierend gebrannten Jüngeren Drehscheibenware abgelöst wird. Ihre hauptsächlichen Charakteristika sind enge Oberteile mit blockartig verdickten Rändern und gerieften Halszonen, rundliche Gefäßkörper und meist linsenförmig nach außen gewölbte Böden. Außer einigen Randsonderformen oder bestimmten fast treppenartig profilierten Schulterpartien in Kombination mit quadratischem Rollrädchenmuster[31] sind es bei der ÄgrDW die Vorkommen von Ausschussmaterialien in Rheinzabern[32], Bad Schönborn-Langenbrücken[33], Weiler an der Zaber[34] und vielleicht auch Wiesloch[35], die zweifelsfrei auf mehrere unterschiedliche Entstehungsorte hinweisen.

Im Süden lässt die mit der späten ÄgDW identische, nur reduzierend gebrannte, feinstsandige bis kreidige Scherbenbeschaffenheit für diese Warenart möglicherweise auf eine Herkunft aus der Region Soufflenheim schließen. Einige Fragmente dieser südlichen Variante weisen außerdem das für die Orangefarbene Straßburger Ware typische Rollstempeldekor in Gestalt liegender S-Elemente (»laufender Hund«) auf[36], was weiter unten noch zur Sprache kommen wird.

Wenn hier schon mehrfach von später oberrheinischer ÄgDW die Rede war, muss wenigstens ganz kurz auf ihr »binnenländisches« Pendant eingegangen werden. Dabei handelt es sich um ÄgDW vom Typ Jagstfeld aus dem späten 10. bis mittleren 12. Jahrhundert[37]. Für diese im weiten Raum vom Kraichgau im Nordwesten bis über die Schwäbische Alb bis nach Oberschwaben im Süden[38] verbreitete Ausprägung wurden bislang auch nur zwei Stellen mit Fehlbränden als Indizien für mögliche Töpfereistandorte bekannt. Beide Orte, Altdorf im Kreis Böblingen[39] und Eningen bei Reutlingen[40] liegen vor dem Albtrauf im Mittleren Neckarraum.

Mit einiger Berechtigung hätte die letzte Warenart auch schon eingangs bei den Importen besprochen werden können: Bei der Glimmer-Ware[41], die seit der spätkarolingischen bis ottonischen Zeit bis in das südliche Heidelberger Umland in beachtlichen Quantitäten auftritt, hat man es fraglos in der Masse mit Produkten aus dem nordwestlichen Vorspessartraum zu tun[42]. Formal identische Linsenbodengefäße (Töpfe und Zweihenkelkannen) mit weniger hohem, überdies feinerem Glimmeranteil und anscheinend regelhaft auftretendem, reduzierend grauem Brand, dürften meiner Vermutung nach aber näher am Neckarmündungsgebiet oder dort selbst entstanden sein. Während die »echte« Glimmerware in ihrem südhessischen Ursprungsgebiet auch im Spätmittelalter noch eine bedeutendere Rolle spielt[43], verschwindet sie im nördlichen Südwestdeutschland nach 1200 recht schnell aus dem Fundmaterial.

ZUR DEUTUNG DER KARTENBILDER

Bei der frühen ÄgDW dürften die weit ausgreifenden klösterlichen Grundherrschaften[44] oberrheinischer Klöster, insbesondere von Weißenburg und Lorsch, eine maßgebliche Rolle für die Verbreitung gespielt haben[45]. Im rechtsrheinischen Südwestdeutschland ist die ähnliche Ausdehnung beider Phänomene – Keramikverbreitung und Ausdehnung der Klosterbesitzungen – bis in den Mittleren Neckarraum sowie ihr Fehlen östlich und südlich davon erkennbar. Am Oberrhein selbst treten sie etwa in Mittelbaden zwischen Offenburg und dem Kaiserstuhl, im Elsass südlich von Schlettstatt auf[46]. Dem möglichen Einwand, das Kloster Lorsch sei erst im Jahre 764 und damit gemessen am ersten Auftreten der ÄgDW recht spät gegründet worden, kann wenigstens teilweise begegnet werden. Kartierungen von Besitz ausgewählter Schenkergruppen, also von Angehörigen spätmerowingisch/frühkarolingischer Adelsfamilien, belegen bereits für die Zeit davor die Existenz weiträumiger Verbindungen vom Oberrhein in den mittleren und oberen Neckarraum[47]. Kaum zufällig dürfte das Vorkommen völlig regionsfremder ÄgDW etwa im nordmainischen Hammelburg an der fränkischen Saale sein, einem Ort mit Verbindungen zum Reichskloster Weißenburg[48]. Aus der unmittelbaren Nähe zu mehreren Plätzen in Oberschwaben, die über ein wohlorganisiertes, bis in den Bodenseeraum reichendes Verkehrssystem[49] an das Kloster im Speiergau angebunden waren[50], ist wohl auch das Auftreten von ÄgDW unter den Funden einer Kirchengrabung in Eberhardzell[51] zu erklären (**Abb. 3a-b**).
Von ihrer südlichen Lage her noch exotischer wirken auf den ersten Blick einschlägige Scherben aus Berslingen und Osterfingen im Kanton Schaffhausen sowie aus Embrach, Otelfingen und Ober-Winterthur im Kanton Zürich[52] (**Abb. 4**), dazu noch ein Fragment aus der Stadt Zürich selbst[53]. Sie könnten gemeinsam mit einschlägigen Vorkommen im Baselbiet[54] über die letztlich auf originär römischen Straßen[55] verlaufenden Kontakte des Bistums Chur mit seinen elsässischen Fernbesitzungen in und um Schlettstatt zurückzuführen sein[56].
Als Erklärung für die sehr auffällige Fundstellenverdichtung der Jüngeren Mayener Ware im Raum Mannheim/Heidelberg am Unterlauf des Neckars habe ich erstmals bereits 1987 Verbindungen in die Eifelregion verdächtigt[57], die in Gestalt von Besitzungen des Reichsklosters Prüm im Vorfeld seiner »Außenstelle« Altrip in den Schriftquellen greifbar werden[58].
Für die sehr viel schlechter fassbaren karolingerzeitlichen weltlichen Grundherren mit weiter streuendem Besitz mag hier stellvertretend Abt Fulrad von Saint Denis stehen. Der Anbindung der rechtsrheinischen Zellen an Neckar, Rems, Bodensee und auf der Ostalb (neben Esslingen Schwäbisch Gmünd (unsicher), Herbrechtingen und Adalungscella) an seine elsässischen Besitzungen[59] (**Abb. 5**) sind zweifellos die Funde früher Älterer gelber Drehscheibenware in der Esslinger Stadtkirche Sankt Dionys[60] geschuldet.
Dass geistliche Institutionen nicht nur für die Distribution, sondern auch für die Produktion von Keramik selbst verantwortlich sein könnten – wie es bereits vor langem für das Rheinland von Kurt Böhner[61] und Walter Janssen[62] vermutet wurde –, ist im Betrachtungsgebiet am Beispiel Wiesloch zu belegen[63]. Der nahe dem Schnittpunkt zweier schon in der Antike überregional bedeutender Straßen gelegene Platz war das regionale Zentrum der Lorscher Grundherrschaft im südlichen Lobdengau. Er erhält im Jahre 965[64] als einer der ersten in Südwestdeutschland überhaupt vom König das Marktrecht[65].

a

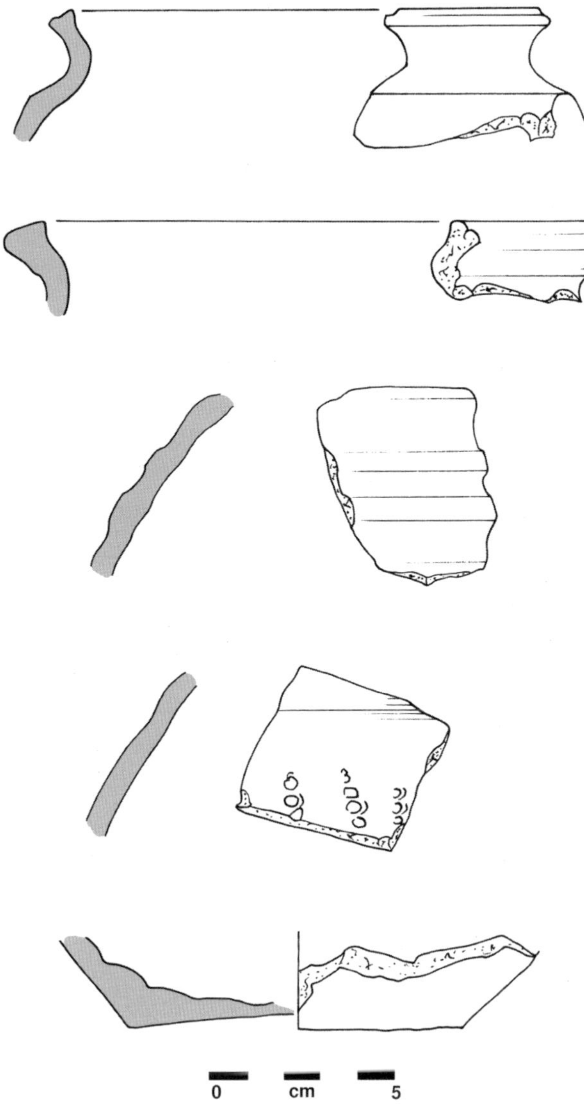

b

Abb. 3 **a** Lage von Eberhardzell und der Weißenburger Besitzungen in Oberschwaben. – **b** Ältere gelbe Drehscheibenware aus Eberhardzell. – (a nach Schäfer 1966).

Seit dem 10. Jahrhundert zeigen die meisten Karten deutlich kleinteiligere Verbreitungsmuster. Dass es freilich nach wie vor Fernkontakte gegeben haben muss, die sich fallweise auch keramisch niedergeschlagen konnten, mögen zwei Beispiele aus dem 12. Jahrhundert belegen:

Das Auftreten von so genannter Albware am Stammsitz der Welfen in Ravensburg, tief in Oberschwaben fast am Bodensee gelegen, hängt m. E. ursächlich mit deren Besitzungen im Mittelneckarraum zusammen (Abb. 6a-b)[66].

Für das Vorkommen später bemalter Elsässer Ware in Hirsau[67] sind wohl Kontakte an den nördlichen Oberrhein zum Klosterbesitz im Unterelsass verantwortlich. Die Tendenz zur Verkleinerung der Absatzgebiete keramischer Erzeugnisse am Übergang zum Hochmittelalter dürfte meines Erachtens in der beginnenden Auflösung der großen Herrschaftsverbände um die Jahrtausendwende sowie der Tendenz, Fernbesitz gegen näher gelegene Güter einzutauschen (»Besitzarrondierung«), begründet sein. Es scheint daher nur folgerichtig, dass seit dieser Zeit die Anzahl der nachgewiesenen bzw. aufgrund von Fehlbränden begründet zu vermutenden Töpfereien gegenüber der karolingisch/frühottonischen Epoche ansteigt. Den Plätzen Muffenheim, Soufflenheim und Wiesloch[68] stehen nun mit Rheinzabern, Langenbrücken, Weiler an der

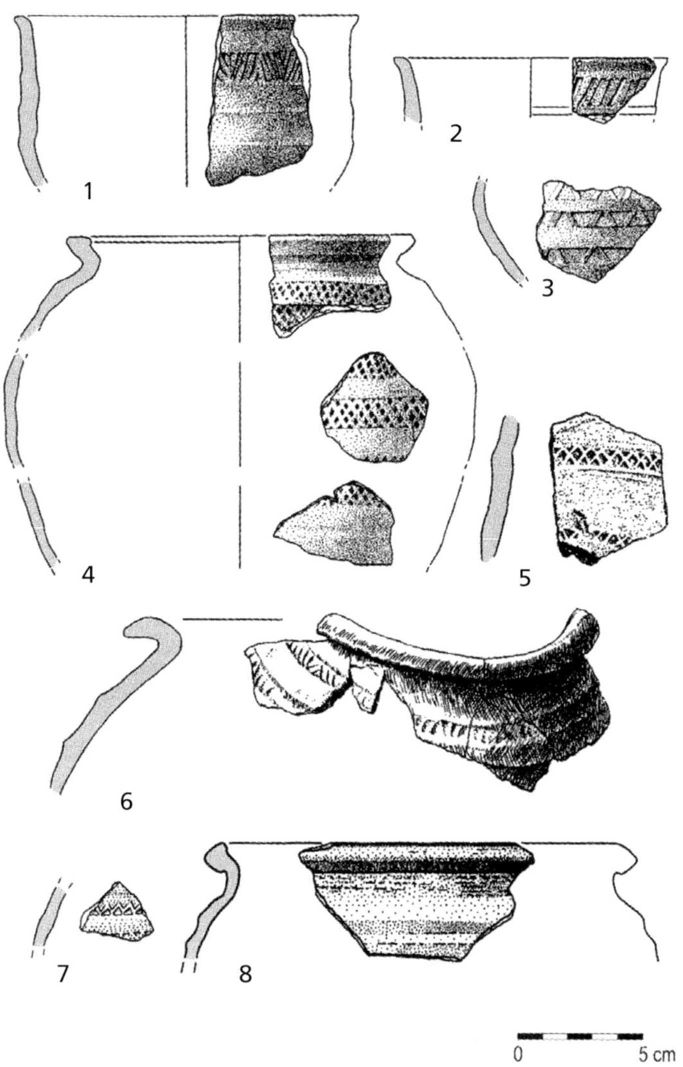

Abb. 4 Ältere gelbe Drehscheibenware von Fundorten in der Nordostschweiz. – (Nach Gross 2010).

Zaber, vielleicht Wiesloch (Höllgasse) (alle Produktionsorte der ÄgrDW), Soufflenheim (Herstellung der späten oberrheinischen ÄgDW) und Straßburg (Fertigung der Orangefarbenen Straßburger Ware) immerhin ein halbes Dutzend Produktionsorte des späten 10. bis 12. Jahrhunderts gegenüber. Schließt man mit Altdorf und Eningen die bislang bekannten Töpfereien der späten schwäbischen Älteren gelben Drehscheibenware vom Typ Jagstfeld mit ein, so sind es sogar deren acht. Des Weiteren darf das erstmalige bzw. verstärkte Aufkommen von »nachgedrehten« Warenarten nicht unerwähnt bleiben, die im Hochmittelalter in bestimmten Regionen des Betrachtungsraumes das Keramikangebot bereicherten. Freilich kennen wir außer Bad Rappenau [69] westlich des Neckars bislang keine Töpferöfen.

Aus dem davor liegenden frühmittelalterlichen Zeitabschnitt sind zwischen nördlichem Oberrhein und Mittlerem Neckar derzeit sechs sichere bzw. potentielle Ofenstandorte bekannt [70]. Da auch die Kartierungen verschiedener Roll- und Eindruckstempel der Knickwandkeramik [71] in diesen Regionen ebenfalls auf kleinere Absatzgebiete schließen lassen, wird die besondere Situation in der Karolingerzeit sehr deutlich. In welche herrschaftlichen Zusammenhänge die jüngeren Waren und Töpfereien des Hochmittelalters gehören, ist noch weitgehend ungeklärt.

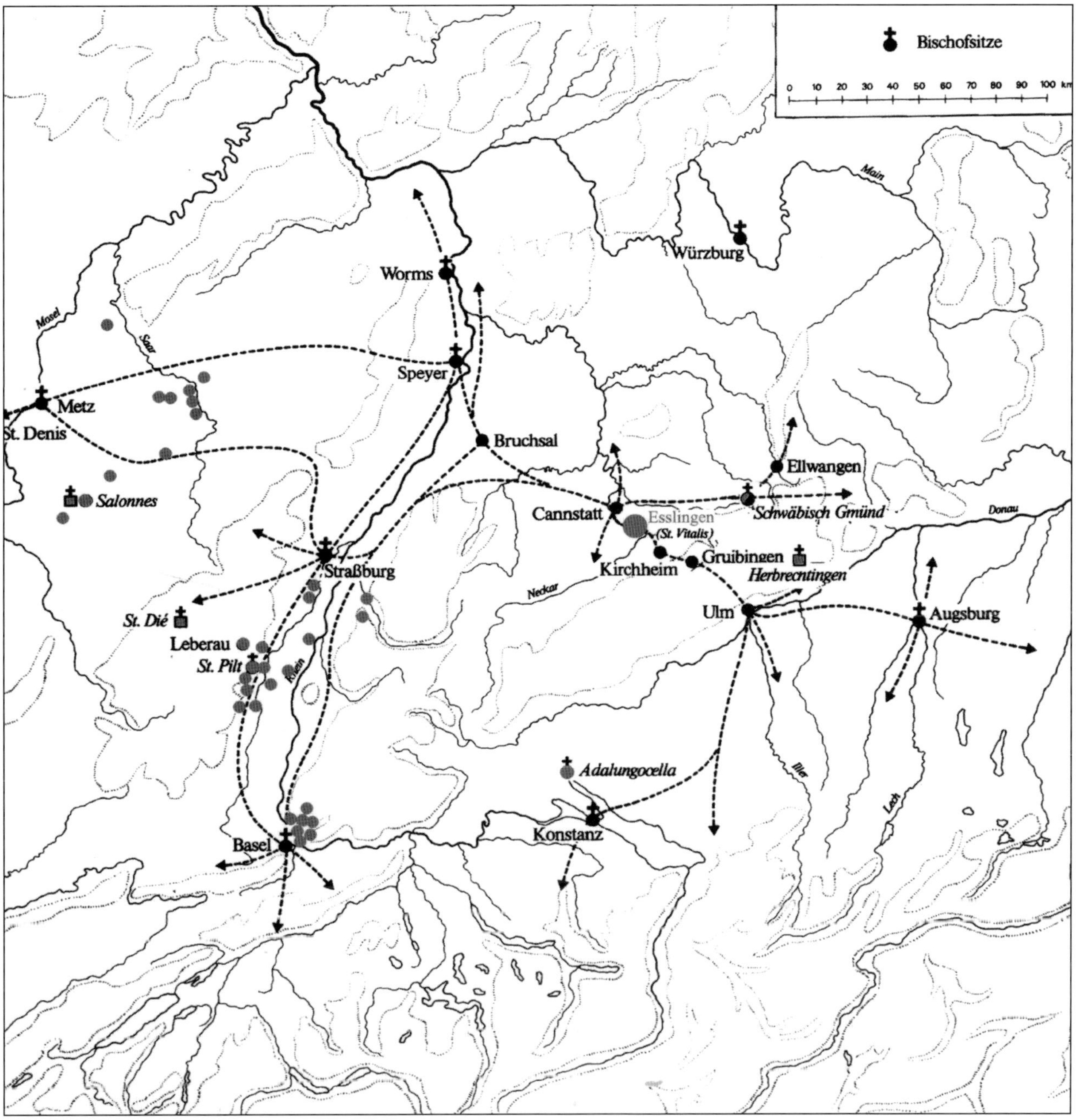

Abb. 5 Besitzungen von Abt Fulrad von Saint-Denis in Lothringen, im Elsass und in Südwestdeutschland. – (Nach Quarthal 1995).

Im Falle von Straßburg wird man aber im 11./12. Jahrhundert mit hoher Wahrscheinlichkeit den bischöflichen Stadtherrn als möglichen Betreiber der Töpfereien annehmen dürfen. Der zumindest nach Norden hin kaum fassbare Absatz der Straßburger Orangefarbenen Ware träfe mit der Bistumsgrenze zur Nachbardiözese Speyer auf Höhe des Hagenauer Forstes zusammen, die im Wesentlichen auch für die Grundherrschaft von Bischof und Domkapitel verbindlich war[72]. Die entgegen der Fließrichtung des Rheins anhand des typischen Rollstempeldekors heute wohl erst ansatzweise erkennbare Verbreitung in Richtung Süden (**Abb. 7**) hat im

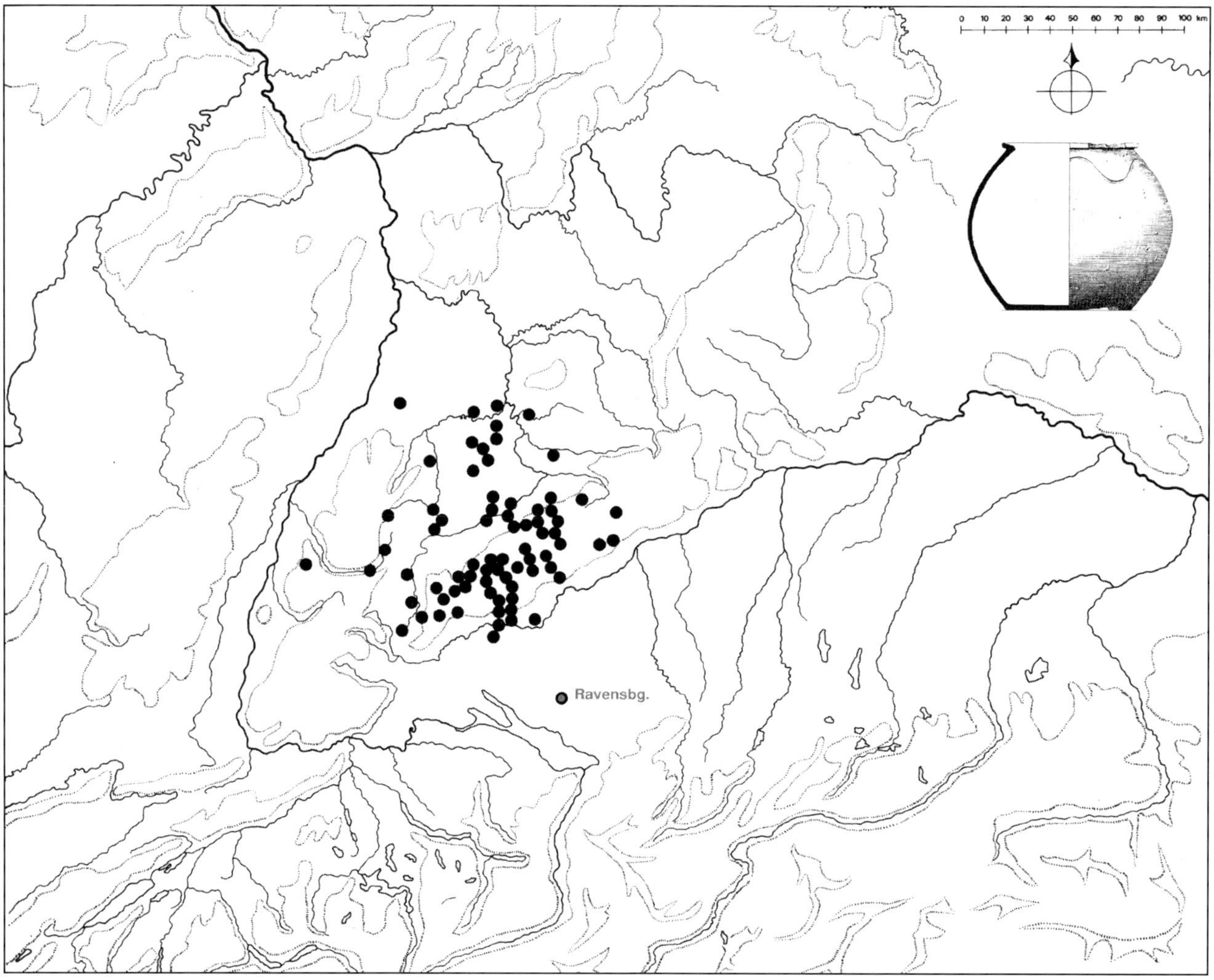

Abb. 6a Verbreitung der Albware. – (Nach Gross 1992).

14./15. Jahrhundert eine gute Entsprechung beim Elsässer Steinzeug. Auch diesen in Hagenau und wohl auch Soufflenheim gefertigten Qualitätsprodukten blieb, obwohl sie in ganz Südwestdeutschland keine qualitativen Entsprechungen kennen, ein namhafter Absatz flussabwärts versagt[73].

Im späten Mittelalter haben wir – anders als in den davor liegenden Jahrhunderten, die hier zur Sprache kamen – dann aber glücklicherweise auch verlässliche schriftliche Anhaltspunkte, die für massive herrschaftliche Einflussnahme auf die Herstellung und auch den Vertrieb von Gefäßkeramik sprechen[74].

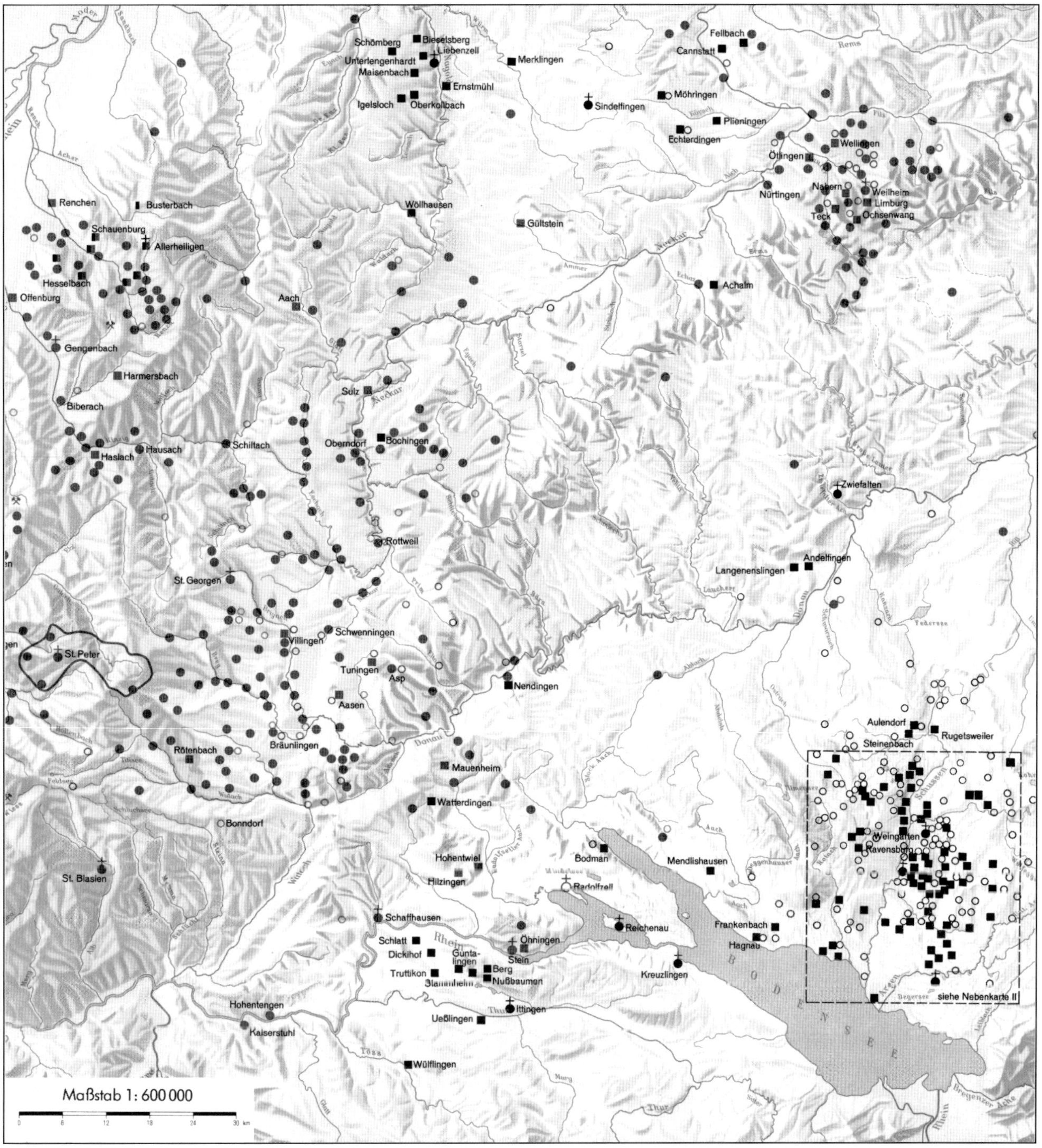

Abb. 6b Verbreitung des welfischen Besitzes (schwarze Signaturen). – (Nach Hist. Atlas Baden-Württemberg [Ausschnitt aus Karte V, 3]).

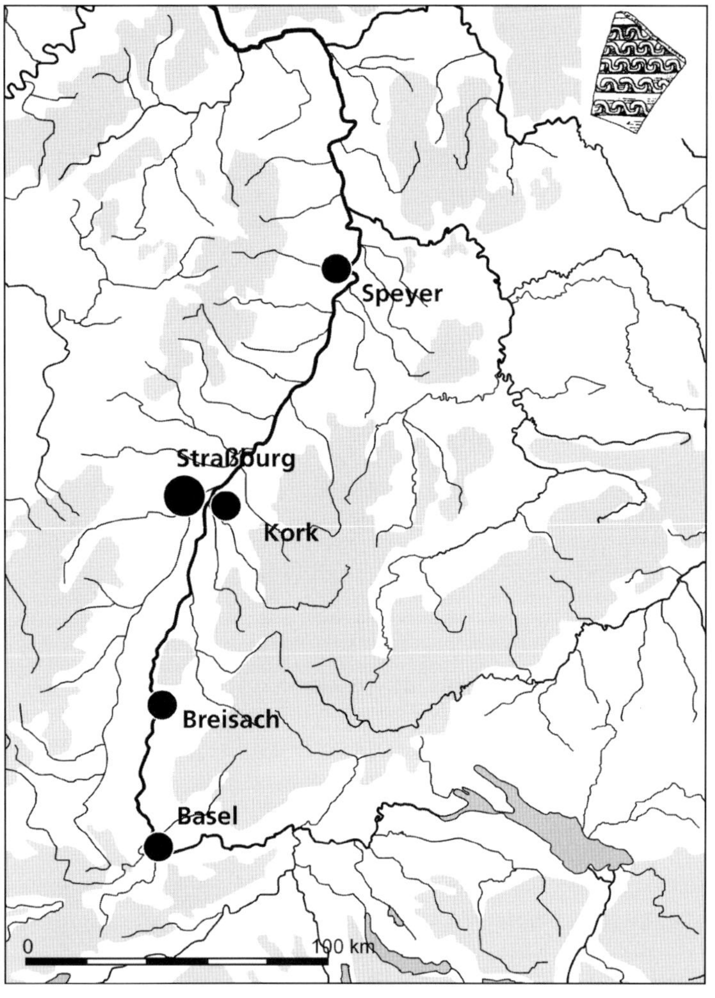

Abb. 7 Verbreitung der Orangefarbenen Straßburger Ware mit Rollstempel aus liegenden S-Elementen (»laufender Hund«).

Anmerkungen

1) Redknap 1999, 67-72.
2) Als weitere mögliche Herstellungsorte werden immer wieder Trier und Treis-Karden an der Mosel diskutiert.
3) Redknap 1999, 73-78.
4) Zum rechtsrheinischen Südwestdeutschland: Gross 2005, 59-65.
5) Redknap 1984, 414. – Redknap 1999, 85-88.
6) Ebenda 101-108.
7) Schallmayer/Gross 1983, 103 Abb. 39. – Nachträge: Schriesheim, Heilbronn, Lorsch (Kloster Lorsch 2011, 524f. Abb. 6-7), Zellhausen am Main (Hinweis G. Weber, Dietzenbach).
8) Gross 1991a, 77-79 mit Abb. 27.
9) Gross 2004, 263 Abb. 5. – Châtelet u.a. 2005, 23 Abb. 14.
10) Exporte in weit entfernte, außerhalb der Kartenausschnitte gelegene Regionen: Hernö 2007, 39-42 (Westfalen). – Bemalte Variante: Hodges 1977, 245 (Nr. 35) (Hamwic/England).
11) Châtelet 2002, 101-104. – Châtelet u.a. 2005, 23-25.
12) Gross 2007, 685 Abb. 1-4; 692f.
13) Lobbedey 1968, Taf. 14, 1-6.
14) Staab 1989, 17 (CL3659).
15) Châtelet 2002, 102f. Abb. 74-75.
16) Gross 2007, 719 Nr. 217-221.
17) Heukemes/Gross 1983, 301-318.
18) Hildebrandt/Gross 1995, 312-315.
19) Hildebrandt 1997, 89 Abb. 19. – Gross 2004, 267 Abb. 8.
20) Bernhard 1983, 166f. mit Abb. 6.
21) Freundlicher Hinweis H. Pantermehl, Mainz.
22) Bernhard/Barz 1991, 162-164 mit Abb. 24.
23) Siehe dazu Beitrag Pantermehl.
24) Lobbedey 1968, 22f. – Gross 1991a, 75f. – Henigfeld 2005, 110-112.
25) Beispiele: Gross 1991, Taf. 178, 6. 8-9. – Gross 2004, 167 Abb. 8, 3.
26) Eines der wenigen Beispiele: Encyclopédie 1983, 1430 Abb. Nr. 1.
27) Lobbedey 1968, 18. – Henigfeld 2005, 356-360 Taf. 17-20. – Schwien 1990, 120f. 346-349 Nr. 1.44-1.45.
28) Gross 1999, 111f.
29) Lobbedey 1968, 33-37. – Gross 1991a, 49-52.
30) Gross 2008, 146f.

31) Weiher: Lobbedey 1968, Taf. 28, 19-20. 24-27. – Bretten »Burgwäldchen«: unpublizierte Funde im Museum Bretten.
32) Unpublizierte Funde im Historischen Museum der Pfalz, Speyer.
33) Gross 1991a, Taf. 31, 1-23.
34) Unpublizierte Funde in Privatbesitz; freundlicher Hinweis A. Schwarzkopf, Großgartach.
35) Höllgasse: freundlicher Hinweis L. Hildebrandt, Wiesloch.
36) Lobbedey 1968, Taf. 17, 1. 5; 33, 2. – Hübener 1969, Taf. 49, 5. – Gross 1991a, Taf. 183, 3.
37) Gross 1991a, 43-48.
38) Gross 1999/2000, 87-90.
39) Schreg/Meyerdirks 2002, 243f.
40) Schmidt 1991, 302-305.
41) Süß 1978, 91-105. – Gross 1991a, 66-68.
42) Süß 1978, 93 Abb. 8.
43) Schmitt 2008, 93f.
44) Marti 2004, 206-215.
45) So schon Gross 1987, 194-202. – Gross 2004, 257-274.
46) Hist. Atlas Baden-Württemberg, Karte VIII, 2. – Kerkhoff/Nüske o.J., 6-10 mit Abb. 2.
47) Alter 1959, 59-135. – Alter 1993, 69-126. – Alter 1995, 7-97. – Grundsätzlich zur »privaten« Grundherrschaft im Frühmittelalter: Goetz 2006, 111-137.
48) Gross 2009, 162f. mit Abb. 4.
49) Schäfer 1966, 1-54 (bes. Abb. S. 31).
50) Ähnliches ist vom Kloster Prüm bekannt: Kuchenbuch 1978, Karte 143. – Gross 2009, 161f.
51) Zur Grabung kurz: Scholkmann 1970, 71f.
52) Gross 2010, 52 Abb. 3, 7-8.
53) Unpubliziert; freundlicher Hinweis A. Motschi, Zürich.
54) Kartierung: Châtelet u.a. 2005, 23 Abb. 14.
55) Drack/Fellmann 1988, 94 Abb. 32.
56) Clavadetscher 1950, 191-205.
57) Gross 1987, 200.
58) Kerkhoff/Nüske o.J., 7 Abb. 2; 10.
59) Quarthal 1995, 485-489 mit Abb. 2.
60) Lobbedey 1995, 260f. Abb. 1-2. – Gross 2001b, 102-105 mit Abb. 68.
61) Böhner 1955/56, 372-387.
62) Janssen 1983, 390-394.
63) Heukemes/Gross 1983, 301-318. – Hildebrandt/Gross 1995, 312-315. – Gross 2004, 262-267.
64) Staab 1989, 14-17.
65) Zur gezielten wirtschaftlichen Förderung geistlicher Institutionen durch das karolingische Königtum: Adam 1996, 104f. 180f. 188.
66) Ade-Rademacher/Rademacher 1993, Taf. 33,8.11-13. – Schmid 2009, Taf. 3, 40-41. 52; 4, 68; 5, 77-84 und weitere. – Hist. Atlas Baden-Württemberg Karte V, 3 und Schwarzmaier o.J., 7-10 mit Abb. S. 9.
67) Gross 1991b, 142f. 158. 166 Abb. 104, 1-5.
68) Zur Zentralisierung der Produktion in jüngermerowingisch-frühkarolingischer Zeit: Châtelet u.a. 2005, 29f. – Marti 2004, 206-215. – Gross 1992, 158f.
69) Lobbedey 1968, Taf. 25-26.
70) Echzell: Boenke/Lindenthal 2009, 9-13; Ladenburg (Kaiser 1983, 119); Heidelberg-Bergheim (unpublizierte Altfunde im Kurpfälzischen Museum Heidelberg); Münchingen (?) (Stork 1989, 186f. mit Abb. 137); Neuhausen auf den Fildern (?) (Gross 1993, 235-238); Donzdorf (Hübener/Roeren/Natter 1962, 172-183).
71) Koch 2007, 355-360 mit Abb. 51 u. 53. – Gross 1991a, 150-154 Abb. 72-75. – Gross 2004, 261 Abb. 3. – Für das Rheinland siehe: Siegmund 1998, 241 mit Abb. 89.
72) Karte des spätmittelalterlichen Straßburger Besitzes: Encyclopédie 1983, 135 Abb. oben rechts.
73) Gross 2002, 210 Abb. 412 (oben).
74) Gross 2001a, 167f. – Gross 2009, 164-168.

Literatur

Adam 1996: H. Adam, Das Zollwesen im fränkischen Reich und das spätkarolingische Wirtschaftsleben: ein Überblick über Zoll, Handel und Verkehr im 9. Jahrhundert (Stuttgart 1996).

Ade-Rademacher/Rademacher 1983: D. Ade-Rademacher / R. Rademacher, Der Veitsberg bei Ravensburg. Vorgeschichtliche und mittelalterlich-frühneuzeitliche Höhenburg. Forsch. u. Ber. Arch. Mittelalter Baden-Württemberg 16 (Stuttgart 1993).

Alter 1959: W. Alter, Studien zur mittelalterlichen Siedlungs- und Volksgeschichte der mittleren Vorderpfalz. II. Teil: Die in den Klosterkodices genannten Personen, insbesondere die Angehörigen der Familie Ratbald – Wicbald. Mitt. Hist. Ver. Pfalz 57, 1959, 59-135.

1993: W. Alter, Der MISSUS DOMINICUS Liutfried und seine Familie im nördlichen Oberrheingebiet. Mitt. Hist. Ver. Pfalz 91, 1993, 69-126.

1995: W. Alter, Ruding, Eberwin und Einold in karolingischer Zeit im nördlichen Oberrheingebiet. Mitt. Hist. Ver. Pfalz 93, 1995, 7-97.

Bernhard 1983: H. Bernhard, Fundberichte aus der Pfalz: Mittelalter und Neuzeit 1961–1965, 1970. Mitt. Hist. Ver. Pfalz 81, 1983, 155-227.

Bernhard/Barz 1991: H. Bernhard / D. Barz, Frühe Burgen in der Pfalz. Ausgewählte Beispiele salischer Wehranlagen. In: H. W. Böhme (Hrsg.), Burgen der Salierzeit. Teil 2: in den südlichen Landschaften des Reiches (Sigmaringen 1991) 125-175.

Böhner 1955/56: K. Böhner, Frühmittelalterliche Töpferöfen in Walberberg und Pingsdorf. Bonner Jahrb. 155/156, 1955/56, 372–387.

Boenke/Lindenthal 2009: N. Boenke / J. Lindenthal, Ausgrabungen auf der »Heinrichswiese« bei Echzell (Wetteraukreis). Einblicke in die frühmittelalterliche Siedlungsentwicklung im Rhein-Main-Gebiet. Denkmalpflege & Kulturgeschichte 3/2009, 7-13.

Châtelet 2002: M. Châtelet, La céramique du Haut Moyen Âge du sud de la vallée du Rhin supérieure (Alsace et Pays de Bade). Typologie, chronologie, technologie, économie et culture. Europe Médiévale 5 (Montagnac 2002).

Châtelet u. a. 2005: M. Châtelet / M. Picon / G. Thierrin-Michael / Y. Waksman, Une centralisation des ateliers de céramiques au VIIe siècle? Bilan d'un programme d'analyses sur la production de la céramique en Alsace et en Pays de Bade pendant la période du haut Moyen Âge. Arch. Médiévale 35, 2005, 11-38.

Clavadetscher 1950: O. P. Clavadetscher, Die Besitzungen des Bistums Chur im Elsass. Schweizer Beiträge zur Allgemeinen Geschichte 8, 1950, 191-205.

Drack/Fellmann 1988: W. Drack / R. Fellmann, Die Römer in der Schweiz (Stuttgart 1988).

Encyclopédie 1982: Encyclopédie de l'Alsace 1 (Strasbourg 1982).

1983: Encyclopédie de l'Alsace 3 (Strasbourg 1983).

Goetz 2006: H.-W. Goetz, Die »private« Grundherrschaft des frühen Mittelalters im Spiegel der St. Galler Traditionsurkunden. In: B. Kasten (Hrsg.), Tätigkeitsfelder und Erfahrungshorizonte des ländlichen Menschen in der frühmittelalterlichen Grundherrschaft (bis ca. 1000). Festschr. D. Hägermann. Vierteljahresschr. Sozial- u. Wirtschaftsgesch. Beih. 184 (Stuttgart 2006) 111-137.

Gross 1987: U. Gross, Beobachtungen zur Verbreitung frühmittelalterlicher Keramikgruppen in Südwestdeutschland. Arch. Inf. 10/2, 1987, 194-202.

1991a: U. Gross, Mittelalterliche Keramik im Raum zwischen Neckarmündung und Schwäbischer Alb. Bemerkungen zur räumlichen Entwicklung und zeitlichen Gliederung. Forsch. u. Ber. Arch. Mittelalter Baden-Württemberg 12 (Stuttgart 1991).

1991b: U. Gross, Keramik und Kleinfunde des 12. Jahrhunderts aus einer Grube bei St. Peter und Paul. In: Kloster Hirsau 1091-1991. Forsch. u. Ber. Arch. Mittelalter Baden-Württemberg 10 (Stuttgart 1991) 139-178.

1993: U. Gross, Funde aus einem frühmittelalterlichen Handwerkerareal in der Bäderstraße in Neuhausen, Kr. Esslingen. Arch. Ausgr. Baden-Württemberg 1993, 235-238.

1999: U. Gross, Töpferei des Hoch- und Spätmittelalters im städtischen Umfeld. In: »Von Schmieden, Würflern und Schreinern«. ALManach 4 (Stuttgart 1999) 111-128.

1999/2000: U. Gross, Schwäbische Importe im hochmittelalterlichen Regensburg. Funde der Älteren, gelbtonigen Drehscheibenware aus der Engelburgergasse und dem Scheugässchen. Denkmalpflege in Regensburg 8. Beiträge zur Denkmalpflege in Regensburg für die Jahre 1999/2000, 87-90.

2001a: U. Gross, Zur Verbreitung einiger ausgewählter Keramikgruppen im spätmittelalterlichen Südwestdeutschland. In: Lux Orientis. Archäologie zwischen Asien und Europa. Festschr. H. Hauptmann. Stud. Honoraria 12 (Rahden/Westf. 2001) 165-170.

2001b: U. Gross, Esslinger Funde – alt und neu. In: Stadtfindung. Materialien zur Geschichte, Archäologie und Bauforschung in Esslingen am Neckar. Materialh. Arch. Baden-Württemberg 64 (Stuttgart 2001) 99-134.

2002: U. Gross, 412: Elsässer Steinzeug. In: Spätmittelalter am Oberrhein. Alltag, Handwerk und Handel 1350-1525. Große Landesausstellung des Badischen Landesmuseums Karlsruhe (Stuttgart 2001) 210.

2004: U. Gross, Keramikverbreitung im 8. Jahrhundert als Hinweis auf Handel und Gliederung des politischen Raumes. In: H. Steuer / Th. Zotz (Hrsg.), Der Südwesten im 8. Jahrhundert aus historischer und archäologischer Sicht. Archäologie und Geschichte. Freiburger Forschungen zum Ersten Jahrtausend in Südwestdeutschland (Stuttgart 2004) 257-274.

2005: U. Gross, Rotgestrichene Ware – ein keramisches Bindeglied zwischen Antike und Frühmittelalter. Arch. Nachr. Baden 71, 2005, 59-65.

2007: U. Gross, Frühmittelalterliche Keramik aus der Wüstung Muffenheim, Gemarkungen Rastatt-Ottersdorf und Rastatt-Plittersdorf. Fundber. Baden-Württemberg 29, 2007, 683-719.

2008: U. Gross, Transitionen – Übergangsphänomene bei südwestdeutschen Keramikgruppen des frühen und hohen Mittelalters. In: Stratigraphie und Gefüge. Beiträge zur Archäologie des Mittelalters und der Neuzeit und zur historischen Bauforschung. Festschr. H. Schäfer. Forsch. u. Ber. Arch. Mittelalter Baden-Württemberg 28 (Esslingen 2008) 137-147.

2009: U. Gross, Keramikverbreitung und herrschaftliche Strukturen. Beispiele aus dem frühen und späten Mittelalter in Südwestdeutschland. In: D. Krausse / O. Nakoinz (Hrsg.), Kulturraum und Territorialität: Archäologische Theorien, Methoden, Fallbeispiele. Internationale Archäologie – Arbeitsgemeinschaft, Symposium, Tagung, Kongress (Rahden/Westf. 2009) 159-175.

2010: U. Gross, Drehscheibenware des frühen und hohen Mittelalters in Ulm. In: U. Gross / A. Kottmann / J. Scheschkewitz (Hrsg.), Frühe Pfalzen – frühe Städte. Neue Forschungen zu zentralen Orten des Früh- und Hochmittelalters in Süddeutschland und der Nordschweiz. Ergebnisse eines Kolloquiums am 28. und 29. April 2009 im Rathaus zu Ulm. Arch. Inf. Baden-Württemberg 58 (Esslingen 2010) 51-58.

Heege 2009: A. Heege, Steinzeug in der Schweiz (14.-20. Jh.): ein Überblick über die Funde im Kanton Bern und den Stand der Forschung zu deutschem, französischem und englischem Steinzeug in der Schweiz. Erziehungsdirektion des Kantons Bern; Archäologischer Dienst des Kantons Bern (Bern 2009)

Henigfeld 2005: Y. Henigfeld, La céramique à Strasbourg de la fin du Xe au début du XVIIe siècle. Le vaisselier d'après les fouilles archéologiques récentes (Caen 2005).

Hernö 2007: A. Hernö, Weit gereiste Keramik – wie gelangten im 7./8. Jahrhundert Gefäße aus dem südwestdeutsch-elsässischen Raum nach Westfalen? In: Ch. Grünewald / T. Capelle (Hrsg.), Innere Strukturen von Siedlungen und Gräberfeldern als Spiegel gesellschaftlicher Wirklichkeit? Akten des 57. Internationalen Sachsensymposions vom 26. bis 30. August 2006 in Münster (= Veröff. Altertumskomm. Westfalen 17) (Münster 2007) 39-42.

Heukemes/Gross 1983: B. Heukemes / U. Gross, Ein Töpferofen der »älteren, gelbtonigen Drehscheibenware« aus Wiesloch, Rhein-Neckar-Kreis. Forsch. u. Ber. Arch. Mittelalter Baden-Württemberg 8 (Stuttgart 1983) 301-318.

Hildebrandt 1997: L. Hildebrandt, Wüstungen im südwestlichen Rhein-Neckar-Kreis im Spiegel urkundlicher Nachrichten und archäologischer Funde. In: L. Hildebrandt (Hrsg.), Archäologie und Wüstungsforschung im Kraichgau. Heimatverein Kraichgau, Sonderveröff. 18 (Ubstadt-Weiher 1997) 59-112.

Hildebrandt/Gross 1995: L. Hildebrandt / U. Gross, Ein frühmittelalterlicher Töpferofen aus Wiesloch, Rhein-Neckar-Kreis. Arch. Ausgr. Baden-Württemberg 1995, 312-315.

Hodges 1977: R. Hodges, Some early medieval French wares in the British Isles. An archaeological assessment for the early French wine Trade with Britain. In: D. P. S. Peacock (Hrsg.), Pottery and early commerce. Characterization and trade in Roman and later ceramics (London 1977) 239-255.

Hübener 1969: W. Hübener, Absatzgebiete frühgeschichtlicher Töpfereien in der Zone nördlich der Alpen (Bonn 1969).

Hübener/Roeren/Natter 1962: W. Hübener / R. Roeren / R. Natter, Ein Töpferofen des frühen Mittelalters von Donzdorf (Kr. Göppingen). Fundber. Schwaben N. F. 16, 1962, 172-183.

Janssen 1983: W. Janssen, Gewerbliche Produktion als Wirtschaftsfaktor im ländlichen Raum. In: H. Jankuhn / W. Janssen / R. Schmidt-Wiegand / H. Tiefenbach (Hrsg.), Das Handwerk in vor- und frühgeschichtlicher Zeit II. Ber. Koll. Komm. Altertumskunde Mittel- und Nordeuropa 1977-1980. Abhandl. Akad. Wiss. Göttingen, Philolog.-Hist. Kl. 3, Nr. 123 (Göttingen 1983) 317-394.

Kaiser 1983: H. Kaiser, Ausgrabungen im Stadtbereich von Lopodunum/Ladenburg am Neckar, Rhein-Neckar-Kreis. Arch. Ausgr. Baden-Württemberg 1983, 109-120.

Kerkhoff/Nüske o.J.: J. Kerkhoff / G. F. Nüske, Besitz karolingischer Reichsabteien um 900. Hist. Atlas Baden-Württemberg, Beiwort zu Karte VIII, 2.

Kloster Lorsch 2011: Kloster Lorsch. Vom Reichskloster Karls des Großen zum Weltkulturerbe der Menschheit (Petersberg 2011).

Koch 2007: U. Koch, Was Grabfunde zu Verkehr, Handel und Wirtschaft verraten. In: H.-J. Probst, Mannheim vor der Stadtgründung. Teil 1, Bd. 2. Die Frankenzeit: Der archäologische Befund. Aus der Mannheimer Namenkunde (Regensburg 2007) 324-371.

Kuchenbuch 1978: L. Kuchenbuch, Bäuerliche Gesellschaft und Klosterherrschaft im 9. Jahrhundert. Studien zur Sozialstruktur der Familia der Abtei Prüm. Vierteljahrschr. Sozial- u. Wirtschaftsgesch. Beih. 66 (Wiesbaden 1978).

Lobbedey 1968: U. Lobbedey, Untersuchungen mittelalterlicher Keramik vornehmlich aus Südwestdeutschland. Arbeiten Frühmittelalterforsch. 3 (Berlin 1968).

1995: U. Lobbedey, Esslingen St. Dionysius. Die Funde mittelalterlicher Keramik. In: G. P. Fehring / B. Scholkmann, Die Stadtkirche St. Dionysius in Esslingen I. Forsch. u. Ber. Arch. Mittelalter Baden-Württemberg 13 (Stuttgart 1995) 245-268.

Marti 2004: R. Marti, »Luteo operi, sine quo tamen non transigetur«. Frühmittelalterliche Keramik im Spiegel gesellschaftlicher und kulturräumlicher Veränderungen in der Nordwestschweiz. In: G. Graenert / R. Marti / A. Motschi / R. Windler (Hrsg.), Hüben und Drüben – Räume und Grenzen in der Archäologie des Frühmittelalters. Festschr. M. Martin. Arch. u. Mus. 48 (Liestal 2004) 191-215.

Quarthal 1995: F. Quarthal, Die Fulradzelle in Esslingen und ihre Entwicklung von der Mitte des 8. bis zum frühen 13. Jahrhundert. In: G. P. Fehring / B. Scholkmann, Die Stadtkirche St. Dionysius in Esslingen I. Forsch. u. Ber. Arch. Mittelalter Baden-Württemberg 13 (Stuttgart 1995) 483-510.

Redknap 1984: M. Redknap, Late merovingian black and red burnished wares from Mayen (Rheinland-Pfalz) Arch. Korrbl. 14, 1984, 403-416.

1999: M. Redknap, Die römischen und mittelalterlichen Töpfereien in Mayen. In: H.-H. Wegner (Hrsg.), Ber. Arch. Mittelrhein u. Mosel 6 (= Trierer Zeitschr. Beih. 24) (Trier, Koblenz 1999) 11-401.

Schäfer 1966: A. Schäfer, Die Abtei Weißenburg und das karolingische Königtum. Zeitschr. Gesch. Oberrhein 114 (N.F. 73), 1966, 1-54.

Schallmayer/Gross 1983: E. Schallmayer / U. Gross, Die mittelalterlichen und neuzeitlichen Befunde und Funde der Grabungen auf dem Gelände des ehem. Domhofes in Ladenburg, Rhein-Neckar-Kreis, 1980 und 1981. Forsch. u. Ber. Arch. Mittelalter Baden-Württemberg 8 (Stuttgart 1983) 79-138.

Schmid 2009: B. Schmid, BauArchäologie Im Ravensburger Humpisquartier. Forschungsergebnisse zur Entwicklung eines städtischen Kleinquartiers. Materialh. Arch. Baden-Württemberg 87 (Stuttgart 2009).

Schmidt 1991: E. Schmidt, Hochmittelalterliche Siedlungsspuren aus Eningen unter Achalm, Kreis Reutlingen. Arch. Ausgr. Baden-Württemberg 1991, 302-305.

Schmitt 2008: A. Schmitt, Burg Tannenberg bei Seeheim-Jugenheim, Lkr. Darmstadt-Dieburg: eine spätmittelalterliche Ganerbenburg im Licht der archäologischen Funde. Universitätsforsch. Prähist. Arch. 151 (Bonn 2008).

Schneid 1988: I. Schneid, Früh- und hochmittelalterliche Keramik aus Ladenburg a. N. Das Material der Grabungen an der Realschulstraße und am Kellereiplatz (Würzburg 1988).

Scholkmann 1970: B. Scholkmann, Eberhardzell, Südwürttemberg. Nachrichtenblatt der Denkmalpflege in Baden-Württemberg. Organ der Staatlichen Ämter für Denkmalpflege 13, 1970/H. 3/4, 71-72.

Schwarzmaier o.J.: H. Schwarzmaier, Hochadelsbesitz im 12. Jh. (Zähringer und Welfen). Hist. Atlas Baden-Württemberg, Beiwort zu Karte V, 3.

Schwien 1990: J. J. Schwien, Four de potier du 12e siècle. Strasbourg, Caserne Barbade. In: Vivre au Moyen Âge. 30 ans d'archéologie médiévale en Alsace. Ausstellungskatalog Straßburg (Straßburg 1990) 120-121.

Schreg/Meyerdirks 2002: R. Schreg / U. Meyerdirks, Töpfereiabfälle der älteren, gelben Drehscheibenware aus Altdorf, Kreis Böblingen. Arch. Ausgr. Baden-Württemberg 2002, 243-244.

Siegmund 1998: F. Siegmund, Die frühmittelalterlichen Funde aus dem Regierungsbezirk Düsseldorf und dem Kreis Heinsberg. Rhein. Ausgr. 34 (Köln, Bonn 1998).

Staab 1989: F. Staab, Die wirtschaftliche Bedeutung der Reichsabtei Lorsch (8. bis 12. Jahrhundert). Geschichtsbl. Kr. Bergstraße 22, 1989, 5–36.

Stork 1989: I. Stork, Ausgrabungen in der »Hofstatt« in Münchingen, Stadt Korntal-Münchingen, Kr. Ludwigsburg. Arch. Ausgr. Baden-Württemberg 1989, 183-187.

Süß 1978: L. Süß, Die frühmittelalterliche Saline von Bad Nauheim. Mat. Vor- u. Frühgesch. Hessen 3 (Wiesbaden 1978).

Zusammenfassung / Abstract

Keramikgruppen des 8. bis 12. Jahrhunderts am nördlichen Oberrhein. Zur Frage von Verbreitungsgebieten und Produktionsstätten

Nach einer kurzen Vorstellung der wichtigsten Importwaren des 8. bis 12. Jahrhunderts (Tatinger Kannen, Reliefbandamphoren, Mayener »steinzeugartige Ware«, Pingsdorfer Ware) werden die Hauptgruppen der im südwestdeutschen Raum produzierten Drehscheibenkeramik dieses Zeitraumes (Ältere gelbe Drehscheibenware, Rotbemalte Elsässer Ware, Orangefarbene Straßburger Ware, Ältere graue Drehscheibenware, Glimmer-Ware) präsentiert, die Frage der Herstellungsorte diskutiert und ihre räumliche Verbreitung skizziert. Im zweiten Teil wird der Versuch unternommen, die so ermittelten Kartenbilder zu erklären. Wegen des engen vorgegebenen Rahmens werden eingangs nur ganz kurz die sicher identifizierbaren Importe vorgestellt, bevor im Hauptteil des Beitrages die regionalen Warenarten behandelt werden.

Pottery groups of the 8th to 12th century in the northern upper Rhineland. The question of distribution areas and production-sites

After a short presentation of the most important imported wares of the 8th to 12th century (Tating jugs, relief-band amphora, Mayen stoneware-type ware, Pingsdorf ware), the main groups of wheel-turned pottery of this period produced in southwestern Germany (Older yellow wheel-turned ware, red-painted Alsace ware, Orange Strasbourg ware, Older grey wheel-turned ware, mica-dusted ware) is presented, the question of production-sites discussed and their regional distribution outlined. In the second part an attempt is made to explain the maps obtained. Owing to the limited framework given here, only the certainly identifiable imports are presented at the outset, before the regional types of ware are dealt with in the main part of the paper. Translation: C. Bridger

HEIDI PANTERMEHL

MITTELALTERLICHE KERAMIK AUS DER SÜDPFALZ

ZUM STAND DER ERFORSCHUNG REGIONALER WARENARTEN DES 9. BIS 12. JAHRHUNDERTS

DAS UNTERSUCHUNGSGEBIET

Die Südpfalz, also der südliche und südöstliche Teil der Region Pfalz, wird im Norden durch die Vorder- sowie im Westen durch die Westpfalz begrenzt. Im Osten ist der Rhein die natürliche Grenze, während im Süden direkte Nachbarschaft zum französischen Unterelsass besteht. Im Frühmittelalter jedoch war der Siedlungsraum in z. T. nach Gewässernamen benannte Verwaltungsbezirke untergliedert. Der größte Bezirk ist der Speyergau, der vom Worms-, Blies- und Nordgau umgeben und Mitte des 7. Jahrhunderts erstmals urkundlich erwähnt wurde[1]. Zu jener Zeit der frühen fränkischen Landnahme (6.-7. Jahrhundert) knüpften die »neuen« Siedler nicht nur an bestehende spätantike Strukturen an, sondern erschlossen weite Gebiete der fruchtbaren südpfälzischen Rheinebene bis an die Hänge der Haardt. Zahlreiche Ortschaften auf -ingen und -heim zeugen von dieser Besiedlungsdynamik. Während die Phase des ersten Landesausbaus (7.-8. Jahrhundert) eine Lückenschließung noch freier Siedlungsplätze in vermehrt günstigen Lagen vorantrieb, zwang der spätere Ausbau (ab Mitte des 8. Jahrhunderts) die Siedler in weniger günstige Lagen, nämlich das bislang weitgehend unbesiedelte Waldland des Pfälzerwaldes, vorzudringen. Im Hochmittelalter nahm die Zahl der Siedlungen noch einmal zu, da mit dem Bau der vielen Burgen und Befestigungen jeweils die Anlage einer Versorgungssiedlung einherging (**Abb. 1**). Schließlich zählten in salischer und staufischer Zeit das Hinterland von Speyer und das angrenzende Bergland zu den Kernregionen des deutschen Reiches.
Während zahlreiche Fundstellen von der durchgängigen Besiedlungsgeschichte der fruchtbaren Rheinebene zeugen, sind archäologische Quellen zur Nutzung und Besiedlung der angrenzenden Berglandschaft seltene Schätze. Studien zur Siedlungs- und Wirtschaftsgeschichte der Region sind genauso ein Desiderat, wie Forschungen zur Kontinuität innerhalb ländlicher Siedlungen, zu Aufsiedlungsprozessen des Berglandes sowie überregionalen Kontakten und dem Handel der regionalen Bevölkerung.
Ziel dieses Beitrages ist es, sowohl einen Überblick als auch eine Zwischenbilanz hinsichtlich des regionalen Forschungsstandes zur früh- und hochmittelalterlichen Keramik der Südpfalz zu geben, indem ausgewählte Komplexe kurz vorgestellt und eine regionale Keramiktypologie diskutiert werden.

FORSCHUNGSSTAND

Hatte Uwe Lobbedey[2] bereits 1968 in seinen Untersuchungen mittelalterlicher Keramik aus Südwestdeutschland vereinzelt auf Fundkomplexe der Südpfalz zurückgegriffen, so gelang 1988 Alfons Rohner und Walter Ehescheid basierend auf Lobbedeys Vorarbeiten eine erste systematische Einordnung keramischen Materials ausgewählter südpfälzischer Fundstellen[3]. Beide Autoren haben als ehrenamtliche Mitarbeiter mit Unterstützung der Generaldirektion Kulturelles Erbe (GDKE), Direktion Archäologie in Speyer, im Laufe der vergangenen 40 Jahre verschiedene archäologische Untersuchungen durchgeführt. So konnten Rohner und Ehescheid 1973 bei Baggerarbeiten zur Anlage des heutigen Paddelweihers bei Hauenstein eine 1 m starke

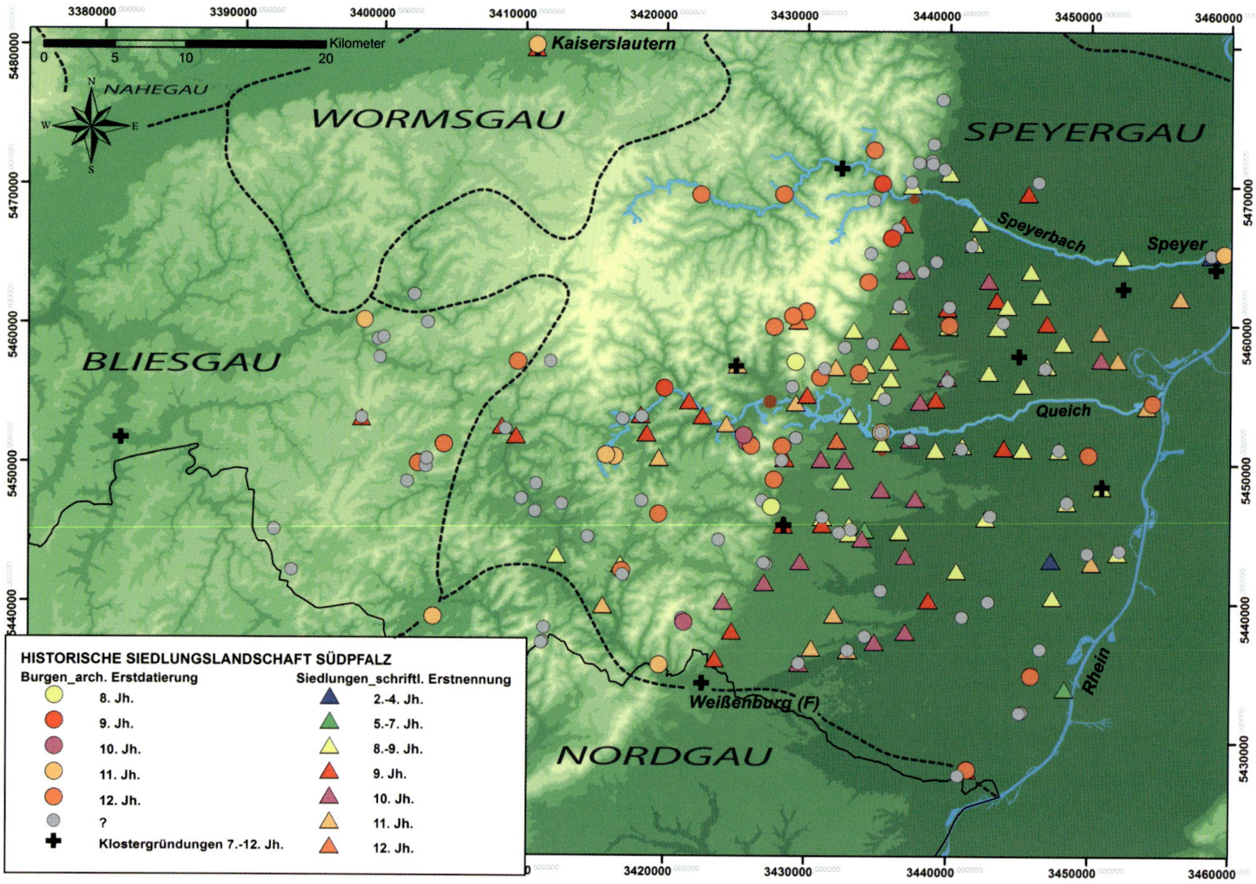

Abb. 1 Siedlungslandschaft Südpfalz im Früh- und Hochmittelalter. Abgebildet sind Burgen nach archäologischer Erstdatierung, frühe Siedlungen nach ihrer schriftlichen Erstnennung sowie Klostergründungen des 7. bis 12. Jahrhunderts.

Kulturschicht mit Holzkohlestücken, gebrannten Lehmbrocken mit Flechtwerkabdrücken und zahlreiche Keramikfragmente der Älteren gelben Drehscheibenware (ÄgDW) zutage fördern. 1974/75 gelang ihnen dann der Nachweis einer Holz- und Steinbebauung der Felsenburg »Wiligartaburg« bei Wilgartswiesen. Die so genannte Wiligartaburg-Keramik wurde entsprechend ihres singulären Vorkommens auf der Burg erstmals beschrieben. In ihrem einführenden Keramikaufsatz untergliederten Rohner und Ehescheid schließlich ausgewählte Keramikfunde der ÄgDW aus zwölf Fundstellen – Siedlungen sowie Befestigungen – in vier Perioden. Diese wurden nochmals in zwei Gruppen unterteilt und kurz beschrieben. Eine zeitliche Einordnung der Perioden in Schritten von je zwei Jahrhunderten vom 8. bis zum 14. Jahrhundert erfolgte im Vergleich und in Anlehnung an die chronologische Gliederung Lobbedeys (**Abb. 2**).

Von grundlegender Bedeutung für die mittelalterliche Keramikforschung im südpfälzischen Raum sind die Untersuchungen der Siedlung Speyer »Im Vogelgesang«[4]. Bei den Ausgrabungen von 1978-82 wurden ca. 30 000 m² archäologisch untersucht. Der Wüstungsplatz konnte dabei in die Zeit zwischen dem 5. und 12. Jahrhundert eingeordnet werden. Das Keramikmaterial der Siedlung zählt überwiegend zur ÄgDW, wie sie in den vergangenen Jahren vor allem durch Arbeiten aus den angrenzenden Gebieten des unteren Neckarraumes und des Elsass deutlicher herausgearbeitet werden konnte[5]. Mit der gerade erschienenen Arbeit zum Kloster Hornbach in der Pfalz und der dort, wenn auch nur in Auswahl, vorgelegten ÄgDW gelingt schließlich der Anschluss der Keramikregion Südpfalz über den Westrand des Pfälzerwaldes hinaus[6].

<table>
<tr><th>HORIZONT</th><th>ZEITRAUM</th><th>Horizont nach LOBBEDEY 1968</th><th>Periode nach ROHNER/EHESCHEID 1988</th><th colspan="4">Warenarten Südpfalz PANTERMEHL 2011</th></tr>
<tr><td>Horizont II</td><td>Ältere Merowingerzeit</td><td></td><td></td><td colspan="2"></td><td rowspan="2">Rauwandige Mayener Irdenware MD</td><td rowspan="2"></td></tr>
<tr><td>Horizont III</td><td>Jüngere Merowingerzeit</td><td></td><td></td><td>Rauwandige Drehscheibenware</td><td>Rotbraungestrichene Keramik</td></tr>
<tr><td>Horizont IV</td><td>Frühmittelalter I 8./9. Jahrhundert</td><td>Horizont A 750-900</td><td rowspan="2">Periode I 8./9. Jahrhundert</td><td rowspan="3">Ältere gelbe Drehscheibenware</td><td></td><td rowspan="2">Hart gebrannte Mayener Ware ME</td><td rowspan="6">Drehscheibenware</td></tr>
<tr><td>Horizont V</td><td>Frühmittelalter II 10./11. Jahrhundert</td><td rowspan="2">Horizont B 900-1020</td><td rowspan="3">Ältere graue Drehscheibenware</td></tr>
<tr><td>Horizont VI</td><td>Hochmittelalter I 11./12. Jahrhundert</td><td>Periode II 10./11. Jahrhundert</td><td></td></tr>
<tr><td>Horizont VII</td><td>Hochmittelalter II 12. Jahrhundert</td><td>Horizont C 1020-1150</td><td>Periode III 11./12. Jahrhundert</td><td rowspan="3">Jüngere Drehscheibenware</td><td rowspan="2">Mayener Faststein-zeug MK</td></tr>
<tr><td>Horizont VIII</td><td>Spätmittelalter I 13. Jahrhundert</td><td>Horizont D 1150-1260</td><td rowspan="2">Periode IV 12.-14. Jahrhundert</td><td rowspan="2"></td></tr>
<tr><td>Horizont IX</td><td>Spätmittelalter II 14./15. Jahrhundert</td><td>Horizont E 1260-1380</td><td></td></tr>
</table>

Abb. 2 Chronologieschema. Neben den Horizonten bzw. Perioden nach Lobbedey und Rohner/Ehescheid sind die mittelalterlichen Warenarten der Südpfalz abgebildet. – (Graphik Autorin, ergänzt und erweitert nach Schreg in diesem Band [vgl. Beitrag Schreg S. 4 Abb. 2]).

Durch das Engagement und den Ehrgeiz der vor allem im Gebiet des Pfälzerwaldes tätigen ehrenamtlichen Heimatpfleger konnten zwar in den vergangenen Jahrzehnten in Kooperation mit der GDKE Speyer immer wieder neu entdeckte und auch alt bekannte Siedlungsstellen sowie Burgen archäologisch untersucht werden, jedoch blieben die Arbeiten – sofern sie nicht in einem Vorbericht ihre erste Beurteilung fanden – weitgehend unpubliziert. Die dabei erarbeiteten Keramik-Warenarten und ihre zeitliche Einordnung sind jedoch nur bedingt an die überwiegend entlang der Rheinschiene und rechtsrheinisch festgestellten Ergebnisse anzuschließen, da das Material eine erhebliche regionale Differenzierung aufweist. Problematisch ist also das Fehlen einer umfassenden Vorlage des gesamten Keramikmaterials aus dem Arbeitsgebiet Südpfalz, die, in eine überregionale Perspektive gestellt, nicht nur die Relationen der regionalen Warenarten untereinander, sondern auch die Verbindungen zu anderen Keramikregionen herausstellen würde.

AUSGEWÄHLTE FUNDPLÄTZE

Im Folgenden seien exemplarisch die Keramikfunde von acht Fundplätzen aus der Südpfalz vorgestellt, deren Fundmaterial mit einer Ausnahme neu aufgenommen werden konnte.

Lesefundplatz

I. Ingenheim[7] (Gemarkung Ingenheim, Gde. Billigheim-Ingenheim, Lkr. Südliche Weinstraße):
An der Fundstelle (die genaue Lage ist unbekannt) wurden 1978 bei Bauarbeiten im Kanalgraben einer Leitungsverlegung Keramikfunde von privater Hand aufgesammelt. Die Fragmente wurden nach Abgabe an das damalige Amt für Denkmalpflege Speyer als Fehlbrände klassifiziert und der Fundort als Töpfereistandort für Ältere gelbe Drehscheibenware interpretiert. Die Auswertung der Keramik ergab eine Zeitstellung ins Hochmittelalter (etwa 10.-11./12. Jahrhundert), jedoch keine Ansprache als Töpfereiabfälle.

Fundstellen (Siedlungsstellen, Handwerksplätze)

II. Armbrunnen[8] (Gemarkung Godramstein, Stadt Landau):
Die Fundstelle am Armbrunnen (ca. 4,4 km nordwestlich von Eußerthal/Lkr. Südliche Weinstraße) ist ein Handwerksstandort (Ausdehnung ca. 250 m), an dem in mindestens vier Öfen Rohteer produziert wurde. Die Auswertungen der Keramik der Grabungsjahre 2000 bis 2006 legt eine Datierung vom Früh- bis in das Hochmittelalter (etwa 7./8.-11./Anfang 12. Jahrhundert) nahe.

III. Kohlwoog[9] (Gemarkung/Gde. Wilgartswiesen, Lkr. Südwestpfalz):
Bei der Fundstelle am Kohlwoog (ca. 2 km südwestlich von Wilgartswiesen) handelt es sich, einer Kulturschicht mit Holzkohlestücken und verbranntem Lehm zufolge, möglicherweise um eine Art Handwerksplatz. Die Keramik stammt von Feldbegehungen sowie Ausgrabungen des Jahres 1982 und stellt den Platz ins Früh- und Hochmittelalter (etwa 7./8.-10. Jahrhundert).

IV. Paddelweiher[10] (Gemarkung/Gde. Hauenstein, Lkr. Südwestpfalz):
Die Fundstelle am Neuwoog (ca. 500 m südwestlich von Hauenstein, heute Paddelweiher) könnte ebenfalls aufgrund einer Kulturschicht mit Holzkohlestücken und gebrannten Lehmbrocken mit Flechtwerkabdrücken als Handwerksplatz interpretiert werden. Die Ausgrabungen der Jahre 1974/75 erbrachten das bekannte Keramikspektrum des Früh- und Hochmittelalters (etwa 7./8.-11.[/12.] Jahrhundert).

Befestigungen (Burgen, Ring- und Abschnittswallanlagen)

V. Orensberg[11] (Gemarkung/Gde. Frankweiler, Lkr. Südliche Weinstraße):
Die 15 ha große Ringwallanlage auf dem Orensberg (ca. 2,5 km nordwestlich von Frankweiler) konnte durch Ausgrabungen seit 2006 als urnenfelderzeitliche Gründung mit sekundärer Ausbauphase der Wallmauer im 3. Viertel des 8. Jahrhunderts n. Chr. belegt werden. Die Auswertung der Keramik ergab eine Zeitstellung vom Früh- bis in das Hochmittelalter (etwa 7./8.-10.[/11.] Jahrhundert).

VI. Alte Burg[12] [Burg Schlössel] (Gemarkung/Gde. Klingenmünster, Lkr. Südliche Weinstraße):
Die 1,8 ha große Vorgängeranlage der salierzeitlichen Burg Schlössel (ca. 1,4 km nordwestlich von Klingenmünster) entspricht einer Ringwallanlage ovaler Form mit 2 Toren. Archäologische Ausgrabungen seit den späten 1980er Jahren erbrachten Keramik des Früh- und Hochmittelalters (etwa 7./8.-10./11. Jahrhundert).

VII. Querenberg[13] (Gemarkung/Gde. Oberotterbach, Lkr. Südliche Weinstraße):
Die 150 m² große Abschnittswallanlage (ca. 3,5 km nordwestlich von Oberotterbach) ist eine Nord-Süd-orientierte, unregelmäßige Befestigung mit einem Doppelwall aus Geröll und Erde im Süden sowie einer steil abfallenden Felsseite im Norden. Die Keramikfunde – u. a. aus ehrenamtlichen Ausgrabungen der letzten Jahre – ergeben eine hochmittelalterliche Nutzungsphase (etwa 10./11.-Anfang 12. Jahrhundert).

VIII. Wiligartaburg[14] (Gemarkung/Gde. Wilgartswiesen, Lkr. Südwestpfalz):
Die Felsenburg (ca. 2,7 km nordöstlich von Wilgartswiesen) hat eine maximale Fläche von 1700 m² und ist in eine Unter- und Oberburg unterteilt, der Zugang erfolgt entlang der Ostseite. Balkengräbchen, Pfostenlöcher und Reste von Mauerwerk zeugen von einer Holz- und Steinbebauung. Ausgrabungen in den 1970er Jahren sowie letztmalig 2007 erbrachten Keramikfunde des Früh- bis Spätmittelalters (etwa 8./9.-14. Jahrhundert).

(REGIONALE) WARENARTEN DES FRÜHEN UND HOHEN MITTELALTERS

Die Bestimmung der Warenarten sowie ihre Beschreibung erfolgt in Anlehnung an die herausgearbeiteten Waren der Siedlung Speyer »Im Vogelgesang« (Tafeln 1[15] und 2)[16]. Nach vorheriger Unterteilung in einheimische und importierte Waren, werden diese anschließend innerhalb beider Gruppen entsprechend ihrem zeitlichen Auftreten vorgestellt. Da das herangezogene Fundmaterial aus unstratifizierten Ausgrabungen oder Prospektionen stammt, erfolgt die chronologische Einordnung in erster Linie ebenfalls über den Vergleich mit den Ergebnissen der Keramikanalyse der Siedlung Speyer »Im Vogelgesang«. Zur kritischen Überprüfung werden jedoch zusätzlich die Untersuchungen von Madeleine Châtelet (2002) und Pia Heberer (2010) herangezogen[17].

Am Beginn der einheimischen Warenarten steht die *Rauwandige Drehscheibenware* (**Ware A**), die in nur wenigen Stücken (19 Fragmente) sowohl von der Befestigung auf dem Orensberg (Fundplatz V) als auch dem Handwerksplatz am Armbrunnen (Fundplatz II) vorliegt. Etwa zeitgleich zu stellen ist eine ebenfalls vom Armbrunnen stammende Scherbe der *Rotbraungestrichenen Keramik* (**Ware B**). Die am häufigsten vertretene Warenart stellt die nun folgende *Ältere gelbe Drehscheibenware* (**Ware C**) dar. Sie ist auf allen Fundplätzen vertreten (5990 Fragmente[18]). Besonders am Armbrunnen liegt eine große Anzahl an Varianten der ÄgDW vor. Etwas später, aber relativ zeitgleich läuft die *Ältere graue Drehscheibenware* (**Ware D**), die lediglich auf der Wiligartaburg (Fundplatz VIII) auftritt (8 Fragmente). Sie wird schließlich von der *Jüngeren* – in diesem Artikel nicht mehr zu behandelnden – *Drehscheibenware* abgelöst. Abschließend ist die unspezifische *Drehscheibenware* (**Ware E**) zu nennen. Sie tritt an fünf Fundplätzen auf (278 Fragmente) und beschreibt Keramikstücke, die zwar von ihrer Machart und Form her als mittelalterlich angesprochen, jedoch auf Grund z. B. der Fragmentgröße oder dem Erhaltungszustand nicht näher kategorisiert werden können.

Zwischen den einheimischen Produkten sind als Importe allein Keramiken aus den Mayener Töpfereien zu finden[19]. *Rauwandige Mayener Irdenware MD* ist am Armbrunnen sowie an der Fundstelle am Kohlwoog (Fundplatz III) – bei letzterer ist die Ansprache jedoch als unsicher einzustufen – anzutreffen (23 Fragmente). Die Mehrzahl der Fragmente sind der *Hart gebrannten Mayener Ware ME* zuzuordnen und ebenfalls an beiden gerade genannten Fundplätzen vertreten (176 Fragmente)[20]. Die bei Schenk als Keramik Mayener Art klassifizierte Ware ist hier unter der Mayener Ware ME gefasst[21]. Die letzte Importgruppe bildet schließlich das *Mayener Faststeinzeug MK*, das ausschließlich auf der Wiligartaburg zu finden ist (4 Fragmente).

Ware A: Rauwandige Drehscheibenware

Die Scherben der Rauwandigen Drehscheibenware sind mäßig bis stark mit hellen und grauen Partikeln mittlerer bis sehr grober Korngröße gemagert. Zumeist wurde der Magerung rötliche oder weiße Partikel[22] beigemengt, aber auch Glimmerteilchen sind zu beobachten. Der oxidierende Brand führte zu einem weich bis hart gebrannten Scherben (Mohs 2-4), dessen gelb bis braun-orange Oberfläche rau bis pockig ist. Die Wandung ist entweder leicht gerieft oder zeigt nur innen zarte Drehriefen. Varianten konnten keine unterschieden werden. Neben einem ausgebogenen, nach innen verdickten Rand treten zwei Wackelböden auf. Nach Schenk setzt die Ware A in Speyer bereits im 6. Jahrhundert ein und wird im Laufe des 7. Jahrhunderts von der Älteren gelben Drehscheibenware abgelöst[23]. Châtelet kann für das nördliche Elsass dagegen einen Beginn schon in der 2. Hälfte des 5. Jahrhunderts feststellen[24].

Ware B: Rotbraungestrichene Keramik

Die Rotbraungestrichene Keramik zeigt sich stark mit grauen und rot bis schwarzen Partikeln in feiner Korngröße gemagert. Durch oxidierenden Brand erhielt der Scherben eine orange-rote, leicht seifige, aber glatte Oberfläche. Ein rot-brauner Überzug wurde sekundär aufgetragen. Die Wandung zeigt keine weiteren Herstellungsmerkmale.

Auch für Ware B gibt Schenk ein Auftreten im 6. bzw. 7. Jahrhundert an[25]. Im nördlichen Elsass ist diese Warenart nicht vertreten.

Ware C: Ältere gelbe Drehscheibenware

Die Ältere gelbe Drehscheibenware zeigt eine große Zahl an Varianten. Grundsätzlich ist sie oxidierend sowie weich bis klingend hart gebrannt (Mohs 2-6/7). Die Oberfläche kann von hellgelb bis fahlgelb variieren, je nach weiterer Sauerstoffzu- oder -abfuhr treten weißlich-helle, orange, braune, aber auch fahlgraue Farben auf. Zumeist ist die Wandung innen, in wenigen Fällen auch die gesamte Wandung gerieft; überwiegend sind innen Drehrillen festzustellen. Je nach Variante ist der Scherben fein bis stark mit hellen bis grauen oder schwarzen Partikeln in feiner bis sehr grober Korngröße gemagert. Zum Teil sind Quarzsand und Glimmer beigemengt worden. Die von matt über rau bis hin zu pockigen Oberflächen können zusätzlich eine sandige, kreidige oder leicht seifige äußere Beschaffenheit aufweisen. Neben der großen Variabilität an Randformen, treten vor allem Stand- oder leichte Wackelböden auf. Nur am Armbrunnen erweitern Röhrenausgusskannen das gängige Formenspektrum von Töpfen und Krügen.

Der Fundplatz am Armbrunnen zeigt mit 14 Untergruppen die größte Varianz der ÄgDW. Besonders gut lässt sich die Keramik hier an die fünf Gruppen ÄgDW nach Schenk[26] angliedern, wobei weitere fünf Gruppen unterschieden werden konnten, die als Schenk ähnelnde Ausprägungen jeweils leichte Abweichungen zur je entsprechenden Definition aufzeigen. Die Keramik des Paddelweiher (Fundplatz IV) wurde von Rohner/Ehescheid[27] in sechs Warengruppen untergliedert, die als selbstständige Varianten der ÄgDW gezählt werden müssen, da das Material für eine vergleichende Analyse nicht im Original zur Verfügung steht. Im Vergleich zum Armbrunnen treten auf den Burgen schließlich andere, innerhalb der Burganlagen wiederum noch einmal unterschiedliche Varianten der ÄgDW auf. Doch auch hier sind vor allem einige Stücke der als Schenk-ähnlich bezeichneten Gruppen vertreten. Abseits dieser regionalen Varianten sind an einigen Fundplätzen auch Gruppen der ÄgDW anzutreffen, die hauptsächlich im rechtsrheinischen Gebiet Verbreitung finden. Vom Armbrunnen sowie Paddelweiher liegen Randscherben der ÄgDW vom Typ Kirchhausen[28] vor. Wiederum am Armbrunnen tritt auch der Typ Runder Berg[29] auf. Schließlich wurde auf der Burg am Querenberg (Fundplatz VII) eine Randscherbe vom Typ Jagstfeld[30] geborgen. In diesen letzten Horizont ist die nach dem Fundort benannte ÄgDW Typ Wiligartaburg[31] zu stellen. Diese typische Randform wurde erstmals auf der gleichnamigen Wiligartaburg entdeckt und findet bislang ihre Verbreitung vorwiegend in der südpfälzischen Rheinebene und dem Pfälzerwald. Verzierungen der Keramik trifft man in großen Mengen lediglich an Armbrunnen und Paddelweiher an. In beiden Fällen ist es ein reiches Rollrädchen-Repertoire, das im Falle des Armbrunnen aus mindestens 11 verschiedenen Stempelgruppen besteht. Vor allem die einfachen Rechteckrollstempel und Gitterzaunmuster entsprechen dem gängigen Verzierungsstil, der sowohl in Speyer[32] als auch im Nordelsass[33] häufig auftritt. Im Fundgut des Klosters Hornbach zeigen mindestens 4 Fragmente verzierter ÄgDW starke Ähnlichkeit mit vergleichbaren Stücken vom Armbrunnen. Nach Heberer sind sie von der Gründungszeit des Klosters (741 n. Chr.) bis ins 9. Jahrhundert einzuordnen[34]. Dagegen scheint die Gruppe derjenigen Kombinationsmuster, bestehend aus u. a. Gittern, Kreuzen und sternähnli-

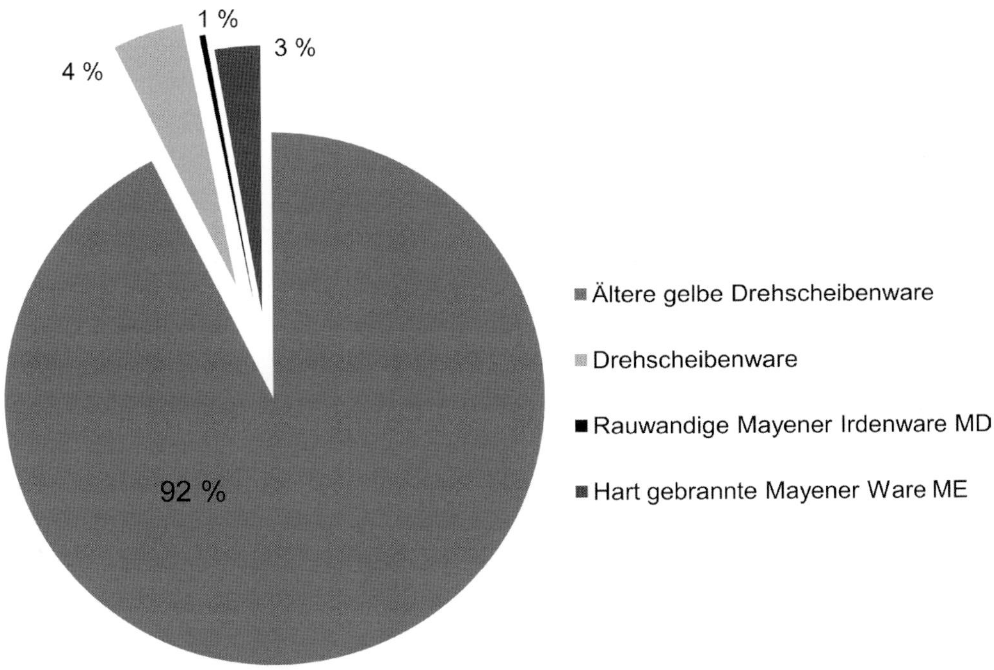

Abb. 4 Prozentuale Verteilung der mittelalterlichen Warenarten. Die Rauwandige Drehscheibenware, Rotbraungestrichene Keramik, Ältere graue Drehscheibenware und das Mayener Faststeinzeug MK belaufen sich auf weniger als 1 % und werden nicht abgebildet.

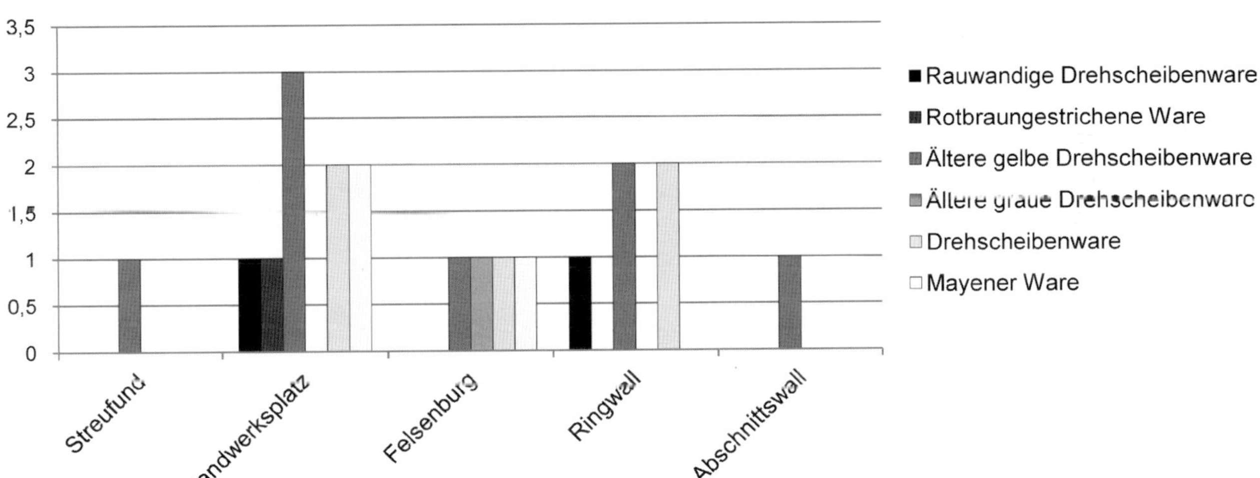

Abb. 5 Vorkommen der Warenarten nach Fundplatztypen.

besonders die Burgen andere bzw. jeweils eigene Varianten der Warenart zeigen. Spiegeln sich darin unterschiedliche Töpferwerkstätten bzw. Bezugs- oder Kontakträume wider? Oder zeigen sich darin die Produktion und der Bezug der jeweiligen Keramik entsprechend der Bedürfnisse oder auch herrschenden Verhältnisse am Ort?

WARE A

WARE B

WARE C

WARE D

Tafel 1 Ware A: Rauwandige Drehscheibenware, Fundplatz Armbrunnen. – Ware B: Rotbraungestrichene Ware, Fundplatz Armbrunnen. – Ware C: Ältere gelbe Drehscheibenware, Fundplatz Armbrunnen. – Ware D: Ältere graue Drehscheibenware, Fundplatz Hofstätten. – M. 1:1.

WARE A

WARE C

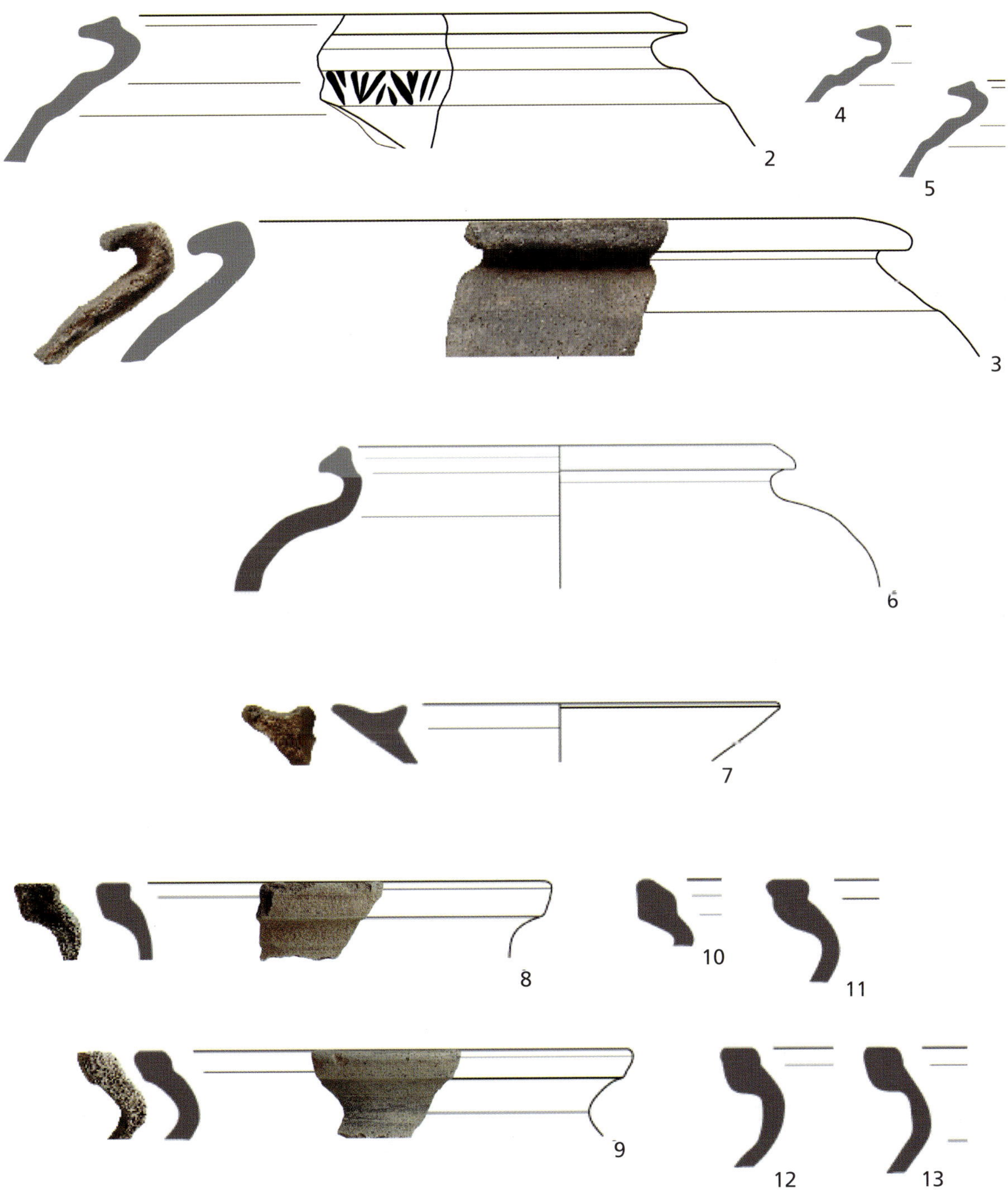

Tafel 2 Beispiele für Randformen der Waren A und C: **1** Rauwandige DW (Fdst. Armbrunnen). – **2-5** ÄgDW Typ Kirchhausen (Fdst. Armbrunnen). – **6** ÄgDW Typ Runder Berg (Fdst. Armbrunnen). – **7** ÄgDW Typ Jagstfeld (Fdst. Querenberg). – **8-13** ÄgDW Typ Wiligartaburg (Fdst. Wiligartaburg). – M. 2:3.

FAZIT

Das Funktionieren der mittelalterlichen Keramikregion Südpfalz ist bei weitem noch nicht entschlüsselt. Die starke regionale Differenzierung an Warenarten und Varianten zeigt eine gewisse Eigenständigkeit in der Keramikproduktion auf, erschwert damit aber zugleich die Untersuchung dieses Forschungsfeldes. Während das Auftreten besonders der Älteren gelben Drehscheibenware zwar den Kontakt vor allem zu der rechtsrheinischen Keramikregion widerspiegelt, macht die Herausbildung der ÄgDW Typ Wiligartaburg in der Südpfalz das Bestreben nach etwas »Eigenem« deutlich. Auch durch den fehlenden Nachweis von Töpferwerkstätten in der Region bleibt die Frage, wie diese Keramikregion genau strukturiert war, ungeklärt[45]. Die neuerlichen Untersuchungen der Keramik des Klosters Hornbach und der Vergleich besonders mit Funden vom Armbrunnen zeigen jedoch, dass hier ein Kontakt nach Westen über den Pfälzerwald hinaus bestanden haben muss. Ähnliches gilt für das nördliche Elsass und nicht zuletzt für den oberen Neckarraum, was die Siedlung Speyer »Im Vogelgesang« unlängst gezeigt hat. Doch war die Südpfalz kein in sich geschlossenes System, das sich lediglich Ideen von außen geholt hat. Denn das Auftreten von Mayener Ware an mindestens vier Fundplätzen belegt, dass mehr als ein einmaliger (Handels)Kontakt mit dem bedeutenden Mayener Keramikzentrum bestanden haben muss.

Die Kleinräumigkeit der Verbreitungsgebiete von Warenarten und ihrer mitunter parallel laufenden Varianten wirft die Frage auf, ob das Fehlen einer Keramikproduktion und die damit verbundenen Absatzmärkte der nahen Klöster Hornbach und Weißenburg die Herausbildung regionaler Töpfereien bedingte. Fehlten in den topographisch bedingt kleinen Siedlungskammern die Kommunikations- und Kontaktwege nach außen, so dass die Eigenproduktion erforderlich und ein nur eingeschränkter Handelskontakt nach Mayen nötig war? Oder stehen hinter den begrenzten Verbreitungsgebieten herrschaftliche Limitationen, die eine nicht nur regionale, sondern stark lokale Produktion von Keramik bestimmten? Die Klärung dieser Fragen wird eine Aufgabe der zukünftigen Forschung sein.

Anmerkungen

1) Erste namentliche Erwähnung in einer Urkunde des Merowingerkönigs Sigibert III. von 650: in pago Spirense. Siehe dazu Rothenberger 1981, 9.
2) Lobbedey 1968.
3) Rohner/Ehescheid 1988.
4) Schenk 1998.
5) Gross 1991. – Schneid 1998. – Châtelet 2002.
6) Heberer 2010.
7) H. Bernhard, Fundmeldung Ingenheim. Mitt. Hist. Ver. Pfalz 81, 1983, 166f.
8) Braselmann/Ehescheid/Dienes 2006, 158f.
9) Ehescheid 2004, 239-241.
10) Rohner/Ehescheid 1974, 63-73.
11) Braselmann 2010, 37-63.
12) Barz 2007, 448-461.
13) Wenz 2007, 147-150.
14) Ehescheid 2008.
15) Aus photographischen Gründen wurden Scherben der ÄgrDW der in diesem Beitrag nicht behandelten Fundstelle Hofstätten anstelle der Wiligartaburg abgebildet.
16) Vgl. Anm. 4.
17) Vgl. Anm. 5-6.
18) In diese Zahl sind die Fragmente der ÄgDW des Paddelweiher nicht mit eingerechnet, da das Material nicht im Original aufgenommen und gezählt werden konnte.
19) Redknap 1999.
20) Bzgl. der zeitlichen Neueinordnung der Ware ME sei auf den Beitrag Grunwald verwiesen.
21) Vgl. die Beschreibung der Warenart bei Schenk 1998, 36-38 mit Redknap 1999, 101-108.
22) Bei der Beschreibung der Magerung wird auf eine genaue Partikelansprache verzichtet, da eine fehlende mikroskopische Untersuchung der Scherben die Gefahr einer Fehlansprache von Bestandteilen birgt.
23) Schenk 1998, 38f.
24) Châtelet 2002, 118-121.
25) Schenk 1998, 35.
26) Ebenda 40f.
27) Rohner/Ehescheid 1974, 63-73.
28) Koch 1969, 25-38.
29) Kaschau 1976.
30) Siehe Anm. 28.
31) Eine ausführliche Definition und Beschreibung des Typs Wiligartaburg siehe Ehescheid 2008, 49f.

32) Schenk 1998, 120-124.
33) Châtelet 2002, 102f.
34) Zum Gründungsdatum siehe Heberer 2010, 18f.; zur Keramik siehe ebenda 64. 123 Abb. 118 (134.2/134.3/134.6/134.9).
35) Vgl. dazu besonders Polenz 1988.
36) Schenk 1998, 122.
37) Ebenda 42.
38) Auf die Diskussion um die zeitliche Einordnung des Typ Wiligartaburg muss aus Platzgründen an anderer Stelle näher eingegangen werden. Vgl. jedoch Ehescheid 2008, 51-53.
39) Zusammenfassend vgl. bei Schreg 1998, 205-210.
40) Châtelet 2002, 138 Abb. 112.
41) Schenk 1998, 45f.
42) Eine Aufarbeitung und Vorlage weiterer mittelalterlicher Keramikkomplexe vor allem aus dem Gebiet der westlichen und nördlichen Nachbarregionen wäre für vergleichende Analysen dieser Art wünschenswert.
43) Siehe dazu bei Scholkmann 1978, 157f.
44) Anzahl der der Graphik zugrunde liegenden Fundstücke: Rauwandige DW=19 Fragmente, Rotbraungestrichene Keramik = 1 Fragment, ÄgDW = 5990 Fragmente, ÄgrDW = 8 Fragmente, DW = 278 Fragmente, Rauwandige Mayener Irdenware MD = 23 Fragmente, Hart gebrannte Mayener Ware ME = 176 Fragmente, Mayener Faststeinzeug MK = 4 Fragmente.
45) Entgegen der in den Mitt. Hist. Ver. Pfalz 81, 1983, 166f. als Abfälle einer Töpferei der ÄgDW beschriebener Funde aus Ingenheim, konnte eine erneute Durchsicht des Materials zeigen, dass es sich hierbei lediglich um »normale« Lesefunde der Älteren gelben Drehscheibenware handelt.

Literatur

Barz 2007: D. Barz, Art. Schlössel. In: J. Keddigkeit / U. Burkhart / R. Übel (Hrsg.), Pfälzisches Burgenlexikon. Beiträge zur pfälzischen Geschichte IV, 1 (Kaiserslautern 2007) 448-461.

Bernard 2009: C. Bernard, Die Gefäßkeramik saarländischer Burgen. Ein Forschungsdesiderat – erste Einblicke. In: H. J. Kühn (Hrsg.), Beiträge zum 1. Saarländischen Burgensymposium (Saarbrücken, Münster 2009) 11-38.

Bernhard/Barz 1991: H. Bernhard / D. Barz, Frühe Burgen der Pfalz. Ausgewählte Beispiele salischer Wehranlagen. In: H. W. Böhme (Hrsg.), Burgen der Salierzeit 2. Monogr. RGZM 26 (Sigmaringen 1991) 125-175.

Braselmann/Ehescheid/Dienes: J. Braselmann / W. Ehescheid / P. Dienes, Am Anfang war die Quelle. Heimatjahrb. Lkr. Südliche Weinstraße 28, 2006, 158f.

2010: J. Braselmann, Die Ausgrabungen auf dem Orensberg bei Frankweiler. Hist. Ver. Pirmasens 2010, 37-63.

Châtelet 2002: M. Châtelet, La céramique du Haut Moyen Âge du sud de la vallée du Rhin supérieure (Alsace et Pays de Bade). Typologie, chronologie, technologie, économie et culture. Europe Médiévale 5 (Montagnac 2002).

Ehescheid unpubl.: W. Ehescheid, Zur Frage der Entstehungszeit und Aufgabe der bisher unbekannten Handwerkersiedlung des ausgehenden frühen und beginnenden hohen Mittelalters am Armbrunnen bei Taubensuhl (Stadtwald Landau) [unpubliziert].

1992: W. Ehescheid, Karolingische Funde und Befunde an der Fundstelle »Kohlwoog«. In: E. Cziesla (Hrsg.), Jäger und Sammler. Die mittlere Steinzeit im Landkreis Pirmasens (Brühl 1992) 81-83.

2004: W. Ehescheid, Frühmittelalterliche Siedlungsspuren bei Hauenstein und Wilgartswiesen. Heimatkalender Pirmasenser und Zweibrücker Land 2004, 239-241.

2008: W. Ehescheid, Die Wiligartaburg bei Wilgartswiesen (Wilgartswiesen ²2008).

Gross 1991: U. Gross, Mittelalterliche Keramik zwischen Neckarmündung und Schwäbischer Alb. Bemerkungen zur räumlichen Entwicklung und zeitlichen Gliederung. Forsch. u. Ber. Arch. Mittelalter Baden-Württemberg 12 (Stuttgart 1991).

Heberer 2010: P. Heberer, Das Kloster Hornbach in der Pfalz. Baugeschichte und Sakraltopographie. Forsch. Pfälz. Arch. 3 (Speyer 2010).

Heukemes/Gross 1983: B. Heukemes / U. Gross, Ein Töpferofen der »älteren gelbtonigen Drehscheibenware« aus Wiesloch, Rhein-Neckar-Kreis. Forsch. u. Ber. Arch. Mittelalter Baden-Württemberg 8, 1983, 301-318.

Hildebrandt/Gross 1995: L. Hildebrandt / U. Gross, Ein frühmittelalterlicher Töpferofen aus Wiesloch, Rhein-Neckar-Kreis. Arch. Ausgr. Baden-Württemberg 1995, 312-315.

Kaschau 1976: B. Kaschau, Der Runde Berg bei Urach II. Die Drehscheibenkeramik aus den Plangrabungen 1967-72 (Sigmaringen 1976).

Koch 1969: R. Koch, Frühmittelalterliche Siedlungsfunde aus Kirchhausen und Jagstfeld. Jahrb. Hist. Ver. Heilbronn 26, 1969, 25-38.

Lobbedey 1968: U. Lobbedey, Untersuchungen mittelalterlicher Keramik vornehmlich aus Südwestdeutschland. Arbeiten Frühmittelalterforsch. 3 (Berlin 1968).

Polenz 1988: H. Polenz, Katalog der merowingerzeitlichen Funde der Pfalz I-II (Stuttgart 1988).

Redknap 1999: M. Redknap, Die römischen und mittelalterlichen Töpfereien in Mayen. In: H.-H. Wegner (Hrsg.), Ber. Arch. Mittelrhein u. Mosel 6 (= Trierer Zeitschr. Beih. 24) (Trier, Koblenz 1999) 11-401.

Rohner/Ehescheid 1974: A. Rohner / W. Ehescheid, Karolingische Siedlungsfunde bei Hauenstein/Pfalz. Mitt. Hist. Ver. Pfalz 72, 1974, 63-73.

1988: A. Rohner/ W. Ehescheid, Die Entwicklung der mittelalterlichen Geschirrkeramik vom 8.-14. Jahrhundert im Bereich des oberen Queichtales und seinem Einzugsgebiet, sowie ihre siedlungsgeschichtliche Aussage. Pfälzer Heimatbuch 1, 1988, 299-319.

Rothenberger 1981: K. H. Rothenberger, Politische und territoriale Entwicklung im pfälzischen Raum bis zum Ende des Mittelalters. In: M. Geiger (Hrsg.), Pfälzische Landeskunde 3 (Landau 1981) 8-22.

Schenk 1998: H. Schenk, Die Keramik der früh- bis hochmittelalterlichen Siedlung Speyer «Im Vogelgesang«. Arch. Forsch. Pfalz I Reihe C (Neustadt a. d. W. 1998).

Schneid 1998: I. Schneid, Früh- und hochmittelalterliche Keramik aus Ladenburg a. N., Rhein-Neckar-Kreis: Das Material der Grabungen an der Realschulstraße und am Kellereiplatz (Würzburg 1998).

Schnitzler 1990: B. Schnitzler, Vivre au Moyen âge. 30 ans d'archéologie médiévale en Alsace [Ausstellungskat.] (Strasbourg 1990).

Scholkmann 1978: B. Scholkmann, Zum Stand der Erforschung mittelalterlicher Keramik in Baden-Württemberg. Zeitschr. Arch. Mittelalter 6, 1978, 149-159.

Schreg 1998: R. Schreg, Keramik aus Südwestdeutschland. Eine Hilfe zur Beschreibung, Bestimmung und Datierung archäologischer Funde vom Neolithikum bis zur Neuzeit. Lehr- u. Arbeitsmat. Arch. Mittelalter 1 (Tübingen 1998).

Wenz 2007: M. Wenz, Art. Querenberg. In: J. Keddigkeit / U. Burkhart / R. Übel (Hrsg.), Pfälzisches Burgenlexikon. Beitr. Pfälz. Gesch. IV, 1 (Kaiserslautern 2007) 147-150.

Wintergerst 2002: M. Wintergerst, Hoch- und spätmittelalterliche Keramik aus der Altstadt Frankfurt am Main. Schr. Arch. Mus. Frankfurt 18 (Frankfurt a. M. 2002).

Zusammenfassung / Abstract

Mittelalterliche Keramik aus der Südpfalz. Zum Stand der Erforschung regionaler Warenarten des 9. bis 12. Jahrhunderts

Die mittelalterliche Keramikregion Südpfalz, die bislang einzig durch die Untersuchungen der Siedlung Speyer »Im Vogelgesang« beleuchtet wurde, kann nun durch eine gezielte Materialaufnahme von Fundstellen des Früh- und Hochmittelalters nicht nur vollständig vorgelegt, sondern zugleich in eine vergleichende sowie überregionale Perspektive gestellt werden. Damit ist die Möglichkeit gegeben, sowohl die Relationen der regionalen Warenarten untereinander als auch die Verbindungen zu anderen Keramikregionen herauszuarbeiten.

Die Ergebnisse der Untersuchungen zeigen, dass die Südpfalz neben den großen Warenarten des südwestdeutschen Raumes vor allem durch eine Vielzahl von Varianten besonders gelber Drehscheibenware geprägt ist. Durch eben die breite Varianz an Untergruppen gelber Drehscheibenkeramik nicht nur innerhalb von Burgen und Siedlungsplätzen ist eine Angliederung der südpfälzischen Keramikregion an ihre Nachbarn deutlich erschwert. Weiteres Licht ins Dunkel brächten nicht nur zukünftige Ausgrabungen im Bereich der früh- und hochmittelalterlichen Siedlungsstellen, vor allem der Nachweis von Töpfereihandwerk in der Südpfalz würde wichtige Fragen zur Keramikproduktion beantworten können.

Mediaeval pottery from the southern Palatinate. The state of research on pottery-wares of the 9th to 12th century

The mediaeval pottery region of the southern Palatine, which hitherto has only been elucidated by the studies of the settlement Speyer ›Im Vogelgesang‹, can now through a deliberate documentation of material from sites of the Early and High Middle Ages not only be presented comprehensively, but at the same time placed within a comparative and supraregional perspective. Consequently, the possibility arises for working out not only the relationships of the regional wares to one another, but also the connections with other pottery regions.

The results of the investigations show that the southern Palatine is, beside the major wares of southwestern Germany, dominated especially by a large number of variations of particularly yellow wheel-turned wares. Mainly as a result of the considerable variation of sub-classes of yellow wheel-turned pottery not only within castles and settlement sites, an affiliation of the southern Palatine pottery region to its neighbours is rendered much more difficult. Further light on the issue would be offered not only by future excavations of early and high mediaeval settlement sites; particularly the evidence of pottery-making in the southern Palatine would be able to answer questions about pottery manufacture.

Translation: C. Bridger

DIETER BARZ

BURGRUINE SCHLÖSSEL BEI KLINGENMÜNSTER, SÜDLICHE WEINSTRASSE

EIN VORBERICHT ZUR KERAMIK

Eine Auswertung der Keramikfunde von der hochmittelalterlichen Burgruine Schlössel ist – da die archäologischen Untersuchungen noch nicht abgeschlossen sind – bisher nicht erfolgt. Daher soll an dieser Stelle ein Vorbericht gegeben werden, bei dem die Fund- und Befundsituation im Vordergrund steht.
Seit 1988 werden – im Auftrag der Generaldirektion Kulturelles Erbe Rheinland-Pfalz, Direktion Landesarchäologie, Außenstelle Speyer – erneut archäologische Untersuchungen in der Burgruine Schlössel bei Klingenmünster, Südliche Weinstraße, durchgeführt. Die Ruine liegt auf einem Ausläufer des Treidelskopfes am Rand des Pfälzerwaldes (**Abb. 1**). Die hochmittelalterliche, eine Grundfläche von etwa 2500 m² umfassende

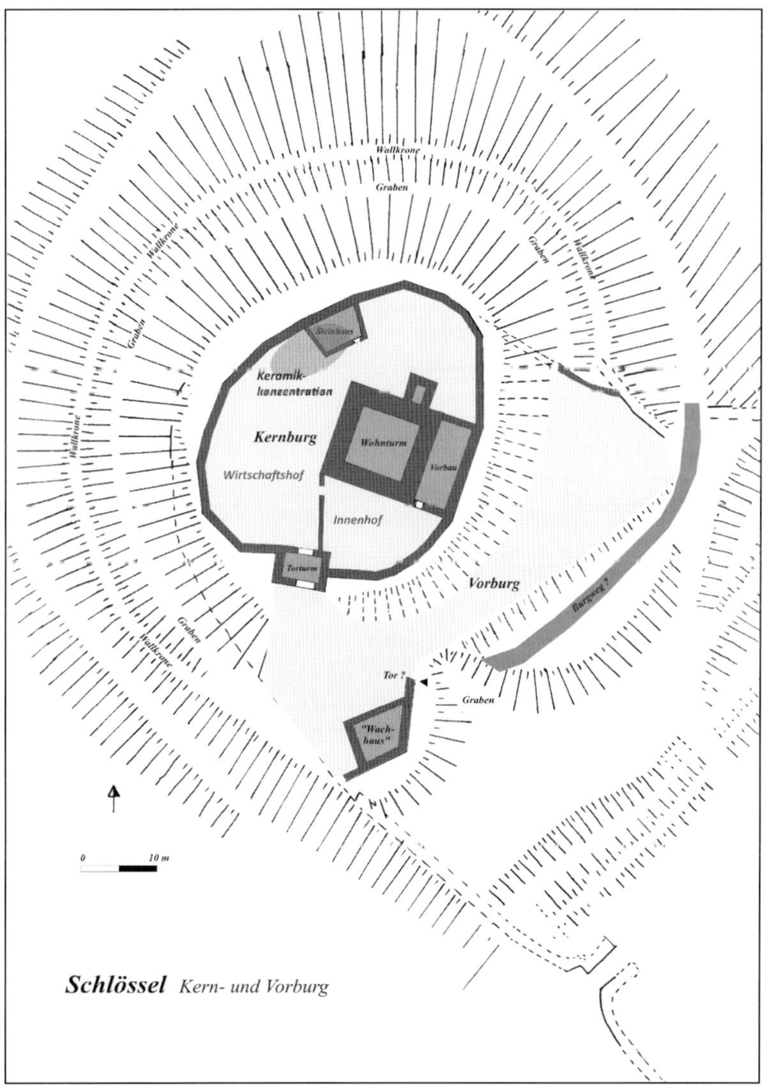

Abb. 1 Plan der Burg Schlössel.

Burg wurde innerhalb einer älteren Befestigung – der sogenannten »Alte Burg« (ca. 1,5 ha) – aus der Zeit vor 1000 errichtet [1]. Die ältesten Funde (Terra Sigillata und Münzen) weisen in die spätrömische Zeit. Im Jahr 2008 wurden die Untersuchungen der Kernburg der Burgruine Schlössel abgeschlossen. Die Ausgrabungen werden derzeit in der hochmittelalterlichen Vorburg fortgesetzt.

DIE KERNBURG

Nach derzeitigem Kenntnisstand dürfte das Schlössel etwa um 1030/1040 errichtet und nach vier Zerstörungsereignissen in der ersten Hälfte des 12. Jahrhunderts endgültig aufgegeben worden sein. Die Anfangsdatierung geht auf die Bearbeitung der Eckquader des Wohnturmes zurück und wird durch mehrere Münzfunde bestätigt. Die Überreste der Burg lagen bis 1899 unter ca. 2500 m³ Schutt. Die ersten Ausgrabungen (Christian Mehlis 1899-1904 und Friedrich Sprater 1935) sowie Restaurierungsmaßnahmen der 1970/80er Jahre hatten nur zu Eingriffen in die Schichten des letzten Nutzungshorizontes geführt, so dass sich eine weitgehend ungestörte Stratigraphie erhalten hat. Die Gegebenheiten des Bauplatzes – eine Felsenkuppe – haben sicherlich auch zu der günstigen Befundsituation beigetragen. Von Anfang an wurden bestimmte Funde wie Keramik, Eisen oder Bein zeitnah inventarisiert.
In der Kernburg wurden rund 750 m² (83 % der Innenfläche) untersucht und etwa 60600 Keramikscherben aus vier Nutzungsperioden geborgen (**Abb. 2**). Über 80 % dieser Keramikfunde stammen aus den Schichten der beiden ersten Nutzungsphasen im so genannten Wirtschaftshof. Der »herrschaftliche Bereich« mit Wohnturm und Anbauten sowie einem kleinen Innenhof (»Oberhof«) wurde mit rund 1800 Scherbenfunden recht sauber gehalten. Fäkalien lagerten sich innerhalb der Kernburg so gut wie kaum ab. Offenbar ist der Inhalt des Abort- und Müllschachtes vom Wohnturm regelmäßig außerhalb der Burg entsorgt worden. Der »Wirtschaftshof« war anfänglich ausschließlich von Handwerkern u. a. zur Metall-, Bein- oder Glasverarbeitung genutzt worden. Ab der dritten Nutzungsperiode erkennt man mit der Errichtung eines Badehauses und eines Steinhauses hier einen sozialen Wandel. In den beiden ersten Nutzungsphasen wurden im »Wirtschaftshof« starke Ascheschichten großflächig angetroffen. Im Südwesten und Norden konnten in diesen Schichten über 240 Tiegelbruchstücke (**Abb. 3**) sowie zahlreiche Schlacken beobachtet werden. Dazwischen gibt es eine Zone, in der neben außergewöhnlich vielen Knochensplittern auch eine große Konzentration von Keramik vorkommt. Hier wurden relativ oft zwischen 400 bis 800 bzw. im Einzelfall über 1200 Scherben pro m² geborgen. Innerhalb dieses Bereiches konnte der Befund eines Lehmofens mit zwei Schürkanälen freigelegt werden. Obwohl nach derzeitigem Kenntnisstand eindeutige Fehlbrände fehlen, könnte hier aufgrund der relativ großen Keramikkonzentration ein Ofen zur Keramikherstellung durchaus in Frage kommen.
Auf den ersten Blick zeichnen sich nach den Funden und Befunden (u. a. mehrere Feuerstellen/Öfen und Holz-/Fachwerkgebäude) innerhalb des »Wirtschaftshofs« verschiedene Schwerpunkte ab. Im Süden kann Metall- und wahrscheinlich auch Glasverarbeitung, in der Mitte Beinbearbeitung und vielleicht eine bescheidene Keramikherstellung, und im Norden Metallverarbeitung angenommen werden. Weitere Produktionsabfälle – z. B. von Arbeiten mit Gold, Gagat oder Elfenbein vom Walross – weisen auf höherwertiges Handwerk hin.

DIE VORBURG

Von der hochmittelalterlichen »Vorburg« sind bisher etwa 100 m² untersucht worden, wobei neben der Ringmauer ein halbtrapezförmiges Gebäude mit ca. 56 m² Innenfläche erfasst werden konnte. Im Gebäude wurden u. a. gelber Lehm sowie Rand- und Bodenscherben von Becherkacheln angetroffen, die wahrschein-

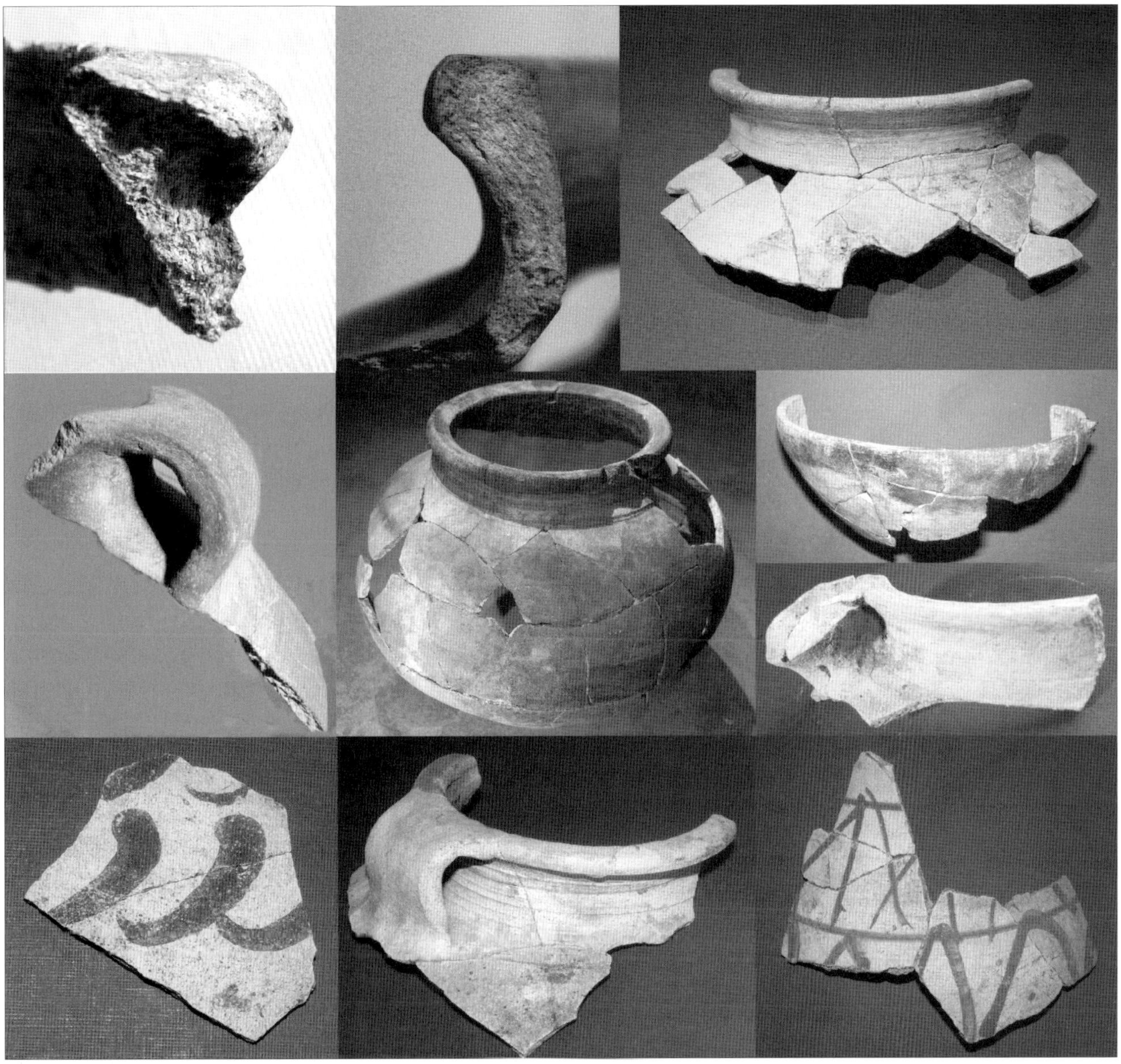

Abb. 2 Keramikauswahl.

lich von einem verstürzten Kachelofen stammen. Im Gegensatz zur Kernburg können hier zahlreiche orange bis rote Lehmbruchstücke festgestellt werden, die relativ selten eine glatte Oberfläche aufweisen. Einzelne Bruchstücke besitzen auch an Ecken gerade Flächen. Weiterhin können in der »Vorburg« Ablagerungen von orange bis gelbbraunem Lehm beobachten werden. Hier sind noch viele Fragen offen.
Aus der Kernburg sind auch einzelne Randscherben von Becherkacheln überliefert. Neben den markanten Randscherben mit nach innen ansteigenden Rändern, muss derzeit ohne nähere Untersuchung offen bleiben, inwieweit auch weitere Randscherben, etwa mit oben flachem Rand und Riefen, zu Becherkacheln gezählt werden können.
Etwa 84 % der Keramikfunde (ca. 60 600 Scherben) aus der Kernburg können der Älteren gelben Drehscheibenware zugeordnet werden. Bis auf einige Terra Sigillata- und eine rote Becherkachelscherbe gehören die restlichen Fragmente zu der Älteren grauen Drehscheibenware. Während es bei der Älteren gelben Dreh-

Abb. 3 Kleine Tiegel.

scheibenware bezüglich der Wandstärke und Härte deutliche Unterschiede gibt, sind bei der Älteren grauen Drehscheibenware in dieser Beziehung so gut wie keine Unterschiede erkennbar. Der Scherben der Älteren grauen Drehscheibenware ist innen meist hellgrau und mit einem dünnen, etwas dunkleren und relativ glatten Überzug versehen. Diese Fragmente sind überwiegend relativ hart. Bemalungen lassen sich nur an der Älteren gelben Drehscheibenware feststellen. Hier können neben vereinzelt auftretendem pfingsdorfartigen Dekor[2] auch andere Musterungen in roter, oranger oder brauner Farbe beobachtet werden. Mit etwa 260 bemalten Scherben liegt der Anteil unter 0,5 %. Randscherben sind mit 3179 Stücken (5,2 %), Bodenscherben mit 2762 Fragmenten (4,5 %), Henkelscherben mit 101 Exemplaren (0,16 %), Tüllenscherben mit 41 Stücken (0,06 %) und Tiegelscherben mit 248 Beispielen (0,4 %) im Fundmaterial vertreten. Exoten liegen mit einer Schlüssel und einem Gefäß, das »amphorenartige« Züge aufweist, vor.

Sowohl die Ältere gelbe als auch die Ältere graue Drehscheibenware lassen sich zeitlich nicht differenzieren. Sie kommen im Gegensatz zu der Älteren gelben Keramik der »Alten Burg« gemeinsam ab den ältesten Nutzungsschichten der hochmittelalterlichen Burg Schlössel vor. Hier stellt sich die Frage, welche Rolle die Ältere graue Drehscheibenware möglicherweise im sozialen Alltagsleben auf der Burg gespielt hat?

Zweifellos ist die Keramik zur Datierung von archäologischen Befunden wichtig. Darüber hinaus besteht die Möglichkeit, dass die Tonwaren in günstigen Befundsituationen zusammen mit anderen Funden, wie z. B. Knochen, Schlacken u. ä., dazu beitragen können, mehr über den Alltag in Siedlungen zu erfahren. Letztlich kann aber die Keramik nur einen Teil des alltäglichen Lebens auf einer Burg reflektieren, da viele organische Materialien wie Holz, Leder und Textilien meist vergangen sind.

Anmerkungen

1) Vgl. dazu Beitrag Pantermehl.

2) Freundliche Information von Christoph Keller.

Literatur

Barz 2000a: D. Barz, Ausgrabungen in der salierzeitlichen Burg »Schlössel« bei Klingenmünster, Kreis Südliche Weinstraße. Arch. Pfalz 2000, 133-138.

2000b: D. Barz, Forschungsprojekt »Salierzeitliche Burg Schlössel bei Klingenmünster«, Kreis Südliche Weinstraße. Arch. Pfalz 2000, 184-188.

2001: D. Barz, Ausgrabungen in der salierzeitlichen Burg »Schlössel« bei Klingenmünster, Kreis Südliche Weinstraße. Arch. Pfalz 2001, 229-232.

2008: D. Barz, Schlössel bei Klingenmünster. Befunde und Funde einer salierzeitlichen Burg. Archäologie mittelalterlicher Burgen. Mitt. Ges. Arch. Mittelalter u. Neuzeit 20, 2008, 189-196.

Zusammenfassung / Abstract

Burgruine Schlössel bei Klingenmünster, Südliche Weinstraße. Ein Vorbericht zur Keramik

Bei der Ausgrabung der Burgruine wurden weitgehend ungestörte Befunde aus ca. 100 Jahren in vier Nutzungsperioden angetroffen, was sich auch in sehr zahlreichem Fundmaterial auf relativ kleinem Raum niedergeschlagen hat. Die Verteilung der Keramik – u.a. besonders die Tiegel – sowie andere Funde lassen zusammen mit Befunden von Gebäuden, Öfen und Feuerstellen eine soziale Differenzierung und verschiedene handwerkliche Schwerpunkte innerhalb der Kernburg erkennen. Die Untersuchungen werden aktuell in der hochmittelalterlichen Vorburg weitergeführt.

The castle ruins of Schlössel near Klingenmünster, Südliche Weinstraße. Preliminary report on the pottery

During the excavation of the castle ruins mostly undisturbed features from around 100 years in four periods of use were found. This was reflected in large amounts of finds from a relatively small area. The distribution of pottery, including crucibles in particular, as well as other finds, together with the remains of buildings, ovens and hearths, allow one to recognise a social differentiation and various centres of crafts within the central castle. The investigations are being continued in the high mediaeval outer bailey.

Translation: C. Bridger

RALF OBST

MÜNZDATIERTE KERAMIK DER KAROLINGERZEIT AUS KARLBURG AM MAIN, STADT KARLBURG, LKR. MAIN-SPESSART

Zwischen April und November 2008 wurde in Paderborn und in Würzburg die Ausstellung »Eine Welt in Bewegung – Unterwegs zu Zentren des frühen Mittelalters« gezeigt, in der Funde und Befunde aus Karlburg am Main sowie aus der westfälischen Wüstung Balhorn am Hellweg zusammen mit überregional bedeutenden Leihgaben präsentiert wurden [1]. Im Rahmenprogramm der Würzburger Ausstellung fand u. a. eine Ausgrabung im 741/742 erstmals als *villa Karloburg* überlieferten und 1243 großteils wüstgefallenen Zentralort Karlburg am Main statt [2].

Die Grabung am westlichen Rand der Wüstung (**Abb. 1**) galt drei Grubenhäusern [3], die dort mit etwa gleichen Abständen in einer Reihe bei einer Sondierung 2005 lokalisiert wurden (**Abb. 2**). Die Lage der Befunde überraschte, befanden sich doch die bislang bekannten Grubenhäuser stets im östlichen Siedlungsbereich.

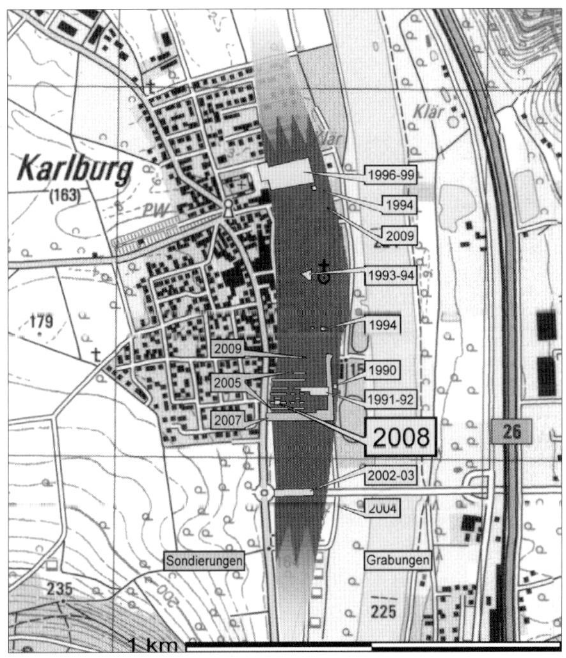

Abb. 1 Karlburg. Grabungen und Sondierungen in der *villa Karloburg* seit 1990. – (Grundlage TK 1:25000, Blatt 6024, © Bayerisches Landesamt für Vermessung und Geoinformation 2008; Karte Verfasser).

Es zeigte sich, dass die Häuser zum einen zahlreiche Analogien aufwiesen, zum anderen aber die Häusern 1 und 2 näher miteinander verwandt waren als mit Haus 3 [4]. Auch betreffs der Keramik gab es aus den erstgenannten Verfüllungen mehr Entsprechungen (**Abb. 3**). Die Bauten 1 und 2 sind daher jünger als das Haus 3. Das Fragment eines Knickwandtopfs (**Abb. 4, 36**) aus geglätteter, reduzierend gebrannter Ware Mayener Provenienz [5] aus Haus 3 stellt den ältesten frühmittelalterlichen Fund dar und ist zudem der erste Nachweis dieses Mayener Produkts aus Karlburg. Handgeformte und nachgedrehte frühmittelalterliche Ware [6] lokaler Produktion liegt reichlich aus den Häusern 1 und 2 vor, während aus Grubenhaus 3 weit weniger entsprechende Fragmente stammen (**Abb. 4, 1-4. 13-15. 20-22**). In Haus 1 und 2 nur vereinzelt, in Haus 3

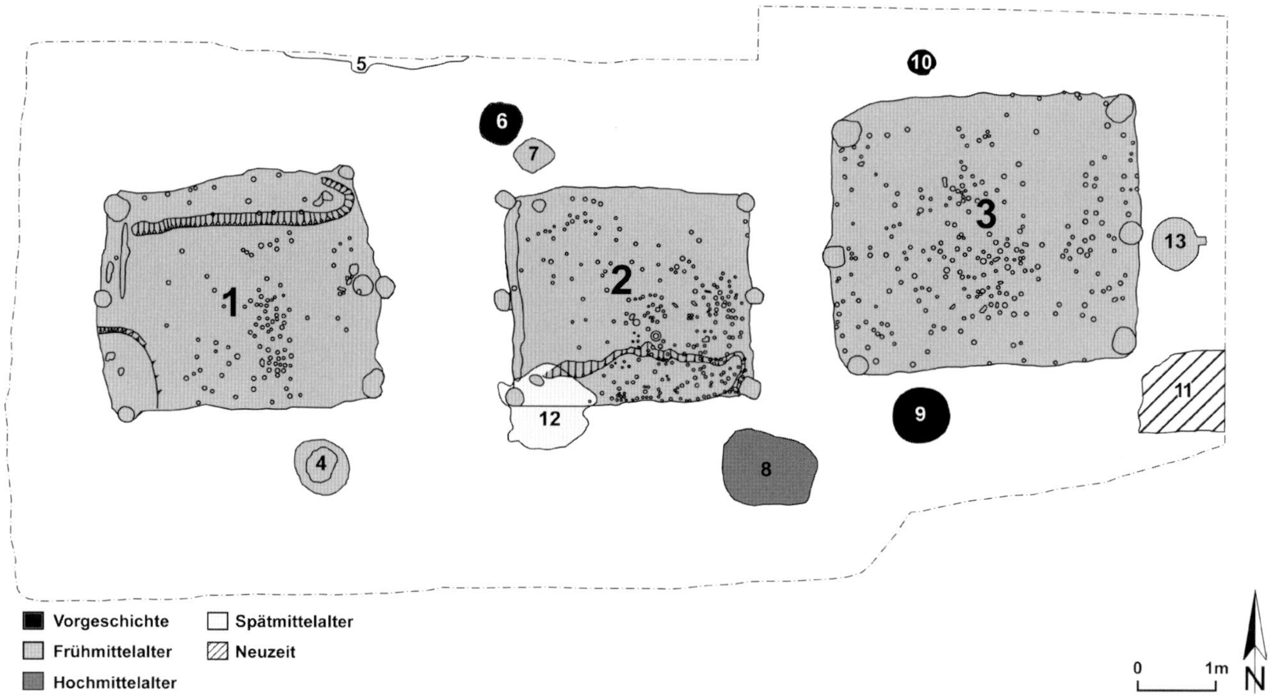

Abb. 2 Karlburg. Grabung 2008, Plan der Grabung. Grubenhäuser 1, 2 und 3 jeweils unterstes Planum. – (Zeichnung A. Schröter, Univ. Jena). – M. 1:100.

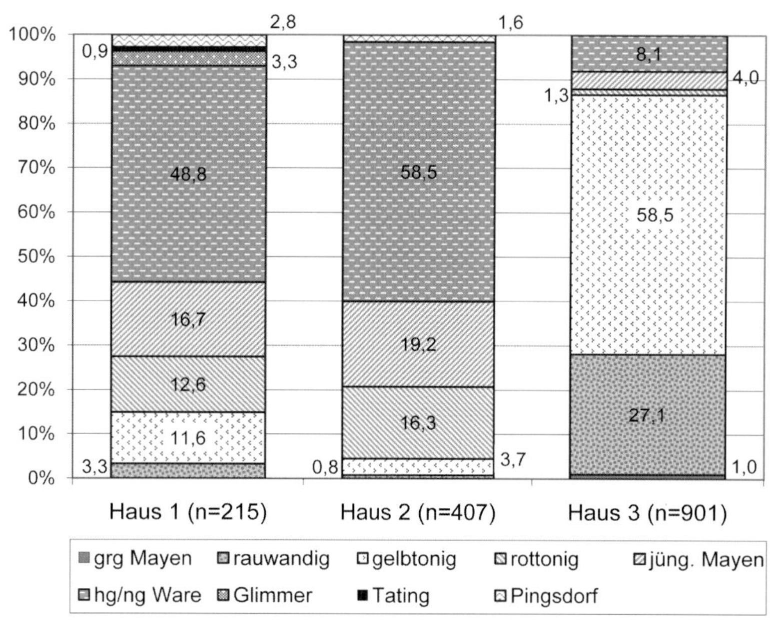

Abb. 3 Karlburg. Grabung 2008, Grubenhaus 1, 2 und 3. Prozentuale Verteilung der Warenarten.

Abb. 4 Karlburg. Grabung 2008: **1-10** Grubenhaus 1; **11-19** Grubenhaus 2; **20-44** Grubenhaus 3. – 1-9.11-15.17-30.33-44 Keramik, M. 1:3; 10 Eisen mit Messing, M. 2:3; 16 Eisen, M. 1:2; 18 Silber, M. 2:3; 31 Bronze mit Email, M. 2:3; 32 Glas, M. 2:3. – (Zeichnung Verfasser / A. Schröter, Univ. Jena). →

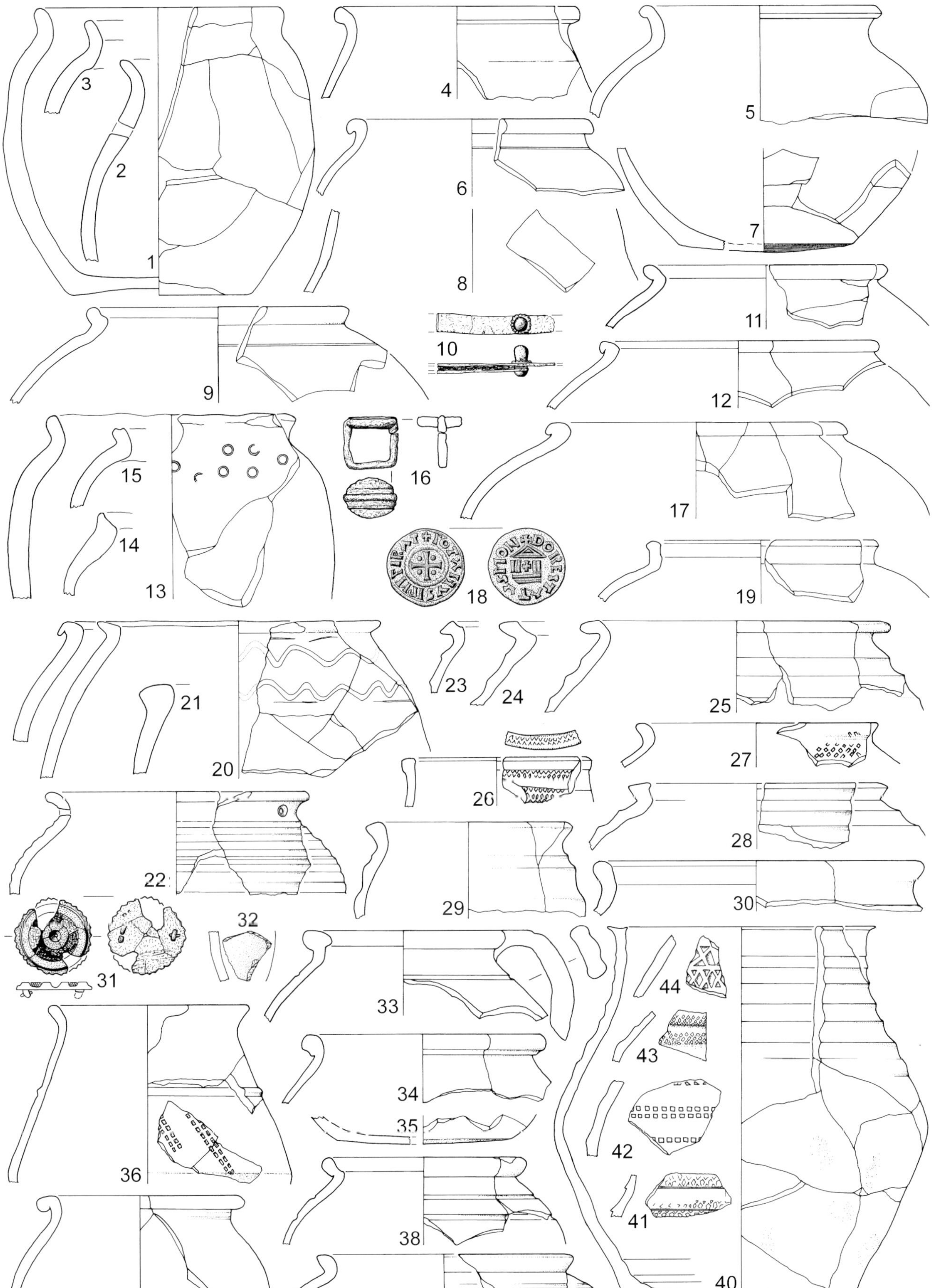
3
2
1
4
5
6
8
7
11
9
10
12
15
16
17
14
13
18
19
21
23
24
25
20
26
27
28
22
29
30
32
31
33
44
43
34
35
36
42
41
38
37
39
40

jedoch öfter fand sich reduzierend gebrannte Rauwandige Drehscheibenware[7] (**Abb. 4, 33-34. 37**), die aus Karlburg und Umgebung von der (jüngeren) Merowingerzeit bis in die ältere Karolingerzeit geläufig ist und wohl zum Großteil in der Region produziert wurde.

Die aus Mainfranken mittlerweile gut bekannte, ältere gelbe Drehscheibenware[8] stammt zahlreich aus Haus 3, nur spärlich aus den beiden anderen Gruben. Dabei kommen ausschließlich frühe Formen (Typ Kirchhausen) vor, die in Südwestdeutschland schon vor der Mitte des 7. Jahrhunderts auch in Grabfunden begegnen[9]. Entsprechende Nachweise fehlen jedoch bislang aus mainfränkischen Gräbern. Die Stücke aus Haus 3 (**Abb. 4, 23-30. 40-44**) repräsentieren diesen noch im 9. Jahrhundert endenden Horizont mit Gefäßen mit gewellter oder geriefter, oftmals auch rollrädchenverzierter Wandung. Ein rekonstruierbarer Topf (**Abb. 4, 40**) erinnert mit seiner doppelkonischen, wenn auch etwas flauen Form an merowingerzeitliche Knickwandgefäße.

Jüngere Mayener Ware[10], die sich in allen drei Häusern fand (**Abb. 4, 4. 6. 11. 17. 38-39**), ist aus einzelnen spätmerowingischen oder karolingischen Gräbern des Rheinlandes bekannt. In Mainfranken taucht sie bislang nur in Siedlungen in wesentlich geringerer Anzahl und auch etwas später als die ältere gelbe Drehscheibenware auf[11]. Die der jüngeren Mayener Ware formal sehr nah verwandte rote Drehscheibenware[12] fand sich ebenfalls in allen drei Verfüllungen (**Abb. 4, 9. 12. 35**). Aufgrund der Übereinstimmungen v. a. in der äußeren Form kann diese Keramik in chronologischer Hinsicht weitgehend der jüngeren Mayener Ware angeschlossen werden.

Das Fragment eines Gefäßes mit Linsenboden aus Haus 1 (**Abb. 4, 7**) sowie der keulenartig verdickte Rand mit leichter Innenkehlung (**Abb. 4, 19**) und einige Wandungsscherben mit ebenso feiner Glimmer(?)magerung aus Haus 2 dürften Pingsdorfer Ware[13] angehören, und zwar der ältesten Ausprägung[14]. Diese ab dem späten 9./frühen 10. Jahrhundert[15] produzierten Schank- und Trinkgefäße tauchten recht früh schon rechts des Rheins auf[16]. Entsprechende Magerung kennzeichnet auch die graue Glimmerware aus dem Vorspessart[17], die wohl schon seit der Mitte des 9. Jahrhunderts bis ans Ende des Hochmittelalters auch in Mainfranken vertreten ist[18]. Aus Haus 1 stammt ein charakteristisches Topffragment (**Abb. 4, 5**).

Noch unklar sind sowohl die Herkunft als auch der Verwendungszweck der hochwertigen Tatinger Ware bzw. Kannen[19] der Karolingerzeit, die aus Karlburg in einiger Anzahl bekannt sind und in Form zweier glattwandiger Scherben in Haus 1 vorkommen (**Abb. 4, 8**).

Ferner liegen auch Kleinfunde vor, die eine herausgehobene soziale Stellung der Bewohner belegen. Die Zwinge mit Bronze-Perlrand um den Niet (**Abb. 4, 10**) aus Haus 1 kann im Zusammenhang mit Waffen- oder Reitzeug stehen und besitzt jüngermerowinger- bis karolingerzeitliche Parallelen[20]. Von einer karolingerzeitlichen Sporengarnitur kommt der eiserne Riemendurchzug[21] mit ovaler, profilierter Kopfplatte (**Abb. 4, 16**) aus Haus 2. Zur aus Haus 3 stammenden Scheibenfibel vom Typ Goddelsheim mit blauen und weißen Emaileinlagen (**Abb. 4, 31**) existieren einige, zumeist von der zweiten Hälfte des 8. bis in das (frühe) 9. Jahrhundert datierte Parallelen[22], darunter eine aus Karlburg[23]. Die kleine Wandungsscherbe aus transluzidem, hellgrünen Glas (**Abb. 4, 32**) aus Haus 3 zählt zu den seltenen Belegen von Hohlglas im frühmittelalterlichen Karlburg und stammt wohl von einem karolingerzeitlichen Trichterbecher[24]. Von besonderem Interesse ist der in Dorestad (NL) geprägte Denar Kaiser Lothars I. (840-855)[25] (**Abb. 4, 18; 5**) aus Haus 2. Die recht gute Erhaltung der Münze (1,60 g) spricht gegen einen sehr langen Umlauf oder gar eine Sekundärverwendung.

Die Fundkomplexe aus den Grubenhäusern (**Abb. 3**) zeigen deutlich, dass Grube 3 zuerst verfüllt wurde und die Auflassung der beiden anderen Häuser später anzusetzen ist. Indes weisen die verbindenden Elemente der drei Grubenhäuser auf einen engen Zusammenhang hin, der eingedenk der separierten Lage des Ensembles für eine längere Beständigkeit einer hier zu lokalisierenden Siedlungszelle spricht. Die Lage der älteren Grube(n) muss bei der Anlage eines neuen Hauses bekannt gewesen sein. Das bedeutet, dass das Auflassen von Haus 3 mit der Anlage zumindest von Haus 2 zeitgleich sein dürfte. Fraglich ist noch, ob die beiden Häuser 1 und 2 gleichzeitig gebaut wurden bzw. bestanden und dann zur gleichen Zeit aufgelassen wurden oder ob Grube 1 zuletzt verfüllt wurde.

In der Einfüllung von Haus 3 finden sich älter- und hochkarolingische Objekte, aber keine Belege der späten Karolingerzeit. Als Zeitpunkt der Verfüllung dieses Grubenhauses wird die Zeit vor oder um die Mitte des 9. Jahrhunderts vorgeschlagen.

Für die Datierung der Grubenhäuser 1 und 2 von Bedeutung sind die wenigen Scherben grauer Glimmerware aus Haus 1 sowie die Fragmente frühester Pingsdorfer Ware aus Haus 1 und 2. Jüngere Funde, wie nachgedrehte Ware des beginnenden Hochmittelalters, fehlen. Der Dorestader Denar Kaiser Lothars I. (**Abb. 4, 18; 5**) stellt einen der wenigen stratifizierten karolingerzeitlichen Münzfunde dar und gibt einen *terminus post quem* für die Verfüllung von Grube 2 an. Für die Auflassung der Häuser 1 und 2 wird ein Zeitraum vom späten 9. bis zum beginnenden 10. Jahrhundert angenommen.

Dies bedeutet auch, dass sich die frappante und wiederholt beobachtete Entwicklung im Keramikspektrum Karlburgs im fortgeschrittenen 9. Jahrhundert vollzogen hatte und Ausdruck von Veränderungen in wirtschaftlichen und sozialen Bereichen des Zentralortes während der jüngeren Karolingerzeit ist[26]. Die politische Großwetterlage würde dem nicht widersprechen, sondern diese Entwicklungen zumindest zum Teil erklären[27].

Abb. 5 Karlburg. Grabung 2008. Grubenhaus 2. Dorestader Denar Kaiser Lothars I. – (Foto I. Przemuß, Univ. Jena). – M. 1:1 (Durchmesser 20 mm).

Anmerkungen

1) Börste u. a. 2008.
2) Zu Karlburg ausführlich Ettel 2001. – Ettel 2009 mit weiterer Literatur.
3) Bereits kurz vorgestellt bei Ettel/Obst 2008. – Ettel 2009, 166. – Ausführlicher bei Ettel/Kerth/Obst 2011.
4) Näheres zu den Befunden bei Ettel/Kerth/Obst 2011, 102 ff. 116 ff.
5) Vgl. Redknap 1999, 79 ff. (Ware MB/C). – Zu den Stempeln ebenda 91 ff. – Zur Laufzeit der Mayener Ware MB/C vgl. Beitrag Grunwald.
6) Ware 1a, 1b, 2a und 2b nach Ettel 2001, 22 f.; Ettel 2008. – Vgl. Börste u. a. 2008, Kat.-Nr. 207.1-4.
7) Vgl. Stamm 1962, 121 ff. Gruppe 9. – Lobbedey 1968, 15 f. – Hübener 1969, 39 ff. – Gross 1991, 26 ff. – Ettel 2001, 20. – Ettel 2008. – Vgl. Börste u. a. 2008, Kat.-Nr. 123.2./3.
8) Hierzu ausführlich Gross 1991, 36 ff. – Vgl. Ettel 2001, 20 f. – Ettel 2008. – Vgl. Börste u. a. 2008, Kat.-Nr. 123.5./6. – Unlängst zusammenfassend Schreg 2006, 130 ff.
9) Vgl. Gross 1991, 37 ff. – Zum Typ Kirchhausen Schreg 2006, 132 ff.
10) Vgl. Böhner 1958, 59 ff. (Gruppe E). – Stamm 1962, 151 ff. (Gruppe 16). – Lobbedey 1968, 69 ff. – Gross 1991, 65 f. – Redknap 1999, 101 ff.
11) Ettel 2001, 21 f. 63 f. mit Abb. 16. – Ettel 2008. – Vgl. Börste u. a. 2008, Kat.-Nr. 123.7. – Zu den karolingischen Bestattungen des Moselmündungsgebietes vgl. Beitrag Grunwald.
12) Vgl. Stamm 1962, 149 ff. (Gruppe 15). – Schallmayer 1987, 50. – Ettel 2001, 21. – Ettel 2008. – Vgl. Börste u. a. 2008, Kat.-Nr. 123.11. – Hier anzuschließen ist vermutlich auch orangerote feine Glimmerware nach Wintergerst 2002, 66 f. (Materialgruppe 2).
13) Vgl. Stamm 1962, 156 f. (Gruppe 18). – Gross 1991, 72 ff. – Wintergerst 2002, 71 ff. (Materialgruppe 6). – Hembach 2003, 55 f. (Materialgruppe 3). – Sanke 2002a, 181 ff. – Sanke 2002b. – Schenk 2003, 329 ff. – Vgl. Börste u. a. 2008, Kat.-Nr. 123.12.
14) Sehr feine Glimmer(?)magerung kommt dort vor; vgl. Sanke 2002a, 212. – Ebenso Linsenböden; vgl. Sanke 2002a, 202 f.; Sanke 2002b, 180 f. – Ebenso keulenartig verdickte Ränder mit leichter Innenkehlung; vgl. Sanke 2002a, 193 mit Abb. 11, 18-21. 28; Sanke 2002b, 180 f. mit Abb. 70.
15) Zur Anfangsdatierung zuletzt ausführlich Schenk 2003, 338 ff. 364 ff. – Sanke 2002a. – Sanke 2002b, 180 f. (Periode 3).
16) Vgl. Ettel 2001, 22. – Wintergerst 2002, 71 ff. bes. 74. – Hembach 2003, 55 f. – Ettel 2008.
17) Vgl. Stamm 1962, 156 (Gruppe 17). – Schallmayer 1987, 45 u. 50 ff. – Gross 1991, 66 ff. – Wintergerst 2002, 62 ff.
18) Vgl. Ettel 2001, 23 (Ware 3b). – Hembach 2003, 73 ff. (Materialgruppe 7; hauptsächlich wohl Var. C) . – Ettel 2008. – Vgl. Börste u. a. 2008, Kat.-Nr. 207.6.

19) Grundlegendes hierzu bei Ring/Wieczorek 1979. – Ausführlich im Zusammenhang mit dem Fund aus Karlburg: Wamser 1999. – Vgl. Ettel 2001, 22; Ettel 2008; Börste u. a. 2008, Kat.-Nr. 129.1-3.

20) Vgl. Stein 1967, 26ff. 32ff. – Vgl. Börste u. a. 2008, Kat.-Nr. 142.

21) Vgl. Koch 1982, 63ff. – Schwarz 1984, Abb. 66, 6; 68, 8. 9.

22) Vgl. Frick 1993, 266. – Wamers 1994, 79ff. mit Liste 14. – Thörle 2002, 349. – Spiong 2000, 36. – Börste u. a. 2008, Kat.-Nr. 60.7.

23) Ettel 2001, Taf. 72, 28. – Börste u. a. 2008, Kat.-Nr. 62.12.

24) Vgl. Börste u. a. 2008, Kat.-Nr. 109.

25) Vgl. Morrison/Grunthal 1967, 525.

26) Vgl. die Ausführungen zur karolingerzeitlichen Keramik in Südwestdeutschland bei Gross 2004.

27) Vgl. Störmer 1990.

Literatur

Böhner 1958: K. Böhner, Die fränkischen Altertümer des Trierer Landes. Germ. Denkmäler Völkerwanderungszeit B 1 (Berlin 1958).

Börste u. a. 2008: N. Börste / G. Eggenstein / E. Zahn-Biemüller / H. Zöller (Hrsg.), Eine Welt in Bewegung – Unterwegs zu Zentren des frühen Mittelalters. Begleitbuch der Gemeinschaftsausstellung vom 26.4.-20.7.2008 in Paderborn und vom 12.8.-16.11.2008 in Würzburg (München, Berlin 2008).

Ettel 2001: P. Ettel, Karlburg – Roßtal – Oberammerthal. Studien zum Burgenbau im frühmittelalterlichen Landesausbau in Nordbayern. Frühgesch. u. Provinzialröm. Arch. Mat. u. Forsch. 5 (Espelkamp 2001).

2008: P. Ettel, »Scherben bringen Glück« – kulturhistorische und soziale Erkenntnisse anhand der Keramik aus Karlburg. In: Börste u. a. 2008, 102-106.

2009: P. Ettel, Der früh- und hochmittelalterliche Zentralort Karlburg am Main. In: Frühe Pfalzen – Frühe Städte. Neue Forschungen zu zentralen Orten des Früh- und Hochmittelalters in Süddeutschland und der Nordschweiz. Arch. Inf. 58 (Esslingen 2009) 147-174.

Ettel/Obst 2008: P. Ettel / R. Obst, Nach- und Nebeneinander – Drei frühmittelalterliche Grubenhäuser aus der villa Karloburg. Arch. Jahr Bayern 2008, 113-115.

Ettel/Kerth/Obst 2011: P. Ettel / K. Kerth / R. Obst, Aspekte, Ergebnisse und Perspektiven aktueller Forschung im frühmittelalterlichen Zentralort Karlburg am Main. Beitr. Arch. Unterfranken 7, 2011, 99-125.

Frick 1993: H.-J. Frick, Karolingisch-ottonische Scheibenfibeln des nördlichen Formenkreises. Offa 49/50, 1992/93, 243-463.

Gross 1991: U. Gross, Mittelalterliche Keramik zwischen Neckarmündung und Schwäbischer Alb. Bemerkungen zur räumlichen Entwicklung und zeitlichen Gliederung. Forsch. Ber. Arch. Mittelalter Baden-Württemberg 12 (Stuttgart 1991).

2004: U. Gross, Keramikverbreitung im 8. Jahrhundert als Hinweis auf Handel und Gliederung des politischen Raumes. In: H. U. Nuber / H. Steuer / Th. Zotz (Hrsg.), Der Südwesten im 8. Jahrhundert aus historischer und archäologischer Sicht. Arch. u. Gesch. 13 (Freiburg 2004) 257-274.

Hembach 2003: T. Hembach, Die Ausgrabungen in der Domerschulstraße in Würzburg. 1300 Jahre Stadtgeschichte [Diss. Univ. Bamberg 2003].

Hübener 1969: W. Hübener, Absatzgebiete frühgeschichtlicher Töpfereien in der Zone nördlich der Alpen. Beiträge zur Keramik der Merowingerzeit. Antiquitas 3, 6 (Bonn 1969).

Koch 1982: R. Koch, Stachelsporen des frühen und hohen Mittelalters. Zeitschr. Arch. Mittelalter 10, 1982, 63-83.

Lobbedey 1968: U. Lobbedey, Untersuchungen mittelalterlicher Keramik vornehmlich aus Südwestdeutschland. Arbeiten Frühmittelalterforsch. 3 (Berlin 1968).

Morrison/Grunthal 1967: K. F. Morrison / H. Grunthal, Carolingian Coinage. Numismatic Notes and Monogr. 158 (New York 1967).

Redknap 1999: M. Redknap, Die römischen und mittelalterlichen Töpfereien in Mayen. In: H.-H. Wegner (Hrsg.), Ber. Arch. Mittelrhein u. Mosel 6 (= Trierer Zeitschr. Beih. 24) (Trier, Koblenz 1999) 11-401.

Ring/Wieczorek 1979: E. Ring / A. Wieczorek, Tatinger Kannen aus Mainz. Arch. Korrbl. 9, 1979, 355-362.

Sanke 2002a: M. Sanke, Älteste Pingsdorfware aus einem Töpferbetrieb in Brühl-Pingsdorf. Ein Beitrag zur Kenntnis rheinischer Keramik des 10. Jahrhunderts. Bonner Jahrb. 199, 1999 (2002) 181-234.

Sanke 2002b: M. Sanke, Die mittelalterliche Keramikproduktion in Brühl-Pingsdorf. Technologie – Typologie – Chronologie. Rhein. Ausgr. 50 (Mainz 2002).

Schallmayer 1987: E. Schallmayer, Ausgrabungen in Seligenstadt. Saalburg-Jahrb. 43, 1987, 5-60.

Schenk 2003: H. Schenk, Zu Chronologie und Gefäßtypologie der Pingsdorfer Ware. Bonner Jahrb. 200, 2000 (2003) 329-408.

Schreg 2006: R. Schreg, Dorfgenese in Südwestdeutschland. Das Renninger Becken im Mittelalter. Materialh. Arch. Baden-Württemberg 76 (Stuttgart 2006).

Schwarz 1984: K. Schwarz, Frühmittelalterlicher Landesausbau im östlichen Franken zwischen Steigerwald, Frankenwald und Oberpfälzer Wald. Monogr. RGZM 5 (Mainz 1984).

Spiong 2000: S. Spiong, Fibeln und Gewandnadeln des achten bis zwölften Jahrhunderts in Zentraleuropa. Eine archäologische Betrachtung ausgewählter Kleidungsbestandteile als Indikatoren menschlicher Identität. Zeitschr. Arch. Mittelalter Beih. 12 (Bonn 2000).

Stamm 1962: O. Stamm, Spätrömische und frühmittelalterliche Keramik der Altstadt Frankfurt am Main. Schr. Frankfurter Mus. Vor- u. Frühgesch. 1 (Frankfurt a. M. 1962).

Stein 1967: F. Stein, Adelsgräber des 8. Jahrhunderts in Deutschland. Germ. Denkmäler Völkerwanderungszeit A IX (Berlin 1967).

Störmer 1990: W. Störmer, Im Karolingerreich. In: P. Kolb / E.-G. Krenig (Hrsg.), Unterfränkische Geschichte 1 (Würzburg [2]1990) 153-204.

Thörle 2002: St. Thörle, Fibeln aus dem Gräberfeld und der Siedlung Holzheim. In: N. Wand (Hrsg.), Holzheim bei Fritzlar (Rahden/Westf. 2002) 341-356.

Wamers 1994: E. Wamers, Die frühmittelalterlichen Lesefunde aus der Löhrstrasse (Baustelle Hilton II) in Mainz. Mainzer Arch. Schr. 1 (Mainz 1994).

Wamser 1999: L. Wamser, Zu einer Tatinger Kanne und ausgewählten Kleinfunden von Karlburg am Main. In: L. Wamser (Hrsg.), Dedicatio. Hermann Dannheimer zum 70. Geburtstag. Kat. Prähist. Staatsslg. München Beih. 5 (Kallmünz/Opf. 1999) 206-242.

Wintergerst 2002: M. Wintergerst, Hoch- und spätmittelalterliche Keramik aus der Altstadt Frankfurt am Main. Schr. Arch. Mus. Frankfurt 18 (Frankfurt a. M. 2002).

Zusammenfassung / Abstract

Münzdatierte Keramik der Karolingerzeit aus Karlburg am Main, Stadt Karlburg, Lkr. Main-Spessart

Im frühmittelalterlichen Zentralort Karlburg am Main wurden 2008 drei Grubenhäuser ausgegraben, deren Struktur und Fundmaterial zum einen auf einen engen funktionalen Zusammenhang und zum anderen auf eine begrenzte zeitliche Abfolge hinweist. In der mittleren Grubenhausverfüllung wurde ein Denar Kaiser Lothars I. gefunden, der einen der wenigen stratifizierten Münzfunde der Karolingerzeit darstellt und den Zeitraum einer tiefgreifenden Änderung (nicht nur) im Keramikspektrum Karlburgs eingrenzt.

Coin-dated pottery of the Carolingian period from Karlburg on the Main, Stadt Karlburg, Lkr. Main-Spessart

In 2008 in the early mediaeval central-place of Karlburg on the Main three pit-houses were excavated, whose structure and finds material point to, on the one hand a close functional connection, on the other hand to a limited, chronological sequence. In the backfill of the middle pit-house was found a denarius of Emperor Lothar I. This represents one of the few stratified coin-finds of the Carolingian period and narrows down the period of a far-reaching change (not only) in the pottery spectrum of Karlburg.

Translation: C. Bridger

PETRA HANAUSKA

KLEINUNTERNEHMER ODER MASSENPRODUZENTEN?

TÖPFEREIBETRIEBE IM NORDHESSEN DER KAROLINGERZEIT

Während Hessen eine ganze Reihe hoch- bis spätmittelalterlicher Töpfereien, ja mit dem Reinhardswald sogar eine regelrechte Töpfereilandschaft zu verzeichnen hat[1], ist ein 1981 im nordhessischen Neuental-Zimmersrode, Schwalm-Eder-Kreis, bei Bauarbeiten auf der Flur »Heilswiese« entdeckter Brennofen mit Keramik der Karolingerzeit bis heute landesweit der einzige Töpferofenbefund dieser Zeitstellung[2]. Er war deshalb Ausgangspunkt einer Untersuchung, bei der geklärt werden sollte, auf welchem Niveau Keramikproduktion in Nordhessen zu dieser Zeit erfolgte. Ist mit einem verhältnismäßig hohen Stand der Organisation und einer großmaßstäbigen Produktion zu rechnen, die sich nur an einem respektive an wenigen Orten konzentrierte? Wenn ja, lag ein entsprechend weiträumiger Vertrieb vor? Oder haben wir es mit zahlreichen, kleinen Betrieben zu tun, die ihre Keramik im näheren Umfeld verhandelten? Lassen sich darüber hinaus Aussagen zu den übergeordneten Strukturen treffen, beispielsweise wie sie in die Wirtschaftsordnung der Karolingerzeit eingebunden waren? Diesen Fragen sollte sowohl mit archäologischen Methoden als auch explizit unter Verwendung naturwissenschaftlicher Techniken nachgegangen werden. In diesem Rahmen wurden 200 Ton- und Keramikproben mittels Röntgenfluoreszenz und neun mit Hilfe der Röntgendiffraktometrie analysiert. Außerdem erfolgte die Untersuchung von 35 Dünnschliffen.

Da die Studie Teil eines größeren Projektes war, konzentrierte sie sich auf das so genannte Fritzlar-Waberner Becken, eine fruchtbare Senke, die von mehreren Mittelgebirgszügen umgeben und bereits seit vorgeschichtlicher Zeit besiedelt ist (**Abb. 1**)[3]. Im Norden des Arbeitsgebietes befindet sich Fritzlar, das erstmals 732 erwähnt wird, als Bonifatius über die Gründung eines Klosters dort berichtet. Seine Blütezeit erlebte die Ansiedlung im 10. und 11. Jahrhundert als Ort zahlreicher Herrscherbesuche und Synoden. Etwa 2,5 km südwestlich von Fritzlar liegt auf einem Bergsporn die Büraburg, eine der bedeutendsten frühgeschichtlichen Befestigungsanlagen Hessens. Sie wird unter anderem 774 in Zusammenhang mit den Sachsenkriegen Karls des Großen erwähnt. Hier erfolgten im Verlauf des letzten Jahrhunderts mehrere Grabungskampagnen[4]. In unmittelbarer Nähe fanden in den 1970er und 1980er Jahren weitere große Ausgrabungen in zwei ländlichen Wüstungen bei Holzheim und Fritzlar-Geismar statt. Letztere wird gemeinhin mit dem *Gaesmare* der Schriftquellen gleichgesetzt, wo Bonifatius 723 die Donar-Eiche fällte. Aufgrund der Fülle des an diesen Orten geborgenen keramischen Materials bot es sich selbstverständlich an, ausgewählte Komplexe in die Untersuchung einzubeziehen[5]. Darüber hinaus stand die Keramik aus 146 Lesefundkomplexen zur Verfügung. Die meisten davon befinden sich innerhalb des Fritzlar-Waberner Beckens[6]. Da sich Zimmersrode aber an dessen unterem Rand befindet, wurde zur Ermittlung des Verbreitungsgebiets der an diesem Ort produzierten Waren das Arbeitsgebiet nach Süden und Süd-Osten erweitert[7].

DER FRÜHMITTELALTERLICHE TÖPFEREISTANDORT ZIMMERSRODE

Das Töpfereigewerbe ist in Zimmersrode, das 1209 erstmals als Cimannerot erwähnt wird[8], von 1601 bis zum Ende des 19. Jahrhunderts schriftlich bezeugt, wobei die Töpfer oft gleichzeitig als »Ackermänner« verzeichnet sind[9]. Der archäologische Befund belegt, dass sowohl der Ort selbst als auch das dortige Töp-

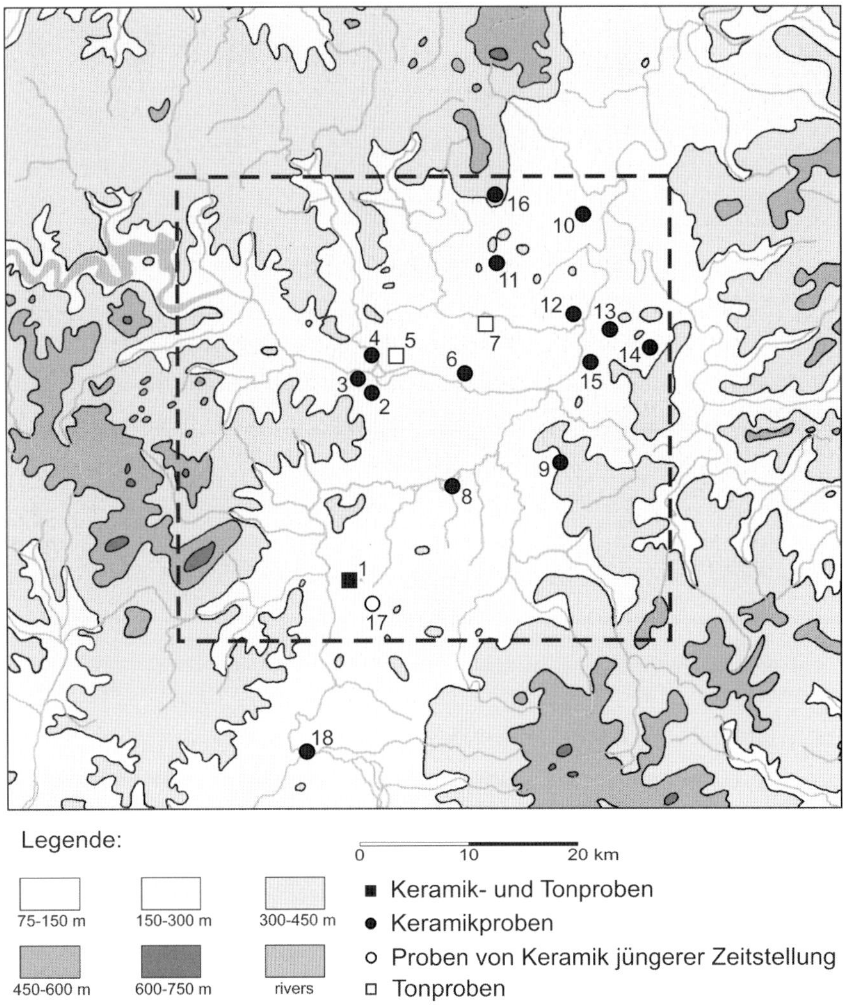

Abb. 1 Das Fritzlar-Waberner Becken (markiert durch das Quadrat) mit Fundorten, an denen Keramik und/oder Tone mit Röntgenfluoreszenzanalysen beprobt wurden: **1** Neuental-Zimmersrode, Flur »Heilswiese«. – **2** Fritzlar, Wüstung Holzheim. – **3** Fritzlar-Ungedanken, Büraberg. – **4** Fritzlar-Geismar, Wüstung südwestlich des Ortes. – **5** Fritzlar-Obermöllrich, Tongrube. – **6** Fritzlar-Obermöllrich, Flur »Hofestatt«. – **7** Gudensberg-Obervorschütz, Tongrube nördlich des Ortes. – **8** Borken-Singlis, Flur »Bei der Mühle«. – **9** Wabern-Falkenberg, Fundstelle 4. – **10** Holzhausen am Hahn, Gde. Edermünde, Flur »Seelenbach«. – **11** Gudensberg, Flur »Buchenborn«. – **12** Felsberg-Böddiger, Flur »Weinberg«. – **13** Felsberg-Gensungen, Flur »St. Albans Gärten«. – **14** Felsberg-Melgershausen, Flur »Auf der Hofestatt«. – **15** Felsberg-Gensungen, Flur »Kartause«. – **16** Besse, Gde. Edermünde, Flur »Das Rod«. – **17** Neuental-Neuenhain, Wüstung Ulmes. – **18** Schwalmstadt-Treysa.

fereihandwerk auf frühmittelalterliche Wurzeln zurückblicken können. Vergleichsfunde machen einen Herstellungszeitraum der dem 1981 entdeckten Töpferofen zuzuordnenden Keramik in der 2. Hälfte des 9. Jahrhunderts wahrscheinlich[10]. Zimmersrode war als Standort für Keramikproduktion geradezu ideal, da alle notwendigen Rohstoffe ausreichend vorhanden waren. Noch heute finden sich etwa 0,5 km südlich der Fundstelle »Heilswiese« in einem stillgelegten Braunkohletagebau massive, oberflächennahe Tonvorkommen (**Abb. 2**). Prospektionen und anschließende Bohrungen zeigten, dass desgleichen auf der »Heilswiese« selbst sowie in einem westlich gelegenen Waldstück Tone anstehen. Ihre Analyse mittels Röntgendiffraktometrie ergab eine ganze Reihe unterschiedlicher Tonsorten, von denen ein Kaolin aus dem Tagebau der qualitätvollste ist[11]. Nach Ausweis einiger Dünnschliffe wurden diese Tone von den Töpfern auch gemischt[12]. Das erklärt, warum ein Vergleich der durch Röntgenfluoreszenzanalysen ermittelten Elementkonzentrationen keine direkte Übereinstimmung zwischen den Ausgangstonen und der Keramik erbrachte.

Abb. 2 Oberflächennahe Tonvorkommen südlich von Zimmersrode.

Die zum Töpfern notwendige Wasserversorgung war durch Quellen und Bachaustritte gesichert. So hat auch die »Heilswiese« ihren Namen von einer am Ort zu Tage tretenden, angeblich wundertätigen Quelle [13]. Das Suffix -rode im Ortsnamen weist auf ein Rodungsdorf hin, so dass es noch zum Zeitpunkt der Namensgebung Waldvorkommen und somit Brennmaterial gegeben haben muss. Geophysikalische Prospektionen auf der »Heilswiese« selbst und auf angrenzenden Flächen, ebenfalls kombiniert mit Bohrungen, konnten die früher geäußerte Vermutung, dass mit weiteren Brennöfen am Ort zu rechnen sei, nicht bestätigen [14]. Geklärt werden konnte dagegen die bisher strittige technische Ansprache des Zimmersroder Befundes (**Abb. 3**) [15]. Eine Autopsie der noch vorhandenen Lehmfragmente im Regionalmuseum Fritzlar brachte Reste einer Lochtenne ans Licht [16]. Der zentral in der Brennkammer gelegene Stein diente somit als deren Stütze. Dies liefert einen weiteren Beleg dafür, dass der Typus des stehenden Ofens nicht nur in der Karolingerzeit (immer noch) gängig, sondern auch überregional eine geläufige Erscheinung war [17]. Aufgrund dessen stellt sich sogar die Frage nach einer Neuberwertung verschiedener Befunde, die früher als liegende Öfen rekonstruiert wurden. Verwiesen sei nur auf den Töpferofen aus Krefeld-Gellep (Nordrhein-Westfalen) [18], der zwar älter, aber fast baugleich zum Zimmersroder Befund ist.

DIE KERAMIKFORMEN

Um das Verbreitungsgebiet der auf der »Heilswiese« geborgenen Keramik erarbeiten zu können, wurden die bisher nur in Vorberichten publizierten Produkte möglichst genau charakterisiert [19]. Im frühmittelalterlichen Zimmersrode stellte man eine schlichte Gebrauchskeramik her, die sich zum großen Teil unter dem Begriff »Topf« zusammenfassen lässt (**Abb. 4**). Daneben gibt es in wesentlich geringerer Anzahl noch (Tüllen-) Kannen und Krüge, obwohl eine eindeutige Benennung aufgrund des Fragmentierungsgrades hier bereits schwierig ist. Es herrschen hochschultrige, bauchige Gefäßformen vor, nur wenige Exemplare haben einen gerundeten Körper. Die gängigste Randform bildet ein kurzer, runder, gegenüber der Schulter nur mäßig verdickter Rand. Dessen häufige Profilierung sowie eine ausgeprägte Facettierung, die die meisten Zimmersroder Gefäße auszeichnet (**Abb. 4**), sind die einzigen Elemente, die als Dekor bezeichnet werden können. Soweit erkennbar, verfügen sämtliche Gefäße über einen Standboden. Häufig kann man innen

Abb. 3 Rekonstruktion des Töpferofenbefundes in Zimmersrode.

noch die Drehschnecke erkennen (**Abb. 4**). Bei diesen Exemplaren fällt der Boden gegenüber der Schulter verhältnismäßig dick aus. Teilweise wurden die Böden aber auch nachbearbeitet, d. h. die Außen- und/oder die Innenflächen wurden geglättet bzw. nachgeschnitten. Ob sich hier eine jüngere Produktionsphase fassen lässt, ist aufgrund der nicht exakt zu erfassenden chronologischen Stellung der Töpferei unklar.

DIE WARENARTEN

Will man sich heute im Regionalmuseum Fritzlar die Zimmersroder Keramik ansehen, so stellt man fest, dass sie nach Farben sortiert gelagert wird. Dies verwundert insofern nicht, da dem Betrachter die unterschiedlichen Scherbenfarben sofort ins Auge stechen. In den gleichermaßen beschrifteten Kartons finden sich graue, braune und helle Scherben, wobei unter dem Begriff »hell« Farben von weißlich über gelb bis zu

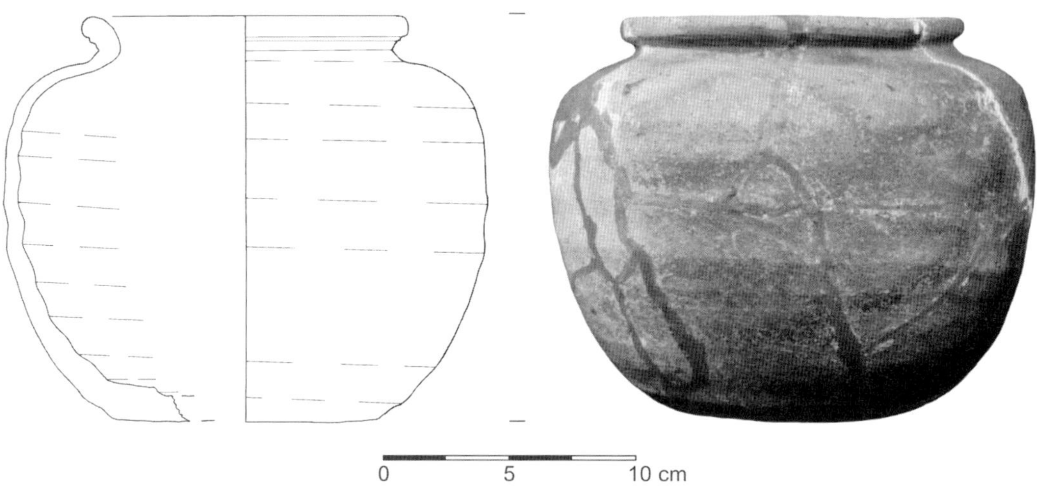

Abb. 4 Typischer Zimmersroder Topf mit facettiertem Körper und profiliertem Rand.

orange vereinigt sind[20]. Außerdem lassen sich noch rötliche Scherben ausgliedern[21]. Mit den Farben geht in aller Regel ein unterschiedlicher Härtegrad sowie überraschenderweise ein bestimmter Anteil an Quarzsandmagerung einher, der sich nicht wie Farbe und Härte durch unterschiedliche Brenntemperaturen erklären lässt. Insgesamt können anhand der Magerungsmenge drei Gruppen unterschieden werden. Gruppe 1: Weich gebrannte, braune Scherben mit geringer Quarzsandmagerung. Gruppe 2: harte, sowohl »helle« als auch rötliche Scherben, deren Quarzsandanteil zwischen dem der beiden anderen Gruppen liegt. Gruppe 3: sehr harte, graue Scherben mit einem hohen Quarzsandanteil.

DIE RÖNTGENFLUORESZENZANALYSEN

Die Röntgenfluoreszenzanalysen an der Zimmersroder Keramik dienten in erster Linie der Erstellung einer Referenzgruppe, also des so genannten chemischen Fingerabdrucks. Er ermöglicht die exakte Zuweisung potentieller Zimmersroder Keramik von anderen Fundplätzen zu unserem Produktionsort. Bestimmt wurden mit Hilfe eines stationären Gerätes 10 Haupt- und 16 Spurenelemente. Das Korrelationsdiagramm von Silicium- zu Aluminiumoxid, also des Verhältnisses von Quarz(-sand) zu Ton, bestätigt die festgestellten archäologischen Gruppen. »Helle« und rötliche Scherben bilden eine Einheit, von der sich die grauen Scherben mit einem höheren, die braunen Scherben mit einem niedrigeren Quarzgehalt absetzen (**Abb. 5**). Gewinnt man nun den Eindruck, die verschiedenen Gruppen würden ausschließlich durch die Quarzmenge verursacht, so ändert sich dies, wenn man auch die übrigen Elemente mit einbezieht, da noch eine ganze Reihe anderer Haupt- und Spurenelemente zur Gruppentrennung beitragen[22]. Die Abweichungen in den Mengenanteilen der Spurenelemente machen außerdem deutlich, dass zur Produktion unterschiedliche Tone verwendet wurden. Somit können im Ergebnis tatsächlich drei »Herstellungsrezepte« für die Zimmersroder Keramik definiert werden, welche sich erstaunlicherweise gut anhand der Farben unterscheiden lassen (**Abb. 6**).

Abb. 5 Korrelationsdiagramm von SiO_2 zu Al_2O_3 der Zimmersroder Keramik.

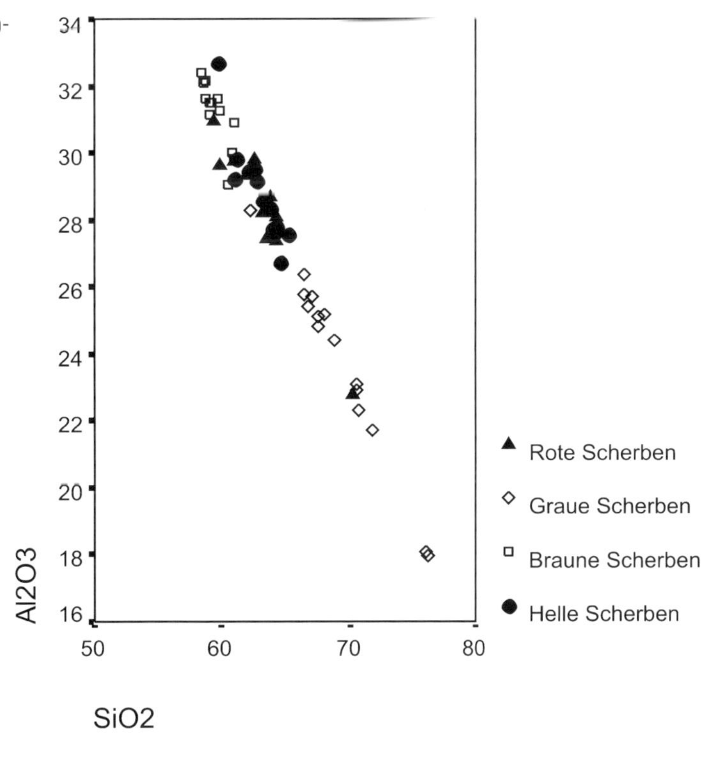

Ob sich in diesen Gruppen verschiedene Töpfer widerspiegeln, die sich zwar zu einer Brenngemeinschaft zusammengeschlossen, aber unterschiedliche Rohstoffe benutzt haben oder ob sich dahinter eine zeitliche Dimension verbirgt, z. B. durch die fortschreitende Ausbeutung einer Lagerstätte mit sich graduell ändernder Tonzusammensetzung, kann nicht gesagt werden.
Betrachtet man den Zimmersroder Töpfereiabfall in seiner Gesamtheit, so entsprechen die hart gebrannten, »hellen« und rötlichen Scherben am ehesten dem »Standard« des 9. Jahrhunderts innerhalb des Verbreitungsgebietes der »Rheinischen Drehscheibenware«, zu dem das Fritzlar-Waberner Becken gehört [23]. Somit stellt sich die Frage nach dem Zustandekommen der überwiegend schwach gemagerten und weich gebrannten, braunen Scherben, die mit etwa zwei Dritteln den Großteil des Ausschusses stellen. Da für sie ein Ton verwendet wurde, der sich chemisch am stärksten von den übrigen unterscheidet, ließ er sich vielleicht nicht zu den vom Töpfer gewohnten Bedingungen zu harter Keramik brennen. Irritierend ist aber vor allem die Gruppe der grauen Scherben innerhalb der Zimmersroder Keramik. An der Oberfläche komplett reduzierend gebrannte Gefäße sind für diese Zeitstellung und dieses Gebiet ungewöhnlich [24]. Daher ist davon auszugehen, dass die graue Farbe durch einen Brennfehler entstand. Die Graufärbung wäre dann ein möglicher, allerdings nicht überzeugender Grund, warum diese Gefäße vor Ort entsorgt wurden. Jedoch kann ein misslungener Brand zwar die Farbe, aber nicht die größere Magerungsmenge bei dieser Farbgruppe erklären. Vielleicht wurde die Keramik für einen anderen Zweck hergestellt, der eine stärkere Magerung erforderte – evtl. zur höheren Feuerfestigkeit – und für den die Farbe ohne Belang war. Oder zeigt sich an diesen Exemplaren eine spätere Produktionsphase entsprechend dem ins Hochmittelalter verweisenden Trend, verstärkt reduzierend gebrannte Keramik herzustellen? Dies würde wiederum bedeuten, dass die Zimmersroder Gefäßformen über einen längeren Zeitraum, d. h. noch nach der angenommenen (Haupt-?) Produktionszeit im 9. Jahrhundert, dieselben geblieben sind. Hochschultrige Töpfe, die in den grauen Scherben identifizierbar sind, gehören aber nicht mehr zum hochmittelalterlichen Keramikspektrum. Die Laufzeit der Töpferei auf der »Heilswiese« könnte somit immerhin auf das 10. Jahrhundert ausgedehnt werden, was nach Ausweis der Vergleichsfunde durchaus noch im Bereich des Möglichen wäre.

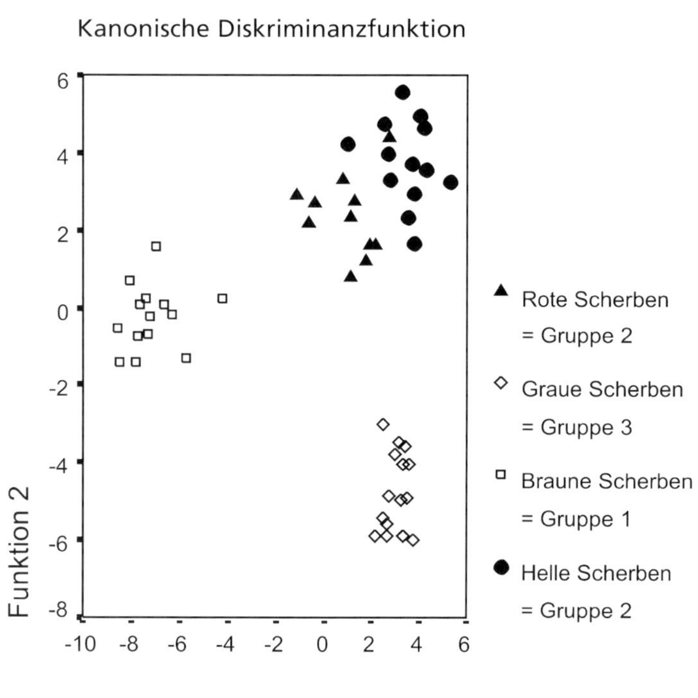

Abb. 6 Diskriminanzanalyse der Röntgenfluoreszenzdaten der Zimmersroder Keramik mit Nachweis von drei »Herstellungsrezepten«.

DAS POTENTIELLE VERBREITUNGSGEBIET

Die Durchsicht der Keramik der Fundplätze des oben umrissenen Arbeitsgebiets im Hinblick auf die Verbreitung der Zimmersroder Töpferwaren erbrachte ein ernüchterndes Ergebnis. Insgesamt konnten lediglich acht Scherben ermittelt werden, die anhand von formen- und warenkundlichen Merkmalen den dortigen Produkten entsprechen. Davon stammt jeweils eine aus den Grabungen in Holzheim und Geismar; sechs kommen von fünf verschiedenen Lesefundkomplexen (**Abb. 1**)[25]. Die durchgeführten Röntgenfluoreszenzanalysen erbrachten schließlich, dass nur das Exemplar aus Geismar Zimmersrode als Produktionsort zugewiesen werden kann (Probe G25; **Abb. 7**). Die Entfernung zwischen beiden Orten beträgt in Luftlinie 15 km, was unter Berücksichtigung spätmittelalterlicher Quellen bereits überdurchschnittlich weit wäre[26].

DIE FRAGE NACH WEITEREN WERKSTÄTTEN

Da es nun offensichtlich neben der Zimmersroder Werkstatt (oder den Werkstätten?) noch weitere Betriebe gegeben haben muss, die die Region mit Keramik versorgten, wurde der Versuch unternommen, diese anhand archäologischer Mittel im keramischen Fundmaterial zu identifizieren. Eine Auswertung der Formen und Waren im Arbeitsgebiet erbrachte allerdings keine diesbezüglichen Resultate. Ebenso wenig eine Kartierung von Verzierungstypen, die noch am ehesten für eine bestimmte Werkstatt charakteristisch sein dürften[27].

Abb. 7 Herkunftsnachweis der Scherbe G25 aus Fritzlar-Geismar

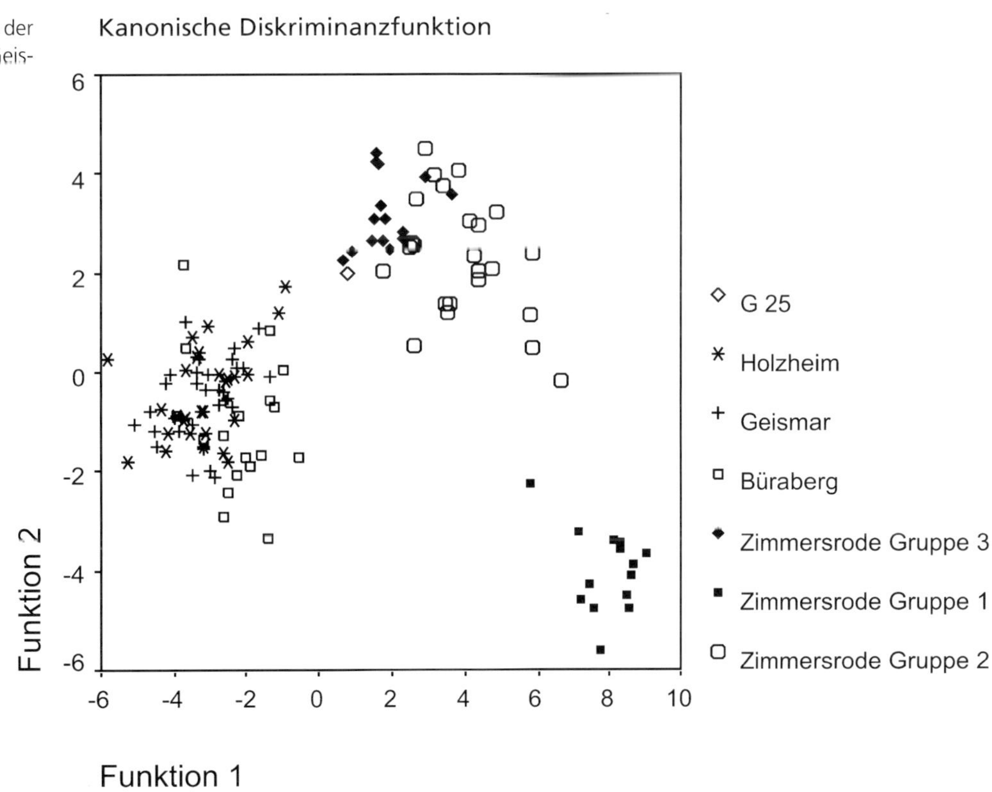

Deshalb wurde der Frage nach potentiellen weiteren Werkstätten bzw. Werkstattkreisen mit Hilfe der Röntgenfluoreszenz nachgegangen. Hierfür wurden Keramikkomplexe herangezogen, die einerseits eine ausreichende Menge an beprobbarem Material enthielten und andererseits räumlich möglichst gut voneinander getrennt waren. Dies war zum einen bei den Fundorten Büraburg, Geismar und Holzheim (Nord-Westen des Arbeitsgebiets) sowie zum anderen für diverse Fundorte um Felsberg und Gudensberg (Nord-Osten des Arbeitsgebiets) der Fall[28]. Tatsächlich gelingt es mittels der chemischen Analysen, die Keramik der beiden Kleinregionen voneinander zu trennen (**Abb. 8**). Bezieht man die Röntgenfluoreszenzdaten der restlichen Scherben mit ein, so ergibt sich ein Bild von mehreren kleinen, voneinander abgrenzbaren Werkstattkreisen, die jeweils von Töpfereien mit anderen Rohstoffquellen und/oder Aufbereitungstechniken beliefert wurden (**Abb. 9**). Die Fundorte innerhalb dieser hier herausgearbeiteten Werkstattkreise lassen sich allerdings chemisch nicht zufriedenstellend unterscheiden, weswegen zum momentanen Zeitpunkt unklar ist, um wie viele Betriebe es sich letztlich gehandelt hat.

DIE FRAGE NACH DEM IMPORT

Das hier postulierte System kleinerer Töpfereien im karolingerzeitlichen Nordhessen respektive im Fritzlar-Waberner Becken, die das sie umgebende Gebiet mit ihren Produkten versorgt haben, scheint recht autark funktioniert zu haben. Die Zahl importierter bzw. als »importverdächtig« zu bezeichnender Keramik im Arbeitsgebiet ist so gering, dass sich die Frage stellt, ob hierbei tatsächlich Import im eigentlichen Sinn vorliegt, d.h. die planmäßige Einfuhr einer bestimmten Ware, oder ob es sich bei den auffallend wenigen vorhandenen Stücken nicht eher um persönlichen Hausrat oder Mitbringsel handelt. Darüber hinaus muss bei Keramikgefäßen in Betracht gezogen werden, dass für den Besitzer eher deren Inhalt maßgeblich war. Somit kann zwar Import vorliegen, aber nicht gezielt von Keramik, sondern von der in ihr transportierten Ware.

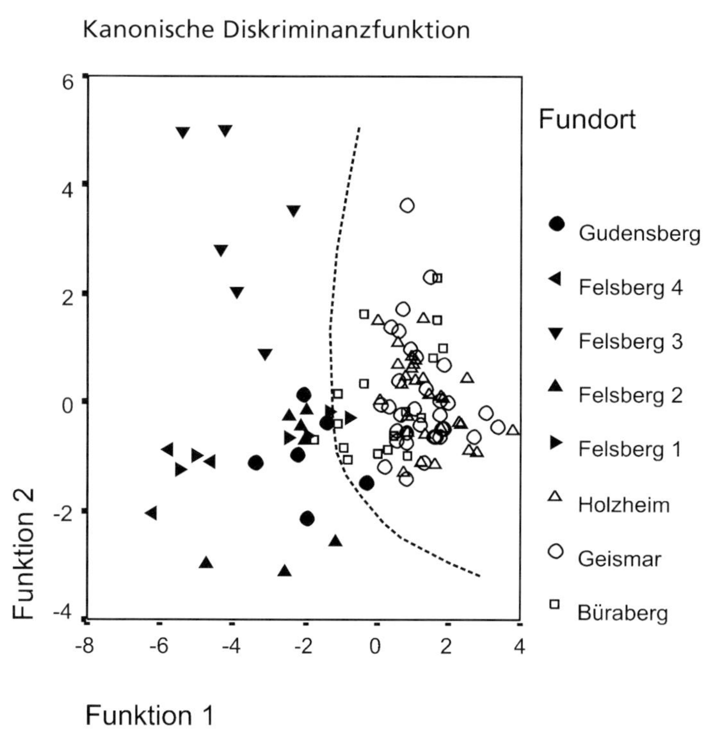

Abb. 8 Diskriminanzanalyse der Röntgenfluoreszenzdaten der Fundorte im Nord-Westen und Nord-Osten des Arbeitsgebiets. Die gestrichelte Linie markiert die Trennung.

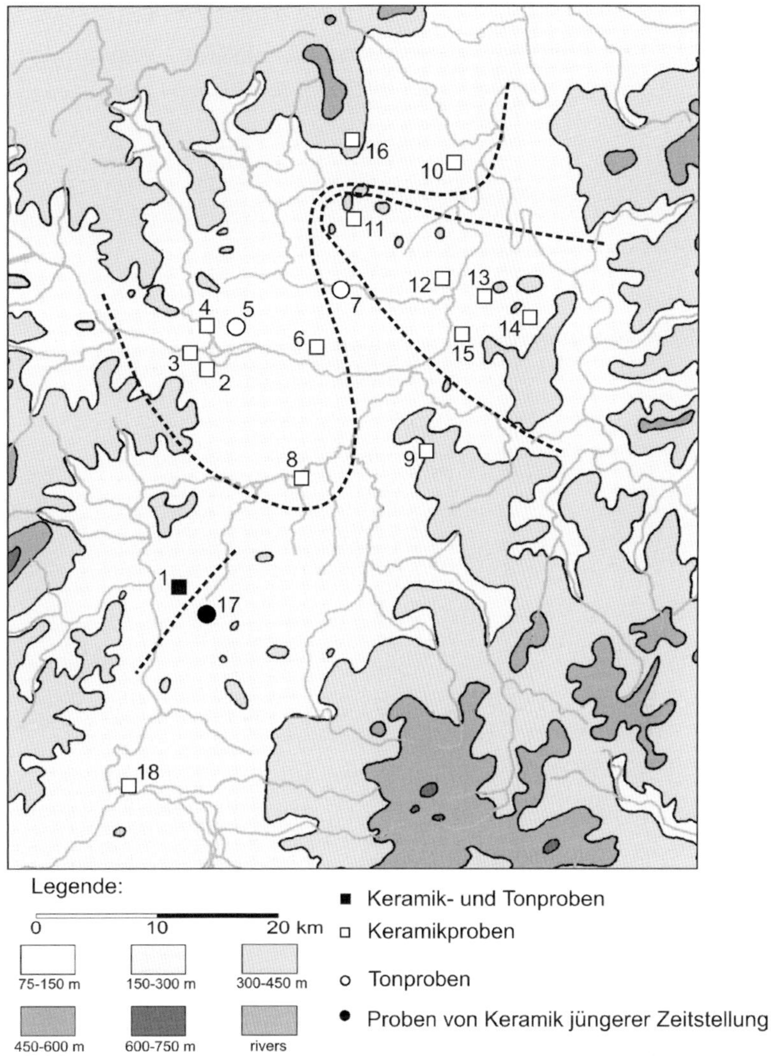

Abb. 9 Anhand der Röntgenfluoreszenzanalysen ermittelte Werkstattkreise (gestrichelte Linien) im Fritzlar-Waberner Becken: **1** Neuental-Zimmersrode, Flur »Heilswiese«. – **2** Fritzlar, Wüstung Holzheim. – **3** Fritzlar-Ungedanken, Büraberg. – **4** Fritzlar-Geismar, Wüstung südwestlich des Ortes. – **5** Fritzlar-Obermöllrich, Tongrube. – **6** Fritzlar-Obermöllrich, Flur »Hofestatt«. – **7** Gudensberg-Obervorschütz, Tongrube nördlich des Ortes. – **8** Borken-Singlis, Flur »Bei der Mühle«. – **9** Wabern-Falkenberg, Fundstelle 4. – **10** Holzhausen am Hahn, Gde. Edermünde, Flur »Seelenbach«. – **11** Gudensberg, Flur »Buchenborn«. – **12** Felsberg-Böddiger, Flur »Weinberg«. – **13** Felsberg-Gensungen, Flur »St. Albans Gärten«. – **14** Felsberg-Melgershausen, Flur »Auf der Hofestatt«. – **15** Felsberg-Gensungen, Flur »Kartause«. – **16** Besse, Gde. Edermünde, Flur »Das Rod«. – **17** Neuental-Neuenhain, Wüstung Ulmes. – **18** Schwalmstadt-Treysa.

Zudem sind einheimische Nachahmungen bestimmter Formen und Waren sehr wahrscheinlich und in Hessen bei der pingsdorfartigen Keramik auch nachgewiesen[29].

Interessant in diesem Zusammenhang, da besonders auffällig, sind die im Rheinischen Vorgebirge beheimateten so genannten Reliefbandamphoren mit Linsen- oder Kugelboden, die bis zu vier Henkel haben können und deren plastische Bänder mit Rechteckrollstempeln, Einzelstempeln oder Fingereindrücken dekoriert sind[30]. Sie gehören dort zur Badorfer Ware und dienten aufgrund ihrer Größe wohl als Transportbehältnisse[31].

Ein derartiges Gefäß mit einem wellenförmig im Schulterbereich umlaufenden Reliefband, das mit etwas nachlässig ausgeführten, s-förmigen Eindrücken verziert ist, stammt aus Geismar (**Abb. 10**). Es ist zusätzlich oberhalb des Reliefbands mit einem 5-linigen Wellenband dekoriert. Außerdem befinden sich auf der Oberseite des Randes weitere s-förmige Eindrücke. Ein markanter Unterschied zu den (anzunehmenden) rheinischen Prototypen ist – abgesehen von dem für Nordhessen typischen Wellenband – das Vorhandensein einer Ausgusstülle. Die chemische Analyse bestätigt den bereits aufgrund der optischen Inspektion entstandenen Verdacht, dass es sich um eine lokale Nachahmung der rheinischen Reliefbandamphoren handeln könnte. Das Elementmuster des Gefäßes deckt sich mit dem der übrigen Scherben aus Geismar sowie von Holzheim und dem Büraberg (**Abb. 11**). Die nordhessischen Töpfer waren also mit den rheinischen »Modeerscheinungen« vertraut und imitierten diese, allerdings dem einheimischen Geschmack angepasst.

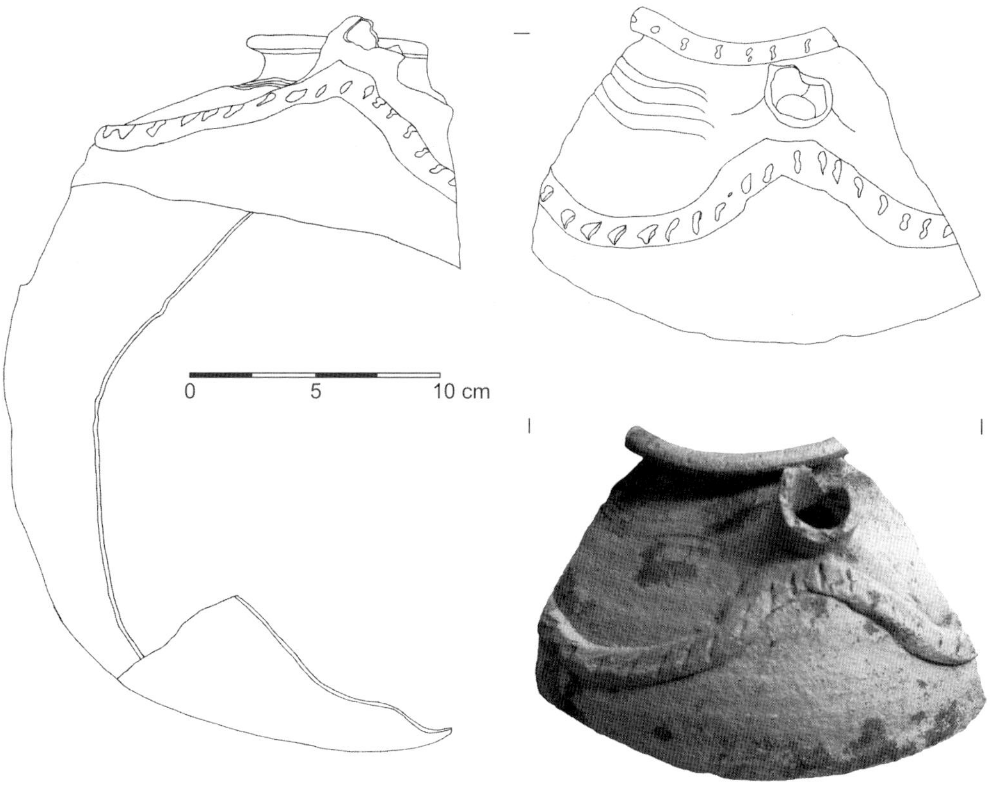

Abb. 10 Reliefbandamphore aus Fritzlar-Geismar.

ÜBERGEORDNETE STRUKTUREN DER KERAMIKPRODUKTION

Nachdem nun die Produktions- und Verteilungsstrukturen von Keramik innerhalb des Fritzlar-Waberner Beckens umrissen wurden, bleibt als letzte Frage, wie die Töpfereien in die Wirtschaftsordnung der Karolingerzeit eingebunden waren. Während wir Rückschlüsse auf die ökonomische Bedeutung einer Töpferei anhand ihres Ausstoßes sowie der Verbreitung ihrer Erzeugnisse ziehen können, ist unser Wissen über die Töpfer selbst sowie die Strukturen hinter Produktion und Vertrieb erstaunlich gering. Für das Rheinische Vorgebirge wurde die These aufgestellt, dass die dortigen Töpfereien an die jeweiligen Grundherrschaften gebunden sind. Ja sogar, dass die Grundherrschaft als Wirtschaftsform geradezu der Motor war, der die Massenproduktion rheinischer Betriebe erst ermöglichte[32]. Die Argumentation für einen Zusammenhang zwischen Töpferei und Grundherrschaft beruht darauf, dass am Ort der Töpferei ein (meist klösterlicher) Grundherr bekannt ist oder dass die Töpferei in räumlicher Nähe zu einer bekannten Grundherrschaft liegt[33]. Ein ähnliches Szenario wird für Südwestdeutschland mit der Töpferei von Wiesloch (Rhein-Neckar-Kreis) entworfen. Der Standort selbst sowie das potentielle Verbreitungsgebiet der Keramik, das unbedingt noch anhand chemischer Analysen zu verifizieren wäre, wird mit Besitzungen bzw. der Nähe zu Besitzungen des Klosters Lorsch in Verbindung gebracht[34].

Aber obwohl – oder gerade weil? – Keramik ein Alltagsgut des frühen Mittelalters war, fanden ihre Hersteller bzw. die Herstellung betreffende Abläufe nur ausnahmsweise Erwähnung in den (erhaltenen) zeitgenössischen Schriftquellen. Eine solche Ausnahme stammt aus dem *Breve memorationis Walae abbatis* (um 834/836)[35] für das Kloster von Bobbio (Provinz Piacenza, Norditalien): *Prepositus primus sit post abbatem in monasterio infra extraque, tamen specialiter haec sint in sua potestate, id est omnis laboratio agrorum*

Abb. 11 Röntgenfluoreszenzanalyse der Reliefbandamphore aus Fritzlar-Geismar als Nachweis ihrer lokalen Provenienz.

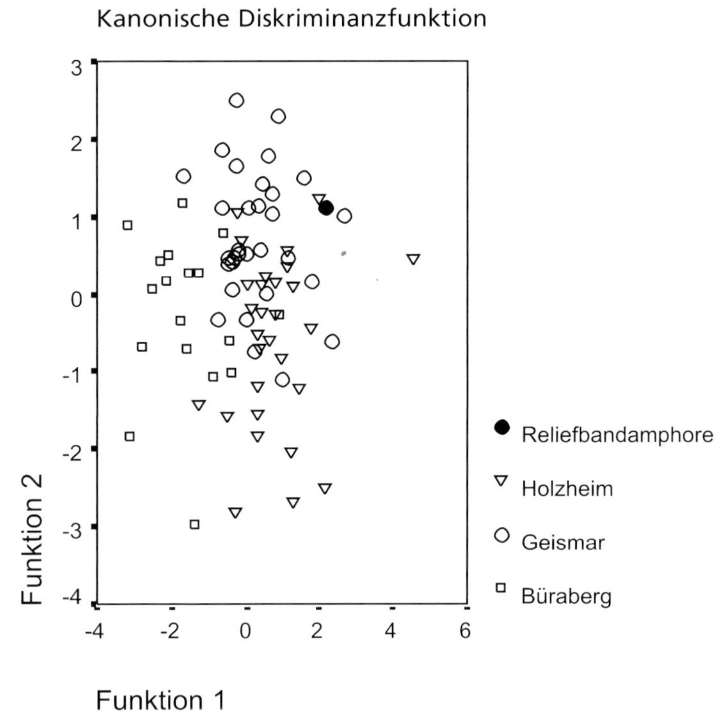

et vinearum et edifitiorum, ***figulorumque****, pastorum atque omnium cellarum hac in valle consistentium, [...]*[36]. Diese Überlieferung stellt zwar einen direkten Zusammenhang zwischen Töpfern und Kloster her – es ist sogar von *potestas*, also von (Verfügungs-)Gewalt, seitens des Klosters die Rede –, ob es sich dabei aber um die Beschreibung eines konkreten Sachverhalts handelt oder nur um eine beispielhaft formulierte Regel zur Klosterhierarchie[37], muss offen bleiben.

Da vor allem bei manufakturähnlichen Betrieben wie im Rheinischen Vorgebirge eine übergeordnete Organisationsstruktur notwendig gewesen sein muss, die sich beispielsweise um die Versorgung der vermutlich hauptberuflich tätigen Töpfer oder den Vertrieb der Waren kümmerte, ist die weiter oben postulierte Beziehung zwischen einer grundherrschaftlichen »Ordnungsmacht« und einer Töpferei plausibel. Wie diese »Steuerung« – ihre tatsächliche Existenz vorausgesetzt – ausgesehen haben könnte, bedarf aber noch der Klärung.

Dabei ist zu beachten, dass »Grundherrschaft« ein moderner Fachbegriff ist, der zwar ein gesamteuropäisches, jedoch in seiner Spezifikation durchaus umstrittenes Phänomen bezeichnet. Es wird von einzelnen Wissenschaftlern unterschiedlich verstanden bzw. interpretiert. Über das Wesen bzw. die konkreten Strukturen der »Grundherrschaft« ist erstaunlich wenig bekannt. Im Kern werden drei Hauptformen unterschieden: die Villikations- oder Betriebsgrundherrschaft, die Renten- oder Abgabengrundherrschaft und die Gutsherrschaft, wobei letztere erst im späten Mittelalter auftritt. Zwischen diesen Grundtypen gibt es diverse Misch- und Übergangsformen, sogar innerhalb ein und derselben Grundherrschaft konnte das Betriebssystem selbst bei nahe beieinander liegenden Höfen variieren[38]. Hinzu kommt, dass innerhalb einer Ansiedlung verschiedene Grundherren Besitz haben konnten[39]. »Man wird angesichts der vielfachen Abweichungen von der (angenommenen) Norm daher nirgends von einheitlichen Grundherrschaftsstrukturen ausgehen dürfen. Kennzeichnend ist vielmehr überall eine Vielfalt praktischer Ausprägungen bereits innerhalb einer Grundherrschaft«[40]. Ebenso variantenreich scheinen die Freiheits- und Hörigkeitsverhältnisse gewesen zu sein, wobei ein freies Bauerntum definitiv weiterhin bestanden hat, dessen Umfang aber nicht bekannt ist[41]. In ähnlicher Weise liegen Existenz und Umfang eines freien Handwerkertums ebenso wie die Frage, wie im speziellen Fall der Töpfer der Zugang zu den Rohstoffen geregelt war, im Dunkeln. Fast noch interessanter ist, in welchem Umfang (schon) im Frühmittelalter mit Allgemeingut (Allmende), auf das die Töpfer beispielsweise in Form von Holzrechten zugreifen konnten[42], gerechnet werden kann.

Was lässt sich nun aus nordhessischer Perspektive zu diesem nur kurz umrissenen, komplexen Problemfeld beitragen? Eine Kartierung des überlieferten mittelalterlichen Klosterbesitzes im Fritzlar-Waberner Becken zeigt, dass in Zimmersrode selbst keine geistlichen Besitzungen bekannt sind (**Abb. 12**).

Dasselbe gilt für die nähere Umgebung des Ortes. Diese »Leere« entspricht bemerkenswerterweise dem Bild, das die Kartierung der frühmittelalterlichen Fundstellen des Gebietes vermittelt[43]. Ob der vermeintlich siedlungsfreie Raum den tatsächlichen historischen Gegebenheiten entspricht oder ob er verloren gegangenen schriftlichen Quellen und/oder bislang unentdeckten archäologischen Fundstellen geschuldet ist, muss offen bleiben. In Bezug auf Zimmersrode aus dem Fehlen von schriftlichen Überlieferungen, ex silentio also, zu schließen, dass der oder die Zimmersroder Töpfer nicht an einen Grundherrn gebunden waren, wäre vermessen. Belegen lässt sich aber ein Bezug zu einer Grundherrschaft ebenfalls nicht. Zuletzt steht noch – auf Grundlage derjenigen Fundorte, von denen Scherben mittels Röntgenfluoreszenzanalyse beprobt wurden – der Vergleich der ermittelten Werkstattkreise mit den in den verschiedenen Siedlungen bekannten geistlichen Grundherren aus. Zwar wäre hierfür eine noch größere Probenserie wünschenswert, aber bereits der momentane Stand zeigt, dass ein Zusammenhang zwischen bestimmten Grundherrschaften und davon abhängigen Verbreitungsgebieten von Keramik für dieses Gebiet nicht erkennbar ist (**Abb. 12**)[44].

Zusammenfassend bleibt festzuhalten, dass im frühmittelalterlichen Fritzlar-Waberner Becken nicht mit einer Massenproduktion und weiträumigen Verteilung von Keramik zu rechnen ist. Vielmehr ergibt sich ein Bild von mehreren kleinen, voneinander abgrenzbaren Werkstattkreisen (**Abb. 9**). Wie viele Werkstätten sich dahinter jeweils verbergen, ist nicht zu sagen. Der Verteilungsradius ihrer Produkte scheint in aller Regel gering gewesen zu sein. Der einzige messbare Abstand zwischen Töpferei und Absatzort, also von Zimmersrode nach Geismar, der gleichzeitig für eine gewisse Überlappung der Verteilungsgebiete spricht, beträgt in Luftlinie ca. 15 km, wobei die tatsächlich zurückgelegte Wegstrecke sowie der Transportweg generell (zu Land oder zu Wasser?) unbekannt sind. Keramik aus weiter entfernt gelegenen Regionen fand nur selten den Weg ins Arbeitsgebiet, allerdings ist das Beispiel der einheimischen Reliefbandamphore zumindest ein Nachweis für einen gewissen Ideentransfer. Der für andere Gebiete postulierte Zusammenhang zwischen Herrschaft und Töpfereibetrieb lässt sich trotz umfangreicher Untersuchungen für das Fritzlar-Waberner Becken nicht nachweisen.

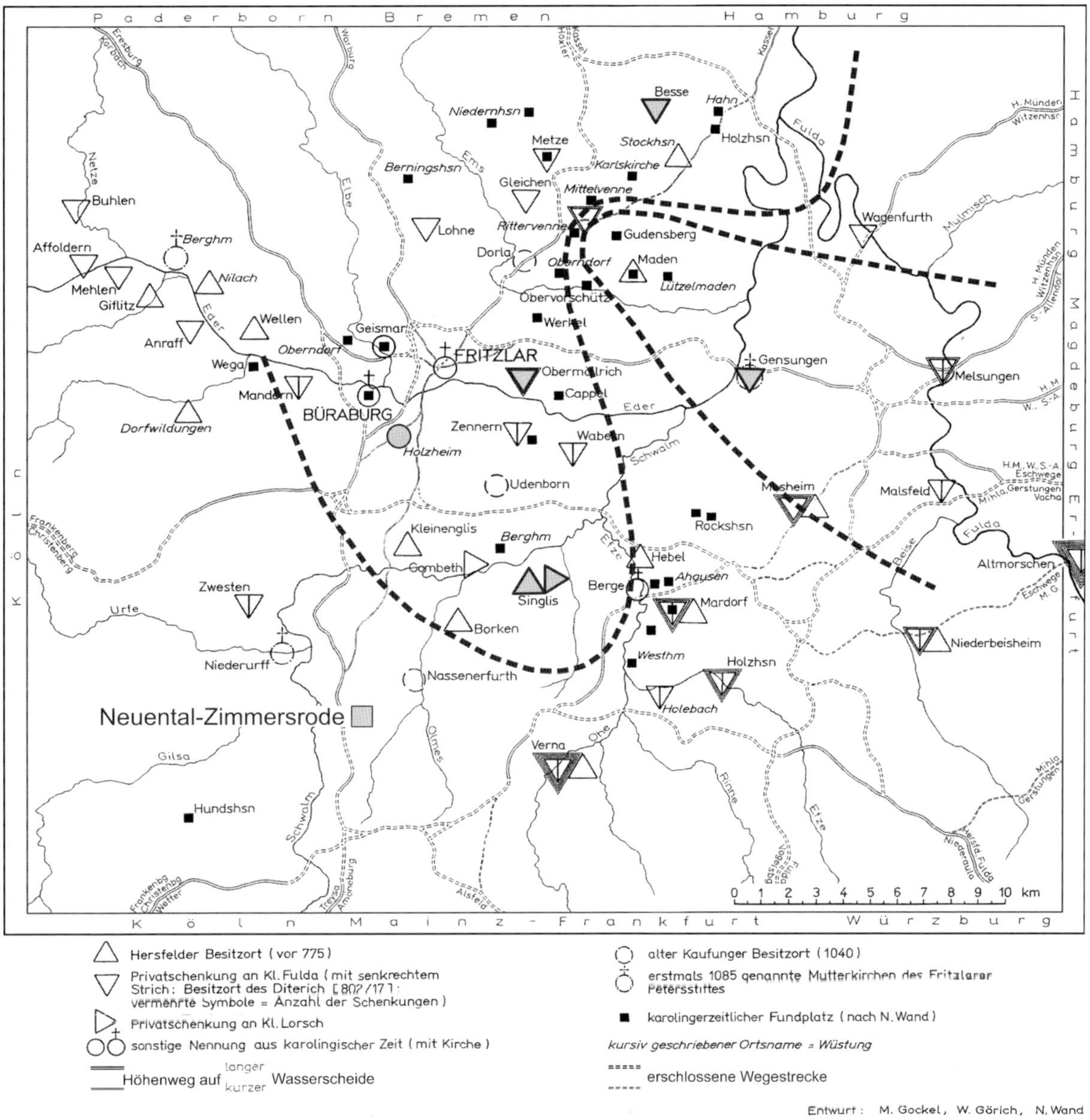

Abb. 12 Vergleich der bekannten geistlichen Grundherrschaften im Fritzlar-Waberner Becken mit den hier ermittelten Werkstattkreisen. – (Karte nach Gockel 1974, Appendix I, verändert).

Anmerkungen

1) Vgl. Nahrgang 1957. – Stephan 1982a. – Stephan 2000. – Hanauska/Sonnemann 2011.
2) Seinen Rang als ältester Töpferofen Hessens hat der Zimmersroder Befund erst kürzlich mit der Auffindung merowingerzeitlicher Brennöfen eingebüßt: Boenke/Lindenthal/Schade-Lindig 2008.
3) Sie gehörte zum Teilprojekt »Naturräumliche, klimatische und soziale Faktoren bei der Entstehung agrarischer Wirtschafts- und Herrschaftsformen des Frühmittelalters« des Graduiertenkollegs »Archäologische Analytik« der Goethe-Universität Frankfurt am Main. Eine Studie von Th. Sonnemann widmete sich der Siedlungsrekonstruktion innerhalb des Fritzlar-Waberner Beckens im frühen Mittelalter (Sonnemann 2010).
4) Die erste Grabungskampagne fand unter J. Vonderau von 1926 bis 1931 statt; ihm folgten die Arbeiten von N. Wand von 1967 bis 1974 und 1996. Die letzten Ausgrabungen wurden 1999 und 2000 von einem Team der Frankfurter Goethe-Universität unter Leitung von J. Henning durchgeführt. Vgl. Vonderau 1934. – Wand 1974. – Zusammenfassend: Sonnemann 2010.

5) Für Holzheim wurde die Keramik des so genannten Herrenhofs durchgesehen (vgl. Mathias 1988). Da das Material aus Geismar für die Jahrhunderte nach der Merowingerzeit unpubliziert ist, bin ich A. Thiedmann, Marburg, für die Überlassung seiner Befundlisten zu Dank verpflichtet. Für die Büraburg standen das gesamte im Landesmuseum Kassel gelagerte keramische Material sowie das Fundgut der Grabungskampagnen 1999 und 2000 zur Verfügung.
6) Vgl. Sonnemann 2010. T. Sonnemann habe ich für die Überlassung seiner Datenbank zu danken.
7) Vgl. Hanauska in Vorb.
8) Ide 1972, 425.
9) Quelle: Akten des Regionalmuseums Fritzlar.
10) Hanauska in Vorb.
11) Vgl. Hanauska 2010, 91 Abb. 5.
12) Ebenda 91 Abb. 6.
13) Ide 1972, 427.
14) Achler 1989, 207 Abb. 200. – Hanauska 2001, 170f. Abb. 4-5.
15) H.-G. Stephan ging bei diesem Befund zunächst von einem stehenden Ofen aus, revidierte seine Einschätzung jedoch später und postulierte wie M. Mathias einen liegenden Ofen. Mathias 1987/88, 143. – Stephan 1982b, 213. – Stephan 2000, 213.
16) Hanauska 2001, 169 Abb. 3.
17) Vgl. Keller 1998b, 623-626 und Heege 2007, 45 contra Janssen 1987.
18) Pirling 1960. – Vgl. Keller 1998b, 624f. – Heege 2007, 47 mit Anm. 250.
19) Mathias 1987/88. – Mathias 1988, 255-257.
20) Mathias 1987/88, 145. – Mathias 1988, 255f. – Hanauska in Vorb.
21) Hanauska in Vorb.
22) Bei den Hauptelementen sind dies neben Silicium und Aluminium noch Titan, Mangan, Calcium, Kalium, Phosphor, bei den Spurenelementen Nickel, Kupfer, Zink, Rubidium, Barium, Schwefel, Zirkon, Cer, Strontium. Vgl. Hanauska 2010, 92-96.
23) Vgl. Stilke 2001, 39 Abb. 4.
24) Sie kommen zwar auch an anderen Töpfereizentren wie denen des Rheinischen Vorgebirges vor, waren aber mit Sicherheit nicht das Produktionsziel. Vgl. Sanke 2001, 289f. – Keller 1998a, 299f.
25) Die Fundorte im Einzelnen: Wabern-Falkenberg, Fst. 4; Holzhausen am Hahn, Gde. Edermünde, Flur »Seelenbach«; Borken-Singlis, Flur »Bei der Mühle«; Fritzlar-Obermöllrich, Flur »Hofestatt; Felsberg-Böddiger, Flur Weinberg«.
26) Stephan 2000, 248-250. Die Wegstrecken sind dort ebenfalls in Luftlinie angegeben (ebenda 252 Abb. 36).
27) Dazu ausführlich: Hanauska in Vorb.; vgl. auch Sonnemann 2010, 229-259 u. Datenmatrix.
28) Die Fundorte im Einzelnen: Gudensberg, Flur »Buchenborn«; Felsberg-Böddiger, Flur »Weinberg« = Felsberg 1; Felsberg-Gensungen, Flur »St. Albans Gärten« = Felsberg 2; Felsberg-Melgershausen, Flur »Auf der Hofestatt« = Felsberg 3; Felsberg-Gensungen, Flur »Kartause« = Felsberg 4.
29) Vgl. Hanauska in Vorb. – Vgl. auch Beitrag Sonnemann.
30) Vgl. Giertz 2000.
31) Zusammenfassend zu den rheinischen Reliefbandamphoren: Sanke 2001, 291ff. Im Arbeitsgebiet kommen zwei reliefbandverzierte Exemplare im Holzheimer »Herrenhof« vor; zwei weitere stammen von der Büraburg (Mathias 1988, 140 u. 142. – Wand 1974, 135 u. Taf. 38,9.13). Für das restliche Fritzlar-Waberner Becken konnte Sonnemann in den Lesefunden 21 Gefäße mit Reliefband feststellen (vgl. Beitrag Sonnemann).
32) Janssen 1983, 390.
33) z.B. in Bornheim-Walberberg, Rhein-Sieg-Kreis, Brühl-Badorf und Brühl-Pingsdorf, beide Rhein-Erft-Kreis. Böhner 1955/56, 373f. – Janssen 1983, 390f.
34) Gross 1991, 156f.
35) Schwind 1984, 112.
36) Corpus I, 421, Zeile 23-29.
37) Die Textstelle behandelt die Stellung des Probstes innerhalb des Klosters.
38) Vgl. Goetz 2006, 111. – Goetz 2001, 65-74. – Rösener 1989a, 1739. – Rösener 1989b. – Rösener 1991, 14-29. – Rösener 1997, 1694f. – Hellmann 1989, 1806. – Kuchenbuch 1991, 20-44. – Schulze 2004, 95. 123-126. – Schwind 1984, 116f. – Kulischer 1971, 44. 52.
39) Vgl. Kulischer 1971, 55.
40) Goetz 2001, 72. – In ähnlicher Weise äußert sich Kuchenbuch 1991, 33.
41) Goetz 2001, 73f. – Kulischer 1971, 43-47.
42) Rechtliche Regelungen zur Allmendenutzung lassen sich in den Alpenländern bis ins 10. Jahrhundert zurückverfolgen: Carlen 1980, 439f. Das Modell eines spätmittelalterlichen Haufendorfes mit Gewannflur inklusive Allmende mit Weide- und Waldflächen findet sich bei Rösener 1985, 56 Abb. 3.
43) Vgl. Sonnemann 2010, 305.
44) Auf der Karte **Abb. 12** sind nur diejenigen Fundorte grau hervorgehoben, an denen sowohl geistlicher Grundbesitz bekannt ist als auch Scherben beprobt wurden. Für eine Gesamtübersicht der beprobten Fundorte vgl. **Abb. 1**.

Literatur

Achler 1989: F. Achler, Zimmersrode – früher (Neuental 1989).

Böhner 1955/56: K. Böhner, Frühmittelalterliche Töpfereien in Walberberg und Pingsdorf. Bonner Jahrb. 155/156, 1955/56, 372-387.

Boenke/Lindenthal/Schade-Lindig 2008: N. Boenke / J. Lindenthal / S. Schade-Lindig, Leben nach der Römerzeit – Siedlungsspuren des 3. bis 7. Jahrhunderts n. Chr. auf der »Heinrichswiese« bei Echzell, Wetterauskreis. Hessen-Arch. 2008, 96-100.

Carlen 1980: Lexikon Mittelalter I (München, Zürich 1980) 439-440 s.v. Allmende (L. Carlen).

Gockel 1974: M. Gockel, Fritzlar und das Reich. In: Stadt Fritzlar (Hrsg.), Fritzlar im Mittelalter (Fritzlar 1974) 89-120.

Giertz 2000: W. Giertz, Reliefbandamphoren aus St. Quirin im Kontext karolingischer Keramik. In: M. Tauch (Hrsg.), Quirinus von Neuss: Beiträge zur Heiligen-, Stifts- und Münstergeschichte (Köln 2000) 222-271.

Goetz 2001: H.-W. Goetz, Frühmittelalterliche Grundherrschaften und ihre Erforschung im europäischen Vergleich. In: M. Borgolte (Hrsg.), Das europäische Mittelalter im Spannungsbogen des Vergleichs. Zwanzig internationale Beiträge zu Praxis, Problemen und Perspektiven der historischen Komparatistik. Europa im Mittelalter 1 (Berlin 2001) 65-87.

Goetz 2006: H.-W. Goetz, Die »private« Grundherrschaft des frühen Mittelalters im Spiegel der St. Galler Traditionsurkunden. In: B. Kasten (Hrsg.), Tätigkeitsfelder und Erfahrungshorizonte des ländlichen Menschen in der frühmittelalterlichen Grundherrschaft (bis ca. 1000). Festschr. D. Hägermann. Vierteljahresschr. Sozial- u. Wirtschaftsgesch. Beih. 184 (München 2006) 111-137.

Gross 1991: U. Gross, Mittelalterliche Keramik zwischen Neckarmündung und Schwäbischer Alb. Forsch. Ber. Arch. Mittelalter Baden-Württemberg 12 (Stuttgart 1991).

Hallinger 1963: K. Hallinger, Corpus Consuetudinum Monasticarum I: Initia Consuetudines Benedictinae (Siegburg 1963).

Hanauska 2001: P. Hanauska, Neue Forschungen zum Töpferofen von Neuental-Zimmersrode, Schwalm-Eder-Kreis. Ber. Komm. Arch. Landesforsch. Hessen 6, 2000/2001 (2001) 167-179.

2010: P. Hanauska, Auf der Suche nach dem Absatzmarkt – Analysen zur frühmittelalterlichen Keramikproduktion in Nordhessen. In: B. Ramminger / O. Stilborg (Hrsg.), Naturwissenschaftliche Analysen vor- und frühgeschichtlicher Keramik I: Methoden, Anwendungsbereiche, Auswertungsmöglichkeiten. Universitätsforsch. Prähist. Arch. 176 (Bonn 2010) 87-99.

in Vorb.: P. Hanauska, Produktions- und Verteilungsstrukturen frühmittelalterlicher Keramik in Nordhessen. Studien zur Archäologie Europas (in Druckvorbereitung).

Hanauska/Sonnemann 2011: P. Hanauska / Th. Sonnemann, Die Töpfereiwüstung Dippenhausen bei Marienthal, Gde. Geisenheim, Rheingau-Taunus-Kreis – Eine Raubgrabung als Initiator für neue Forschungen zur hoch- bis spätmittelalterlichen Keramikproduktion im Rheingau. Fundber. Hessen 48/49, 2008/2009 (2011) 133-206.

Heege 2007: A. Heege (Hrsg.), Töpferöfen – Pottery kilns – Fours de potiers. Die Erforschung frühmittelalterlicher bis neuzeitlicher Töpferöfen (6.-20. Jh.) in Belgien, den Niederlanden, Deutschland, Österreich und der Schweiz. Basler H. Arch. 4 (Basel 2007).

Hellmann 1989: Lexikon Mittelalter IV (München, Zürich 1989) 1806 s. v. Gutsherrschaft (M. Hellmann).

Ide 1972: W. Ide, Von Adorf bis Zwesten. Ortsgeschichtliches Taschenbuch für den Kreis Fritzlar-Homberg (Melsungen 1972).

Janssen 1983: W. Janssen, Gewerbliche Produktion als Wirtschaftsfaktor im ländlichen Raum. In: H. Jankuhn / W. Janssen / R. Schmidt-Wiegand / H. Tiefenbach (Hrsg.), Das Handwerk in vor- und frühgeschichtlicher Zeit II. Ber. Koll. Komm. Altertumskunde Mittel- und Nordeuropa 1977-1980. Abhandl. Akad. Wiss. Göttingen, Phil.-Hist. Kl. 3, 123 (Göttingen 1983) 317-394.

1987: W. Janssen, Der technische Wandel der Töpferöfen von der Karolingerzeit zum Hochmittelalter, dargestellt anhand rheinischer Beispiele. In: J. Chapelot / H. Galinié / J. Pilet-Lemière, La céramique (V^e^-XIXe s.). Fabrication – Commercialisation – Utilisation (Caen 1987) 107-119.

Keller 1998a: Ch. Keller, Karolingerzeitliche Töpferöfen in Bornheim-Walberberg, Rhein-Sieg-Kreis. Bonner Jahrb. 198, 1998, 285-348.

1998b: Ch. Keller, Frühmittelalterliche Töpferöfen im Rheinland. Arch. Korrbl. 28, 1998, 621-628.

Kuchenbuch 1991: L. Kuchenbuch, Grundherrschaft im frühen Mittelalter. Hist. Seminar N.F. 1 (Idstein 1991).

Kulischer 1971: J. Kulischer, Allgemeine Wirtschaftsgeschichte des Mittelalters und der Neuzeit 1: Das Mittelalter (München, Wien ^{4}1971).

Mathias 1987/88: M. Mathias, Ein karolingischer Töpferofen aus Neuental-Zimmersrode, Schwalm-Eder-Kreis. Fundber. Hessen 27/28, 1987/88, 137-158.

1988: M. Mathias, Studien zur mittelalterlichen Keramik in Niederhessen (Marburg 1988).

Nahrgang 1957: K. Nahrgang, Ein Töpferofen mit Pingsdorfer Keramik in Seligenstadt. Stud. u. Forsch. 3, 1957, 73-77.

Pirling 1960: R. Pirling, Ein fränkischer Töpferofen aus Krefeld-Gellep. Germania 38, 1960, 149-154.

Rösener 1985: W. Rösener, Bauern im Mittelalter (München 1985).

1989a: Lexikon Mittelalter IV (München, Zürich 1989) 1739 s. v. Grundherrschaft (W. Rösener).

1989b: W. Rösener, Strukturformen der adeligen Grundherrschaft in der Karolingerzeit. In: W. Rösener (Hrsg.), Strukturen der Grundherrschaft im frühen Mittelalter. Veröff. Max-Planck-Inst. Gesch. 92 (Göttingen 1989) 126-180.

1991: W. Rösener, Grundherrschaft im Wandel. Untersuchungen zur Entwicklung geistlicher Grundherrschaften im südwestdeutschen Raum vom 9. bis 14. Jahrhundert. Veröff. Max-Planck-Inst. Gesch. 102 (Göttingen 1991).

Rösener 1997: Lexikon Mittelalter VIII (München, Zürich 1997) 1694 s. v. Villikation (W. Rösener).

Sanke 2001: M. Sanke, Gelbe Irdenware. In: H. Lüdtke / K. Schietzel (Hrsg.), Handbuch zur mittelalterlichen Keramik in Nordeuropa 1. Text. Schr. Arch. Landesmus. 6 (Neumünster 2001) 271-428.

Schulze 2004: H. K. Schulze, Grundstrukturen der Verfassung im Mittelalter I: Stammesverband, Gefolgschaft, Lehnswesen, Grundherrschaft (Stuttgart 2004).

Schwind 1984: F. Schwind, Zu karolingerzeitlichen Klöstern als Wirtschaftsorganismen und Stätten handwerklicher Tätigkeit. In: L. Fenske / W. Rösener / Th. Zotz (Hrsg.), Institutionen, Kultur und Gesellschaft im Mittelalter. Festschr. J. Fleckenstein (Sigmaringen 1984) 101-123.

Stephan 1982a: H.-G. Stephan, Die mittelalterlichen Töpfereien im Reinhardswald. In: U. Leinweber, Töpferei des Reinhardswaldes vom 12. bis zum 20. Jahrhundert (Kassel 1982) 57-117.

1982b: H.-G. Stephan, Mittelalterliche Keramik in Niederhessen. Führer vor- u. frühgesch. Denkmäler 50 (Mainz 1982) 209-229.

2000: H.-G. Stephan, Mittelalterliche Töpferei in Niederhessen. Fundber. Hessen 32/33, 1992/1993 (2000) 207-279.

Stilke 2001: H. Stilke, Grauware des 8.-11. Jahrhunderts. In: H. Lüdtke / K. Schietzel (Hrsg.), Handbuch zur mittelalterlichen Keramik in Nordeuropa 1. Text. Schr. Arch. Landesmus. 6 (Neumünster 2001) 23-82.

Sonnemann 2010: Th. Sonnemann, Die Büraburg und das Fritzlar-Waberner Becken im frühen Mittelalter. Siedlungsarchäologische Untersuchungen zur Zentralort-Umfeld-Problematik. Stud. Arch. Europas 12 (Bonn 2010).

Vonderau 1934: J. Vonderau, Die Ausgrabungen am Büraberg bei Fritzlar. Veröff. Fuldaer Geschichtsverein 22 (Fulda 1934).

Wand 1974: N. Wand, Die Büraburg bei Fritzlar. Burg – »Oppidum« – Bischofssitz in karolingischer Zeit (Marburg 1974).

Zusammenfassung / Abstract

Kleinunternehmer oder Massenproduzenten? Töpfereibetriebe im Nordhessen der Karolingerzeit
1981 wurde im nordhessischen Neuental-Zimmersrode, Schwalm-Eder-Kreis, ein Töpferofen mit Keramik des 9. Jahrhunderts entdeckt. Die dort geborgenen Scherben wurden archäologisch sowie mineralogisch und geochemisch (primär Röntgenfluoreszenzanalysen) untersucht. Im Ergebnis konnten drei »Rezepte« für die Zimmersroder Produkte ermittelt werden. Vergleiche mit Keramikanalysen anderer Fundorte ergaben, dass Töpfereierzeugnisse in Nordhessen zu dieser Zeit auf lokaler Ebene hergestellt und im näheren Umkreis verhandelt wurden. Hinweise auf Import sind rar; ebenso konnte keine Verbindung zwischen grundherrschaftlichem Besitz und den Töpfereibetrieben nachgewiesen werden.

Small-scale or mass-producers? Potteries in northern Hesse in the Carolingian period
In 1981 a pottery-kiln with pottery of the 9th century was discovered in Neuental-Zimmersrode, Schwalm-Eder-Kreis in northern Hesse. The sherds uncovered there were analysed archaeologically, as well as mineralogically and geochemically (especially X-ray fluorescence). The results allowed the definition of three ›recipes‹ for the products of Zimmersrode. Comparisons with pottery analyses from other sites revealed that the pottery products of northern Hesse in this period were produced at a local level and traded in the area close by. Indications of imports are rare. Nor could a connection between manorial landownership and the potteries be proven. Translation: C. Bridger

THORSTEN SONNEMANN

FRÜHMITTELALTERLICHE RELIEFBANDGEFÄSSE AUS DEM FRITZLAR-WABERNER BECKEN

ZWISCHEN IMITATION UND INTERPRETATION

Als Ergänzung zu der im Artikel von Petra Hanauska präsentierten Reliefbandkanne aus Fritzlar-Geismar sollen an dieser Stelle die weiteren, eigentümlich anmutenden Fragmente reliefbandtragender Keramikgefäße aus dem Fritzlar-Waberner Becken [1] (= FWB) vorgestellt werden. Dabei handelt es sich um die übersichtliche Anzahl von 21 Exemplaren (**Abb. 1**), die im Rahmen einer siedlungsarchäologisch ausgerichteten Untersuchung zum frühen Mittelalter vom Verf. zusammentragen wurden (**Abb. 2**)[2]. Diese mit verzierten Leisten versehenen Stücke gehören zu einem weit verbreiteten, speziellen Gefäßtyp, der vom 8. bis 10. Jahrhundert das Keramikspektrum bereicherte. Sie werden gemeinhin als Reliefbandamphoren angesprochen, wobei unter diesem Begriff aber ebenso Töpfe mit Reliefband [3] subsumiert sind. Ihnen gemeinsam ist – neben den obligatorischen aufgelegten Reliefbändern – eine beträchtliche Größe, die sie vom restlichen Material abhebt. Sie dürften somit alle dieselbe Funktion als Transport- oder Vorratsgefäß erfüllt haben. Die wichtigste Referenzgruppe für Reliefbandamphoren, vor allem die typochronologische Einordnung betreffend, stellen die Produkte aus den Töpfereien des Rheinischen Vorgebirges dar[4]. Die Entwicklung geht dort von aufgelegten zu verstrichenen Bändern sowie von Zierleisten ohne Dekor über Fingereindrücke und Einstiche aus Einzelstempeln (mit Rosetten-Motiv) hin zu Rechteckrollstempelverzierungen. Auch das aus den Leisten gebildete Gesamtmotiv änderte sich im Laufe der Zeit zu immer komplexer werdenden Mustern [5].

Unter den aufgenommenen Funden aus dem FWB [6] lässt sich über das aus diesen Zierleisten gebildete Muster bis auf zwei Ausnahmen erhaltungsbedingt keine Aussage treffen. Diese beiden weisen allerdings eine nordhessische Besonderheit auf, da es sich hierbei um große Töpfe mit einem extrem breiten (56 bzw. 29 mm), horizontal direkt unterhalb des Randes verlaufenden Reliefband handelt[7]. Eine weitere nordhessische Spielart dieser Gefäßgruppe, ebenfalls durch zwei Exemplare vertreten, ist die Tüllenkanne mit wellenförmig über den Gefäßkörper geführtem Reliefband [8].

Beachtenswert ist die von Scherbe zu Scherbe unterschiedliche Ausführung des Bandes – breit oder schmal, aufgelegt oder verstrichen –, durch die sich schon bei diesen wenigen Stücken eine große Variationsbreite ergibt (vgl. **Abb. 1**). Umgekehrt könnte man aber gerade diese uneinheitliche Ausführung als Charakteristikum der Reliefbandgefäße aus dem FWB ansehen. Diese Beobachtung lässt sich ebenso auf die Verzierungsweise der Leisten übertragen. Bei dem Versuch einer Typologisierung, können sieben verschiedene Ziermotive untergliedert werden [9]. Aller Uneinheitlichkeit zum Trotz wurden aber bei 18 der 21 Scherben die Motive durch Aneinanderreihungen von Einstichen durch wohl gabelartige Einzelstempel mit jeweils drei bis sechs im Querschnitt rechteckigen Zinken erzeugt. Ihrem Gesamteindruck nach scheinen sie Rechteckrollstempelmuster zu imitieren[10]. Diese Ausschmückungen wären somit als nordhessische Entsprechung der rheinischen Verzierungsweise zu interpretieren, welche aller Wahrscheinlichkeit nach als Vorbild oder Inspiration diente. Träfe diese Theorie zu, bliebe jedoch die Frage zu klären, warum nicht gleich ein Rollstempel benutzt wurde. Mit diesem wäre die Anbringung der Verzierung wohl schneller gegangen und man hätte (nach Meinung des Verfassers) ein qualitätvolleres Ergebnis erreicht. Vielleicht verbirgt sich hinter diesem Phänomen der Umstand, dass im FWB im Frühmittelalter zwar – importierte(?) – rollstempelverzierte Keramik bekannt war [11], nicht jedoch das Wissen um deren genaue Herstellungstechnik. Andererseits wäre

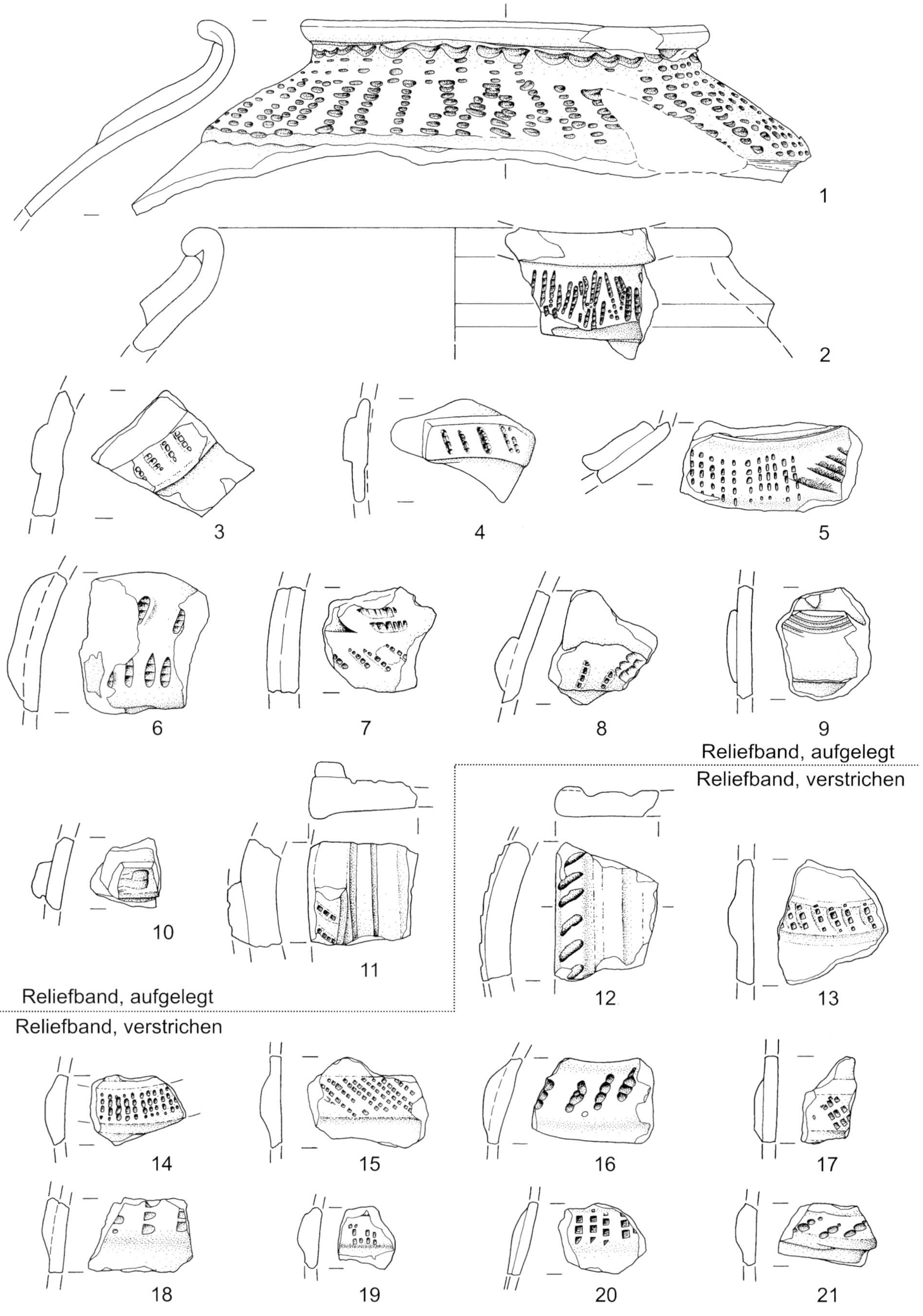

Abb. 1 Überreste von frühmittelalterlichen Reliefbandgefäßen aus dem Fritzlar-Waberner Becken. Zur waren- und formenkundlichen Beschreibung der einzelnen Stücke vgl. Sonnemann 2010, 283-286 u. Datenmatrix. – M. 1:2.

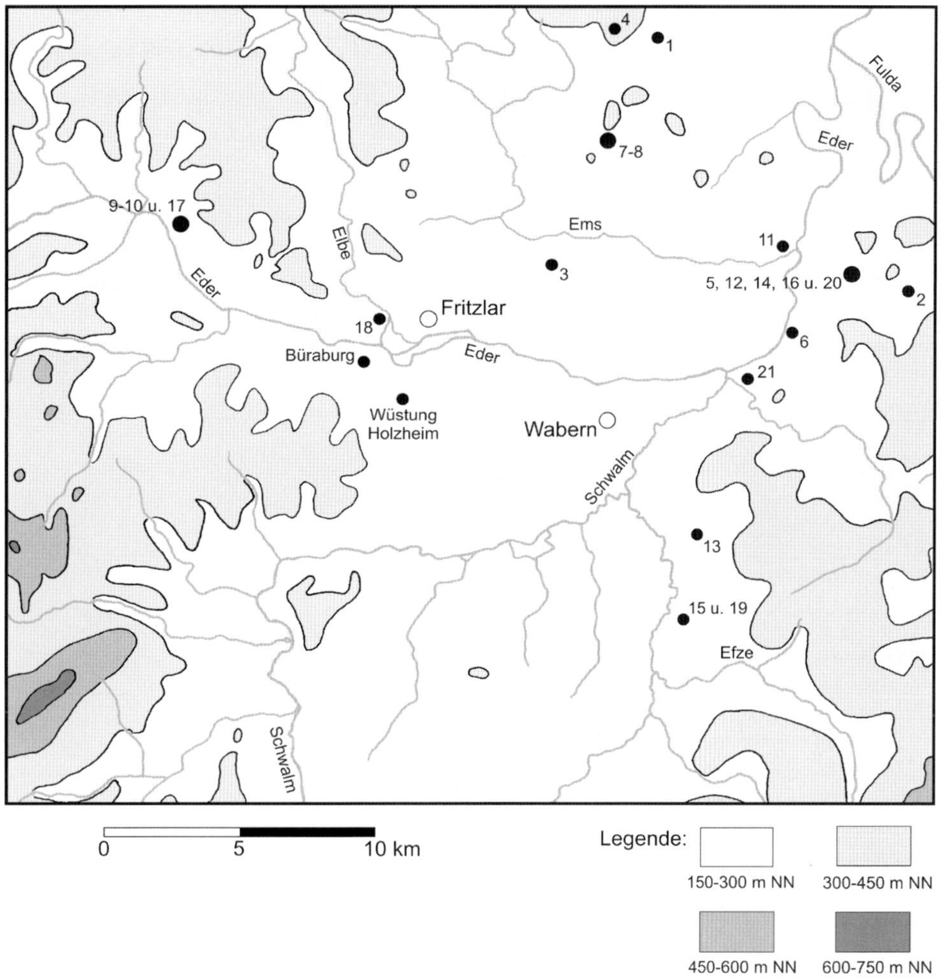

Abb. 2 Kartierung der frühmittelalterlichen Reliefbandgefäße im Fritzlar-Waberner Becken (die Nummerierung entspricht derjenigen auf Abb. 1): **1** Besse, Gde. Edermünde, Schwalm-Eder-Kreis, »Nö der Straße Besse – Metze, sö der Wolsper«. – **2** Felsberg-Melgershausen, Schwalm-Eder-Kreis, Fst. 2/Flur »Auf der Hofestatt«. – **3** Fritzlar-Werkel, Schwalm-Eder-Kreis, Fst. 3/Flur »Am Weißen Stein«. – **4** Besse, Gde. Edermünde, Schwalm-Eder-Kreis, »Rod am Fuß des Bilsteins«/Flur »Das Rod«. – **5. 12. 14. 16. 20** Felsberg-Gensungen, Schwalm-Eder-Kreis, Fst. 9/»Kartause«. – **6** Felsberg-Gensungen, Schwalm-Eder-Kreis, Fst. 1/Flur »St. Albans Gärten«. – **7-8** Gudensberg, Schwalm-Eder-Kreis, Flur »Buchenborn«/Fst. 1–5. – **9-10. 17** Bergheim, Gde. Edertal, Kr. Waldeck-Frankenberg, Fst. 15/Wüstung Nilach. – **11** Felsberg-Böddiger, Schwalm-Eder-Kreis, Fst. 1/Flur »Weinberg«. – **13** Wabern-Falkenberg, Schwalm-Eder-Kreis, Fst. 4. – **15. 19** Homberg (Efze)-Mühlhausen, Schwalm-Eder-Kreis, Fst. 1/Wüstung Westheim. – **18** Fritzlar-Geismar, Schwalm-Eder-Kreis, Wüstung direkt südwestlich des Ortes. – **21** Felsberg-Rhünda, Schwalm-Eder-Kreis, Fst. 7/Flur »Auf der Thalwiese«.

auch denkbar, dass zwar nach einer gewissen Mustervorlage produziert wurde, dabei aber sowohl in der Ausformung und Anbringung der Leisten als auch bei deren Verzierung ein indigenes, nordhessisches Stil- und Geschmacksempfinden hereingespielt und so der Gruppe der Reliefbandgefäße hier buchstäblich den eigenen Stempel aufgedrückt hat.

Da eine genauere chronologische Zuordnung zum gegenwärtigen Zeitpunkt nicht möglich ist, wurde der im Rheinischen Vorgebirge für die Reliefbandgefäße angesetzte Datierungsspielraum vom 8. bis 10. Jahrhundert [12] auf die meisten der im FWB unter dem Lesefundmaterial zutage gekommenen Exemplare übertragen. Für vier Exemplare (**Abb. 1, 10. 15. 19-20**) [13], von denen drei eine verstrichene Leisten tragen, kann jedoch wegen der bereits ins Hochmittelalter tendierenden Warenart ein späterer Ansatz plausibel gemacht werden.

Für das FWB lässt sich feststellen, dass von den 21 Reliefbändern elf aufgelegt und zehn verstrichen wurden – beide Anbringungsarten halten sich also in etwa die Waage. Allerdings fällt diese Untergliederung in manchen Fällen schwer, was wohl darauf zurückzuführen ist, dass ein zunächst nur aufgelegtes Band dann nachträglich noch leicht verstrichen wurde, wenn sich keine sichere Haftung auf der Gefäßoberfläche einstellen wollte.

Bezüglich der Brenntechnik kommen zu etwa gleichen Anteilen sowohl oxidierend als auch wechselnd gebrannte Gefäße vor. Insbesondere durch die verhältnismäßig grob ausfallende, der Masse der sonstigen frühmittelalterlichen Scherben im Fritzlar-Waberner Becken entsprechende Magerung (hauptsächlich 0,63-2,0 mm) ergibt sich neben den bereits angeführten spezifischen Gefäßformen und der Verzierungsweise ein weiterer markanter Unterschied zum Material aus dem Rheinischen Vorgebirge. Dort treten die Reliefbandgefäße vor allem in der als sehr fein gemagert definierten Badorfer Ware auf [14].

Anmerkungen

1) Zur Lage siehe Beitrag Hanauska, Abb. 1.
2) Vgl. Sonnemann 2010, 283-286.
3) »Neben diesen großen Vorratsgefäßen kommen auch Hybride aus stark vergrößerten Topfformen mit aufgelegten Reliefbändern vor, die meist ebenfalls zu den Reliefbandamphoren gezählt werden, auch wenn sie oft ohne Henkel vorliegen.« Siehe bei Sanke 2003, 414.
4) Giertz 2000. – Keller 2004. – Sanke 2003.
5) »[...] und entwickeln sich von Dreierbündeln hin zu netzartig das Gefäßoberteil bedeckenden, vielfältig zonal gegliederten Dekors.« Siehe bei Sanke 2001, 280.
6) Zu den 21 hier zusammen gestellten Lesefunden gesellen sich aus dem FWB zumindest zwei weitere Exemplare aus der Wüstung Holzheim bei Fritzlar; vgl. Mathias 1988, 142 Kat. S. 92 Taf. 31.28 (dreizinkiger Einzelstempel auf wellenförmig über das Gefäß [Tüllenkanne] geführter Leiste). Von N. Wand werden als zu den Reliefbandamphoren gehörig zwei sehr kleinteilige Scherben von der Büraburg abgebildet. Ein Exemplar mit den auch von den Lesefunden bekannten 4-6-zinkigen Einzelstempelreihen auf der Leiste und ein wellenbandverziertes Stück mit einem wahrscheinlich ebenso wellenbandverzierten Reliefband; vgl. Wand 1974, 135.
7) Für diese beiden Exemplare lassen sich aus dem Rheinland keine Vergleichsfunde anführen. Aus dem FWB stammt zudem eine weitere Scherbe mit besonders breiter Leiste, die gleich zwei Reihen aus Einzelstempeleindrücken trägt (**Abb. 1, 6**: Breite 46 mm).
8) Siehe Beitrag Hanauska, Abb. 10.
9) Siehe Anm. 2.
10) Bei diagonaler Anbringung auf der Leiste kann auf diese Weise ebenso der Eindruck eines Rautenrollstempels hervorgerufen werden.
11) Importierte Keramik unterschiedlicher Provenienz ist nur in sehr geringer Stückzahl – wenn überhaupt – unter den Funden aus dem FWB nachweisbar; vgl. Sonnemann 2010, 263-266. 290-292.
12) Giertz 2000. – Heege 1995, 82.
13) Vgl. Sonnemann 2010, 285 Tab. 82.
14) Vgl. Hinz 1995, 690. – Sanke 2003, 414.

Literatur

Giertz 2000: W. Giertz, Reliefbandamphoren aus St. Quirin im Kontext karolingischer Keramik. In: M. Tauch (Hrsg.), Quirinus von Neuss: Beiträge zur Heiligen-, Stifts- und Münstergeschichte (Köln 2000) 222-271.

Heege 1995: A. Heege, Die Keramik des frühen und hohen Mittelalters aus dem Rheinland: Stand der Forschung – Typologie, Chronologie, Warenarten. Arch. Ber. 5 (Bonn 1995).

Hinz 1995: LexMA VII (1995) 690 s. v. Reliefbandamphoren (H. Hinz).

Keller 2004: Ch. Keller, Badorf, Walberberg und Hunneschanz – zur zeitlichen Gliederung karolingerzeitlicher Keramik vom Köln-Bonner Vorgebirge. Arch. Korrbl. 34, 2004, 125-137.

Mathias 1988: M. Mathias, Studien zur Mittelalterlichen Keramik in Niederhessen [Diss. Univ. Marburg a. d. Lahn 1988].

Sanke 2001: M. Sanke, Gelbe Irdenware. In: H. Lüdtke / K. Schietzel (Hrsg.), Handbuch zur mittelalterlichen Keramik in Nordeuropa. Schr. Arch. Landesmus. 6 (Neumünster 2001) 271-428.

2003: RGA^2 24 (2003) 414-418 s. v. Reliefbandamphoren (M. Sanke).

Sonnemann 2010: Th. Sonnemann, Die Büraburg und das Fritzlar-Waberner Becken im frühen Mittelalter. Siedlungsarchäologische Untersuchungen zur Zentralort-Umfeld-Problematik. Stud. Arch. Europa 12. Mittelalterarch. Hessen 1 (Bonn 2010).

Wand 1974: N. Wand, Die Büraburg bei Fritzlar. Burg – »oppidum« – Bischofssitz in karolingischer Zeit. Kasseler Beitr. Vor- u. Frühgesch. 4 (Marburg 1974).

Zusammenfassung / Abstract

Frühmittelalterliche Reliefbandgefäße aus dem Fritzlar-Waberner Becken. Zwischen Imitation und Interpretation

Überreste der im Frühmittelalter weit verbreiteten Reliefbandamphoren finden sich auch im nordhessischen Fritzlar-Waberner Becken. Dort zeigen ihre Vertreter allerdings verschiedene Eigenheiten, durch die sie sich von den aus dem Rheinland bekannten Gefäßen markant abheben.

Early medieval relief-band pottery from the Fritzlar-Wabern basin. Inbetween imitation and interpretation

Remains of the widespread early medieval relief-band amphora are also found in the northern Hesse Fritzlar-Wabern basin. Here the representatives show some peculiarities separating them sharply from the known vessels from the Rhineland area.

RONALD KNÖCHLEIN

MAINZ UND RHEINHESSEN – VERSUCH EINER ÜBERSICHT

Das Arbeitsgebiet umfasst Rheinhessen im administrativen Sinne: Diese Region deckt sich nicht völlig, aber doch weitgehend mit Rheinhessen gemäß naturräumlich-geographischer Definition (Rheinhessisches Tafel- und Hügelland). Im Norden entspricht es dem zwischen Nahe und Rhein gelegenen Großteil des Landkreises Mainz-Bingen, von dem nur der Streifen von der Nahemündung rheinabwärts bis Bacharach unberücksichtigt bleibt (**Abb. 1**). Vom Landkreis Bad Kreuznach wurden im Südwesten nur östlich der Nahe gelegene Teile ausgewertet. Den Süden und Südosten bildet der vollständige Landkreis Alzey-Worms bis an die Pfälzer Grenze. Die naturräumliche Begrenzung der Lössbödenlandschaft des Rheinhessischen Tafel- und Hügellandes bilden im Osten und Norden der Rhein, westlich der Nahe die Ausläufer des Hunsrücks, im Südwesten die Ausläufer des Nordpfälzer Berglandes[1] und im Süden die nördliche Randzone des Pfälzerwaldes. Ganz im Südosten verengt sich die rheinhessische Lössbödenlandschaft fließend zur pfälzisch-elsässischen Oberrheinebene. Die naturräumlichen Eigenheiten (Relief, Böden, Klima, natürliche Waldarmut) waren der Herausbildung einer klassischen Altsiedellandschaft förderlich. Allein schon die hohe Anzahl und entsprechende Dichte bis heute kontinuierlich fortbestehender Siedlungsgründungen der Merowingerzeit belegt dies nachdrücklich.

Leider steht die archäologische Quellenlage für den Zeitraum des 9.-12. Jahrhunderts vor allem in den rein ländlichen Siedlungen quantitativ noch weit hinter dem historischen Befund zurück und damit in keinem Verhältnis zu den vorgeschichtlichen und römischen Materialmengen wie auch zu den Grabbeigaben der merowingischen Zeit. Mit letzterer zeitgleiches Siedlungsmaterial aus einem alten, bis heute fortbestehenden Siedlungskern oder von einer der zahlreichen Wüstungen ist mangels archäologischer Erschließung nach wie vor von größtem Seltenheitswert. Genauso schlecht ist es um das Material der Karolingerzeit und des Hochmittelalters bestellt[2]. Aus Rheinhessen liegt von rein ländlichen Siedlungen insgesamt an früh und hochmittelalterlicher Keramik nur ein minimaler Bruchteil dessen vor, was beispielsweise allein schon bei der Grabung Speyer-Im Vogelgesang zum Vorschein gekommen ist[3]. Von nur 21 Fundpunkten im ländlichen Rheinhessen ist mittelalterliche Keramik in geringen Quantitäten überhaupt bekannt[4]. Deshalb wird ausnahmsweise noch ein ca. 10 km von der Mainzer Altstadt entfernt im rechtsrheinischen Gebiet dicht am Fluss gelegener Fundort miteinbezogen: (Trebur-)Astheim/Lkr. Groß-Gerau (Hessen). Dort kam durch langjährige Fundauflesungen ein beachtlicher Keramikkomplex rein ländlichen Charakters zusammen, wie ihn Rheinhessen noch nicht annähernd zu bieten hat[5]. Von den im Arbeitsgebiet gelegenen Städten und Kleinstädten aus römischer Zeit hat bislang nur Mainz Keramik des 9.-12. Jahrhunderts in nennenswerten Mengen zu bieten. Ein wichtiger Grabungskomplex von dort muss hier unberücksichtigt bleiben: Die Grabung der 1960er Jahre im Brandgebiet wird seitens des Mainzer Landesmuseums ausgewertet und zur Publikation vorbereitet[6]. Ein weiterer bedeutender Komplex des Arbeitsgebietes kann hier ebenfalls nicht eingehender berücksichtigt werden: Der Fundstoff aus den Pfalzgrabungen in Ingelheim ist Gegenstand einer von anderer Seite in der Vorbereitung begriffenen Publikation[7]. Angesichts der besonderen Stellung dieses Platzes kann aber ohnehin nicht von vornherein angenommen werden, dass die Zusammensetzung der Ingelheimer Pfalzkeramik regional repräsentativ ist. Ihre Stellung wird sich erst vor dem Hintergrund einer dereinst verbesserten Quellenlage des umgebenden ländlichen Siedlungsraumes abschätzen lassen. Ein wichtiger regionaler Eckpunkt im äußersten Südosten des Arbeitsgebietes ist Worms. Auch hier erschließt sich für den Bearbeitungszeitraum des 9.-12. Jahrhunderts noch kein quantitativ nennenswerter Fundus[8].

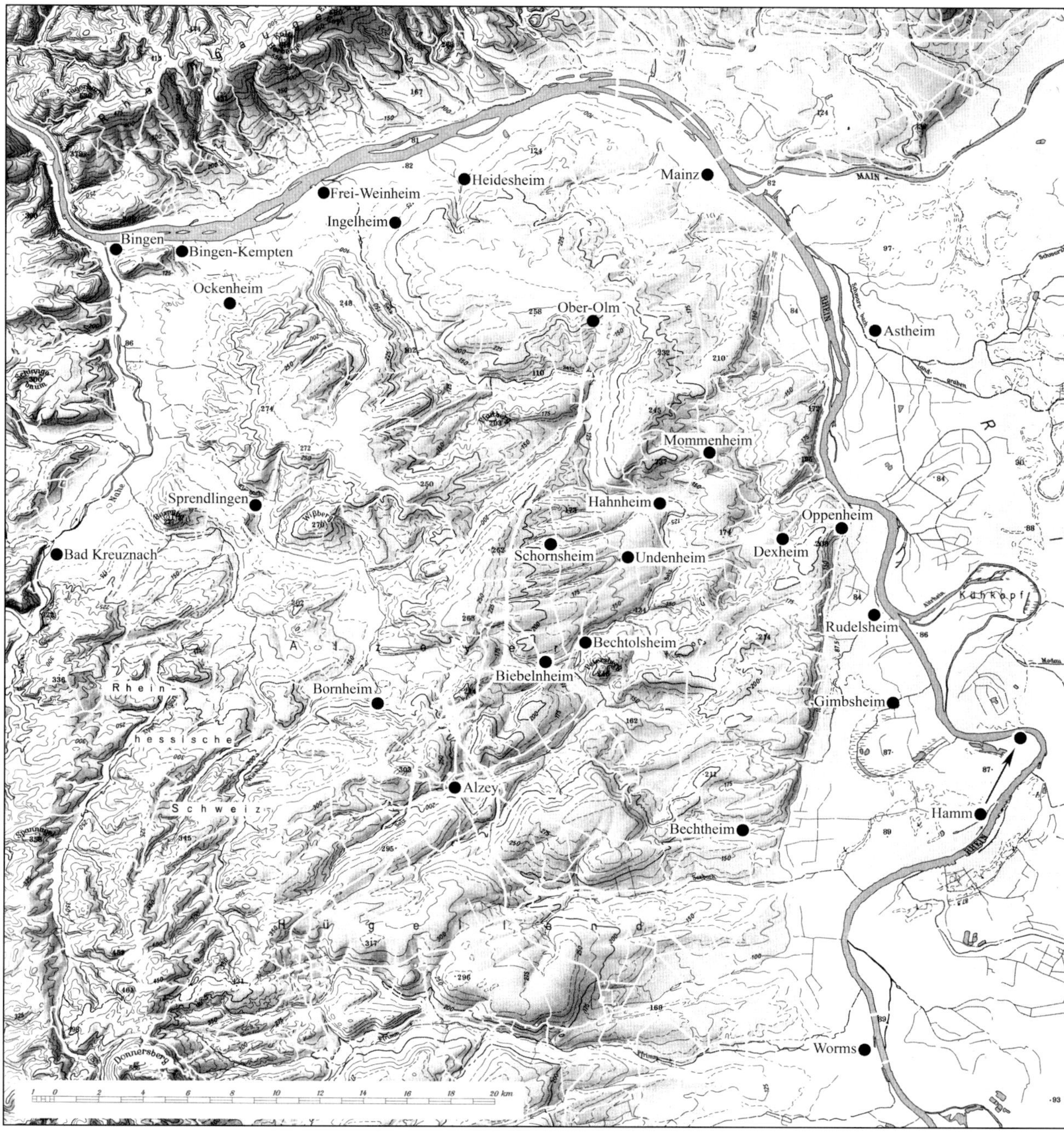

Abb. 1 Arbeitsgebiet Rheinhessen mit den in Text und Anmerkungen erwähnten Fundorten. – (Grundlage TK 1:200 000 Frankfurt-West, orohydrographische Ausgabe, 1980, bearb. durch GDKE Mainz).

Die aus römischen Kleinstädten bzw. spätrömischen Kastellplätzen erwachsenen heutigen Mittelzentren Alzey, Bad Kreuznach und Bingen können derzeit noch außer Acht bleiben[9].

DAS 9. JAHRHUNDERT

In chronologischer Folge sei zunächst das 9. Jahrhundert abgehandelt – oder terminologisch treffender hinsichtlich der unzulänglichen Differenzierbarkeit des Materials allgemein die Karolingerzeit im Sinne eines spätmerowingisch-karolingischen Kontinuums im 8. und 9. Jahrhundert. Als Einstieg mag hier ein Mainzer Fundkomplex dienen, der in seiner Zusammensetzung die regional gängigen Keramikgruppen im Sinne einer zeitlich geschlossenen Momentaufnahme hervortreten lässt. Er stammt aus dem Mainzer Altstadtbereich, und dort genauer aus der Plangrabung des Mainzer Amtes an der Lotharpassage (seitdem: Römerpassage). Das Material war wesentlicher Bestandteil eines kurzfristigen Verfüllungsvorganges eines aus römischer Zeit ererbten, kontinuierlich genutzten Brunnenschachtes. Es handelt sich um mindestens 89 Gefäßindividuen[10]. Davon entfallen zunächst sieben Stück auf die Badorfgruppe (**Abb. 2a-b**). Gemäß Tonqualität, Farbgebung, Dekor, Gefäßtypen (Schalen, Schüsseln, Wölbwandtöpfe, Reliefbandamphoren) und einzelnen Formmerkmalen (Randbildungen, Bodenformen) steht eine Ansprache als echtes rheinisches Badorf außer Frage[11]. Ebenfalls mit sieben Individuen vertreten ist in diesem Fundkomplex die hartgebrannte, frühmittelalterliche Mayener Ware ME gemäß der Einteilung von Mark Redknap[12]. Es handelt sich ausschließlich um die typischen dünnwandigen Linsenbodentöpfe F18 (**Abb. 2c**), wie sie auch in der Mayener Produktion beherrschend hervortreten. Nach konventionellen antiquarischen Kriterien jedenfalls ist die in Mainz auch sonst reichlich vertretene frühmittelalterliche Ware ME wenigstens vorerst als original Mayener Erzeugnis anzusprechen. Zwei unvollständig überlieferte Gefäße sind am ehesten mit dem Gesamtkomplex der Älteren gelben Drehscheibenware – und dort speziell mit der Gruppe 5c nach Heidrun Schenk[13] – zu verbinden. In einem Fall ist noch ein Ausgussgefäß mit Tülle, einem oder zwei Bandhenkeln, umlaufender, kantiger Schulterleiste und flachem Standboden zu rekonstruieren. Von einem weiteren Exemplar hat sich nur die Schulterpartie mit der markanten Leiste überliefert. Späte rauwandige Keramik ist nur mit einem Bruchstück vertreten. Es handelt sich hier eher um eine östlich des Rheins, am Untermain beheimatete Keramik als um einen westlichen Import. Die Tonbeschaffenheit, das extrem unterschnittene Randprofil und die flach verlaufende Schulter erinnern doch sehr an die jüngere Kinzigtalware im Sinne der Süß'schen Publikation zu Bad Nauheim[14].

Das Besondere am Mainzer Fundkomplex ist eine in der beachtlichen Anzahl von 72 Gefäßindividuen vertretene, sehr hart und reduzierend gebrannte Keramik mit feingemagerter Tonsubstanz und politurartig geglätteter Außenoberfläche (**Abb. 2d-f**). Die Farbgebung dieser Ware ist entsprechend durch vielfältige Schwarz- und Grautöne gekennzeichnet. Die Gefäße zeigen typischerweise deutliche Glättstreifen (**Abb. 2d-f**). Das Formenrepertoire umfasst ausschließlich ovoide Ausgussgefäße sehr unterschiedlicher Größe – von 20-40 cm Höhe – mit Linsenböden und bis zu drei profilierten Bandhenkeln. Typisch sind die mit umlaufenden Leisten abgesetzten Schulterpartien. Dieses Merkmal stellt eine sicher nicht zufällige, chronologisch bedingte Querverbindung etwa zu den zeitgleichen Ausgussgefäßen der Älteren gelben Drehscheibenware dar (s. o.)[15]. Besonders kennzeichnend sind die simplen Ausgusspartien: Ein flach ausgewalzter Tonlappen wurde an die unterhalb des Randes vorbereitete Wandungsöffnung angeknetet und unmittelbar am Rand zu einer primitiven Tülle zusammengekniffen. Nach dem gleichen Prinzip, wenn auch etwas sorgfältiger, sind beispielsweise auch die Ausgusspartien der bekannten Tatinger Kannen (s. u.) hergestellt worden. Trotz einiger allgemeiner formaler Anklänge an die Ausgussgefäße der jüngeren Merowingerzeit erscheint eine Sichtweise dieser Keramikgruppe als unmittelbare Weiterentwicklung der jüngermerowingischen, geglätteten, reduzierend gebrannten Ware nicht möglich. Zu groß sind die grundsätzlichen Unterschiede in Ton und Oberflächenbehandlung. Gegenüber der jüngermerowingischen Glättware mit ihrem typischerweise feinschiefrig geschichteten Bruch ist diese Keramik erheblich härter gebrannt und zeigt durch die sehr feinkörnige, dichte Magerung einen ganz anderen Bruch. Nicht identisch, aber doch näher verwandt und zeitgleich oder zeitlich überlappend erscheint die Keramik zunächst mit Funden vom Töpfereistandort Mayen. Redknap hatte sie in seinem 1984 erschienenen Aufsatz zur »black burnished pottery« als Tatinger Keramik charakterisiert[16]. Bezeichnenderweise tritt am innovativen Mayener Töpfereistandort aber ausschließlich die zukunftsweisende zylindrische oder konische Ausgusstülle auf. Soweit sich auf Grundlage der Publikatio-

Abb. 2 Mainz, Römerpassage, Brunnenkomplex. Auswahl: **a-b** Badorfgruppe; **c** Mayen ME; **d-f** streifengeglättete Ware. – (Fotos GDKE Mainz).

nen zu Mayen ein Urteil bilden lässt, scheint dort umgekehrt der Ausguss in der speziellen Art der Mainzer Gefäße nicht vorzukommen. Gut vergleichbare, vielleicht sogar identische Keramik ist, wenn auch nur in örtlich geringer Anzahl, aus Speyer-Im Vogelgesang überliefert. Es handelt sich um insgesamt 1,3 % des dortigen Materials aus dem Zeitraum 700-900, nämlich um die streifengeglättete grauschwarze Keramik, in der Veröffentlichung von Schenk unter der Bezeichnung Gruppe 7 [17]. Möglicherweise identisch mit dem Mainzer Material sind wohl ferner auch Scherben vom Frankfurter Domhügel und ganz sicher ein in das ferne Würzburg gelangtes Gefäß [18]. Weitläufiger verwandtes Material streut in örtlich geringen Anzahlen über ein weites Gebiet von der Picardie über Flandern bis zum Niederrhein, etwa nach Dorestad [19]. Unverkennbar repräsentiert diese Mainzer Keramik nach Tonqualität und Oberflächenbehandlung eine verwandtschaftliche Nebenlinie der Tatinger Keramik, wenn man von deren Spezialität in Gestalt der geometrischen Zinnfolienauflagen absieht [20]. Ausgehend von den Tatinger Kannen muss zusätzlich zu den bisher genannten Gruppen auch Tatinger Keramik zu den regional signifikanten Keramikgruppen der Karolingerzeit gerechnet werden [21]. Die einseitige Massierung der hart gebrannten, feingemagerten und streifengeglätteten Ware im Mainzer Fundkomplex und die im Vergleich mit anderen örtlichen Siedlungskomplexen ungewohnte Fundmenge könnten durchaus auch an eine in unmittelbarer Nähe betriebene Töpferei denken lassen: Vielfach zeigen die Gefäßreste Eigenarten wie unvermittelt helle Fleckung der Oberfläche, Eindellungen mit irisierendem Glanz und Verzerrungen, die eine Einschätzung als Fehlbrände nahe legen. Andererseits muss wohl kaum betont werden, dass dieses Kriterium in spätfränkisch/karolingischer Zeit nicht mehr hundertprozentig greift. Einen substanziellen Positivhinweis auf einschlägige Töpferei vor Ort gibt es jedenfalls für Mainz noch nicht. Anscheinend ist – im Gegensatz etwa zu Badorf, Mayen ME und gelber Drehscheibenware [22] – noch kein einziges Gefäß dieser Gruppe durch einen Grabfund überliefert. Momentan kann noch nicht entschieden werden, ob sich darin ein zeitlicher Hiatus zum jünger- bis spätmerowingischen Material begründet und damit die Produktion der Gruppe erst ins späte 8. oder gar erst ins 9. Jahrhundert fällt. Bemerkenswert am Mainzer Fundkomplex ist jedenfalls, dass ungeachtet erheblicher Mengen hoch- und spätmittelalterlicher Keramik aus den umgebenden Befunden hier speziell auch nicht eine signifikant hochmittelalterliche, etwa Pingsdorf zuzuweisende Scherbe enthalten ist.

Der Hintergrund des Fundkomplexes Astheim ist die noch nicht überbaute Vorgängersiedlung am Rande des heutigen Ortes. Das Material stammt ausschließlich aus langjährigen Oberflächenauflesungen im Bereich angepflügter Siedlungsbefunde. Für den hier interessierenden älteren Zeitabschnitt stehen die Reste von 48 Gefäßen zur Verfügung. Davon kann nur ein Exemplar der Badorfgruppe zugeordnet werden. Die hart gebrannte Mayener Ware ME ist immerhin mit 22 Gefäßen vertreten (**Abb. 3a-d**). Elf Gefäße entfallen auf die gelbe Drehscheibenware (**Abb. 3e-f**). Späte rauwandige Keramiken sind mit neun Gefäßen vertreten (**Abb. 3i**). Auf die reduzierend gebrannte, oben für Mainz vorgestellte Glättware entfallen immerhin fünf Gefäße (**Abb. 3g-h**).

Als dritter Fundort im Rahmen des älteren Abschnittes verdient noch Gimbsheim im nördlichen Vorfeld von Worms besondere Erwähnung. Der Ort liegt eingebettet in eine flussnahe, durch eine Sequenz alter Rheinschleifen geprägte Ebenenlandschaft. In einem solchen Altrheinarm waren südlich außerhalb des Ortsbereiches 1989 im Zuge des allgegenwärtigen Kiesabbaus Teile einer Schiffsmühle zutage gefördert worden, die bereits Gegenstand zahlreicher Veröffentlichungen (u.a. Dendrodatum um 760) [23] war. Noch unpubliziert ist die mit den Trümmern der Schiffsmühle geborgene Keramik [24]. Speziell für den Zeitraum 700-900 stehen die Reste von 31 Gefäßen zur Verfügung. Der Badorfkomplex ist hier mit zehn Gefäßen vertreten (**Abb. 4a-c**). 16 Gefäßreste entfallen auf die hartgebrannte Mayener Ware ME (**Abb. 4d**) und vier Einheiten auf die gelbe Drehscheibenware (**Abb. 4e**). Glättware im engeren Sinne des Mainzer Fundkomplexes (s.o.) liegt nicht vor. Dafür lässt sich immerhin das charakteristische Bruchstück einer Tatinger Kanne nachweisen (**Abb. 4f**).

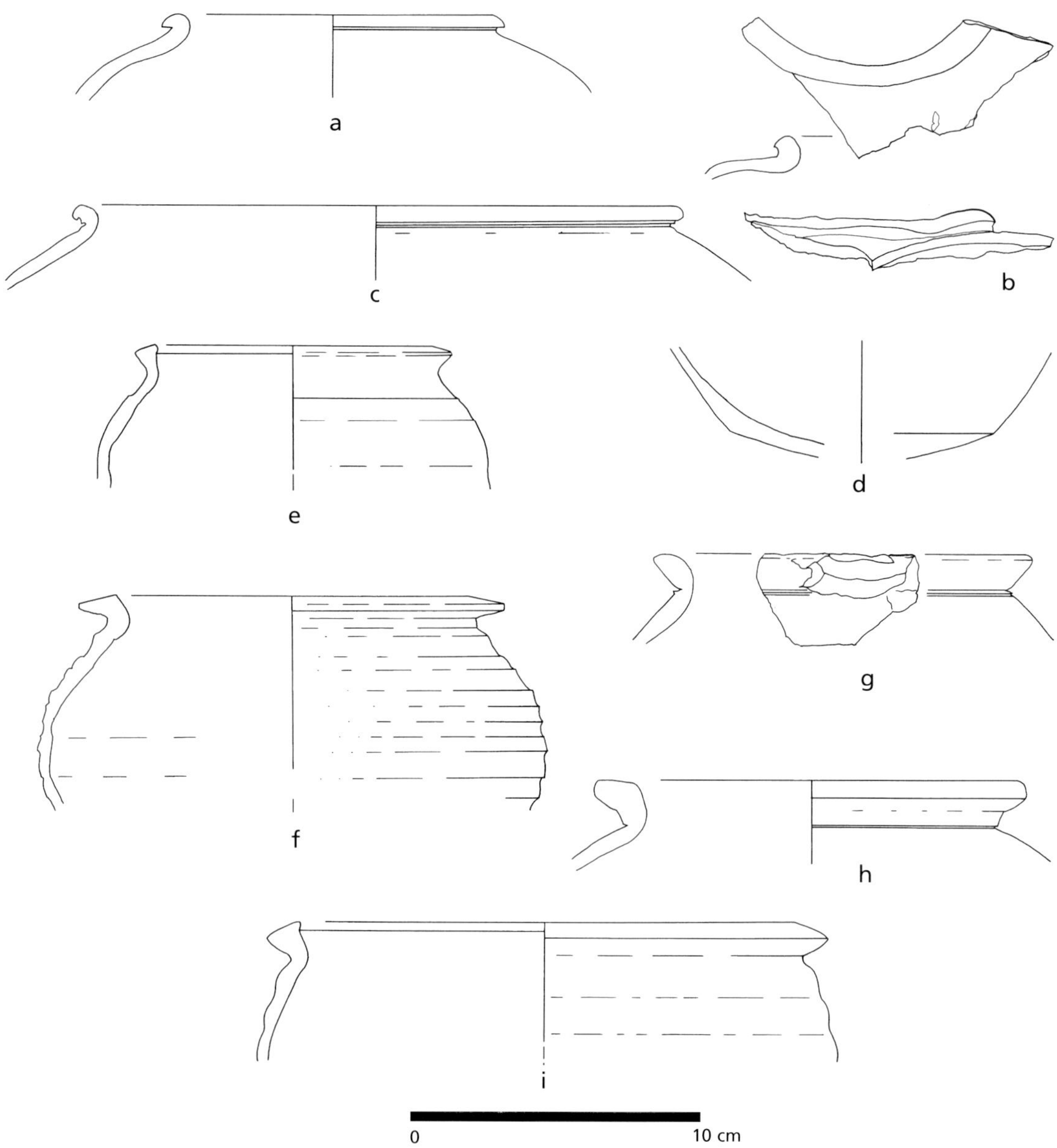

Abb. 3 Astheim, Siedlungsfunde. Auswahl: **a-d** Mayen ME; **e-f** gelbe Ware; **g-h** streifengeglättete Ware; **i** rauwandige Ware. – (Tafel GDKE Mainz).

Die sonstigen rheinhessischen Fundorte mittelalterlicher Keramik ergaben überwiegend Waren der Zeit nach 1200 bis in die Neuzeit, Keramik des Zeitraums 700-900 begegnet – inkl. Mainz – bislang insgesamt erst an 11 Fundorten[25]. Speziell die Badorfgruppe ist insgesamt an immerhin 10 dieser Fundorte belegt[26]. Dabei handelt es sich überwiegend um rheinnahe Plätze[27]. Andererseits sind unter letzteren vor allem die bislang umfangreichsten Komplexe, was die Fundwahrscheinlichkeit doch einseitig erhöht. Die Annahme einer Bindung der Verbreitung der Badorfkeramik in Rheinhessen ausschließlich an die Anlegeplätze des Rheinhandels wäre auch unter Berücksichtigung des noch unzulänglichen regionalen Materialbestandes zu kurz gegriffen. Die Vorkommen in Ockenheim, Ingelheim, Heidesheim und Schornsheim deuten bereits an, dass diese so signifikant rheinische Keramik durchaus auch ins innere ländliche Rheinhessen gelangte und eine auch dort geläufige Gruppe darstellt. Von daher ergibt sich ein verkehrsgeographisch folgerichtiger Anschluss für den bislang noch etwas isolierten Badorffundkomplex vom Donnersberg[28] knapp südwestlich außerhalb des Arbeitsgebietes (**Abb. 1**, links ganz unten).

Vorbehaltlich der momentan noch geringen regionalen Quantitäten sei dennoch das Wagnis einer Aufstellung der Mengenverhältnisse des Zeitraums 700-900 für das Arbeitsgebiet eingegangen: 20 % Badorf, 50 % Mayen ME, 19 % Ältere gelbe Drehscheibenware, 11 % späte rauwandige Ware. Die grauschwarze, streifengeglättete Ware ist aufgrund ihrer momentan noch zu einseitigen Bindung an Mainz hier nicht aufgeführt. Ebenso entfällt die Tatinger Keramik aufgrund ihrer geringen Stückzahl[29]. Die deutliche Minderheit, aber mit zusammengenommen 30 % keinesfalls eine Marginalie bilden die Ältere gelbe Drehscheibenware und rauwandige Keramiken, deren Herstellung eher im rechtsrheinischen Gebiet erfolgte. Insgesamt dürfen Mainz und Rheinhessen aufgrund des beherrschenden Auftretens von Badorf und Mayen ME als rheinische Keramikprovinz bezeichnet werden. Kirchliche Großgrundbesitzer aus dem Rheinland und noch weiter westlich darüber hinaus legten großen Wert auf Grundeigentum gerade in Rheinhessen, vor allem im Sektor des schon damals höchst bedeutsamen Weinbaus[30]. Zu den herausragenden Grundeigentümern in Rheinhessen zählen aber auch die östlich des Rheins gelegenen Klöster Fulda und Lorsch sowie die Würzburger Kirche. Zu berücksichtigen sind auch die zahlreichen Ableger des Mainzer Erzbistums Richtung Untermain, Thüringen und im Norden bis ins sächsische Stammesgebiet[31]. Vielleicht erklärt sich mit den daraus resultierenden sozialen sowie politischen Netzwerken und Mobilitäten die bunte Vielfalt nebeneinander umlaufender Keramiken, die Mainz und Rheinhessen hier ein spezielles Regionalkolorit verleihen.

DAS 10.-12. JAHRHUNDERT

Für den Zeitraum vom späteren Hochmittelalter bis in die Neuzeit haben die kürzlich erschienenen Publikationen von Beate Schmid die Keramikforschung in Mainz und Umgebung auf eine neue Grundlage gestellt[32]. Auffallenderweise ergab die Auswertung der dahinter stehenden Mainzer Grabungen, dass sich auf einer sehr breiten Materialbasis nur ein Komplex eingestellt hat, der gerade eben noch ans Ende des Bearbeitungszeitraumes zurückreicht. Das Gros des Materials ist schon der Zeit nach 1200 zuzuordnen[33]. Dies entspricht auch dem über Jahrzehnte in der Fundchronik der Mainzer Zeitschrift vorgelegten Material. Trotz erheblicher sonstiger Zuwächse fehlen in Mainz noch immer nennenswerte Komplexe mit Keramik des 10. und 11. Jahrhunderts. Ein chronologisches Aufbrechen des hochmittelalterlichen Kontinuums zeichnet sich hier noch kaum ab. Immerhin begründet sich in der vom Rheinland her erarbeiteten Abfolge innerhalb des Pingsdorfkomplexes der bislang beste Ansatz einer archäologischen Gliederung des Hochmittelalters[34]. Auch in Mainz prägt der Pingsdorfkomplex (**Abb. 6a; 7b**) in hohen, oft beherrschenden Mengenverhältnissen das Bild der Keramik dieser Zeit. Gemäß konventioneller antiquarischer Ansprache wird es sich zum größten Teil um original rheinische Erzeugnisse handeln. Zusätzlich ging von dieser Keramikgruppe eine intensive Beeinflussung der regionalen und örtlichen Keramikherstellung aus. Dies beschränkt sich beispielsweise nicht nur auf die Übernahme des Bemalungsdekors bei der Glimmerkeramik. Mindestens so bemerkenswert erscheint die Nutzung des Pingsdorfer Formenrepertoires bis hin zu Einzelheiten der Gestaltung von Gefäßwänden. Leider besteht im Moment für das 10. bis mittlere 12. Jahrhundert noch keine Möglichkeit, abseits des Pingsdorfkomplexes angesiedelte Keramikgruppen an die Pingsdorfsequenz anzukoppeln und so zeitlich genauer zu fassen und zu differenzieren. Noch recht allgemein definiert sind dies die Glimmerware[35], die Grauware (reduzierend gebrannte Irdenware, **Abb. 6c**)[36], die oxidierend gebrannte Irdenware (teilweise im Sinne von Mayen ME spät; **Abb. 6b**)[37] und die hochmittelalterliche Weiterentwicklung von Mayen ME speziell in Form der markanten Linsenbodentöpfe mit Kragenrandprofil (**Abb. 5f; 6b, Nr. 38; 7a**)[38]. Sie begegnen typischerweise in Fundvergesellschaftungen mit dem Pingsdorfkomplex (**Abb. 6a; 7b**) als chronologische Durchläufer in großen Anzahlen. Wo auch immer die Produktionsstätten lagen – ein direkter oder indirekter Zusammenhang mit der späten Mayener Produktion ME ist jedenfalls auch hier

Abb. 4 Gimbsheim, Schiffsmühlenkomplex. Auswahl: **a-c** Badorfgruppe; **d** Mayen ME; **e** gelbe Ware; **f** Tatinger Kanne. – (Fotos GDKE Mainz).

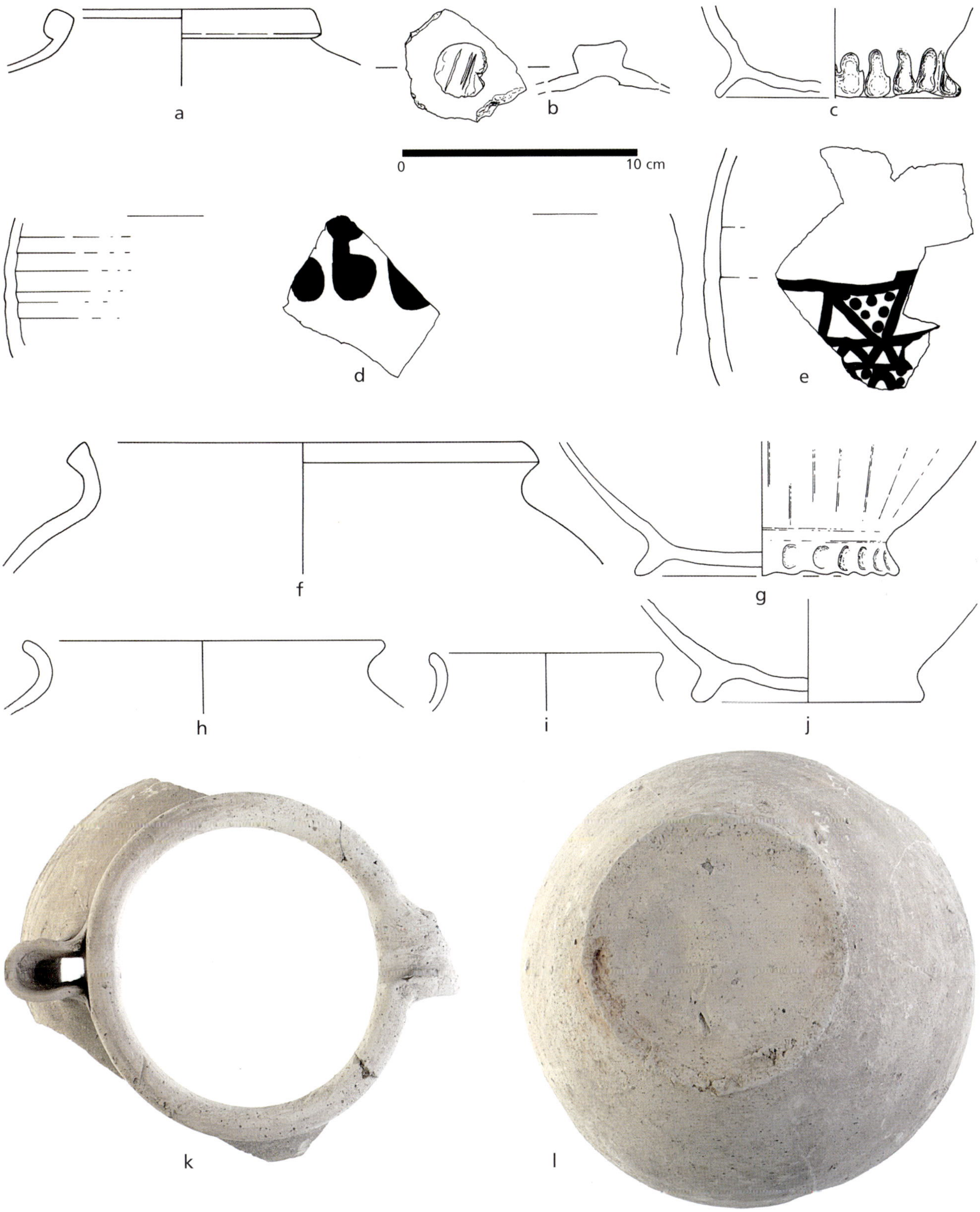

Abb. 5 Astheim, Siedlungsfunde. Auswahl: **a-e** Pingsdorf; **f-g** Mayen ME spät; **h-i** Glimmerware; **j** »Glimmer-Pingsdorf«. – Gimbsheim, Schiffsmühlenkomplex. Auswahl: **k-l** Grauware. – (Tafel u. Fotos GDKE Mainz).

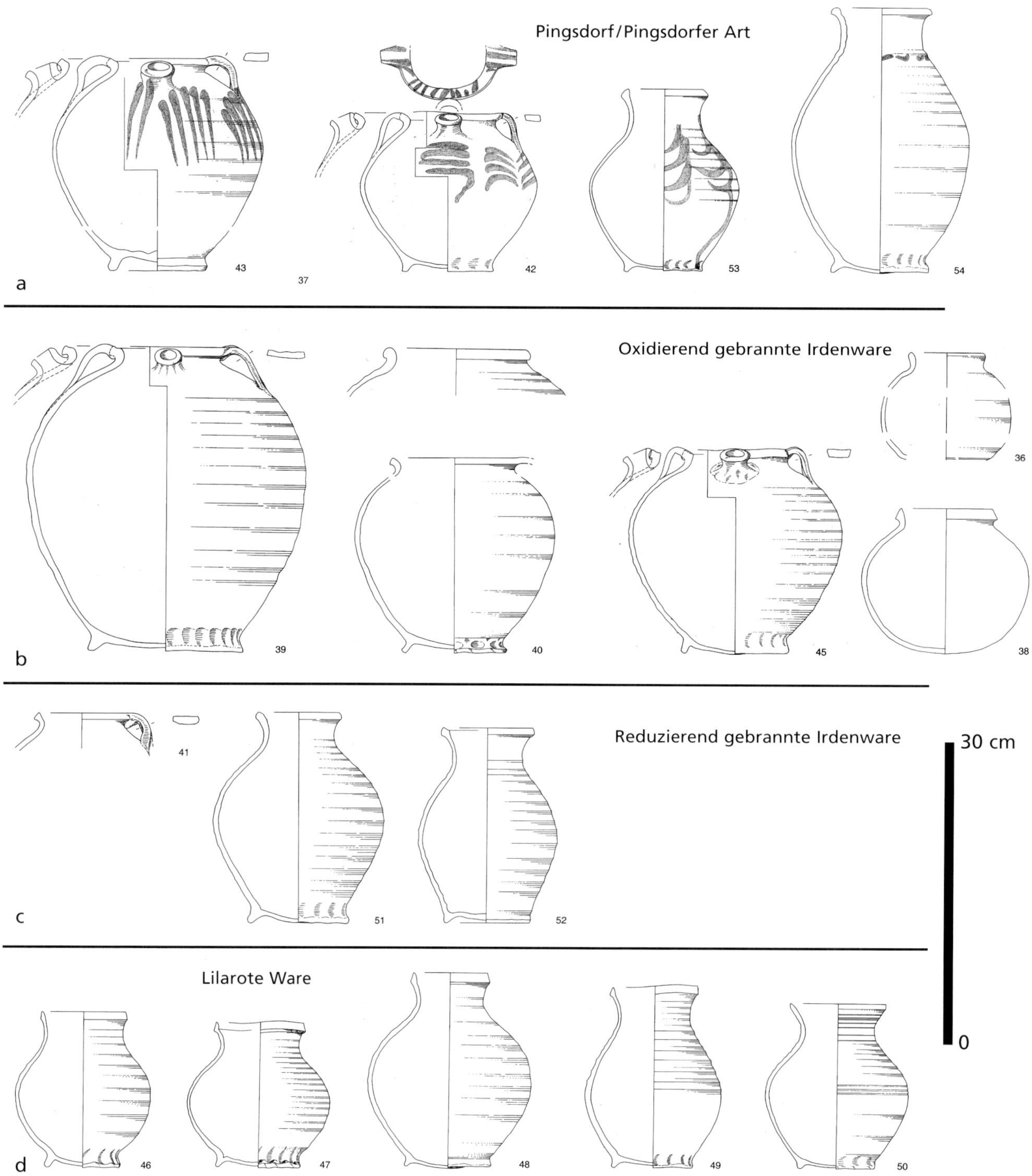

Abb. 6 Mainz, Bauhofstraße, Brunnenkomplex. Abbildung und Nummerierung der Gefäße nach Schmid 2004, Taf. 5-8. – (Tafel GDKE Mainz).

unübersehbar. In Worms, wo noch weitere, im Arbeitsgebiet ansonsten nicht zu belegende Keramikgruppen auftreten, scheint sich die Entwicklung im Hochmittelalter dagegen schon stärker mit dem südlicheren Oberrhein und dem rechtsrheinischen Gebiet zu verzahnen[39].

Eine hohe Bedeutung für die Erfassung des 10./11. Jahrhunderts im Keramikbereich abseits von Pingsdorf und Mayen ME wird in Mainz und Rheinhessen den Grauwaren zukommen, die im späten Hochmittelalter mengenmäßig nur noch von untergeordneter Bedeutung sind (s. u.). Leider noch unveröffentlicht und an dieser Stelle noch nicht einzubringen sind u. a. einschlägige Keramikfunde aus der Flachsmarktstraße in Mainz. Dort tritt in einem als gesichert anzusehenden Schichtzusammenhang mit Pingsdorfscherben eine Grauware auf, die in den Formmerkmalen (Randbildungen, Ausgüsse, Wackelböden) und im Ton eine gewisse Verwandtschaft mit der o. g. frühmittelalterlichen grauen Mainzer Glättware (**Abb. 2d-f**) besitzt. Sie unterscheidet sich von letzterer insofern grundlegend, indem die Gefäßoberflächen nicht die Glättbeschaffenheit und -streifen aufweisen[40]. Glücklicherweise stellt hier Gimbsheim vorerst adäquaten regionalen Ersatz: Der Schiffsmühlenkomplex hat auch noch hochmittelalterliches Material geliefert. Das Ensemble von 24 Gefäßen dieses Zeitraumes ist in sich allerdings äußerst ungleichgewichtig zusammengesetzt. Pingsdorf ist lediglich mit einem Bruchstück vertreten. Demgegenüber stehen ausschließlich 23 großteilig erhaltene bzw. vollständig rekonstruierbare Gefäße der gleichen Grauware, die eben schon für Mainz angesprochen wurde (**Abb. 5k-l**). Es handelt sich teils um schlichte Töpfe, teils um Ausgussgefäße mit einem Henkel. Nach Größe, Form und Tonqualität sind sie verhältnismäßig einheitlich. Auch die Gimbsheimer Gefäße zeigen eine der Mainzer karolingischen Glättware nah verwandte Tonsubstanz bei allerdings deutlich herabgesetzter Brennhärte. Den unteren Abschluss der ovoiden Gefäßkörper bilden Bodenpartien, die einerseits Standböden angenähert wirken, andererseits aber an den Unterseiten nicht plan abgetrennt sind und bestenfalls einen nur labilen Stand gewährleisten. Es handelt sich also doch noch letztlich um Wackelböden, wenn auch nicht mehr in ganz so deutlicher Linsenform. Die unzweifelhaften Zusammenhänge zwischen dieser Keramik und der Mainzer Glättware im Ton und in den formalen Einzelheiten der Gefäße (Gefäßkörper, Böden, Randbildung, Henkel, Ausgüsse) lassen den – anhand exakterer archäologischer Befundzusammenhänge leider noch nicht kontrollierbaren – Eindruck aufkommen, dass die Gimbsheimer Graukeramik in der Nachfolge der karolingischen Mainzer Glättware steht und somit ins 10., evtl. auch ins 11. Jahrhundert zu datieren ist.

Am ländlichen Referenzort Astheim ist besagte Graukeramik unter insgesamt 28 hochmittelalterlichen Gefäßindividuen nur einmal vertreten. Hier ist wiederum ähnlich zu Mainz und vorbehaltlich der nicht allzu hohen Gesamtzahl ein bemerkenswertes Hervortreten von Pingsdorf mit immerhin 18 Exemplaren, davon 15 der tendenziell älteren helltonigen Variante und drei der dunkeltonigen Spätvariante (**Abb. 5a-e**)[41], zu verzeichnen. Hinzu kommen zwei Exemplare »Glimmer-Pingsdorf« (**Abb. 5j**), drei Exemplare der hochmittelalterlichen hart gebrannten Mayener Ware ME (**Abb. 5f-g**) und drei Stücke Glimmerware (**Abb. 5h. i**). Für das Besiedlungsende um 1200 oder wenige Jahrzehnte danach steht schließlich noch ein Bruchstück des manganvioletten Komplexes[42].

Sicherer Boden ist erst wieder im späten 12. Jahrhundert erreicht. Noch immer wichtigstes Zeugnis damals in Mainz und Rheinhessen nebeneinander umlaufender Keramiken ist der oben schon angesprochene, von Schmid vorgelegte und ausgewertete Brunnenfund von der Bauhofstraße am Rande der Mainzer Altstadt (**Abb. 6**)[43]. Als vereinzeltes Altrelikt kann das einsame graue Bruchstück eines Henkelgefäßes gelten (**Abb. 6c**; Nr. 41). Es könnte noch durchaus die Erbauungszeit des Brunnens repräsentieren, die durch ein Dendrodatum ziemlich genau ins Jahr 1000 fällt. Das Gros des Keramikinventars steht für die endgültige Verfüllung rund 200 Jahre später.

Für das ältere Hochmittelalter bzw. das 10.-12. Jahrhundert sei für Mainz aufgrund der vielen Unwägbarkeiten bewusst auf die Präsentation von Zahlenverhältnissen verzichtet. Dennoch spricht schon beim derzeitigen Stand alles dafür, auch in diesem Zeitabschnitt für Rheinhessen von einer vorherrschend rheinisch geprägten Keramikprovinz auszugehen. Dieser Eindruck entsteht zum einen durch direkten Import und die

indirekte Vorbildwirkung der Pingsdorfgruppe, zum anderen durch die Gemeinsamkeiten des hiesigen Materials mit der Mayener Produktion.
Dem Stichdatum 1200 für das Ende des Arbeitszeitraumes kommt in Mainz und Rheinhessen jedenfalls durchaus konkrete Bedeutung zu. Nach 1200 beginnt die jahrhundertelange Verbundenheit mit dem unteren Mittelrhein (Mayen) und dem oberen Niederrhein (Badorf, Pingsdorf) zu schmelzen. Ganz neue Keramiken aus nunmehr sehr nahe gelegenen Produktionsorten drängen in den Vordergrund. Für Mainz und Rheinhessen, aber auch generell für das Rhein-Main-Gebiet ist dies vor allem die manganviolette Ware (**Abb. 6d**), deren Produktionsorte u. a. auch vis-à-vis im Rheingau lagen[44]. Dies dürfte direkt oder indirekt u. a. auch mit dem Aufblühen der Zisterzienserabtei Eberbach zusammenhängen, die nicht nur die Erschließung des Taunus nach Norden oberhalb des Rheingauer Altsiedelstreifens vorantrieb, sondern auch in Rheinhessen mit einem straff organisierten Netz von Wirtschaftshöfen Fuß fasste und den aus fränkischer Zeit althergebrachten Grundeigentümern den Rang ablief. Immerhin tragen aber auch diese regionalen keramischen Neuentwicklungen noch letztlich die Handschrift des Rheinlandes auf dem technologischen Weg von der Irdenware zum Steinzeug. Auch nach dem Überschreiten der archäologisch-historischen Grenze zum Spätmittelalter um 1250 wurden rheinische Keramikprodukte nach Mainz und Rheinhessen ausgeführt. Sie stellten dann aber schon Statussymbole kirchlicher, adeliger und aufstrebender bürgerlicher Haushalte dar.

a

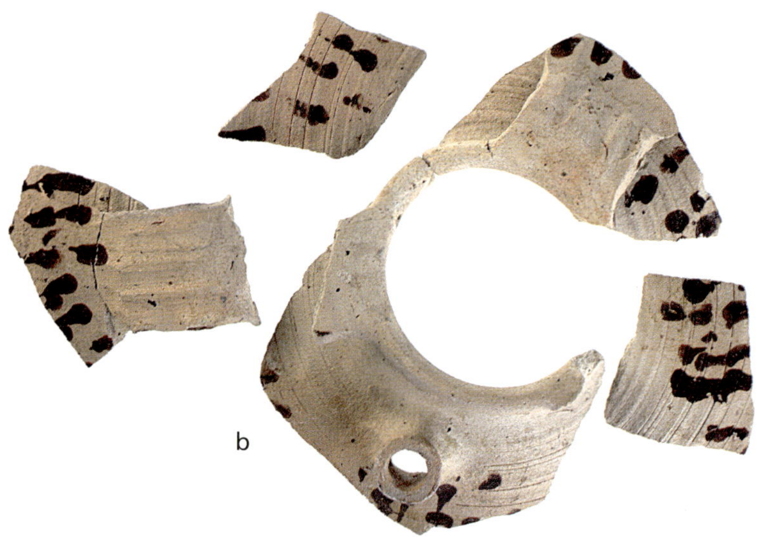
b

Abb. 7 Mainz, Römerpassage. Aus einem Grubenkomplex im Bereich der Plangrabung: **a** Fragment eines Linsenbodentopfes mit Kragenrand Mayen ME spät; **b** Bruchstücke einer Pingsdorfamphore. – (Fotos GDKE Mainz).

Danksagung

Erweiterte Fassung des im Rahmen der Tagung am 06.05.2011 gehaltenen Referates. Der Dank des Verfassers gilt zunächst Heidi Pantermehl, Rainer Schreg und Lutz Grunwald (alle drei RGZM) für die Einladung zur Teilnahme an diesem wichtigen Treffen und für die Möglichkeit der Publikation. Darüber hinaus schuldet der Verfasser dem Landesarchäologen Gerd Rupprecht sowie Marion Witteyer (GDKE, Direktion Archäologie, Amt Mainz) Dank für Erlaubnis und Ermutigung zugleich, u. a. auch auf Funde aus dem wichtigen Fundkomplex Mainz-Römerpassage vorab zurückzugreifen. Die Aufarbeitung der nachrömischen Befunde und Funde von dort ist auch dank Unterstützung seitens der Gerd und Margarethe Krämmer-Stiftung möglich geworden. Wertvolle technische Unterstützung im Bereich Bildverarbeitung wurde dem Verfasser durch Erik Klingenberg (GDKE Mainz) zuteil.

Anmerkungen

1) Übersichtskarte **Abb. 1**: Einträge Rheinhessische Schweiz und Donnersberg ganz im Südwesten.
2) Dies gilt im Grunde auch für die hier ausgesparten Siedlungen im Ausbaugebiet des Bad Kreuznacher Landkreises.
3) Speyer-Im Vogelgesang: Schenk 1998.
4) Bechtheim (Lkr. Alzey-Worms), »Im Stein«, wohl Wüstung: Mainzer Zeitschr. 71/72, 1976/77, 303. – Bechtolsheim (Lkr. Alzey-Worms), Wasserburg: unveröffentlicht; OA Landesarchäologie Mainz, Fundmeldenummer (im Folgenden: OA Mainz, FM) 02-050. – Biebelnheim (Lkr. Alzey-Worms), alte Hinrichtungsstätte: Jahresber. Denkmalpflege Volksstaat Hessen 4a, 1913-1928, 100. – Bingen-Kempten, alter Ortsbereich: unveröffentlicht; OA Mainz, FM 84-066. – Bornheim (Lkr. Alzey-Worms), »Im Falter«, wohl Wüstung: unveröffentlicht; OA Mainz, FM 88-006. – Dexheim (Lkr. Mainz-Bingen), Neuer Friedhof: Mainzer Zeitschr. 71/72, 1976/77, 303. – Frei-Weinheim (Ingelheim-Nord, Lkr. Mainz-Bingen): Badorfgefäß als Urne einer Brandbestattung in Grab 15 des fränkischen Ortsgräberfeldes: Böhner 1969. – Gimbsheim (Lkr. Alzey-Worms), »An der Aubrücke/Hubwiese«: unveröffentlichte Keramikfunde in Zusammenhang mit der bereits publizierten Schiffsmühle; OA Mainz, FM 88-048, 88-065, 89-066. – Hahnheim (Lkr. Mainz-Bingen), Wüstung Bleidesheim: Westdeutsche Zeitschr. 11, 1891/92, Sonderabdruck 1. – Hamm (Lkr. Alzey-Worms), »Hammer Weiden«: verlagertes Siedlungsmaterial im Ufersand des Rheins; unveröffentlicht; OA Mainz, FM 08-015 und 09-009. – Heidesheim (Lkr. Mainz-Bingen), Siedlungsfunde im Bereich der Georgskapelle: Knöchlein 2007, 142-147. – Ludwigshöhe (Lkr. Mainz-Bingen), Wüstung Rudelsheim: unveröffentlicht; OA Mainz, FM 88-033.34. – Mommenheim (Lkr. Mainz-Bingen), alter Ortsbereich: unveröffentlicht, OA Mainz und Mainzer Landesmuseum Inv.Nr. 64/136. – Ober-Olm (Lkr. Mainz-Bingen), Wüstung am Ortsrand: OA Mainz; Mitteilungsblatt zur rheinhessischen Landeskunde N.F. 9, 2007, 9.15 zu Fst. OB15. – Ockenheim (Lkr. Mainz-Bingen), »Kreuz«: Mainzer Zeitschr. 44/45, 1949/50, 161. – Ockenheim (Lkr. Mainz-Bingen), »Bleiche«, alter Ortsbereich: Mainzer Zeitschr. a.a.O. – Oppenheim (Lkr. Mainz-Bingen), Ruine Landskron: Schmid/Herrmann 1998, 52-85. – Schornsheim (Lkr. Alzey-Worms), Wüstung Lauersheim: Mainzer Zeitschr. 71/72, 1976/77, 305. – Sprendlingen (Lkr. Mainz-Bingen), Wüstung am nördlichen Ortsausgang: Mainzer Zeitschr. 65, 1970, 182. – Sprendlingen (Lkr. Mainz-Bingen), Wüstung Bettenheim: Mainzer Zeitschr. a.a.O. – Undenheim (Lkr. Mainz-Bingen), Wüstung Nordelsheim: unveröffentlicht, Mainzer Landesmuseum Inv.Nr. 74/425.
5) Schenkel 1999 (Fst. »Kreuzeck«). – Für vielfältige Auskünfte sei Eugen Schenkel (Astheim) ganz herzlich gedankt.
6) Mit allgemeinen Hinweisen zur Keramik: Esser 1969. – Decker/do Paco/Esser 1975.
7) Summarische Hinweise zur Keramik: Martini 2000. – A. Martini, Die mittelalterliche Keramik aus Ingelheim am Rhein. Teil 1. Diss. Bamberg 2002: seit 2006 im Internet verfügbar; die noch ausstehende Vorlage des systematischen Fundkataloges zuzüglich der Neufunde aus den Grabungen der vergangenen 10 Jahre wird dereinst die Bedeutung der Ingelheimer Pfalzkeramik letztlich hervortreten lassen.
8) Zahlreiche grundlegende Hinweise zu Worms bei Gross 1991; s.u. Anm. 39. – Für den Zeitraum Spätmittelalter bis beginnende Neuzeit vgl. etwa Keßler 1934-1943.
9) Alzey: knappe Übersicht der mittelalterlichen Keramik aus den Kastellgrabungen durch Kemmeter 2005. – Bad Kreuznach: Mainzer Zeitschr. 71/72, 1976/77, 283f. Abb. 52f.; Mainzer Zeitschr. 76, 1981, 179f. Abb. 23, 1-3. – Bingen: Heising 2003; Heising 2008.
10) OA Mainz, FM 99-019: Grabungsdokumentation, Blatt 545 Nr. 2-4.
11) Heege 1995, vor allem 74-78 mit Tabelle Abb. 44: berechtigter Einspruch gegen die im Schrifttum verbreitete Annahme einer Produktion speziell der Badorfer Reliefbandamphoren bis ins 11. Jahrhundert. – Kluge-Pinsker 2001, 14 zu Gruppe 2.1.
12) Redknap 1999, 101-104. 269-304.
13) Schenk 1998, 40.
14) Süß 1978, 91-105 Abb. 10f.
15) Schenk 1998, z.B. Taf. 18, 15; 19, C4; 27, 11.
16) Redknap 1984.
17) Schenk 1998, 43f.
18) Würzburg: 1250 Jahre Bistum Würzburg. Archäologisch-historische Zeugnisse der Frühzeit [Ausstellungskat.] (Würzburg 1992) 94 Abb. 13. – Frankfurt Domhügel: Stamm 1962, 155 zu Nr. 238; Taf. 17, 238.
19) Dorestad: W. A. van Es / W. J. H. Verwers, Excavations at Dorestad 1. The Harbour: Hoogstraat 1. Nederlandse Oudheden 9 (Amersfoort 1980) 95f. 105. – Redknap 1984, 411-414.
20) 799. Kunst und Kultur der Karolingerzeit [Ausstellungskat. Paderborn] (Mainz 1999) 144-149. – RGA^2 s.v. Tatinger Keramik.
21) Ring/Wieczorek 1979, 355-362. – Hinzu kommt mindestens noch ein unpublizierter Mainzer Neufund vom Ballplatz, den der Verfasser demnächst in anderem Rahmen vorlegen wird.
22) Badorf: Siegmund 1998, 227f. – Mayen ME: Grunwald 2004. – Ältere gelbe Drehscheibenware: Gross 1991, 36-48.
23) Höckmann 1994.
24) FM-Nummern: s.o. Anm. 4 unter Gimbsheim.
25) Alzey, Kastellgrabung; (Trebur-)Astheim; Frei-Weinheim; Hamm; Heidesheim, Georgskapelle; Ingelheim, Pfalzgrabung; Mainz; Ober-Olm; Ockenheim-»Kreuz/Auf dem doppelten Schlag«; Schornsheim-»Lauersheim«, s.o. Anm. 4-7. – Worms: Schallmayer/Gross 1983, 102f. Anm. 65; Abb. 39. – Mit insgesamt nur 16 Gefäßindividuen liegt der einer Plangrabung entstammende Heidesheimer Bestand (Knöchlein 2007, wie Anm. 4) unter rein ländlichen Siedlungskomplexen mengenmäßig noch ganz vorne: sechs Ex. gelbe Ware, sieben Ex. Mayen ME, zwei Ex. Badorf, ein Ex. »Mainzer Glättware«.
26) (Trebur-)Astheim; Frei-Weinheim (Ingelheim-Nord); Gimbsheim; Hamm; Heidesheim, Georgskapelle; Ingelheim, Pfalzgrabung; Mainz; Ockenheim-»Kreuz/Auf dem doppelten Schlag«; Schornsheim-»Lauersheim«: Anm. 4-7. – Worms: Schallmayer/Gross 1983, wie Anm. 25.
27) (Trebur-)Astheim, Frei-Weinheim, Gimbsheim, Hamm, Mainz, Worms: wie Anm. 26.
28) Engels 1976. – Schallmayer/Gross 1983, 198. 101f. Abb. 39.
29) Mit weiteren, bislang aber noch nicht ins Gewicht fallenden Keramikgruppen ist zu rechnen: Dem Verf. liegt z.B. ein Fragment in Badorftechnik mit Rotbemalung (»Hunneschans keramik«) aus Mainz vor: Christofsgasse, Algesheimer Hof; OA; Mainzer Zeitschr. 76, 1981, 180. – Kluge-Pinsker 2001, 14 zu Gruppe 2.2.
30) z.B. Erzbistum Köln, Bistum Metz, die Klöster Prüm und Trier-St. Maximin: Staab 1975, 287-291. – Staab 2003.
31) Jürgensmeier 1989.
32) Schmid/Krueger 1996, 127-231. – Schmid 1998. – Schmid 2004. – Schmid 1998/99. – Schmid/Herrmann 1998, wie Anm. 4.

33) Schmid 2004, 175f. Anm. 1150. – Das Fehlen einschlägiger Keramik auf Burg Landskron hat historische Gründe: Errichtung der Burg erst nach 1200; Schmid/Herrmann 1998, 125f.
34) Sanke 2002, 179-194.
35) Gross 1991, 66-68. – Wintergerst 2002, 1. Teil 62-66 zu Materialgruppe 1.
36) Gross 1991, 49-52. – Schenk 1998, 44f. – Schmid 2004, 206.
37) Ebenda 207f.
38) Redknap 1999, 293-295 u. a. zu Typ F46.
39) Vgl. die Hinweise bei Gross 1991 auf das noch weitgehend unpublizierte Wormser Material: ebenda 48 zur jüngeren gelben Ware des 11./12. Jahrhunderts mit Rotbemalung; ebenda 67f. Anm. 574 zur Glimmerware; ebenda 76 zu Wormser Vorkommen rotbemalter Elsässer Ware; ebenda 78. 93 zu Pingsdorfimitation in Worms; ebenda 160 zur Verbreitung von Pingsdorf im Südwesten.
40) OA Mainz, FM 84-010. – Der Verf. plant eine Vorlage demnächst an anderer Stelle.
41) Sanke 2002, 197-199.
42) Schmid 2004, 208f.
43) Ebenda 110 Tab. Abb. 18 Taf. 5-8 Nr. 36-54.
44) Schmid 2004, 208f.

Literatur

Böhner 1969: K. Böhner, Das nördliche Rheinhessen im frühen Mittelalter; K. Böhner, Ingelheim. In: Nördliches Rheinhessen. Führer vor- u. frühgesch. Denkmäler 12 (Mainz 1969) 61f. 108.

Decker/do Paco/Esser 1975: K. V. Decker / A. do Paco / K. H. Esser, 10 Jahre Ausgrabungen in Mainz 1965-1974. Mainzer Schriften zur Kunst und Kultur in Rheinland-Pfalz 3 (unpaginiert Mainz 1975) Abschnitt »Die Ausgrabungen auf dem Brand« Abb. 3-22.

Engels 1976: H. J. Engels, Die Viereckschanze. Grabung 1974/75. Der Donnersberg. Ausgrabungen, Forschungen, Geschichte 1 (Wiesbaden 1976) 23-25.

Esser 1969: K. H. Esser, Grabungsergebnisse zur rheinseitigen Stadtmauer. In: Mainz. Führer vor- u. frühgesch. Denkmäler 11 (Mainz 1969) 132-140.

Gross 1991: U. Gross, Mittelalterliche Keramik zwischen Neckarmündung und Schwäbischer Alb. Forsch. u. Ber. Arch. Mittelalter Baden-Württemberg 12 (Stuttgart 1991).

Grunwald 2004: L. Grunwald, Das karolingische Gräberfeld an der Oberstraße in Hatzenport, Kreis Mayen-Koblenz – Ein Beitrag zur Christianisierung im Moselmündungsgebiet. Arch. Rheinland-Pfalz 2004, 89-91.

Heege 1995: A. Heege, Die Keramik des frühen und hohen Mittelalters aus dem Rheinland. Stand der Forschung – Typologie, Chronologie, Warenarten. Arch. Ber. 5 (Bonn 1995) 71-80.

Heising 2003: A. Heising, Nachtrag – Die Grabung der Jahre 1999/2000 auf dem Carl-Puricelli-Platz. In: G. Rupprecht / A. Heising (Hrsg.), Vom Faustkeil zum Frankenschwert. Bingen – Geschichte einer Stadt am Mittelrhein 2 (Mainz 2003) 257-262.

2008: A. Heising, Großbürgerliches Wohnen im mittelalterlichen Bingen – Die Stadtgrabung am Carl-Puricelli-Platz 1999/2000. In: Generaldirektion Kulturelles Erbe u. a. (Hrsg.), Stadt und Burg am Mittelrhein (1000-1600) [Ausstellungskat.] (Regensburg 2008) 73-90.

Höckmann 1994: O. Höckmann, Eine Schiffsmühle aus den Jahren um 760 n. Chr. in Gimbsheim, Kr. Alzey-Worms. Mainzer Arch. Zeitschr. 1, 1994, 191-209.

Jürgensmeier 1989: Fr. Jürgensmeier, Das Bistum Mainz. Von der Römerzeit bis zum II. Vatikanischen Konzil. Beitr. Mainzer Kirchengesch. 2 (Frankfurt a. M. 1989) 24-36. 40-42.

Kemmeter 2005: V. Kemmeter, Die mittelalterliche Keramik aus dem römischen Kastell Alzey. Alzeyer Geschbl. 35, 2005, 41-58.

Keßler 1934-1943: P. T. Keßler, Reiche spätmittelalterliche Glas- und Keramikfunde auf dem Domberg in Worms. Der Wormsgau 2, 1934-1943, 66-79.

Kluge-Pinsker 2001: A. Kluge-Pinsker, Produktion und Verbrauch von Keramik im mittelalterlichen Duisburg. Arch. u. Denkmalpfl. Duisburg 5 (Duisburg 2001).

Knöchlein 2007: R. Knöchlein, Die Georgskapelle bei Heidesheim. Zu einigen topographischen Zusammenhängen zwischen antiker und nachantiker Besiedlung des ländlichen Raums an der Nordwestgrenze des Römerreiches. Bonner Jahrb. 207, 2007, 121-210.

Martini 2000: A. Martini, Keramikfunde des Mittelalters aus der Königspfalz Ingelheim. Mitteilungsbl. Rheinhess. Landeskde. N.F. 2, 2000, 5-11.

Redknap 1984: M. Redknap, Late merovingian black and red burnished wares from Mayen (Rheinland-Pfalz). Arch. Korrbl. 14, 1984, 403-416.

1999: M. Redknap, Die römischen und mittelalterlichen Töpfereien in Mayen. In: H.-H. Wegner (Hrsg.), Ber. Arch. Mittelrhein u. Mosel 6 (= Trierer Zeitschr. Beih. 24) (Trier, Koblenz 1999) 11-401.

Ring/Wieczorek 1979: E. Ring / A. Wieczorek, Tatinger Kannen aus Mainz. Arch. Korrbl. 9, 1979, 355-362.

Sanke 2002: M. Sanke, Die mittelalterliche Keramikproduktion in Brühl-Pingsdorf. Technologie – Typologie – Chronologie. Rhein. Ausgr. 50 (Mainz 2002).

Schallmayer/Gross 1983: E. Schallmayer / U. Gross, Die mittelalterlichen und neuzeitlichen Befunde und Funde der Grabungen auf dem Gelände des Domhofes in Ladenburg, Rhein-Neckar-Kreis, 1980 und 1981. Forsch. u. Ber. Arch. Mittelalter Baden-Württemberg 8 (Stuttgart 1983) 79-138.

Schenk 1998: H. Schenk, Die Keramik der früh- bis hochmittelalterlichen Siedlung Speyer »Im Vogelgesang«. Arch. Forsch. Pfalz 1 (Neustadt a. d. W. 1998).

Schenkel 1999: E. Schenkel, Die Entstehung Astheims. In: Organisationskomitee 1150 Jahre Astheim (Hrsg.), Astheim. Geschichte und Geschichten (Trebur 1999) 29-31.

Schenkel/Baumann 1999a: E. Schenkel / G. Baumann, Die Provinz Germanien – Die Zeit der Römer in Astheim In: Organisationskomitee 1150 Jahre Astheim (Hrsg.), Astheim. Geschichte und Geschichten (Trebur 1999) 29-31.

1999b: E. Schenkel / G. Baumann, Bäuerliche Struktur, aber kaum Münzfunde: Erst Karl der Große führt den Pfennig ein. In: Organisationskomitee 1150 Jahre Astheim (Hrsg.), Astheim. Geschichte und Geschichten (Trebur 1999) 54-56.

Schmid 1998: B. Schmid, Neun Tongefäße (Kugeltopf, Tüllenkanne, Becher/Flaschen) sowie ein Spinnwirtel. In: H.-J. Kotzur (Hrsg.), Hildegard von Bingen 1098-1179 [Ausstellungskat.] (Mainz 1998) 109-111 Kat.-Nr. 38.

1998/99: B. Schmid, Anhang: Fundumstände und Beifunde des emailbemalten Bechers aus Mainz-Lotharpassage. Mainzer Arch. Zeitschr. 5/6, 1998/99, 287-290.

2004: B. Schmid, Die Ausgrabung Mainz-Tritonplatz 1993. Teil 1: Die hochmittelalterliche bis neuzeitliche Geschirrkeramik. Mainzer Arch. Schr. 3 (Mainz 2004).

Schmid/Herrmann 1998: B. Schmid / Ch. Herrmann, Die Ruine Landskron in Oppenheim. Mainzer Arch. Schr. 2 (Mainz 1998).

Schmid/Krueger 1996: B. Schmid / I. Krueger, Das Fundmaterial zweier mittelalterlicher Latrinen aus Mainz, Tritonplatz. Mainzer Arch. Zeitschr. 3, 1996, 127-231.

Siegmund 1998: F. Siegmund, Merowingerzeit am Niederrhein. Die frühmittelalterlichen Funde aus dem Regierungsbezirk Düsseldorf und dem Kreis Heinsberg. Rhein. Ausgr. 34 (Köln, Bonn 1998).

Staab 1975: F. Staab, Untersuchungen zur Gesellschaft am Mittelrhein in der Karolingerzeit. Gesch. Landeskde. 11 (Wiesbaden 1975).

2003: F. Staab, Ein begehrtes Weindorf im Frühmittelalter. Bodenheim in fränkischer Zeit. In: B. Marschall (Hrsg.), 1250 Jahre Albansgemeinde Bodenheim. Beiträge zur Vergangenheit und Gegenwart (Alzey 2003) 39-58.

Stamm 1962: O. Stamm, Spätrömische und frühmittelalterliche Keramik der Altstadt Frankfurt am Main. Schr. Frankfurter Mus. Vor- u. Frühgesch. 1 (Frankfurt a.M. 1962).

Süß 1978: L. Süß, Die frühmittelalterliche Saline von Bad Nauheim. Mat. Vor- u. Frühgesch. Hessen 3 (Frankfurt a.M. 1978).

Wintergerst 2002: M. Wintergerst, Hoch- und spätmittelalterliche Keramik aus der Altstadt Frankfurt am Main. Schr. Arch Mus. Frankfurt 18 (Frankfurt a.M. 2002).

Zusammenfassung / Abstract

Mainz und Rheinhessen – Versuch einer Übersicht

Im 9. Jahrhundert stehen Mainz und sein rheinhessisches Umland unter dem Einfluss der Keramikentwicklung am unteren Mittel- und am Niederrhein. Vor allem Importe Mayener und Badorfer Keramiken beherrschen das Bild nicht nur in Mainz, sondern waren auch im ländlichen Raum prägend. Fast ein Drittel des Keramikaufkommens machen späte rauwandige Keramikgruppen und die Ältere gelbe Drehscheibenware aus, die am Untermain, im rechtsrheinischen Südwestdeutschland bzw. am südlicheren Oberrhein beheimatet sind. Daneben begegnen bislang noch wenig ins Gewicht fallende Gruppen wie Tatinger Keramik und eine damit sowie mit Mayener Erzeugnissen weitläufig verwandte, möglicherweise in Mainz produzierte Gruppe einer reduzierend gebrannten, streifengeglätteten Keramik. Auch im 10.-12. Jahrhundert setzen weiterhin Mayen und neu hinzukommend Pingsdorf die traditionell rheinische Prägung der Keramik von Mainz und Rheinhessen fort. Erst um 1200 ist hier ein Umbruch im Sinne einer Neuorientierung zu regionaleren Keramikgruppen (z.B. manganvioletter Komplex) wahrnehmbar. Insgesamt spiegelt sich im Keramikbestand der Region neben der verkehrsgeographisch bedeutsamen Anbindung durch den Rhein auch überregionaler Fernbesitz in beachtlichen Anteilen am regionalen Grund und Boden wider. Rheinhessen war als traditionsreiches Altsiedelland aufgrund seiner herausragenden wirtschaftlichen Wertigkeit (z.B. Weinbau) schon stets von überregionaler Bedeutung. Die besonders ausgeprägten Zusammenhänge der hiesigen Keramik vor allem mit dem Rheinland (Mittel- und Niederrhein) und Gebieten westlich davon bis etwa um 1200 stehen wohl in Zusammenhang mit dem rheinhessischen Besitz vor allem der rheinischen Kirchen (z.B. Köln), denen ein Standbein im fernen Rheinhessen zeitweilig viel bedeutet haben muss.

Mainz and Rhine-Hesse – attempt at an overview

In the 9th century Mainz and its surroundings of Rhine-Hesse lay under the influence of the pottery development of the lower Central and Lower Rhineland. Especially imports of products from Mayen and Badorf dominate the picture not only in Mainz, but also in the rural region. Almost a third of the pottery consists of late coarseware and the Older yellow wheel-turned ware, which were native to the lower Main, southwest Germany east of the Rhine and to the southern Upper Rhineland. Beside these we find groups which hitherto have been of no consequence, such as Tating pottery and a group of reduce-fired, striped-burnished pottery roughly related to it and to products from Mayen and which was perhaps produced in Mainz. Even in the 10th-12th century Mayen and the newly added Pingsdorf continue the traditional Rhenish character of the pottery in Mainz and Rhine-Hesse. Only around 1200 do we recognise a break in the sense of a new orientation towards more regional groups of pottery, e. g. a manganese-violet assemblage. In all, as well as the geographically vital transport connection via the Rhine, supraregional absentee ownership in large proportions of the region, too, is reflected within the region's pottery make-up. As an old settlement area rich in tradition Rhine-Hesse was always of supraregional importance because of its prominent economic value, e. g. wine-production. The particularly distinctive connections of the pottery here, especially with the Central and Lower Rhineland and areas west thereof, until around 1200 are linked to the land-ownership in Rhine-Hesse especially by the Rhineland churches, e. g. Cologne, for whom a foothold in far-off Rhine-Hesse must have been very important for a time.

Translation: C. Bridger

LUTZ GRUNWALD

ANMERKUNGEN ZUR MAYENER KERAMIKPRODUKTION DES 9. BIS 12. JAHRHUNDERTS

ARCHÄOLOGISCHE NACHWEISE – WIRTSCHAFTSGESCHICHTLICHE AUSSAGEN – HISTORISCHE EINBINDUNGEN

Die Stadt Mayen liegt im Norden des Bundeslandes Rheinland-Pfalz etwa 30km westlich von Koblenz und somit nahe der Einmündung der Mosel in den Rhein. Die von dem Fluss Nette durchströmte, erstmals im Jahr 855 unter dem Namen Maginínga[1] urkundlich genannte Niederlassung befindet sich in einem etwa 4km durchmessenden Talkessel am Übergang von der Osteifel zum Mittelrheinischen Becken. Heute kündet nichts mehr von der langen Töpfertradition, die im Wirtschaftszentrum Mayen[2] kurz vor dem 2. Weltkrieg im 20. Jahrhundert endete und ohne Unterbrechung bis in die römische Zeit zurückreicht.

DIE ANFÄNGE DER KERAMIKHERSTELLUNG IN MAYEN

Vermutlich schon seit den Jahrzehnten um Christi Geburt[3], spätestens aber seit dem 2. Jahrhundert n. Chr.[4] wurde in Mayen Keramik hergestellt[5]. Hierfür sprechen auch neueste naturwissenschaftliche Analyseergebnisse[6] (vgl. Beitrag Wenxing Xu). Frühe Produktionsstätten könnten in Mayen schon im 1. Jahrhundert an der Polcher Straße (**Abb. 1, 1**)[7] und im Bereich der Flur »Auf der Eich« (**Abb. 1, 2**) bestanden haben. Die Mayener Keramik ist während des 3. Jahrhunderts im Moselmündungsgebiet nachzuweisen[8] und tritt ab dem späten 3. Jahrhundert im fern gelegenen Raum um Metz in einer hellgelben Variante auf[9]. Es ist daher wohl schon seit dieser Zeit von einem über die Rheinhafenstadt Andernach[10] erfolgten Fernexport der Mayener Produkte auszugehen. In der ersten Hälfte des 4. Jahrhunderts dürften die Mayener Gefäße nach den Forschungsergebnissen von Sibylle Friedrich mit der nahe Andernach in Weißenthurm am Rhein produzierten, so genannten »Urmitzer Ware« sowohl auf dem Lokal- als auch auf dem Exportmarkt in Konkurrenz gestanden haben[11]. Die in Mayen hergestellten Tonwaren erlangten spätestens in der zweiten Hälfte des 4. Jahrhunderts eine große wirtschaftliche Bedeutung, wurden bis in die erste Hälfte des 5. Jahrhunderts in weiten Teilen des römischen Reiches marktbeherrschend[12] und zumindest bis in das späte 5./frühe 6. Jahrhundert an Nieder- und Oberrhein[13], an der Mosel bis nach Lothringen[14] sowie an die Maas[15] verhandelt. Nach den neuesten naturwissenschaftlichen Erkenntnissen produzierten die spätantiken Töpfereien im Bereich »Auf der Eich« (**Abb. 1, 2**) bis in das mittlere Drittel des 5. Jahrhunderts (vgl. Beitrag Wenxing Xu)[16]. Ab der Mitte des 5. Jahrhunderts trat dann in Mayen ein grundlegender Wandel im Siedlungsbild ein. Die im Bereich der Flur »Auf der Eich« gelegenen Töpfereien wurden in den Raum Siegfriedstraße/Genovevaburg (**Abb. 1, 3**) verlagert, die aufgelassenen Werkstätten nach den Ergebnissen von Martin Grünewald teilweise für die Anlage von Bestattungen genutzt und das Areal links der Nette daher wohl für Siedlungszwecke nicht mehr in Anspruch genommen.

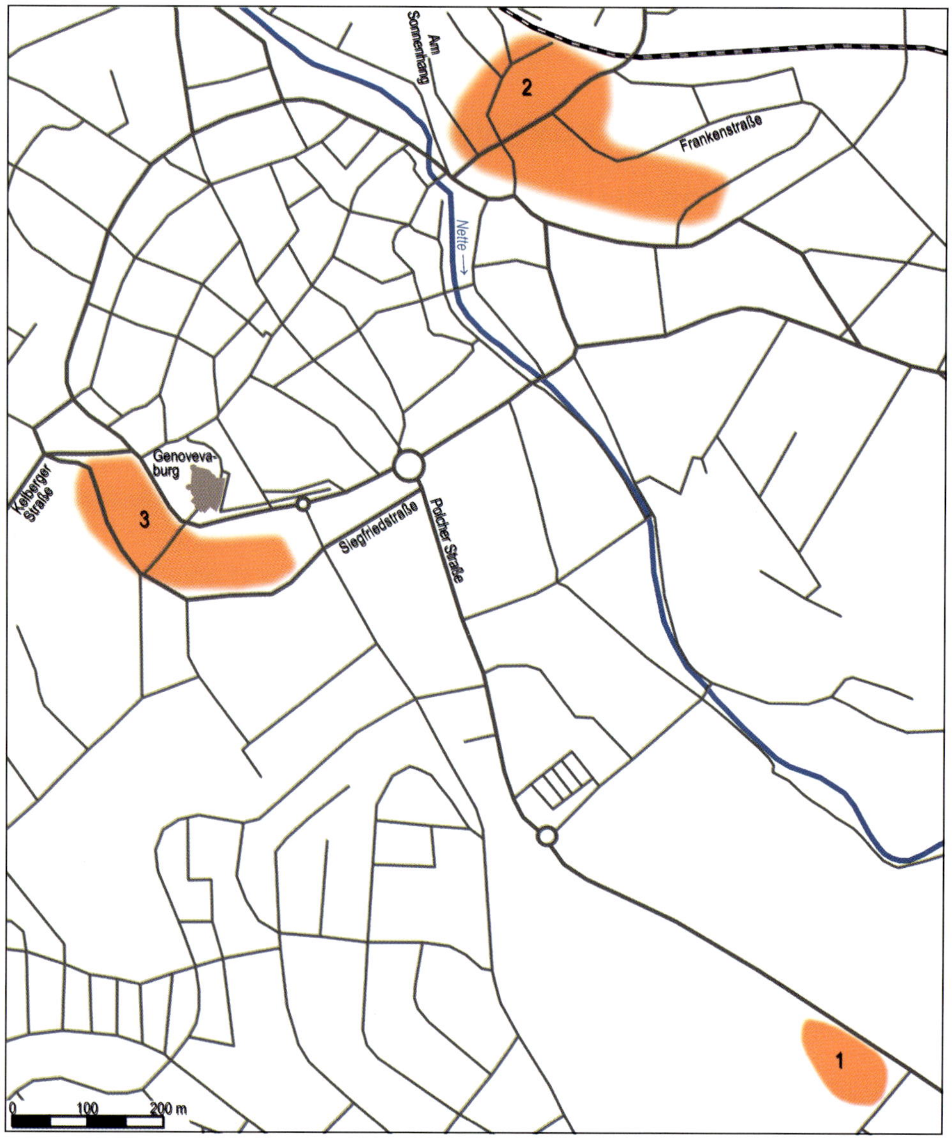

Abb. 1 Lage der römischen Töpfereien in Mayen. – (Karte B. Streubel nach Angaben Verfasser, beide Forschungsbereich VAT/Mayen; Kartengrundlage Kartendaten OpenStreetMap und Mitwirkende, CC-BY-SA 2.0).

DIE KERAMIKHERSTELLUNG VOM 5. BIS IN DAS 9. JAHRHUNDERT

Im Bereich Siegfriedstraße/Genovevaburg entstand ab der Mitte des 5. Jahrhunderts sowohl nach den Ofenbefunden als auch nach den 1986/87 [17] flächig geborgenen Fehlbränden [18] ein durch das Töpferhandwerk geprägtes, über das frühe Mittelalter bis in das 9. Jahrhundert immer intensiver genutztes Neubauviertel mit ebenerdigen Holzbauten, Grubenhäusern, Materialgruben zur Gewinnung des oberflächennah anstehenden Tons und Brennanlagen. In den Betrieben wurde – ausgehend von einer in römischer Weise lebenden Bevölkerung – bis in den Anfang des 6. Jahrhunderts eine auf spätantikem Formengut beruhende und in römischer Technik gefertigte Ware produziert. Dieses beweist z. B. ein 1975 auf dem Grundstück Siegfriedstraße 55 (Neubau Winkel) ausgegrabener stehender Töpferofen mit Mittelpfeiler und Schlitztenne [19]. Bei dieser Anlage handelt es sich um einen in römischer Technik – mit in der Wandung in Lehm eingebetteten Wölb- und Wölbwandtöpfen (= späte Varianten des Typs Alzei 27 mit verkürzter Deckelfalz)

– erbauten Schachtofen (**Abb. 2**)[20]. Er wurde nach heutiger Fundansprache in der zweiten Hälfte des 5. Jahrhunderts errichtet[21], bis in die erste Hälfte des 6. Jahrhunderts genutzt[22], in der zweiten Hälfte des 6. Jahrhunderts verfüllt[23] und im 8./9. Jahrhundert[24] mit einer Planierschicht überlagert. Aus solchen stehenden Schachtöfen des 5. Jahrhunderts entwickelten sich in Mayen die merowingischen und karolingischen stehenden Brennanlagen, die dann ab dem fortgeschrittenen 6. Jahrhundert in den Ofenwandungen nicht mehr mit Keramikgefäßen, sondern mit Basalt- bzw. Tuffsteinen in einem Lehmverbund erbaut wurden[25]. Nach dem heutigen Wissensstand liegt für die Mayener Töpfereien im Bereich der Siegfriedstraße seit der Mitte des 5. Jahrhunderts über das Hochmittelalter hinweg bis in das 20. Jahrhundert eine ununterbrochene Platzkontinuität vor[26].

Abb. 2 Römischer Schachtofen der zweiten Hälfte des 5. Jahrhunderts. Ausgrabungsbefund des Jahres 1975 auf dem Grundstück Siegfriedstraße 55. – (Foto Erich Müsch, Archiv Geschichts- und Altertumsverein Mayen).

DIE LAGE DER TÖPFEREIEN DES 9. BIS 12. JAHRHUNDERTS

Mark Redknap nahm für die mittelalterliche Keramikproduktion in Mayen – neben dem Bereich Siegfriedstraße/Genovevaburg – auch ein Töpfereiareal links der Nette an[27]. Bei den herangezogenen Befunden handelt es sich nach seiner Zählung um die Fundstellen 16, 28 und 62. Zu der Fundstelle 16 in der Alleestraße ist festzustellen, dass der beobachtete Ofen zusammen mit römischem Fundgut und insbesondere mit einer Goldmünze des Honorius (395-423 n. Chr.) sowie einem Schmelztiegel aufgefunden wurde[28]. Als weitere Funde von diesem Grundstück wurden später drei Faststeinzeuggefäße des 13./14. Jahrhunderts aus Privatbesitz bekannt, die in der Folge als Datierungsansatz für den Ofen dienten. Ihre Zugehörigkeit zu der Brenneinheit ist aber gänzlich unklar. Daher scheint ein »spätrömisches Datum für den Ofen möglich«[29]. Der Schmelztiegel könnte zudem für einen Zusammenhang mit der Metallverhüttung sprechen. Beim Neubau des Hauses Dr. Genius im »Trinnel« (= Fundstelle 28 nach Redknap) wurde 1936 ein mit einer sehr breiten Wandung errichteter Ofen entdeckt[30]. »Das Fehlen von Fehlbränden spricht dafür, dass der Ofen nicht der Keramikherstellung diente«[31]. Es dürfte sich wohl um einen Metallschmelzofen gehandelt haben. Im Bereich der Fundstelle 62 traf man an der Koblenzer Straße eine 4,0 m lange und 0,3 m mächtige Auffüllschicht an. Töpferofenbefunde sind von hier nicht bekannt. Die geborgene Keramik wurde von Redknap chronologisch als »eventuell spätrömisch/Übergang« zur fränkischen Epoche angesprochen[32]. Demnach fehlt jeglicher Nachweis für eine mittelalterliche Keramikproduktion links der Nette. Die Mayener Töpfereien des 9. bis 12. Jahrhunderts lagen nur im Großraum Siegfriedstraße/Genovevaburg. Ab dem späten 8. Jahrhundert wurde das dortige Töpfereiareal in nordöstlicher Richtung[33] erweitert (**Abb. 3**) und die Keramikproduktion noch weiter intensiviert. Hierfür sprechen die Ausgrabungsbefunde von 1986/87. Demnach wurden in den Jahrzehnten um 800 die bestehenden Grubenhäuser aufgegeben und die Erdoberfläche einplaniert. Dieser Vorgang wiederholte sich mehrfach. Die den Horizont der Grubenhäuser des 5. bis 8. Jahrhunderts überlagernden Planierschichten waren mit Fehlbränden und Ofenbauteilen durchsetzt. In diese Straten wurden die 1986/87 auf einer Fläche von 2800 m² dokumentierten 27 Töpferöfen des späten 8. bis 14. Jahrhunderts eingetieft.

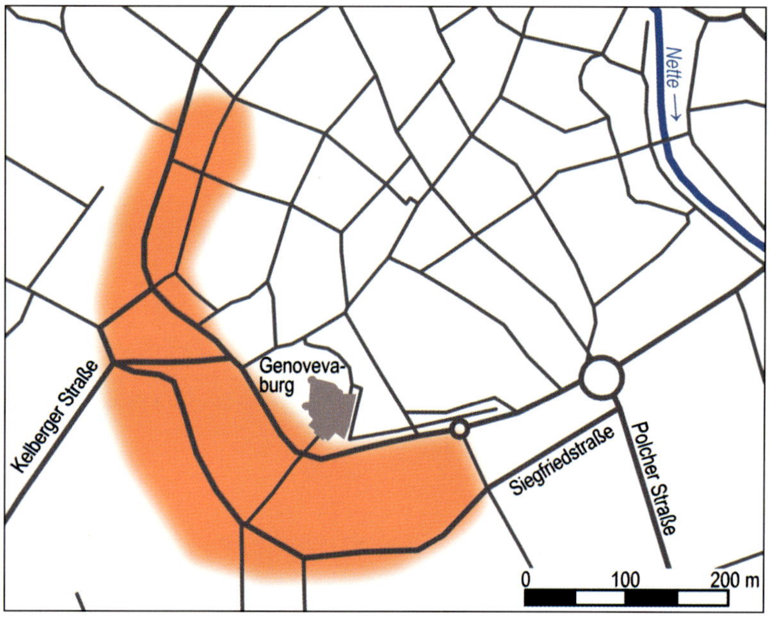

Abb. 3 Lage der Mayener Töpfereien im späten 8. und 9. Jahrhundert. – (Karte B. Streubel nach Angaben Verfasser, beide VAT/Mayen; Kartengrundlage Kartendaten OpenStreetMap und Mitwirkende, CC-BY-SA 2.0).

Vom 10. bis in das 12. Jahrhundert kann für Mayen eine Flächenreduzierung des für die Töpfereien genutzten Areals auf das direkte Umfeld von Siegfriedstraße und Genovevaburg festgestellt werden (**Abb. 4**). Dieser zunächst sicherlich mit einem Rückgang der Produktionsrate verbundene Prozess dürfte seine Hauptursache in den entlang des Rheins erfolgten Wikingerüberfällen besitzen[34]. Sie waren für die im Moselmündungsbereich lebende Bevölkerung spätestens nach den Angriffen auf Köln im Jahr 862 Furcht einflößend und für den Fernhandel extrem schädlich. Zudem wurden in der Mitte und der zweiten Hälfte des 9. Jahrhunderts mehrmals Streitigkeiten zwischen den fränkischen Teilreichen im Moselmündungsgebiet mit Waffengewalt ausgetragen[35]. Besonders bekannt ist die am 8. Oktober 876 bei Andernach zwischen dem westfränkischen König Karl II. dem Kahlen und dem ostfränkischen König Ludwig III. dem Jüngeren um die Vorherrschaft am Rhein und in Lothringen ausgetragene Schlacht, die zu Gunsten von Ludwig III. und Ostfranken ausging[36]. Die Wikingerübergriffe bedrohten im Umland von Mayen in den 880er Jahren Leib und Leben der Menschen. Die Plünderung der für die Wirtschaft so wichtigen Hafenstadt Andernach im Jahr 882[37] dürfte den Exporthandel mit Mayener Keramikwaren zumindest kurzzeitig zum Erliegen ge-

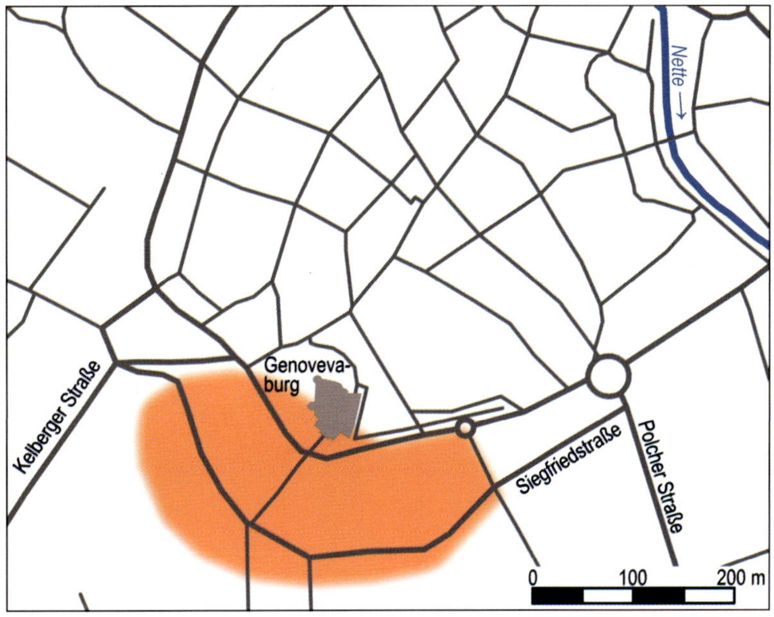

Abb. 4 Lage der Mayener Töpfereien vom 10. bis in das 12. Jahrhundert. – (Karte B. Streubel nach Angaben Verfasser, beide VAT/Mayen; Kartengrundlage Kartendaten OpenStreetMap und Mitwirkende, CC-BY-SA 2.0).

bracht haben. Die Wikingerbedrohung endete erst im Jahr 892 mit den Brandschatzungen von Bonn und – erneut – des Klosters Prüm[38]. Es ist davon auszugehen, dass der Exportmarkt in Folge dieser kriegerischen Ereignisse am Niederrhein neu strukturiert wurde und die handelsstrategisch günstiger im Eifelvorgebirge gelegenen Töpfereien – allen voran jene von Brühl-Pingsdorf – die Mayener Werkstätten im 10. Jahrhundert mit ihren Waren fast gänzlich verdrängten. Zusätzlich sind für das Jahr 911 Ungarneinfälle im direkten Umland von Mayen überliefert, die sicherlich kurzzeitig zu einer weiteren Schwächung von Mayen als Wirtschaftsstandort geführt haben[39]. Nach dem Fundaufkommen in Mayen dürften die ansässigen Töpfereien aber im 11./12. Jahrhundert wieder höhere Produktionszahlen erreicht haben, die im 13. Jahrhundert durch die zusätzliche Herstellung von großen Mengen Faststeinzeug noch gesteigert wurde.

DIE ENTWICKLUNG DER MAYENER TÖPFERÖFEN VOM 5. BIS IN DAS 13. JAHRHUNDERT

Nach dem heutigen Wissensstand zeigt sich für die typologische Entwicklung der Mayener Töpferöfen folgendes Bild (**Abb. 5**)[40]: Einfache Schachtöfen[41] nutzte man in Mayen vom 5. zumindest bis in das 9. Jahrhundert. Ab dem fortgeschrittenen 10. Jahrhundert sind sie hier nicht mehr nachzuweisen. Dafür treten aber spätestens ab der zweiten Hälfte des 9. Jahrhunderts[42] als typologische Weiterentwicklung seitlich verbreiterte, stehende Töpferöfen auf, deren Tenne von einem zentralen massiven Mittelpfeiler und zwei seitlichen dünneren Nebenständern getragen wurde[43]. Solche Brenneinheiten wurden in Mayen zumindest noch im 10., vielleicht sogar noch im 11. Jahrhundert genutzt[44].

Der 1986 während der Ausgrabung von Sondage IV seitlich angeschnittene, langovale Töpferofen 9 (**Abb. 6**) stellt einen grundlegend anderen Ofentyp dar. Er wies einen maximal 0,90 m langen Schürkanal mit dem Feuerraum und daran horizontal anschließend einen langovalen, bis zu 2,50 m messenden Brennraum mit leicht ansteigender, flacher Sohle auf. Es handelt sich somit um keinen stehenden, sondern um einen liegenden Einkammerofen[45]. Die technische Neuerung der liegenden Brennanlagen kam im 8. Jahrhundert in Nordfrankreich und in Belgien auf und wurde dann nach Osten in die Rheinregion vermittelt[46]. Demnach

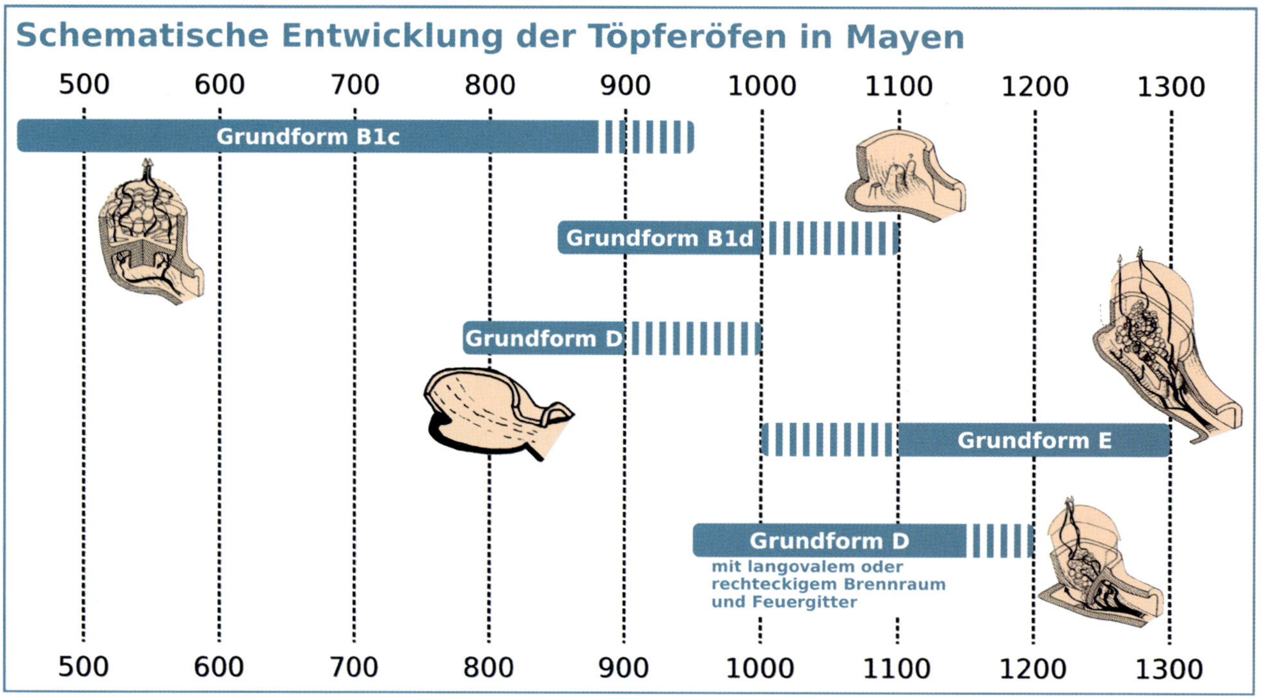

Abb. 5 Zeitliche Entwicklung der in Mayen vom 5. bis in das 13. Jahrhundert genutzten Töpferofentypen. – (Graphik B. Streubel nach Angaben Verfasser, beide Forschungsbereich VAT/Mayen).

Abb. 6 Karolingischer, liegender Töpferofen des späten 8./erste Hälfte 9. Jahrhunderts. Ausgrabungsbefund von Töpferofen 9 aus dem Jahr 1986. – (Foto Generaldirektion Kulturelles Erbe Rheinland-Pfalz, Direktion Landesarchäologie, Außenstelle Koblenz/Forschungsbereich VAT/Mayen).

sollte die Brennanlage aus Mayen wohl frühestens in die zweite Hälfte des 8. Jahrhunderts datieren[47]. Dieser Töpferofentyp kann in Mayen im 9. und vermutlich auch noch im 10. Jahrhundert nachgewiesen werden. Im Verlauf des 10. Jahrhunderts kam es durch die Einfügung von Ofengittern zu einer Gliederung der Brennanlagen dieses Typs in zwei Teile. Solche nun zu den Zweikammeröfen zählenden, in Mayen bis in das 12. Jahrhundert genutzten und in den Außenwandungen zumindest teilweise noch mit Basalt- oder Tuffsteinen errichteten Brennanlagen konnten ovale oder rechteckige Brennräume aufweisen. Die typologisch anschließenden, liegenden, mit langen Zügen ausgestatteten Töpferöfen der Grundform E nach Redknap[48] setzten vielleicht schon im 11. Jahrhundert ein, sind in Mayen aber sicher im 12. und 13. Jahrhundert nachzuweisen. Zu diesen Anlagen gehört der 1986 entdeckte Töpferofen 11 (**Abb. 7**). Die insgesamt 3,70 m lange und in den ansteigenden Hang eingetiefte, ohne Nutzung von Bruchsteinen aus Flechtwerk und Lehm aufgebaute Anlage gliederte sich durch ein zweisäuliges Feuergitter in Feuer- und Brennraum. Die Sohle des Feuerraums stieg in einem Winkel von 30°, der mit drei Zügen ausgestattete Boden des Brennraumes in einem Winkel von 80° an. Das hier geborgene, Formen der zweiten Hälfte des 12. und der ersten Hälfte des 13. Jahrhunderts repräsentierende Fundgut gehört zu der hart bzw. klingend hart gebrannten, späten Ausprägung der Mayener Ware ME (**Abb. 8**)[49]. Bei der Produktion dieser jüngeren Kugeltopfkeramik aus verfeinertem Ton dürfte ein Rohling auf der Drehscheibe vorgeformt und dann über der Faust geweitet worden sein[50]. Die im Gefäßinneren angetroffenen Fingerabdrücke sind sehr grazil. Das Weiten wurde daher von Frauen oder noch eher von Kindern durchgeführt.

Abb. 7 Liegender Töpferofen der Stauferzeit aus der zweiten Hälfte des 12. und dem Beginn des 13. Jahrhunderts. Ausgrabungsbefund von Töpferofen 11 aus dem Jahr 1986. – (Foto Generaldirektion Kulturelles Erbe Rheinland-Pfalz, Direktion Landesarchäologie, Außenstelle Koblenz/Forschungsbereich VAI/Mayen).

Abb. 8 Keramik aus dem Töpferofen 11. – (Foto Janina Schmidt, Landesmuseum Koblenz).

ANMERKUNGEN ZUR MAYENER KERAMIK DES 8. BIS 13. JAHRHUNDERTS

Neuere Untersuchungen zu Gräberfeldern des Moselmündungsgebietes (vgl. Beitrag Eveline Saal) beweisen, dass bei der in dieser Region anzutreffenden Keramik seit dem späten 7. Jahrhundert teilweise eine Tendenz zu härter gebrannter Ware mit kugeligeren Formgebungen festzustellen ist. Neben diesen noch relativ dickwandigen Gefäßen sind aber weiterhin auch weicher gebrannte Keramiken alter Formausprägung vorhanden. Die erste frühe, hart, aber noch nicht steinzeugartig klingend hart gebrannte Gruppe der Warenart E nach Kurt Böhner [51], Ware ME nach Redknap [52] oder »jüngere Mayener Ware« nach Uwe Lobbedey [53] und Uwe Gross [54] behielt bis in die zweite Hälfte des 8. Jahrhunderts die merowingischen Gefäßtypen – etwa Kleeblattkannen, Knickwand- oder Wölbwandtöpfe – bei. Erst im späten 8. Jahrhundert ist im Moselmündungsgebiet – wie auch im Köln-Bonner Raum oder bei den in Trier ansässigen Töpfereien [55] – ein überregional festzustellender grundlegender Wandel in der Formgebung einiger Gefäßtypen nachzuweisen [56], der sich in der Mayener Produktion z. B. in den karolingischen, im Gefäßkörper eher eiförmigen »Kugel«töpfen und den Kannen mit von der Gefäßinnenseite eingesetzten konischen Tüllen manifestiert [57]. Diese in ihrer Formgebung nicht mehr auf römisch/merowingische Wurzeln zurückgehenden Gefäße sind zumeist der zweiten, steinzeugartig klingend hart gebrannten Untergruppe der Warenart E nach Böhner zuzuordnen. Solche dünnwandigen Behältnisse waren annähernd wasserdicht und besonders robust. Bisher wurde davon ausgegangen, dass diese Keramikgruppe im Moselmündungsgebiet bereits in merowingischen Bestattungen des 7. Jahrhunderts vorhanden ist und – für den chronologischen Ansatz entscheidend – aufgrund des Auftretens solcher Gefäßfragmente in der Belegungsphase D des Gräberfeldes von Koblenz-Rübenach schon im letzten Viertel des 7. Jahrhunderts einsetzt [58]. Die bisher in diesem Zusammenhang für das 7. Jahrhundert herangezogenen Bestattungen sind aber entweder gestört angetroffen oder ohne vorhandene Befunddokumentation vorgelegt worden [59]. Zudem hat Ament bei einer neueren Betrachtung des Gräberfeldes von Koblenz-Rübenach herausgestellt, dass das Ende dieser Nekropole aufgrund der Bestattungszahlen nicht am Anfang des 8. Jahrhunderts, sondern erst zwischen 800 und 910 gelegen haben kann [60]. Tobias Gärtner wies zudem jüngst darauf hin, dass die in Koblenz-Rübenach angetroffenen Gräber mit Fragmenten von Gefäßen dieser Keramikgruppe am nördlichen Rand der Nekropole eine klar abzugrenzende Gruppe bilden, die »in ihrer Gesamtheit der jüngsten Belegungsphase« [61] zuzuweisen ist. Wenn man von einem Belegungsende des Bestattungsplatzes spätestens um 910 ausgeht, so sind diese Gräber – und somit auch die in ihnen angetroffene steinzeugartig klingend hart gebrannte Keramik – dem von Ament vorgeschlagenen Zeitraum von 800 bis 910 zuzuweisen. Dieser chronologische Ansatz wird durch zwei münzdatierte, steinzeugartig klingend hart gebrannte und in Mayen produzierte Gefäße gestützt. Zum einen handelt es sich um einen fast noch kugeligen, den Bauchumbruch aber oberhalb der Gefäßmitte besitzenden Topf mit linsenförmigem Boden aus einem Grab bei Leer (Ostendorf), Kr. Steinfurt. Die Bestattung wird durch einen Denar Karls des Großen in die Zeit um 800 datiert [62]. Zum anderen kann jener Topf mit gerundetem Rand [63] den angesprochenen Gefäßen angeschlossen werden, der bei Pilliger Heck, Lkr. Mayen-Koblenz, gefunden wurde und einen Münzschatz von etwa 2200 karolingischen Denaren enthielt [64]. Die jüngsten dieser überwiegend in Nordfrankreich, vor allem aber in Dorestad geschlagenen Münzen datieren die Verbergung des Schatzes in die Zeit nach dem Jahr 855.

Der neue zeitliche Ansatz lässt sich sehr gut mit den Formentwicklungen im Köln-Bonner Raum verbinden, da zumindest für die Mittelgebirgsregion an Mittel- und Niederrhein eine einheitliche Tendenz in der typologischen Entwicklung der Gefäßformen vorzuliegen scheint. Die steinzeugartig klingend hart gebrannten und in Mayen produzierten Gefäße sind somit in die im Eifelvorgebirge fundiert begründete typologische und chronologische Entwicklung einzubinden (vgl. Beitrag Christoph Keller) [65]. Der bereits angesprochene, 3,40 m lange und noch bis zu 1,30 m Breite erhaltene Töpferofen 9 wurde nach dem in ihm angetroffenen

Fundgut für die Produktion der ab der karolingischen Renaissance verbreitet auftretenden, steinzeugartig klingend hart gebrannten, dünnwandigen Mayener Keramik genutzt (**Abb. 9**). Die Gefäße zeigen mäßig breite bis breite, gerundete Schulterpartien und eher eiförmige, zum abgerundeten Wackelboden schmaler werdende Körper. Die größten Durchmesser liegen entweder im Bereich der Gefäßmitte oder oberhalb von dieser. Die Ränder sind abgestrichen bis rundlich hängend. Verzierungen treten – wenn überhaupt – als einfache Rillen oder Rollrädchenbänder auf. Vergleichbare Formausprägungen sind im Köln-Bonner Vorgebirge[66] und an der Maas[67] erst ab der Zeit um 800 und besonders dann im 9. Jahrhundert möglich. Nach der in Töpferofen 9 geborgenen Keramik wurde diese Anlage im späten 8. und der ersten Hälfte des 9. Jahrhunderts betrieben. Während in dieser Brennanlage nur die Produktion einfacher Gebrauchskeramik nachgewiesen ist, zeigen andere Befunde, dass in dieser Zeit in Mayen auch in der Rheinregion moderne Gefäßformen wie die mit fingerkuppenverzierten Auflagen versehenen Reliefbandamphoren in der steinzeugartig klingend hart gebrannten Variante der Ware ME nach Redknap gefertigt wurden (**Abb. 10**)[68]. Mit dem Töpferofen 9 aus Mayen liegt bisher der älteste Nachweis dieses Ofenbautyps aus dem Rheinland vor[69], was für eine Führungsposition der Mayener Töpfereien in dieser Region in der Frühzeit der karolingischen Epoche spricht.

Abb. 9 Keramik aus dem Töpferofen 9.

Abb. 10 Stark verzogener und gesprungener Fehlbrand einer 1986 entdeckten Reliefbandamphore Mayener Produktion.

In Mayen wurden im 9. Jahrhundert aber nicht nur Gefäße der Warenart ME nach Redknap produziert. Schon 1941 haben Waldemar Haberey und Walter Rest – ausgehend von fünf bei Kottenheim ausgegrabenen karolingischen Grubenhausbefunden des 8./9. Jahrhunderts [70] – darauf hingewiesen, dass die rotgestrichene Mayener Ware zusammen mit der steinzeugartig klingend hart gebrannten karolingischen Mayener Ware vorkommt [71]. Besonders nach den in Grubenhaus 9 von Kottenheim festgestellten Keramikfragmenten ist noch bis in die zweite Hälfte des 9. Jahrhunderts eine Produktion rotgestrichener Ware – also der Ware MA nach Redknap [72] – in Mayen denkbar [73]. In Grubenhaus 12 von Kottenheim – das wohl frühestens der zweiten Hälfte des 8. Jahrhunderts zugewiesen werden kann [74] – fand sich zudem der Boden eines dunkelrot gestrichenen Gefäßes mit weißer Bemalung [75]. Eine Produktion von rotgestrichener und weiß bemalter Ware ist daher – wie dieses schon von Christiane Neuffer-Müller auch aufgrund des Fundmaterials der Siedlungen von Neuwied-Gladbach angenommen wurde [76] – zumindest noch im 8. Jahrhundert anzunehmen. Folglich wurde die in den Jahrzehnten um 700 einsetzende, zunächst mit geometrischen Mustern wie Strichen, Kreisen oder Punkten rotbemalte Mayener Ware MFP nach Redknap [77] zeitweise zusammen mit der rotgestrichenen und weiß bemalten Keramik produziert. Ab der zweiten Hälfte des 9. Jahrhunderts zeigte die Bemalung der Mayener Ware MFP dann keine geometrischen Muster mehr, sondern bestand wie bei den Produkten des Köln-Bonner Raumes aus aufgelösten Strichgruppen und Farbspritzern (**Abb. 11**).

Abb. 11 Fragment eines braun bemalten Gefäßes Mayener Produktion der zweiten Hälfte des 9. oder der ersten Hälfte des 10. Jahrhunderts.

Nach den Mayener Befunden und Funden ist hier die Herstellung dieser jüngeren Ausprägung der rotbemalten Ware zumindest noch in der zweiten Hälfte des 9., wenn nicht sogar in der ersten Hälfte des 10. Jahrhunderts nachgewiesen [78]. Vermutlich dauerte ihre Produktion aber noch bis in das 12. Jahrhundert an [79]. Man kann auch heute noch der schon 1964 von Ament in Bezug auf die rotbemalte Ware geäußerten Ansicht folgen, »dass die traditionsreichen Mayener Töpferwerkstätten den entscheidenden Anstoß für eine neue Geschmacksrichtung in der Keramikdekoration gaben« [80], die dann von den Werkstätten im Köln-Bonner Eifelvorgebirge aufgegriffen und ab dem letzten Viertel des 9. Jahrhunderts in großem Umfang angewandt wurden [81]. Für Mayen ist für das 9. bis 12. Jahrhundert zusammenfassend festzuhalten, dass im 9. Jahrhundert parallel zu der Produktion der beiden Keramikgruppen der Ware ME die rotbemalte Ware MFP, die rotgestrichene Ware MA und die geglätteten Mayener Warenarten MB bzw. MC [82] nach

Redknap produziert wurden[83]. Die Ware MFP gehörte wohl zumindest bis in das 10., vermutlich aber bis in das 12. Jahrhundert zum Repertoire der Mayener Töpfereien. Auch Gefäße der Warenarten MB und MC, deren Oberwandverzierungen vielleicht teilweise von derjenigen der rotbemalten Ware inspiriert wurden, könnten nach den vorliegenden Randausprägungen noch im 10. Jahrhundert gefertigt worden sein[84]. Die Herstellung der hart und steinzeugartig klingend hart gebrannten Keramikgruppen der Warenart ME nach Redknap dauerte in Mayen zumindest bis in das 13. Jahrhundert an[85], wobei zu diesen Produkten ab dem späten 12./13. Jahrhundert die Warenart MK nach Redknap, das Faststeinzeug, hinzukam[86]. Mayen war nach dem heutigen Wissensstand noch im 12./13. Jahrhundert ein wichtiger Wirtschaftsstandort, dessen Töpfereien in großen Stückzahlen für den Export produzierten.

ZUM EXPORT DER MAYENER KERAMIK VOM 9. BIS IN DAS 12. JAHRHUNDERT

Die bisherigen Untersuchungen zum Mayener Keramikexport ergaben, dass die Verbreitung der steinzeugartig klingend hart gebrannten Mayener Produkte der Ware ME die Absatzgebiete des 7./8. Jahrhunderts noch übertraf und im 9. Jahrhundert von einem zusätzlichen Aufschwung des Fernhandels mit Mayener Keramik auszugehen ist (**Abb. 12**). Das Beispiel von Erftstadt-Niederberg (vgl. Beitrag Torsten Rünger) spricht dafür, dass die Mayener Tonwaren zusammen mit den in den Steinbrüchen dieses prosperierenden Wirtschaftszentrums gebrochenen Mühlsteinen verhandelt wurden. In Erftstadt-Niederberg lassen sich in einer dendrochronologisch in das Jahr 832 datierten Wassermühle sowohl Mayener Keramik (vgl. Beitrag Wenxing Xu) als auch aus Mayener bzw. Niedermendiger[87] Basalt bestehende Mühlsteine identifizieren[88]. Uwe Gross wies darauf hin, dass die Verbreitung der Mayener Ware ME am Oberrhein nicht ausschließlich, aber doch zumindest teilweise mit den grundherrschaftlichen Fernbesitzungen des Klosters Prüm und dem daraus resultierenden Warenaustausch im Zusammenhang stehen dürfte (vgl. Beitrag Uwe Gross)[89]. Auch die Antje Kluge-Pinsker zu verdankende Kartierung der nördlich der Abtei Prüm im Rhein-Maas-Gebiet gelegenen Klosterbesitzungen zeichnet – grosso modo – das Verbreitungsgebiet der karolingischen Mayener Ware nach[90]. In der Verbreitung der Mayener Gefäße des 9. Jahrhunderts dürfte sich somit teilweise auch das Einflussgebiet der Abtei Prüm widerspiegeln. Sicherlich kamen aber zu diesem Weg der Distribution auch der normale Handel und – in einem geringeren Maße – die individuellen Fernkontakte der damaligen Bevölkerung hinzu. Alle drei Faktoren begründen das heute nachzuweisende Verbreitungsbild der Mayener Tonwaren.

Besonders in Folge der Wikingereinfälle der zweiten Hälfte des 9. Jahrhunderts und der mutmaßlichen anschließenden Neustrukturierung des Exportmarktes ging die Anzahl der Mayener Gefäße an Niederrhein und Maas im 10. Jahrhundert zurück. Dieser Trend verstärkte sich im 11. Jahrhundert, was z. B. im Maastal und in Flandern zu belegen ist[91]. In südlicher Richtung kann der Fernexport über das 10. Jahrhundert hinaus im größeren Umfang kontinuierlich nachgewiesen werden. So liegt z. B. in der nordnordöstlich von Worms an der Weschnitzmündung gelegenen karolingischen Handelssiedlung »Zullestein« bei Biblis-Nordheim ein massives Auftreten der steinzeugartig klingend hart gebrannten Mayener Ware ME vor. Mayener Produkte sind an diesem, einen spätantiken *burgus* nutzenden Handelshafen vom 8. bis in das 11. Jahrhundert vorhanden. Ab dem 12. Jahrhundert werden hier die Importwaren dann von lokalen Keramikprodukten höchstwahrscheinlich aus Worms verdrängt[92]. In Frankfurt wie in den Niederlanden[93] sind Mayener Produkte aber auch noch im 12. Jahrhundert festzustellen[94]. Da das Mayener Faststeinzeug zumindest im 13. Jahrhundert ebenfalls bis in die Niederlande und zudem bis in die Pfalz gelangte[95], könnte Keramik dieser Zeit aus Mayen in den Exportregionen – wie z. B. dem Raum Frankfurt am Main – bislang oft unerkannt geblieben sein.

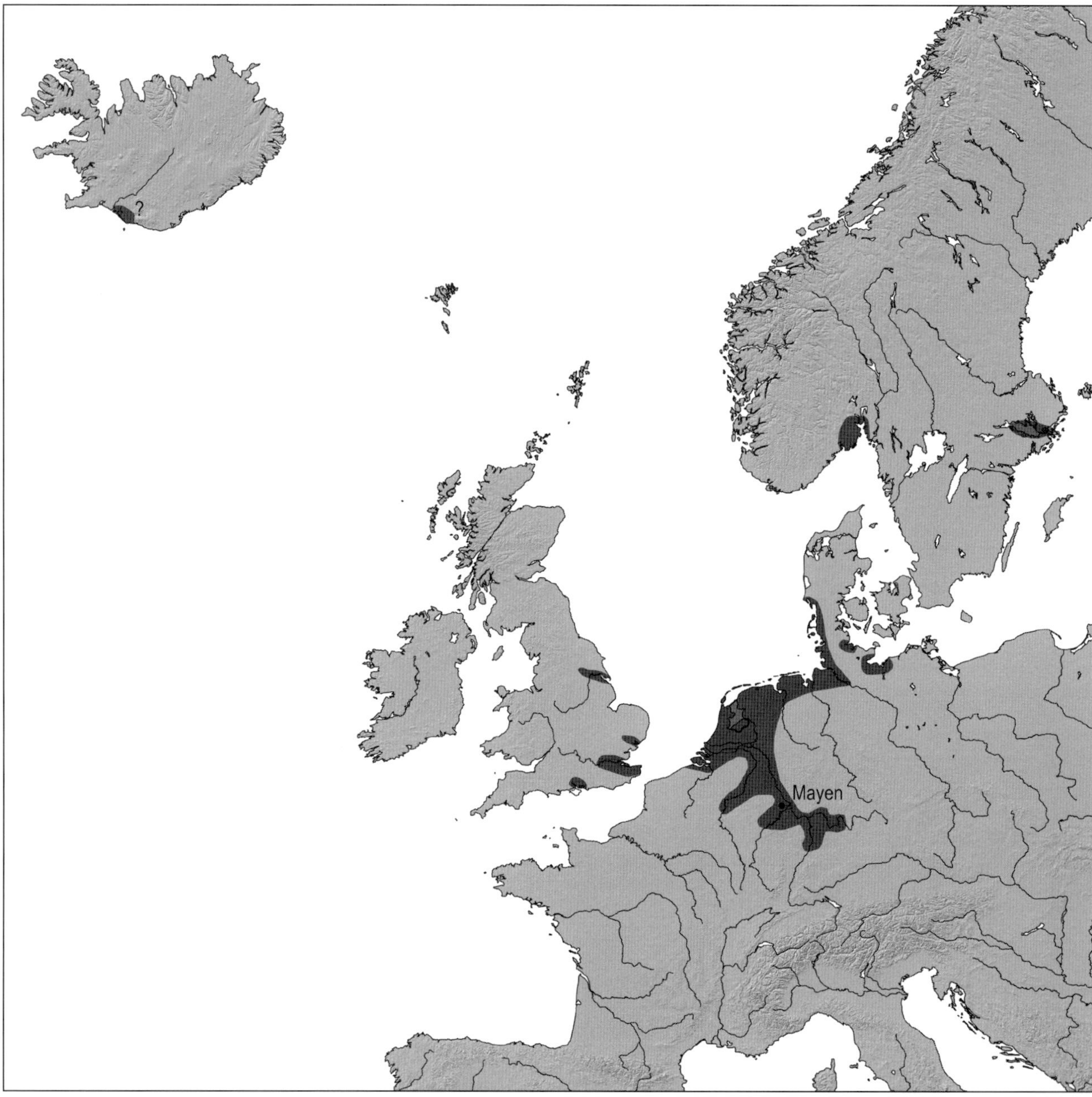

Abb. 12 Vorläufiges Verbreitungsbild der Mayener Ware ME im 9. Jahrhundert. – (Karte B. Streubel nach Angaben Verfasser, beide Forschungsbereich VAT/Mayen; Kartengrundlage Natural Earth).

NATURWISSENSCHAFTLICHE UNTERSUCHUNGEN ZUR MAYENER KERAMIK

Ein wichtiger Bestandteil der laufenden Forschungen zur Mayener Keramik ist der Export. Die bisher publizierten Verbreitungskarten der Mayener Ware sind immer etwas mit Unsicherheiten behaftet. Sehr oft konnten die Archäologen in den Exportregionen nämlich nicht gänzlich sicher sagen, ob die Keramik definitiv aus Mayen stammt. Aus diesem Grund werden umfangreiche mineralogische Untersuchungen durchgeführt, damit Mayener Keramik künftig verlässlich bestimmt werden kann. Dabei kommen als chemische Methode vor allem die Röntgenfluoreszenzanalyse (RFA) zur quantitativen Bestimmung der Haupt- und Spurenelemente und als mineralogische Methode die Röntgendiffraktometrie (XRD) zur qualitativen Analy-

se von Mineralbestandteilen zum Einsatz. Die Untersuchung der Keramikproben werden von Wenxing Xu im Institut für Geowissenschaften, Abteilung Geomaterial- und Edelsteinforschung, der Johannes Gutenberg-Universität Mainz im Rahmen ihrer Dissertation zur Mayener Keramik durchgeführt.
In einem ersten Arbeitsschritt wurden aus den Füllungen von Mayener Brennanlagen 156 Keramikproben zusammengestellt (**Abb. 13**). Genauer gesagt handelt es sich um acht Proben aus zwei Töpferöfen des spätrömischen Produktionsareals »Auf der Eich« (4. Jahrhundert), um acht Proben aus zwei Töpferöfen aus dem Bereich der östlichen Siegfriedstraße (zweite Hälfte 5./6. bis 8. Jahrhundert) und um 140 Proben aus elf Töpferöfen des 1986/87 ausgegrabenen Areals (spätes 8. bis 14. Jahrhundert). Ziel dieser Auswahl war es, für den Zeitraum vom 4. bis in das 14. Jahrhundert eine durchgängige Abfolge von Analysedaten zu erhalten. Für die römische Epoche können die gewonnenen Ergebnisse nun mit bereits publizierten Werten zu anderen römischen Keramikproduktionszentren verglichen werden[96]. Für das Mittelalter standen zu anderen Töpfereiorten der Rheinlande noch keine vergleichbaren, auf den entsprechenden Untersuchungsmethoden beruhenden naturwissenschaftlichen Daten aus Publikationen zur Verfügung. Daher wurden in einem zweiten Schritt aus den mittelalterlichen Töpfereiorten Ratingen-Breitscheid, Paffrath, Siegburg, Höhr-Grenzhausen, Frechen, Langerwehe, Raeren, Huy, Brühl-Pingsdorf, Brühl-Eckdorf und Bornheim-Walberberg Keramikproben aus Töpferöfen zusammengetragen und ebenfalls in Mainz analysiert[97]. Einige Ergebnisse der Untersuchungen und genauere Ausführungen zu den Analysemethoden sind dem anschließenden Beitrag von Wenxing Xu zu entnehmen.

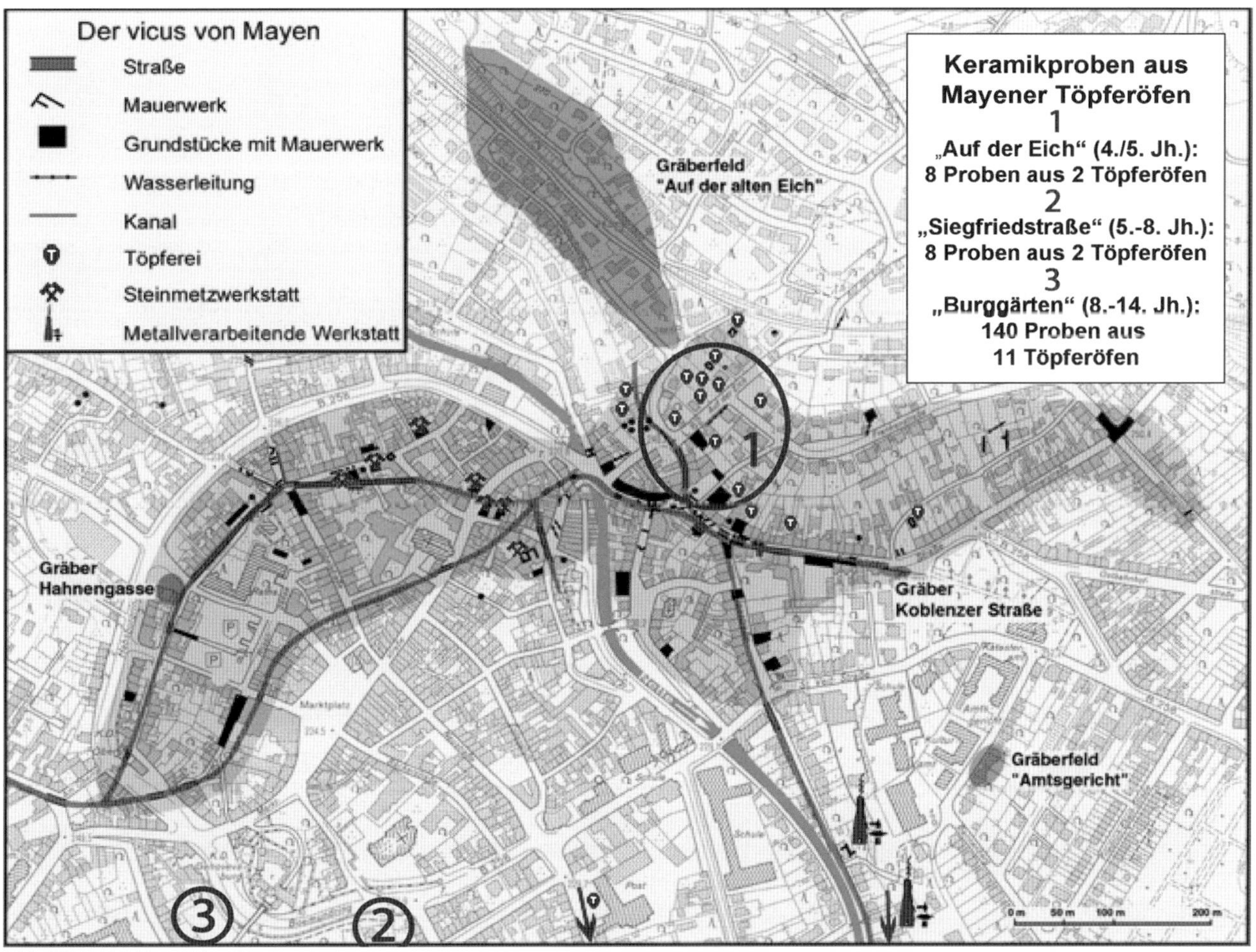

Abb. 13 Herkunft der Keramikproben aus Mayener Töpferöfen. – (Karte aus A. M. Glauben / M. B. Grünewald / L. Grunwald, Mayen am Übergang von Spätantike zu frühem Mittelalter. In: O. Wagener [Hrsg.], Der umkämpfte Ort – von der Antike zum Mittelalter. Beih. Mediaevistik 10 [Frankfurt 2009] 137 Abb. 1; Gestaltung A. M. Glauben; Ergänzungen Verfasser).

Anmerkungen

1) Hörter 2005, 27. – Flach 1991, 81.
2) Hierzu zusammenfassend: Hunold 2011, 76-79.
3) Frdl. Mitt. zur spätlatènezeitlichen Keramik aus Mayener Siedlungsbefunden von Antonia Glauben am 13.11.2008. Frau Glauben wertet an der Universität zu Köln im Rahmen ihrer Dissertation »Der römische Vicus von Mayen in der Eifel« auch das spätkeltische Material aus Siedlungsbefunden aus.
4) Auch Martin Grünewald nimmt für einen Teil der spätlatènezeitlichen Grabkeramik aus Mayen eine Herkunft aus örtlichen Betrieben an. Im Rahmen seiner Dissertation zu den römischen Bestattungsplätzen von Mayen konnte Grünewald eine Mayener Keramikproduktion ab dem 2. Jahrhundert nachweisen. Hierzu demnächst: Grünewald im Druck. – Von einer Mayener Keramikproduktion im 2./3. Jahrhundert ging bereits 1987 Lothar Bakker aus: Bakker 1987, 43. Entsprechend jüngst: Hunold 2011, 78.
5) Zu den weiteren römischen Töpfereien des Moselmündungsgebiets vgl. Grunwald 2011, 12-14.
6) Ein Tongefäß aus einem von Martin Grünewald in das 2. Jahrhundert datierten Grab des Bestattungsplatzes »Auf der alten Eich« in Mayen wurde nach den naturwissenschaftlichen Analysen in der benachbarten Töpferei in der Flur »Auf der Eich« hergestellt.
7) Hier wurden Anfang des 20. Jahrhunderts in der Ziegelei von Heinrich Albert, die den in diesem Bereich oberflächennah anstehenden Ton ausbeutete, römische Töpferöfen und Abfallgruben entdeckt. Im Schutt der Brennanlagen fand sich neben Keramik des 2. bis 4. Jahrhunderts auch eine Münze des Kaisers Nero (54-68 n. Chr.). Eine Nutzung des Platzes schon im 1. Jahrhundert wäre also möglich. Vgl. Hörter 1913. – Hörter 1929, 35.
8) Kiessel 2007.
9) Frdl. Mitt. Marc Feller, Inrap, vom 3.9.2009.
10) Der Hafen von Andernach blieb für den Mayener Keramikexport bis in das Spätmittelalter der zentrale Umschlagplatz. Zum Handelszentrum Andernach zusammenfassend: Hunold 2011, 106-108.
11) Friedrich 2011, 22.
12) Bakker 1996, 221. – Redknap 1999, 63f. 133-135. – Brulet 2010, 420-422.
13) Vgl. z. B.: Schenk 1998, 103. 104 Abb. 19 Ware 2. – Rahnfeld 2006, 44. – Wickham 2005, 796. – Gechter 2008. – Weiler-Rahnfeld 2010.
14) Dieses deuteten A. Bressoud, M. Frauciel, M. Gazenbeek und K. Michel bei der Tagung »Tourner autour du pot [...] Les ateliers de potiers médiévaux du Ve au XIIe siècle dans l'espace européen« in Douai/Frankreich am 5.10.2010 in ihrem Vortrag »Ruptures et continuités dans les productions céramiques entre monde romain et mérovingien en Lorraine (France)« an.
15) So jüngst: Van Wersch 2011, 4. 8.
16) Dieses ergab die Analyse einer Keramikprobe aus einem von M. Grünewald in das mittlere Drittel des 5. Jahrhunderts datierten Grabes des Gräberfeldes »Auf der alten Eich« in Mayen.
17) Zu dieser Ausgrabung und dem von der Stiftung Rheinland-Pfalz für Innovation geförderten Projekt »Keramik für den europäischen Markt – Die römischen und mittelalterlichen Töpfereien von Mayen« ausführlich: Grunwald 2010.
18) Vgl. Grunwald 2011, 14f. mit Abb. 4.
19) Eiden 1982, 294 Taf. 243-245. – Zu der Typologie der in Mayen angetroffenen Töpferöfen grundlegend: Redknap 1999, 27-55, dort bes. 27 Abb. 3.
20) Ältere Rekonstruktionen der Anlage gehen von einem überkuppelten Brennraum aus. Der Befund zeigt aber, dass die Wandung des Brennraumes in einer Höhe von etwa 0,80 m eine aus Schieferplatten bestehende Abschlusskante besaß. Vgl. Eiden 1977, 91 Abb. 74.
21) Das von H. Eiden für die älteste Nutzungsschicht des Töpferofens abgebildete Material kann in die 2. Hälfte des 5. Jahrhunderts datiert werden. Vgl. Eiden 1982, 306 Taf. 245, A1-3. Auch A. Heege datiert den Beginn der stehenden Töpferöfen in Mayen unter Verweis auf mehrere Brennanlagen an der Siegfriedstraße – darunter den Töpferöfen von 1975 – in das 5. Jahrhundert. Vgl. Heege 2007, 47 mit Anm. 251. – Vgl. auch Redknap 1999, 53, 72. 122.
22) Eiden 1982, 306 Taf. 245, B4-5. Die Gefäßformen der ersten Nutzungsphase A verweisen in die 2. Hälfte des 5. Jahrhunderts. Frdl. Mitt. A. Hunold, Mayen, am 16.2.2011. Das Material der Nutzungsphase B datiert nach Redknap in die Zeit kurz vor 500 bis 1. Hälfte 6. Jahrhundert. Vgl. Redknap 1999, 122.
23) Eiden 1982, 306 Taf. 245, C6-11.
24) Eiden 1982, 306 Taf. 245, C12-14.
25) Gefäßfragmente sind in seltenen Fällen bei den Töpferofensäulen nachgewiesen. So z. B. bei Fundstelle 21, Töpferofen 9 nach Redknap: Redknap 1999, 37 Taf. 2B.
26) Zur Entwicklung der Mayener Töpfereien vom 13. bis in das 20. Jahrhundert vgl. Grunwald 2011, 16-18.
27) Redknap 1999, 23 Abb. 2; 322 Abb. 94 A; 324 Abb. 95 A; 325 Abb. 95 B; 327 Abb. 96 C und 331 Abb. 97 B.
28) Brink/Hilger 1910, 67f.
29) Redknap 1999, 332.
30) Redknap 1999, 47 Abb. 7.
31) Redknap 1999, 337.
32) Redknap 1999, 354.
33) Den nördlichsten Fundpunkt stellen zwei, in die anstehenden Tonschichten eingetiefte Töpferöfen dar, die am 8. Oktober 1996 beim Bau einer Tiefgarage direkt südlich des neuen Rathauses (Forum Mayen) dokumentiert wurden (Arch. Denkmalpflege Koblenz Eingangs-Nr. 96/53).
34) Dieses Thema zusammenfassend: Willemsen 2004.
35) Zusammenfassend: Laudage/Hageneier/Leiverkus 2006, 66-79.
36) Laudage/Hageneier/Leiverkus 2006, 77.
37) Willemsen 2004, 10 mit Abb.
38) Schulze-Dörrlamm 2003, 482f.
39) Schulze-Dörrlamm 2006, 45 Abb. 2.
40) Zur Typologie der Mayener Töpferöfen grundlegend: Redknap 1999, 27 mit Abb. 3, 30-39.
41) Es handelt sich um die Grundform B1c nach Redknap: Vgl. Redknap 1999, 34.
42) Hierfür spricht die in der ersten Brennphase des 1986 angetroffenen Töpferofens 6 gefundene Keramik: vgl. Wegner 1990, 32-35 Abb. 14-16. Die dort in Abb. 17 auf Seite 38 dem Töpferofen 6 zugewiesene Keramik stammt nicht aus dieser Brenneinheit, sondern aus Töpferofen 11.
43) Redknap Grundform B1d. Vgl. Redknap 1999, 36.
44) Zusammenfassend: Heege 2007, 47 mit Abb. 61.
45) Der Töpferofen ist generell der Grundform D nach Redknap anzuschließen: Vgl. Redknap 1999, 39.
46) Heege 2010. – Heege 2007, 68f. 75. – Thuillier 2006.
47) Eine genaue Datierung von Töpferofen 9 wird weiter unten bei der Betrachtung des in ihm geborgenen Fundgutes gegeben.
48) Redknap 1999, 39.
49) Andreas Heege engt die Datierung der Aufgabeverfüllung von

Töpferofen 11 sogar auf das späte 12./frühe 13. Jahrhundert ein. Vgl. Heege 2007, 76 Abb. 125.

50) Vgl. Kluge-Pinsker 2001, 77.
51) Böhner 1958, 59-61.
52) Redknap 1999, 101-108.
53) Lobbedey 1968, 68-70.
54) Gross 1991, 65f. mit Abb. 18.
55) Vgl. z.B.: Friedrich 1998, 7f.
56) Diese Entwicklung sah schon 1936 Ludwig Hussong »wenigstens für die fränkisch beeinflussten Gebiete in weitestem Maße« als gegeben an: Hussong 1936, 89.
57) Andere Formen, wie etwa die Knickwandschüsseln wurden hingegen beibehalten und noch im 9. Jahrhundert produziert.
58) Ament 1976, 49.
59) So wurde das von Ament für diesen Zusammenhang angesprochene Grab 1 von Kottenheim bereits vor der wissenschaftlichen Ausgrabung angeschnitten. Aufgrund dieser Störung konnte z.B. die Länge der Bestattung nicht mehr ermittelt werden. Die Lage der zugeordneten Gefäße blieb damals undokumentiert. Vgl. Ament 1976, 49. 176.
60) Ament 1993, 122 Anm. 267.
61) Gärtner 2009, 218.
62) Lobbedey 1968, 68-70 Taf. 2, 1. – Hucke 1938. – Hübener 1959, 118. – Redknap 1999, 105.
63) Die Gefäßform kann dem mittleren Drittel des 9. Jahrhunderts zugewiesen werden: Keller 1998, 303.
64) Wamers 2005, 24f. mit Abb. – Zum Gefäß: Redknap 1999, 105.
65) Zu der chronologischen Entwicklung der Karolingerzeit im Moselmündungsgebiet vgl. Grunwald im Druck.
66) Im Köln-Bonner Vorgebirge treten vergleichbare Gefäßformen während der Phase D nach Ch. Keller auf, die etwa einem Zeitraum von 810/30 bis 870/80 entspricht. Vgl. Keller 2004, 130-132 mit Abb. 3f.
67) Frdl. Mitt. W. Giertz, Aachen, am 22.2.2010. Vgl. Giertz 1996, 39-41 mit Abb. 2.
68) Das noch 0,40m hohe Gefäßfragment kann dem Typ 3 der Reliefbandamphoren nach Giertz zugewiesen werden: Giertz 2000, 238-240. 244 Abb. 7.
69) Bisher wurden die ältesten liegenden Töpferöfen des Rheinlandes in das späte 9./frühe 10. Jahrhundert datiert. Vgl. Keller 1998, 627.
70) von Berg 2007, 47f.
71) Haberey/Rest 1941, 402.
72) Redknap 1999, 73-78.
73) Haberey/Rest 1941, 399 Abb. 107, 1-4.
74) Das in diesem Grubenhaus angetroffene Fragment eines breitschultrigen Topfes mit Riefen- und Wellenlinien-verzierter Oberwand legt einen solchen zeitlichen Ansatz jedenfalls nahe. Vgl. Haberey/Rest 1941, 399 Abb. 107, 7.
75) Haberey/Rest 1941, 399 mit Abb. 107, 6; 402.
76) Neuffer-Müller 1962, 187.
77) Redknap 1999, 95-100.
78) Redknap 1999, 98f. – Für eine Datierung dieser Warenart noch in die 1. Hälfte des 10. Jahrhunderts könnte auch aufgrund der Randausprägung das Fragment eines Topfes mit Tüllenausguss sprechen, bei dem die Tülle nicht – wie in Mayen im 9. Jahrhundert sonst üblich – von innen eingesetzt, sondern an der Außenseite befestigt wurde. Vgl. Redknap 1999, 267f. Form FP 2.2.
79) Es bleibt in Zukunft die auch vom Verfasser vertretene Annahme zu beweisen, dass es sich bei der Materialgruppe 7 von Magnus Wintergerst, der »Eifelkeramik nach Pingsdorfer Art«, die in Frankfurt vom 10. bis in das 12. Jahrhundert auftritt, um Mayener Produkte handelt. Vgl. Wintergerst 2002, 75-77.
80) Ament 1964, 326.
81) Keller 2004, 132. – Sanke 2002, 180.
82) Vgl. Redknap 1999, 79-88. – Redknap 1984.
83) Dieses ist für die Töpferöfen 29 und 30 der Fundstelle 33 nachgewiesen: Redknap 1999, 105.
84) Für den Zeitraum 910/20-960/80 (= Periode 3 von Brühl-Pingsdorf) vgl. z B.: Redknap 1999, 261 Abb. 64. – Sanke 2002, 186 Abb. 70.
85) Redknap 1999, 108 u. 137.
86) Redknap 1999, 109-116. – Faststeinzeug könnte in Mayen bis in den Anfang des 15. Jahrhunderts produziert worden sein. Vgl. Redknap 1999, 114 mit Anm. 400.
87) Niedermendig liegt lediglich 9km nordöstlich von Mayen. Der wirtschaftliche Aufschwung von Mayen mit seinem Umland lässt sich auch an der karolingischen Erschließung und Nutzung der Basaltvorkommen bei Niedermendig für die Mühlsteinherstellung ablesen.
88) Gluhak 2010, 95f. 99. 115 Anhang C.
89) Gross 2004, 269-271 mit Abb. 11f. – Gross 2008, 133. – Damminger/Gross 2009, 570.
90) Kluge-Pinsker 2001, 68 Abb. 67.
91) Vgl. De Longueville 2006, 58. – Frdl. Mitt. Raymond Brulet, Louvain, am 7.11.2011.
92) Siemers 2002, 336f.
93) Frdl. Mitt. Jan van Doesburg in Leiden am 26.6.2009. Vgl. Verhoeven 1998, 140.
94) Redknap 1999, 108.
95) Zu den Niederlanden: Verhoeven 1998, 131f. mit Abb. 49, 56-57. Entsprechend: Frdl. Mitt. Julie Van Kerckhofe, Amsterdam, am 3.2.2010. Zur Pfalz: frdl. Mitt. Heidi Pantermehl, Mainz, am 19.10.2011 (vgl. Beitrag Pantermehl).
96) Biegert/Liesen/Schneider 2002.
97) Allen Institutionen und Personen, die Keramikproben zur Verfügung gestellt haben, sei an dieser Stelle herzlich gedankt.

Literatur

Ament 1964: H. Ament, Rotbemalte fränkische Keramik aus dem Mittelrheingebiet. Bonner Jahrb. 164, 1964, 321-326.

1976: H. Ament, Die fränkischen Grabfunde aus Mayen und der Pellenz. Germ. Denkmäler Völkerwanderungszeit B 9 (Berlin 1976).

1993: H. Ament, Siedlung und Gräberfeld des frühen Mittelalters von Mertloch, Künzerhof (Kreis Mayen-Koblenz). Wiss. Beibde. Anz. Germ. Natmus. 9 (Nürnberg 1993).

Bakker 1987: L. Bakker, Römerzeit. In: Ber. Arch. Mittelrhein u. Mosel 1 = Trierer Zeitschr. Beih. 9 (Trier 1987) 41-47.

1996: L. Bakker, Gefäßkeramik in spätrömischer und frühmittelalterlicher Zeit. In: A. Wolf (Hrsg.), Die Domgrabung Köln: Altertum – Frühmittelalter – Mittelalter. Studien zum Kölner Dom 2 (Köln 1996) 217-235.

von Berg 2007: A. v. Berg, Die Gemarkung Kottenheim in vor- und frühgeschichtlicher Zeit. In: Kottenheim – einst und heute. 1008-2008 (Kottenheim 2007) 15-85.

Biegert/Liesen/Schneider 2002: S. Biegert / B. Liesen / G. Schneider, Keramik-Referenzgruppen römischer Töpfereien in Nieder- und Obergermanien. Berliner Beitr. Archäometrie 19, 2002, 5-29.

Böhner 1958: K. Böhner, Die fränkischen Altertümer des Trierer Landes. Germ. Denkmäler Völkerwanderungszeit B 1, 1 (Berlin 1958).

Brink/Hilger 1910: L. Brink / J. Hilger, Geschichte von Mayen (Mayen 1910).

Brulet 2010: R. Brulet, La céramique rugueuse du Bas-Empire de L'Eifel. In: R. Brulet / F. Vilvorder / R. Gelage (Hrsg.), La céramique Romaine en Gaule du Nord. Dictionnaire des céramiques (Turnhout 2010) 407-423.

Damminger/Gross 2009: F. Damminger / U. Gross, Zur Ausgrabung und Erforschung einer Wüstung in Mannheim-Vogelstang. Ein Beitrag zur früh- und hochmittelalterlichen Siedlungsgeschichte am unteren Neckar. In: Landesarchäologie. Forsch. u. Ber. Vor- u. Frühgesch. Baden-Württemberg 100 (Stuttgart 2009) 557-584.

Eiden 1977: H. Eiden, Die frühmittelalterlichen Töpferöfen der Siegfriedstraße in Mayen. In: H. Eiden, Zehn Jahre Ausgrabungen an Mittelrhein und Mosel. Einführung – Fundplätze – Funde (Koblenz ²1977) 88-93.

1982: H. Eiden, Frühmittelalterliche Töpferöfen in Mayen. In: H. Eiden, Ausgrabungen an Mittelrhein und Mosel 1963-1976. Trierer Zeitschr. Beih. 6 (Trier 1982) 292-350.

Flach 1991: D. Flach, Mayen im Mittelalter. In: H. Schüller / F.-J. Heyen (Hrsg.), Geschichte von Mayen (Mayen 1991) 81-148.

Friedrich 1998: R. Friedrich, Mittelalterliche Keramik aus rheinischen Motten. Rhein. Ausgrabungen 44 (Köln, Bonn 1998).

2011: S. Friedrich, Die römischen Töpfereien von Weißenthurm. Der Limes 5, H. 1, 2011, 19-23.

Gärtner 2009: T. Gärtner, Heidnisch oder christlich? Über Deponierungen von Gefäßfragmenten in frühmittelalterlichen Gräbern West- und Süddeutschlands. Ethnogr.-Arch. Zeitschr. 50, 2009, 215-234.

Gechter 2008: M. Gechter, Fränkischer Siedlungsschwerpunkt gegenüber Bonn. Arch. in Deutschland 6/2008, 54.

Giertz 1996: W. Giertz, Middle Meuse valley ceramics of Huy-type: a preliminary analysis. Medieval Ceramics 20, 1996, 33-64.

2000: W. Giertz, Reliefbandamphoren aus St. Quirin im Kontext karolingischer Keramik. In: M. Tauch (Hrsg.), Quirinus von Neuss. Beiträge zur Heiligen-, Stifts- und Münstergeschichte. Kat. Ausstellung Neuss 2000 (Köln 2000) 222-271.

Gluhak 2010: T. M. Gluhak, Petrologisch-geochemische Charakterisierung quartärer Laven der Eifel als Grundlage zur archäometrischen Herkunftsbestimmung römischer Mühlsteine [Diss. Univ. Mainz 2010]. Online abrufbar unter: http://ubm.opus.hbz-nrw.de/volltexte/2010/2227/pdf/doc.pdf (Stand 11.11.2011).

Gross 1991: U. Gross, Mittelalterliche Keramik zwischen Neckarmündung und Schwäbischer Alb. Forsch. u. Ber. Arch. Mittelalter Baden-Württemberg 12 (Stuttgart 1991).

2004: U. Gross, Keramikverbreitung im 8. Jahrhundert als Hinweis auf Handel und Gliederung des politischen Raumes. In: H. U. Nuber / H. Steuer / Th. Zotz (Hrsg.), Der Südwesten im 8. Jahrhundert aus historischer und archäologischer Sicht. Arch. u. Gesch. 13 (Stuttgart 2004) 257-274.

2008: U. Gross, Seltene Keramikformen und regionsfremde Warenarten. Funde des frühen und hohen Mittelalters aus einer Wüstung am östlichen Stadtrand von Mannheim. Arch. Korrbl. 38, 2008, 127-136.

Grünewald im Druck: M. Grünewald, Die römischen Gräberfelder in Mayen. Monogr. RGZM 96 (im Druck).

Grunwald 2010: L. Grunwald, Die Mayener Keramikproduktion im Mittelalter. In: R. Mennicken / H.-W. Peine / S. Schöne / P. Stahl / H.-G. Stephan (Hrsg.), Keramische Begegnungen: SACHSEN – SCHLESIEN – BÖHMEN. Beiträge zum 42. Internationalen Symposium für Keramikforschung 2009 in Görlitz (Raeren 2010) 150-155.

2011: L. Grunwald, Keramik für den europäischen Markt. Die römischen und mittelalterlichen Töpfereien von Mayen/Eifel. Beitr. Mittelalterarch. Österreich 27, 2011, 12-21.

im Druck: L. Grunwald, Bestattungsritus und Sachgut der Karolingerzeit im Moselmündungsgebiet. Ber. Arch. Mittelrhein u. Mosel 17 (im Druck).

Haberey/Rest 1941: W. Haberey / W. Rest, Vorgeschichtliche und frühmittelalterliche Siedlungsreste in Kottenheim, Kreis Mayen. Bonner Jahrb. 146, 1941, 395-403.

Heege 2007: A. Heege, Einführung in das Thema. In: A. Heege (Hrsg.), Töpferofen – Pottery kilns – Fours de potiers. Die Erforschung frühmittelalterlicher bis neuzeitlicher Töpferöfen (6.-20. Jh.) in Belgien, den Niederlanden, Deutschland, Österreich und der Schweiz. Basler H. Arch. 4 (Basel 2007) 11-203.

2010: A. Heege, Töpferöfen im Rheinland. In: Th. Otten / H. Hellenkemper / J. Kunow / M. M. Rind (Hrsg.), Fundgeschichten – Archäologie in Nordrhein-Westfalen (Köln, Mainz 2010) 193-197.

Hörter 1913: P. Hörter, Mayen eine Zentrale der Töpferindustrie in römischer, fränkischer und mittelalterlicher Zeit. Mayener Zeitung Nr. 224, 1913, 18.

1929: P. Hörter, Das Töpferhandwerk in Mayen. In: Festschrift zum 25jährigen Bestehen des Geschichts- und Altertumsvereins (Mayen 1929) 34-38.

2005: F. Hörter, Gewinnung und Handel rheinischer Mühlsteine in Schriftbelegen vom 9. bis 16. Jahrhundert. Mayener Beitr. Heimatgesch. 11 (Mayen 2005) 27-38.

Hucke 1938: K. Hucke, Zum münzdatierten Drehscheibengefäß von Leer, Kr. Steinfurt in Westfalen. Nachrichtenbl. Dt. Vorzeit 14, 1, 1938, 306f.

Hübener 1959: W. Hübener, Die Keramik von Haithabu. Ausgr. Haithabu 2 (Neumünster 1959).

Hunold 2011: A. Hunold, Das Erbe des Vulkans. Eine Reise in die Erd- und Technikgeschichte zwischen Eifel und Rhein (Regensburg, Mainz 2011).

Hussong 1936: L. Hussong, Frühmittelalterliche Keramik aus dem Trierer Bezirk. Trierer Zeitschr. 11, 1936, 75-89.

Keller 1998: Ch. Keller, Karolingerzeitliche Töpferöfen in Bornheim-Walberberg, Rhein-Sieg-Kreis. Bonner Jahrb. 198, 1998, 285-348.

2004: Ch. Keller, Badorf, Walberberg und Hunneschans. Zur zeitlichen Gliederung karolingerzeitlicher Keramik vom Köln-Bonner Vorgebirge. Arch. Korrbl. 34, 2004, 125-137.

Kiessel 2007: M. Kiessel, Zur Datierung der Produktion von rauwandiger Ware Mayener Technik. Ber. Arch. Mittelrhein u. Mosel 12 (Koblenz 2007) 207-214.

Kluge-Pinsker 2001: A. Kluge-Pinsker, Produktion und Verbrauch von Keramik im mittelalterlichen Duisburg des 9.-10. Jahrhunderts. Arch. u. Denkmalpfl. Duisburg 5 (Duisburg 2001).

Laudage/Hageneier/Leiverkus 2006: J. Laudage / L. Hageneier / Y. Leiverkus, Die Zeit der Karolinger (Darmstadt 2006).

Lobbedey 1968: U. Lobbedey, Untersuchungen mittelalterlicher Keramik vornehmlich aus Südwestdeutschland. Arbeiten Frühmittelalterforsch. 3 (Berlin 1968).

De Longueville 2006: S. de Longueville, La céramique du VIIIe au XIe siècle dans la vallée de la Meuse moyenne. Productions régionales et importations rhénanes et de l'Eifel. In: R. Mennicken (Hrsg.), Keramik zwischen Rhein und Maas. Beiträge 38. Internat. Hafnereisymposium Raeren (Raeren 2006) 55-61.

Neuffer-Müller 1962: Ch. Neuffer-Müller, Die rotgestrichene, weißbemalte fränkische Keramik des Mittelrheingebietes. Bonner Jahrb. 162, 1962, 175-187.

Rahnfeld 2006: I. Rahnfeld, Merowingerzeitliche Grubenhäuser aus Lohmar-Unterdorf, Rhein-Sieg-Kreis [ungedr. Magisterarbeit Univ. Bonn 2006].

Redknap 1984: M. Redknap, Late Merovingian Black and Red Burnished Wares from Mayen (Rheinland-Pfalz). Arch. Korrbl. 14, 1984, 403-416.

1999: M. Redknap, Die römischen und mittelalterlichen Töpfereien in Mayen. In: H.-H. Wegner (Hrsg.), Ber. Arch. Mittelrhein u. Mosel 6 (= Trierer Zeitschr. Beih. 24) (Trier, Koblenz 1999) 11-401.

Sanke 2002: M. Sanke, Die mittelalterliche Keramik in Brühl-Pingsdorf. Technologie – Typologie – Chronologie. Rhein. Ausgr. 50 (Mainz 2002).

Schenk 1998: H. Schenk, Die Keramik der früh- bis hochmittelalterlichen Siedlung Speyer »Im Vogelgesang«. Archäologische Forschungen in der Pfalz Reihe C 1 (Neustadt an der Weinstraße 1998).

Schulze-Dörrlamm 2003: M. Schulze-Dörrlamm, Eine goldene, byzantinische Senkschmelzfibel mit dem Bild der Maria Orans aus dem 9. Jahrhundert (T. P. 843). Zur Entstehung und Deutung Karolingischer Heiligenfibeln. Jahrb. RGZM 50, 2003, 449-487.

2006: M. Schulze-Dörrlamm, Spuren der Ungarneinfälle des 10. Jahrhunderts. In: F. Daim (Hrsg.), Heldengrab im Niemandsland. Ein frühungarischer Reiter aus Niederösterreich. Mosaiksteine. Forsch. RGZM 2 (Mainz 2006) 43-62.

Siemers 2002: S.-H. Siemers, Von der karolingischen Handelssiedlung »Zullestein« zur Festung »Zum Stein« bei Biblis-Nordheim, Kr. Bergstraße. Arch. Nachrbl. 7, 2002, 336-339.

Thuillier 2006: F. Thuillier, Étude synthétique des fours de potier du Haut Moyen Âge dans le Nord de la France, en Belgique et aux Pays Bas. La Céramique du Haut Moyen Âge dans le nord-ouest de l'Europe (V[e]-Xe siècles). Actes du colloque de Caen 2004 (Condé-sur-Noireau 2006) 17-24.

Verhoeven 1998: A. A. A. Verhoeven, Middeleeuws gebruiksaardewerk in Nederland (8ste-13de eeuw). Amsterdam Arch. Stud. 3 (Amsterdam 1998).

Wamers 2005: E. Wamers, Die Macht des Silbers. Karolingische Schätze im Norden [Ausstellungskat. Frankfurt u. Hildesheim] (Regensburg 2005).

Wegner 1990: H.-H. Wegner, Mittelalterliche Töpfereibetriebe in Mayen. Archäologische Untersuchungen »In den Burggärten«. Arch. Mittelrhein u. Mosel 4 (Koblenz 1990).

Weiler-Rahnfeld 2010: I. Weiler-Rahnfeld, Die fränkischen Siedlungen Bonn-Bechlinghoven und Lohmar. In: Th. Otten / H. Hellenkemper / J. Kunow / M. Rind (Hrsg.), Fundgeschichten – Archäologie in Nordrhein-Westfalen. Schr. Bodendenkmalpfl. Nordrhein-Westfalen 9 (Köln 2010) 183-185.

Van Wersch 2011: L. Van Wersch, Céramiques et verre mérovingien dans la vallée mosane. Apports de l'archéologie et de l'archéométrie à l'histoire économique, sociale et culturelle [thèse de doctorat Univ. Liège 2011].

Wickham 2005: C. Wickham, Framing the Early Middle Ages. Europe and the Mediterranean. 400-800 (Oxford 2005).

Willemsen 2004: A. Willemsen, Wikinger am Rhein. 800-1000 (Utrecht 2004).

Wintergerst 2002: M. Wintergerst, Hoch- und spätmittelalterliche Keramik aus der Altstadt Frankfurt am Main. Schr. Arch. Mus. Frankfurt 18 (Frankfurt a. M. 2002).

Zusammenfassung / Abstract

Anmerkungen zur Mayener Keramikproduktion des 9. bis 12. Jahrhunderts. Archäologische Nachweise – wirtschaftsgeschichtliche Aussagen – historische Einbindungen

In diesem Beitrag wird ein kurzer geschichtlicher Überblick über die in Mayen von der römischen Kaiserzeit bis in das 12./13. Jahrhundert nachgewiesene Töpfertradition geliefert. Ausgehend von den Ofenbefunden und dem aus Mayen bekannten Fundgut werden neue Aspekte und Datierungsansätze zu den unterschiedlichen in diesem Wirtschaftszentrum hergestellten Warenarten vorgestellt. Anschließend erfolgt eine Einbindung der Entwicklung des Mayener Töpferwesens in die überregionalen wirtschaftlichen Abläufe und die den Warenaustausch am Rhein beeinflussenden kriegerischen Auseinandersetzungen. Es wird ausgeführt, dass Mayen – trotz der Krisenzeit der zweiten Hälfte des 9. Jahrhunderts – noch bis in das 12./13. Jahrhundert ein auf Überproduktion und Keramikexport ausgerichteter Töpferort blieb. Abschließend wird auf die naturwissenschaftlichen Analysen zur Mayener Keramik einleitend eingegangen. Detaillierte Ausführungen hierzu sind dem anschließenden Beitrag von Wenxing Xu zu entnehmen.

Notes on Mayen pottery production of the 9th to 12th century. Archaeological evidence – economic statements – historical integration

In this paper a short historical review of Mayen's pottery tradition from the Roman Imperial period until the 12th/13th century is given. Starting from the kiln-features and the well-known Mayen finds-material new aspects and evidence of dating for the different types of wares produced in this economic centre will be presented. Subsequently, there follows an integration of Mayen's pottery development into the supraregional economic process and the warring struggles influencing the exchange of goods on the Rhine. It will be stated that Mayen, despite the period of crisis during the second half of the 9th century, still remained until the 12th/13th century a pottery-producing site organised towards overproduction and the export of pottery. Finally, a brief introduction on the scientific analyses into Mayen pottery will be given; detailed comments on these can be found in the following paper by Wenxing Xu.

Translation: C. Bridger

WENXING XU · WOLFGANG HOFMEISTER

CHARAKTERISIERUNG DER MAYENER KERAMIK DURCH MINERALOGISCHE UNTERSUCHUNGSMETHODEN

HINTERGRUND

Die Mayener Keramik ist die bekannteste spätrömische rauwandige Drehscheibenware[1]. Sie tritt vor allem im Rheinland auf[2]. Im November 2007 wurde im Forschungsbereich Vulkanologie, Archäologie und Technikgeschichte (VAT) des Römisch-Germanischen Zentralmuseums Mainz das von der Stiftung Rheinland-Pfalz für Innovation geförderte Forschungsprojekt »Keramik für den europäischen Markt – Die römischen und mittelalterlichen Töpfereien von Mayen« begonnen. In Zusammenarbeit mit der VAT führte die Verfasserin im Institut für Geowissenschaften der Johannes Gutenberg-Universität Mainz Probereihen zur mineralogischen Analyse der Mayener Keramik durch. Die durch das Landesamt für Denkmalpflege Rheinland-Pfalz in den Jahren 1986/87 im Bereich der so genannten »Burggärten« festgestellten Funde und Befunde bilden die Grundlage des Projektes (vgl. Beitrag Lutz Grunwald).

Damals wurde südwestlich der Genovevaburg von Mayen während des Baus einer Tiefgarage durch die archäologische Denkmalpflege in Koblenz eine Ausgrabung durchgeführt[3]. Die Ausgrabungsfläche von etwa 2800 m^2 lag in dem seit dem 19. Jahrhundert bekannten mittelalterlichen Töpfereigebiet zwischen der Siegfriedstraße und der Genovevaburg. 121 größere Befunde konnten nachgewiesen werden. Besonders wichtig sind die 51 dokumentierten Grubenhäuser einer Töpfereisiedlung des 5. bis 8./9. Jahrhunderts und die 27 lokalisierbaren, in Schichten oberhalb der Grubenhäuser angetroffenen Töpferöfen des späten 8. bis 14. Jahrhunderts[4]. Aus den Ofenfüllungen stammen große Mengen von Keramikscherben, bei denen es sich hauptsächlich um Fragmente von Gebrauchskeramik und um Fehlbrände handelt. Mit diesen Scherben kann man die Mayener Produktionen für das 8. bis 14. Jahrhundert chemisch und mineralogisch definieren. Da die Fehlbrände aus dem gleichen Rohstoff wie die gelungenen Töpfereiprodukte hergestellt wurden, gibt es zwischen diesen beiden Objektgruppen keine chemischen Unterschiede. Die Fehlbrände lassen sich daher einwandfrei für die naturwissenschaftlichen Untersuchungen verwenden. Ergänzend wurden Proben aus frühmittelalterlichen Töpferöfen von der »Siegfriedstraße« und spätantiken Brennanlagen aus der Flur »Auf der Eich« herangezogen. Die gewonnenen Werte dienen sowohl als Grundlage für die Herkunftsbestimmung von Keramik aus den Exportregionen, als auch zur Untersuchung antiker Herstellungstechniken der Römerzeit und des Mittelalters.

CHARAKTERISIERUNG DER MAYENER KERAMIK

Materialien und Methoden

Mit 132 Keramikscherben aus zehn Töpferöfen stellen die Befunde aus den »Burggärten« die größte Gruppe der analysierten Materialien dar. Zusätzlich wurden Scherben aus vier weiteren Mayener Töpferöfen beprobt: Ausgewählt für die Beprobungen wurden die spätantiken Brennanlagen im Bereich der Flur »Auf der Eich« an den Straßen »Am Sonnenhang« und »Frankenstraße« sowie die Funde aus den Einfüllungen zweier 1975 auf dem Grundstück 55 an der »Siegfriedstraße« ausgegrabener Töpferöfen. Datierung, Farbe, Textur und Magerungsmittel der chemisch und mineralogisch analysierten Keramikscherben werden in **Tabelle 1** zusammengefasst. Die Auswahl des Materials richtete sich danach, alle in der Keramik vorliegenden Farben, Scherbendicken, Querschnittstrukturen usw. zu erfassen. Für die statistische Auswertung wurden aus jedem Töpferofen vier bis acht Keramikfragmente ausgewählt.

	Am Sonnenhang	Frankenstraße	Siegfriedstraße	Burggärten
Datierung	1. Hälfte 4. Jahrhundert	2. Hälfte 4. Jahrhundert	5./6. bis 8./9. Jahrhundert	8. bis 14. Jahrhundert
Farbe	hellgrau bis grau	mehrzonig: mittlere Schicht graugrün, Rand dunkelgrau bis schwarz, dunkelrote Engobe	orange bis rot	orange, rot bis dunkelbraun
Textur	Schiefertextur mit Magerungsmitteln	Schiefertextur mit Magerungsmitteln	homogen mit Magerungsmitteln	homogen mit Magerungsmitteln
Magerungs-mittel	Feldspat-Sand	Feldspat-Sand	Feldspat- oder Quarzsand	Quarzsand

Tab. 1 Beschreibungen der zur Analyse herangezogenen Keramikproben aus den verschiedenen Mayener Töpferofenfundstellen.

Die chemische Zusammensetzung der Keramikproben wurde durch wellenlängendispersive Röntgenfluoreszenzspektrometrie (WD-RFA) ermittelt. Die Kenntnis der chemischen Zusammensetzung bietet die Möglichkeit sowohl die Eigenschaft als auch die Herkunft der Keramik zu untersuchen. In den meisten Fällen hat die Keramik aus einem antiken Töpferofen oder aus den Töpferöfen einer Fundstelle eine ähnliche Rohstoffaufbereitung[5]. Dadurch ergibt sich eine relativ einheitliche chemische Zusammensetzung. Aus diesem Grund kann die chemische Untersuchungsmethode die historischen Artefakte optimal charakterisieren. Der Vorteil der WD-RFA liegt darin, dass sie eine bessere Reproduzierbarkeit und Genauigkeit der Werte für die leichten Elemente, wie z. B. Si, Al, Mg und Na, in einer Keramik als die portable energiedispersive Röntgenfluoreszenzanalyse gewährleistet[6]. Dies ist wichtig, da es sich bei der untersuchten Tonware um Silicatkeramik handelt, die besonders aus den leichten Elementen SiO_2, Al_2O_3, CaO, MgO, K_2O, NaO usw. besteht. Mit den genauen chemischen Daten lassen sich sowohl die Keramikgruppen charakterisieren als auch die technischen Faktoren der antiken Keramik klassifizieren.

Die Analyse der Haupt- und Spurenelemente wurde an einem WD-RFA Philips MagXPRO Röntgenfluoreszenzspektrometer mit Rh-Röhre durchgeführt. Die Präparation der Keramikprobe durchläuft dabei folgende Arbeitsschritte: Die Oberfläche der Probe wird gesäubert, mindestens zwei Gramm des Materials von der Scherbe abgetrennt und anschließend mittels eines Achatmörsers gemahlen. Das Probenpulver wird mit einem Flussmittel ($Li_2B_4O_7$) im Verhältnis von 1:14 zur Messung der Hauptelemente, bzw. 1:5 zur Messung der Spurenelemente, vermischt. Die Mischung wird dann in einem Platintiegel bei 1200 °C geschmolzen und das Schmelzprodukt in eine vorgeheizte Platin-Abgießschale gegossen. Es entsteht eine homogene, auf der Unterseite plane Glastablette. Ohne eine weitere Behandlung erfolgt dann deren Messung.

Informationen zur mineralogischen Phasenzusammensetzung der Keramik ergeben sich durch die Röntgen-

pulverdiffraktometrie (XRD). Die Mineralbestandteile der Keramik können sowohl mit dem Rohstoff als auch mit dem angewandten Brennprozess im Töpferofen korreliert werden. Die Probe wird in einem Achatmörser vorsichtig pulverisiert. Die Korngröße sollte hiernach kleiner als 20 µm betragen. Das Pulver wird in einen Kupfer-Probenträger mit 1 mm Tiefe eingepresst. Die Aufnahme der XRD-Diagramme erfolgt an einem Röntgenpulverdiffraktometer des Typs Seifert XRD 3000TT (CuKα-Strahlung 1,54 Å, Röhrenspannung 40 kV, Stromstärke 30 mA).
Das Magerungsmittel in der Keramik wird durch die Kombination zweier Untersuchungsmethoden – dem Polarisationsmikroskop und der Mikro-Raman-Spektroskopie – untersucht. Der Querschnitt der Keramikscherbe wird in einem 0,02 mm dicken durchsichtigen Dünnschliff präpariert. Unter dem Polarisationsmikroskop folgen die Beobachtung der mineralogischen Bestandteile des Magerungsmittels sowie die Bestimmung ihrer Größe, der Form und des Kristallzustandes. Mittels der Mikro-Raman-Spektroskopie wurden gezielt die für die Magerung in Frage kommenden Partikel und deren Mineraltypen identifiziert. Die beiden Methoden ergänzen sich gut zur genauen Ermittlung der umfassenden mineralogischen Eigenschaften des Magerungsmittels.

Ergebnisse

Nach den Untersuchungsergebnissen und den makroskopischen Eigenschaften besitzen die Keramikscherben der Mayener Töpfereien einheitliche optische Eigenschaften sowie homogene chemische Zusammensetzungen. Dies bedeutet, dass innerhalb eines Töpfereibereichs in Mayen die Keramik standardisiert hergestellt wurde. Eine allgemein gültige Rezeptur der unterschiedlichen Töpfereiareale in Mayen gibt es jedoch nicht.
Die Partikel der Magerungsmittel zeigen bei der Betrachtung unter dem Polarisationsmikroskop in den Dünnschliffen generell eine regelmäßige Korngröße von ca. 0,5 mm Durchmesser, gerundete Ecken und einen homogenen Kristallzustand. Diese Eigenschaften deuten auf Sand als Magerungsmittel hin.
Die spätrömische Keramik von der »Frankenstraße« besitzt SiO_2-Gehalte von 60-64 Gew.-%, Al_2O_3-Gehalte von 23-26 Gew.-% und Fe_2O_3-Gehalte von 5-6 Gew.-%. Sie wurde hauptsächlich mit feldspatreichem Sand gemagert. Gemäß der Resultate der Röntgendiffraktometrie sind Quarz, Feldspat, Mullit und Cristobalit die wesentlichen Mineralphasen dieses Materials (**Abb. 2**).
Die Keramik aus der Fundstelle »Am Sonnenhang« besitzt 56-60 Gew.-% SiO_2, 25-31 Gew.-% Al_2O_3 und 3-4 Gew.-% Fe_2O_3. Auch hier wurde feldspatreicher Sand als Magerungsmittel verwendet. Anhand des XRD-Ergebnisses lässt sich nachweisen, dass die Mineralbestandteile dieser Keramik Quarz und Feldspat sind (**Abb. 2**).
Die Keramik aus der Fundstelle »Siegfriedstraße« besitzt ein einheitliches Aussehen. Ihre chemische Zusammensetzung verweist aber auf zwei Gruppen. Die erste Gruppe besitzt einen geringeren SiO_2-Anteil von ca. 59 Gew.-% und weist einen Al_2O_3-Gehalt von ca. 26 Gew.-% auf. Die zweite Gruppe enthält einen höheren SiO_2-Anteil von 69-72 Gew.-% und zeigt einen Al_2O_3-Gehalt von 19-20 Gew.-%. Beide Gruppen besitzen eine leuchtend rote Farbe und der Fe_2O_3-Gehalt beträgt zwischen drei und sechs Gew.-%. Es ließen sich auch zwei Typen von Magerungsmitteln nachweisen. In der Gruppe mit dem geringeren SiO_2-Anteil wurde mit Feldspat-Sand gemagert, während die Keramik der Gruppe mit dem höheren SiO_2-Anteil Quarz-Sand als Magerungsmittel enthielt.
Die Keramik aus der Fundstelle »Burggärten« weist SiO_2-Gehalte von 64-72 Gew.-%, Al_2O_3-Gehalte von 17-22 Gew.-% und Fe_2O_3-Gehalte von 6-10 Gew.-% auf. Gemäß den XRD-Messungen bestehen diese Keramikproben aus Quarz, Hämatit, teilweise Mullit und Cristobalit. Feldspat ist hier kaum zu beobachten.

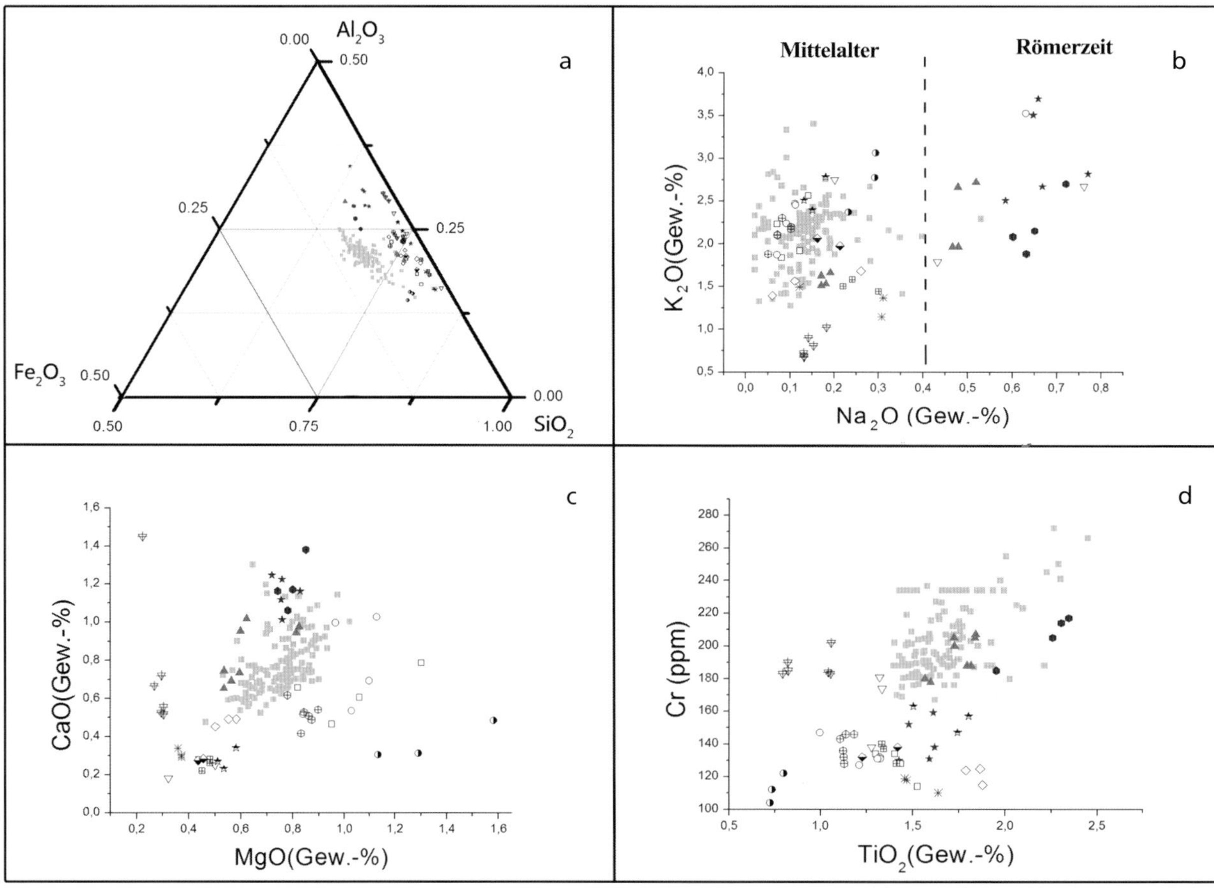

▒ **Mayen Burggärten; ▲ Mayen Siegfriedstraße; ⬢ Mayen Frankenstraße; ★ Mayen Am Sonnenhang;**
□ Bornheim-Walberberg; ○ Brühl-Eckdorf; ▽ Höhr-Grenzhausen; ◇ Langerwehe; ⊞ Frechen; ✙ Paffrath;
⊕ Brühl-Pingsdorf; ✳ Raeren; ◑ Ratingen-Breitscheid; ⬙ Siegburg-Seehofstraße; ★ Siegburg-Scherbenhügel.

Abb. 1 Die chemischen Komponenten der Mayener Keramik und der Referenzproben der mittelalterlichen Keramik.

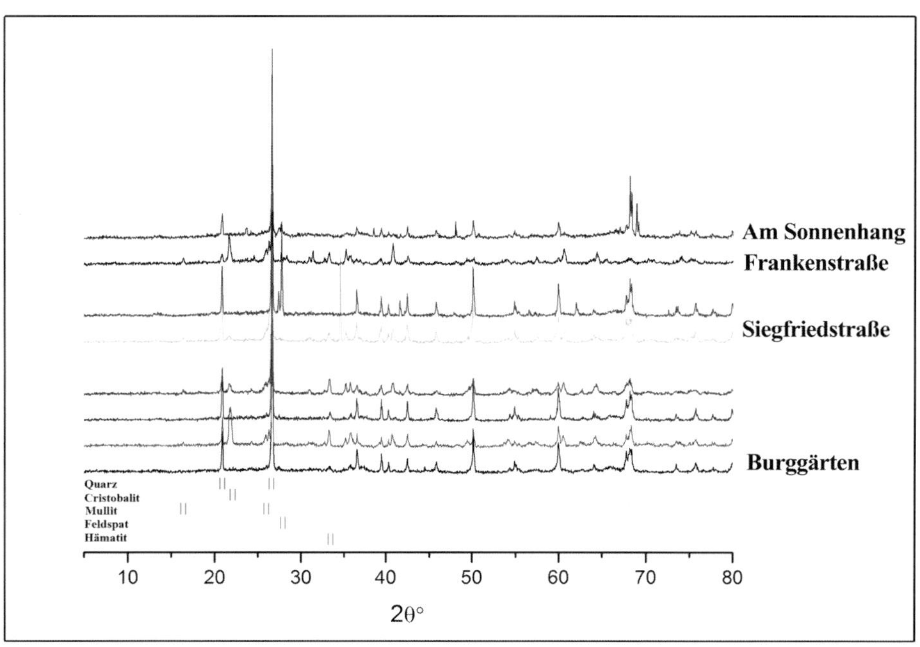

Abb. 2 Röntgendiffraktometrie-Diagramm der Mayener Keramik.

Die Komponenten SiO_2, Al_2O_3 und Fe_2O_3 machen insgesamt über 90 Gew.-% des Materials aus. Fe_2O_3 wirkt sich auf die Farbgebung des Materials aus. Die Komponenten werden in einem ternären Diagramm dargestellt (**Abb. 1a**). Das Verhältnis von SiO_2 und Al_2O_3 beeinflusst das Brennverhältnis und die Sintertemperatur der Keramik[7]. Je höher die Fe_2O_3-Konzentration ist, desto intensiver wird die Farbe. Die Komponenten Na_2O und K_2O werden in **Abbildung 1b** dargestellt. Das Verhältnis der Komponenten Na_2O und K_2O zeigt einen Unterschied zwischen den Materialien der vier Töpfereien. Während die römische Keramik einen Na_2O-Gehalt von 0,4-0,8 Gew.-% aufweist, liegt jener der mittelalterlichen Keramik im Bereich von 0-0,4 Gew.-%. Vier frühmittelalterliche Proben der Fundstelle »Siegfriedstraße« fallen in den mittelalterlichen, die anderen vier in den römischen Bereich (**Abb. 1b**). Das Ergebnis ist somit ähnlich der Situation im ternären Diagramm. Ein geringer Alkaligehalt beeinflusst die Stabilität der SiO_2-Schmelzphasen[8]. Die übrigen Komponenten CaO, MgO, TiO_2 und Cr der vier Mayener Keramikgruppen sind relativ einheitlich (**Abb. 1c. d**). Damit kann man zwar diese vier Mayener Gruppen nicht voneinander trennen, aber allgemein die Produkte dieser Töpfereiareale als Mayener Ware charakterisieren.

Durch den Vergleich der chemischen Charakteristika und der Mineralphasen-Zusammensetzung sowie des Typs der Magerungsmittel der vier Mayener Keramikgruppen kann man feststellen, dass in der römischen und mittelalterlichen Zeit in Mayen zwei Keramiktypen hergestellt wurden. Der »römische« Typ wurde mit Feldspat-Sand gemagert und besitzt einen höheren Aluminium-Gehalt bei einem gleichzeitig niedrigeren Silicium-Gehalt. Der »mittelalterliche« Typ weist eine Quarz-Sandmagerung auf und zeigt bei einem niedrigeren Aluminium-Gehalt einen höheren Silizium-Gehalt. Die Beschaffenheit des Magerungsmittels bedingt die Differenz der Silicium- und Aluminium-Gehalte, weil Quarz aus reinem Siliciumoxid, Feldspat aber aus Silicium-, Aluminium- und Alkalioxid besteht. Die Veränderung des Verfahrens der Keramikherstellung geschah wohl zwischen dem 6. und 8. Jahrhundert, da in der Fundstelle »Siegfriedstraße« beide Keramiktypen gefunden wurden. Der feldspatreiche Sand wurde in der römischen Zeit als Magerungsmittel der Keramik eingesetzt. Dies änderte sich im frühen Mittelalter. Statt Feldspat-Sand wurde dann quarzreicher Sand genutzt und bis ins hohe Mittelalter verwendet.

Diskussion

Die Mayener Keramik bietet die einzigartige Gelegenheit über eine lange Zeitachse hinweg die Entwicklung von Technologie, Rezeptur und Matrix des antiken Materials zu beobachten. Die mineralogische Untersuchung der Mayener Gebrauchswaren zeigt, dass vom 4. bis zum 14. Jahrhundert in den vier Mayener Fundstellen antiker Töpferöfen zwei Herstellungsrezepturen benutzt wurden. Der wesentliche Unterschied dieser zwei Rezepturen ist das Magerungsmittel.

Reine SiO_2-Phasen wie Quarz sind sehr stabil und haben höhere Schmelztemperaturen von ca. 1700°C. Quarzsand reduziert das Risiko von Rissen während der Trocknung und beim Brennvorgang. Darüber hinaus bewirken SiO_2-reiche Schmelzen eine hohe Viskosität des Materials. Steigende Al_2O_3-Gehalte führen zu dessen Senkung[9]. Bei niedrigerer Viskosität des Materials verformt sich das Gefäß aufgrund des eigenen Gewichts bereits ab der Sintertemperatur, so dass Fehlbrände erzeugt werden. Feldspäte werden als Flussmittel eingesetzt, um bei niedrigen Temperaturen eine glasige Phase zu bilden. Bei der römischen Mayener Keramik aus der »Frankenstraße« sind manche überbrannte und verformte Scherben zu beobachten, was wahrscheinlich auf höhere Feldspat-Gehalte zurückzuführen ist.

Die Veränderung des Magerungsmittels erhöht die Stabilität des Materials beim Brennen. Dies weist auf eine technische Entwicklung hin, bei der die Brenntemperatur der Öfen der römischen Epoche niedriger als jene der Öfen der mittelalterlichen Zeit war. Als Folge der spätestens im 8. Jahrhundert einsetzenden Erhöhung der Ofentemperatur wurde eine brennfähigere Tonmischung durch Einsatz von Quarzsand erzeugt. Hierdurch konnte die Keramik bei den höheren Brenntemperaturen stabil bleiben. In Folge dessen produzierte man weniger Fehlbrände.

DIFFERENZIERUNG DER MITTELALTERLICHEN KERAMIK MIT DER MULTIVARIANTEN STATISTIK

Materialien und Methoden

Um praktikable Methoden zur Charakterisierung der mittelalterlichen Keramik zu entwickeln, wurden Keramiken aus anderen mittelalterlichen Töpferstandorten des Rheinlands als Referenzproben untersucht. Herkunft, Datierung, Typ und Magerungsmittel dieser Keramikproben werden in der **Tabelle 2** zusammengefasst.

Herkunftsort	Datierung	Typ	Magerungsmittel
Bornheim-Walberberg	Mitte/2. Hälfte 8. Jahrhundert	Irdenware	Quarz-Sand
Brühl-Eckdorf	8./9. Jahrhundert	Irdenware	Quarz-Sand
Brühl-Pingsdorf	10. bis 12. Jahrhundert	Irdenware	
Paffrath	13. Jahrhundert	Irdenware	Quarz-Sand
Ratingen-Breitscheid	13. Jahrhundert	Irdenware	Quarz-Sand
Siegburg-Seehofstraße	13. Jahrhundert	Irdenware	Quarz-Sand
Siegburg-Scherbenhügel	13./14. Jahrhundert	Steinzeug	
Langerwehe	15. Jahrhundert	Steinzeug	
Raeren	15./16. Jahrhundert	Steinzeug	
Höhr-Grenzhausen	1620/30	Steinzeug	
Frechen	17./18. Jahrhundert	Steinzeug	

Tab. 2 Die Referenzproben der mittelalterlichen Keramik.

Die Referenzmaterialien wurden unter Einsatz von WD-RFA und XRD unter denselben Messbedingungen wie die Mayener Proben auf ihre chemische und Mineralphasen-Zusammensetzung hin analysiert. Weiterhin erfolgte eine Untersuchung der Magerungsmittel unter dem Polarisationsmikroskop und mittels der Raman-Spektroskopie.

Darüber hinaus wird die multivariate Statistik der Diskriminanzanalyse zur Auswertung der chemischen Daten angewendet. Das multivariate Verfahren dient dazu, mehrere statistische Variablen gleichzeitig zu untersuchen. Zusammenhänge zwischen den Variablen können nur durch die gleichzeitige Analyse mehrerer Variablen erfasst werden. Die Diskriminanzanalyse dient der Unterscheidung von zwei oder mehreren Gruppen (Herkunft der Keramik), welche mit mehreren Variablen (chemische Komponenten) beschrieben werden. Ziel ist es, Gruppen von Objekten durch Linearkombination mehrerer Variablen optimal zu trennen.

Ergebnisse

Magerungsmittel sind – im Unterschied zu den meisten Irdenwaren, bei denen das Magerungsmittel in der Bruchfläche zu sehen ist – beim Steinzeug kaum zu erkennen. Nach der Bestimmung unter dem Polarisationsmikroskop und mit Hilfe der Raman-Spektroskopie sind die Referenzproben ähnlich wie die Mayener mittelalterlichen Waren mit Quarz-Sand gemagert. Nach den Ergebnissen der Röntgenpulverdiffraktometrie können die Mineralphasenbestandteile aus den Töpfereistandorten wie folgt zusammengefasst werden: Die Keramik von Bornheim-Walberberg, Brühl-Eckdorf, Höhr-Grenzhausen, Brühl-Pingsdorf und Ratingen-Breitscheid besteht hauptsächlich aus Quarz. Die Keramik aus Langerwehe, Frechen, Raeren und Siegburg-Scherbenhügel setzt sich sowohl aus Quarz als auch aus Mullit und Cristobalit zusammen, was einer hohen Brenntemperatur entspricht. Die Keramik aus Paffrath und Siegburg-Seehofstraße besteht aus Quarz und wenigen Feldspäten. Anhand des qualitativen Mineralbestands lassen sich die Keramiken nicht nach Fundstellen auseinanderhalten.

Das chemische Ergebnis der Referenzproben wird in **Abbildung 1** zusammen mit der Mayener Keramik gezeigt. Die Mayener Keramiken können mittels ihres höheren Fe_2O_3-Gehaltes von den Referenzproben abgetrennt werden. Die Plots der Referenzproben überlappen sich stark. Wegen ihres hohen SiO_2-Anteils von ca. 70-74 Gew.-% bilden die Stücke aus Ratingen-Breitscheid eine eigene Gruppe. Die Al_2O_3-Konzentration der Keramik aus Höhr-Grenzhausen schwankt stark von 15-26 Gew.-%. Die Ware aus Paffrath teilt sich in zwei Gruppen auf. Anhand des dargestellten Na_2O-K_2O-Verhältnisses lässt sich die mittelalterliche Keramik nicht differenzieren, weil die Na_2O-Anteile alle zwischen 0-0,4 Gew.-% liegen. Die Mayener Keramik hat ein einheitliches MgO-CaO-Verhältnis und lässt sich so von den Referenzproben abtrennen. In **Abbildung 4c** besitzt die Mayener Keramik hohe TiO_2-Anteile von 1,4-2,4 Gew.-% und hohe Cr-Konzentrationen von 170-240 ppm, womit man die Mayener Keramik ebenfalls gut charakterisieren kann.

Anhand ihres MgO-CaO- und TiO_2-Cr-Verhältnisses lassen sich die Referenzproben tendenziell gruppieren. Allerdings ist die Abgrenzung zwischen den Gruppen in den bivarianten Grafiken nicht optimal. Deshalb wurde die Diskriminanzanalyse mit allen durch die RFA gemessenen Haupt- (SiO_2, Al_2O_3, Fe_2O_3, MnO, MgO, CaO, Na_2O, K_2O, TiO_2) und Spurenelementen (Cr, Ni, Ba, Ce, Co, Cu, La, Nb, Pb, Rb, Sr, V, Y, Zn, Zr) durchgeführt. In der **Abbildung 3** sind die Diskriminanzfunktionen 1 und 2 gegeneinander dargestellt. Die Diskriminanzanalyse der mittelalterlichen Mayener Proben und der Referenzproben resultiert in einer korrekten Zuordnung von 99,0 % der ursprünglich gruppierten Fälle. Die Kreuzvalidierung erbringt eine zu 95,0 % korrekte Klassifizierung.

Diskussion

Bei den Analysen wurden Röntgenfluoreszenzspektrometrie, Röntgendiffraktometrie, Polarisationsmikroskopie und Raman-Spektroskopie verwendet, um möglichst vielseitige Informationen über das Material zu erhalten. Das Ziel war es, hierdurch die beste Methode bzw. Kombination von Methoden zur Charakterisierung der antiken Keramik festzustellen.

Anhand der Mineralphasen-Zusammensetzung ist es nicht möglich, die Tonwaren nach deren Herstellungsorten voneinander abzugrenzen. Die Herstellungsorte lassen sich lediglich einerseits in eine Gruppe mit der Phasenkombination Quarz, Mullit und Cristobalit und andererseits in eine Gruppe, in der zusätzlich noch Feldspat auftritt, unterteilen. Die mineralogischen Phasen sind daher als Größe zur Charakterisierung ungeeignet.

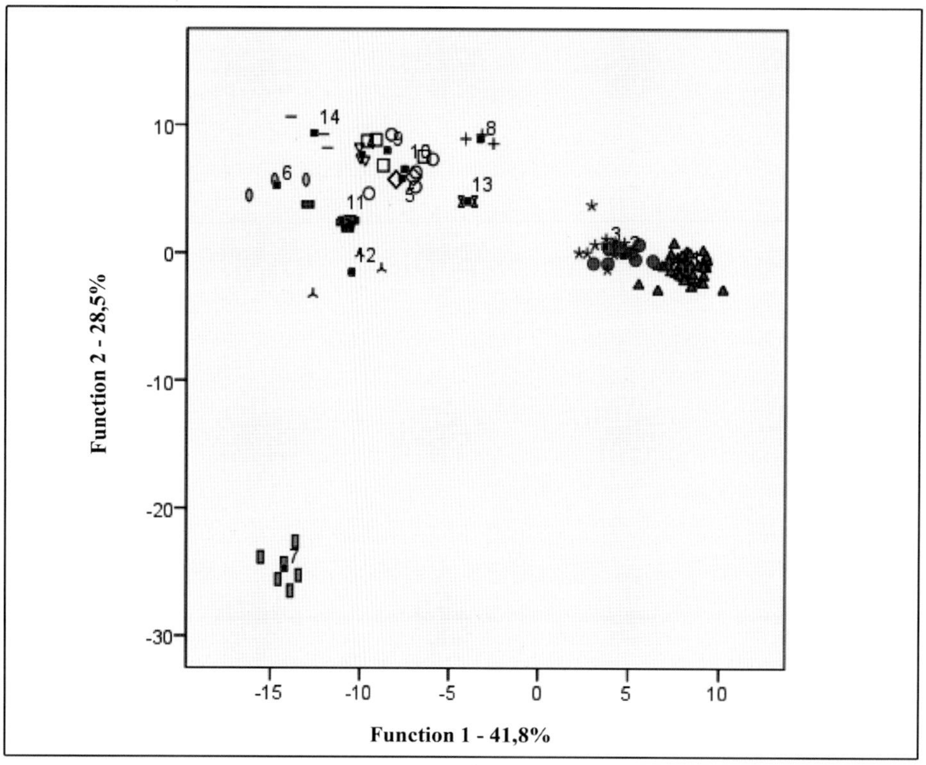

▲1 Mayen Burggärten; ●2 Mayen Siegfriedstraße; ★ 3 Mayen Frankenstraße und Am Sonnenhang;
▽ 4 Höhr-Grenzhausen; ◇ 5 Langerwehe; 0 6 Frechen;
▮ 7 Paffrath; + 8 Ratingen-Breitscheid; □ 9 Bornheim-Walberberg; ○ 10 Brühl-Eckdorf;
▬ 11 Brühl-Pingsdorf; ⅄ 12 Raeren; ⧗ 13 Siegburg-Seehofstraße; —14 Siegburg-Scherbenhügel
▪ Group Centroid

Abb. 3 Diskriminanzanalyse der Mayener Keramik und der Referenzproben der mittelalterlichen Keramik anhand der chemischen Komponenten.

Die Mayener Ware wurde bisher als mit schwarzen Partikeln gemagerte, hart gebrannte Keramik bezeichnet, wobei die schwarzen Partikel als vulkanisches Gestein interpretiert wurden [10]. Mayen liegt mitten im Vulkangebiet der Osteifel. Trotzdem findet man bei der gezielten Untersuchung der Magerungsmittel in der Mayener Ware keine vulkanischen Partikel, sondern ausschließlich quarz- oder feldspatreiche Sande. Aufgrund des speziellen Chemismus der Magmen der Vulkaneifel kann in diesen vulkanischen Gesteinen kein Quarz auftreten. Da jedoch Quarz der Hauptbestandteil des Magerungsmittels ist, kann ausgeschlossen werden, dass es sich dabei um ein vulkanisches Material handelt. Bei den so genannten dunklen Partikeln in der Mayener Keramik handelt es sich um die Schwermineralien in den für die Magerung genutzten Sanden, wie z. B. Augit, Titanit oder Apatit. Die sehr wenigen zu beobachtenden Augit- oder Titanit-Kristalle haben oft Korndurchmesser von 200-400 µm. In basaltischen Festgesteinen sind die entsprechenden Minerale in der Regel viel kleiner, wie man immer wieder bei Dünnschliff-Untersuchungen feststellen kann. Darüber hinaus zeigen Sande aus verschiedenen Quellen nach der petrographischen Analyse zu viele Parallelen in der Mineralzusammensetzung [11]. Das Magerungsmittel Sand eignet sich daher nicht als Untersuchungskriterium zur Charakterisierung der Mayener Keramik.

Die Bestimmung des zu analysierenden Materials durch die multivariate Auswertung der chemischen Parameter zeigt große Vorteile. Damit ist es Tatjana Gluhak gelungen, auf Grundlage der geochemischen Zusammensetzung die Provenienzen römischer Mühlsteine zu ermitteln [12]. Diese Methode ist auf die Herkunftsbestimmung von Keramik übertragbar. Im Vergleich der antiken Keramiken zeigt sich, dass sich in zwei- oder dreiachsigen Darstellungen der absoluten chemischen Werte die Gruppen nicht klar abgrenzen

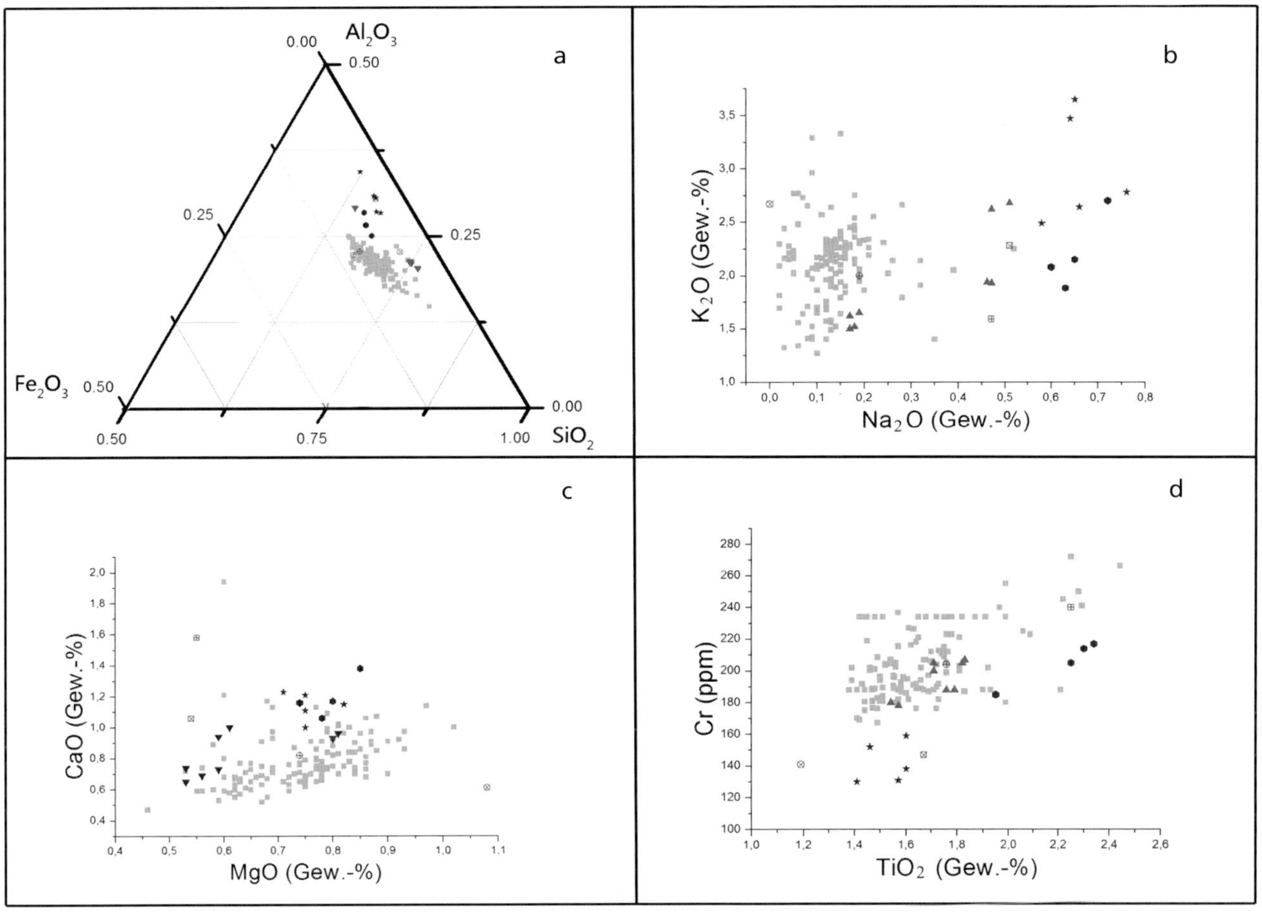

■ **Mayen Burggärten; ▲ Mayen Siegfriedstraße; ● Mayen Frankenstraße; ★ Mayen Am Sonnenhang;**

⊞ **Mayen Gräberfeld 24-9; ⊠ Mayen Gräberfeld 268-4; ⊕ Erftstadt 1; ⊗ Erftstadt 2.**

Abb. 4 Chemische Komponenten der Mayener Keramik und der Exportware.

lassen. Allerdings können so nur zwei bis drei Komponenten in einer Graphik betrachtet werden. Die multivariate Statistik bietet die Möglichkeit, die gesamten chemischen Komponenten des Materials gleichzeitig zu betrachten. Das bedeutet, dass eine Fundstelle durch mehr als 20 chemische Variablen definiert wird und unter derselben Bedingung mit anderen Fundstellen verglichen werden kann. Je mehr Varianten beachtet werden, desto sicherer ist das Ergebnis.

IDENTIFIZIERUNG DER EXPORTWARE

Ein Aspekt der Forschungen zur Mayener Keramik ist es, den Fernhandel zu überprüfen. Oft konnten die Archäologen in den Exportregionen nicht ganz sicher beurteilen, ob die dort gefundene und Mayen zugewiesene Keramik wirklich aus diesem Produktionszentrum stammt. Die bisher publizierten Verbreitungskarten der Mayener Ware sind daher etwas unsicher[13]. Die bereits vorliegenden mineralogischen Untersuchungen und Charakterisierungen der Mayener Keramik können als Grundlage für die Herkunftsbestimmung der Mayener Exportware dienen. Die Materialien, die als Mayener Exportware beurteilt wurden, werden mit mineralogischen Methoden überprüft.

Materialien und Methode: vier Fallbeispiele

Für zwei chronologisch wichtige Keramikproben aus dem großen Gräberfeld »Auf der alten Eich« in Mayen, welches Martin Grünewald in seiner Dissertation bearbeitet hat[14], wurde von Grünewald aufgrund des makroskopischen Vergleichs eine Produktion in Mayener Töpfereien angenommen. Die Probe 24-9 stammt aus dem von Grünewald in das mittlere Drittel des 5. Jahrhunderts datierten Grab 24. Sie ist makroskopisch rot gefärbt. Die Probe 268-4 gehört zu einem Urnengrab, welches nach Grünewald wohl in der zweiten Hälfte des 2. Jahrhunderts angelegt wurde. Sie zeigt eine helle Farbe mit Magerungspartikeln.
Zwei weitere Keramikproben wurden aus dem Fundgut der Wassermühle Stelle 2 von Erftstadt-Niederberg (vgl. Beitrag Torsten Rünger) für die naturwissenschaftlichen Untersuchungen zur Verfügung gestellt. Die Wassermühle kann in das Jahr 832 n. Chr. datiert werden. Die Probe 1 (2-272) besitzt eine rot-orange Farbe. Probe 2 (2-232) weist eine rote Körperfarbe mit einer blaugrauen Engobe auf.
Die vier Proben wurden mit der WD-RFA unter der entsprechenden Präparation und denselben Messbedingungen wie die Mayener Proben chemisch analysiert.
Zur Auswertung der Analysedaten kamen bi- und multivariate Verfahren zur Anwendung. Die Komponenten bestehend aus SiO_2, Al_2O_3, Fe_2O_3, MgO, CaO, Na_2O, K_2O, TiO_2 und Cr wurden in binär- und ternär-Diagramme eingetragen, um die Messwerte der vier Proben mit jenen der Mayener Keramik direkt vergleichen zu können. Darüber hinaus wurde die multivariate Statistik-Clusteranalyse zur Auswertung der gesamten chemischen Daten angewandt. Die Clusteranalyse dient der explorativen Gruppierung von Objekten nach ihrer Ähnlichkeit bzw. Unähnlichkeit (Distanz). Ziel einer Clusteranalyse ist es, dass Objekte in einer homogenen Gruppe untereinander möglichst ähnlich sind. Sie sollten eine geringe Distanz voneinander aufweisen, während die Objekte aus verschiedenen Gruppen sich möglichst deutlich durch eine große Distanz voneinander unterscheiden sollten[15]. Die Distanz zwischen der Exportware und der Mayener Keramik wird mit mehreren Algorithmen anhand der chemischen Varianten ermittelt. Durch die Clusteranalyse werden die Distanzen zwischen den Proben neutral betrachtet. Die Keramiken lassen sich dann anhand der Ähnlichkeit ihrer chemischen Muster in entsprechende Cluster gruppieren.

Ergebnis

Proben aus dem Mayener Gräberfeld »Auf der alten Eich«

Die chemischen Messwerte der zwei Keramikproben aus dem Mayener Gräberfeld werden in **Tabelle 3** zusammengefasst. Die **Abbildung 4** stellt die Komponenten von SiO_2, Al_2O_3, Fe_2O_3, MgO, CaO, Na_2O, K_2O, TiO_2 und Cr in Diagrammen dar.
In den binären und ternären Diagrammen zeigt sich, dass die Proben 24-9 und 268-4 der typischen Zusammensetzung der römischen Mayener Keramik entsprechen. Ihre Na_2O-Gehalte sind höher als 0,4 Gew.-% und liegen daher in dem römischen Bereich der Mayener Tonware. Die Probe 24-9 besitzt höhere TiO_2- und Cr-Gehalte als die Probe 268-4. Anhand des TiO_2-Cr-Verhältnisses passt die Probe 268-4 zu der Keramikgruppe »Am Sonnenhang«, während die Probe 24-9 sich der Keramikgruppe »Frankenstraße« nähert. Durch die Auswertung mit der Clusteranalyse kann die Probe 24-9 dem Cluster der »Frankenstraße« und die Probe 268-4 dem Cluster der Straße »Am Sonnenhang« angeschlossen werden. Daher kann man nicht nur bestimmen, dass die beiden Keramikproben in Mayen hergestellt wurden. Es lässt sich sogar genau feststellen, dass die Keramikprobe 24-9 in den Töpfereien an der »Frankenstraße« und die Keramik 268-4 in den Brennanlagen an der Straße »Am Sonnenhang« gefertigt wurden.

Proben	SiO_2 (%)	Al_2O_3 (%)	Fe_2O_3 (%)	MnO (%)	MgO (%)	CaO (%)	Na_2O (%)	K_2O (%)	TiO_2 (%)	P_2O_5 (%)	SO_3 (%)	Cr (ppm)	Ni (ppm)
mg 24-9	65,93	20,74	7,52	0,02	0,79	0,69	0,05	2,81	1,61	0,15	0,03	196,00	63,00
mgv268-4	68,47	18,48	8,16	0,02	0,68	0,52	0,08	2,03	1,40	0,11	0,02	202,00	58,00
Erf1	64,25	21,59	8,82	0,04	0,74	0,82	0,19	2,00	1,76	0,16	0,02	204,00	70,00
Erf2	68,80	21,43	4,18	0,02	1,08	0,61	0,00	2,67	1,19	0,06	0,02	141,00	24,00
Proben	**Ba** (ppm)	**Ce** (ppm)	**Co** (ppm)	**Cu** (ppm)	**La** (ppm)	**Nb** (ppm)	**Pb** (ppm)	**Rb** (ppm)	**Sr** (ppm)	**V** (ppm)	**Y** (ppm)	**Zn** (ppm)	**Zr** (ppm)
mg 24-9	20,95	8,37	0,02	0,84	0,84	0,12	2,22	1,66	0,14	0,04	202,00	79,00	517,00
mgv268-4	20,00	7,53	0,02	0,76	0,70	0,06	2,48	1,51	0,13	0,05	181,00	60,00	564,00
Erf1	721,00	100,00	21,00	37,00	62,00	45,00	23,00	134,00	160,00	158,00	34,00	119,00	246,00
Erf2	367,00	98,00	8,00	27,00	49,00	25,00	32,00	164,00	134,00	172,00	25,00	53,00	225,00

Tab. 3 Chemische Zusammensetzung der vier Exportwaren nach Röntgenfluoreszenzspektrometer (% = Gew.-%; ppm= parts per million).

Aus archäologischer Sicht ergib sich folgendes Ergebnis: Die Probe 268-4 datiert in die zweite Hälfte des 2. Jahrhunderts und wurde nach der chemischen Analyse in den Töpfereien im Bereich der Straße »Am Sonnenhang« gefertigt. Es kann daher als nachgewiesen gelten, dass in Mayen spätestens ab dem 2. Jahrhundert in der Flur »Auf der Eich« Keramik produziert wurde. Diese Fertigung von Tonwaren dürfte den lokalen Mayener Markt abgedeckt haben [16]. Die Probe 24-9 spricht dafür, dass in der Flur »Auf der Eich« im Bereich der heutigen »Frankenstraße« noch im mittleren Drittel des 5. Jahrhunderts Keramik produziert wurde.

Proben aus der Wassermühle von Erftstadt-Niederberg

Aufgrund der Auswertung der chemischen Daten ergeben sich für die beiden Proben aus Erftstadt-Niederberg unterschiedliche Ergebnisse. Die Probe Erft 1 überlappt in den bi- und ternären Diagrammen die Werte der mittelalterlichen Mayener Gruppe. Ihr Na-Gehalt ist kleiner als 0,4 Gew.-% und liegt daher im mittelalterlichen Bereich, was zur Datierung der Probe in das 9. Jahrhundert passt. Bei der Clusteranalyse wird die Probe Erft 1 dem Cluster der mittelalterlichen Mayener Keramik zugeordnet.

Der Querschnitt der Probe Erft 2 ist zwar makroskopisch wie bei der Mayener Keramik rot gefärbt, ihre graue Engobe ist aber für die Mayener Keramik untypisch. Bei dem Vergleich ihrer chemischen Daten mit denjenigen der Mayener Waren zeigt sich deutlich, dass die Mg-, Ti- und Fe-Gehalte von den Werten der mittelalterlichen Mayener Keramik abweichen. Die Auswertung mittels Clusteranalyse zeigt das entsprechende Ergebnis: Die Probe Erft 2 lässt sich nicht dem Cluster der mittelalterlichen Mayener Keramik aus den »Burggärten« zuordnen.

Erftstadt kann als ein Exportort von Mayener Produkten angesprochen werden. Durch mineralogische Untersuchungen stellte Tatjana Gluhak fest, dass Mühlsteine aus der Wassermühle Stelle 2 von Erftstadt-Niederberg aus den Abbaurevieren von Niedermendig und Mayen stammen, es demnach im 9. Jahrhundert einen Mühlsteinexport von Mayen nach Erftstadt gab [17]. Nun ist mit der Probe Erft 1 auch von Seiten der Keramikprodukte nachgewiesen, dass zusätzlich Keramik von Mayen nach Erftstadt gelangte.

Diskussion

Bei der Auswertung der chemischen Daten darf ein Faktor nicht vernachlässigt werden: Die möglichen chemischen Veränderungen der archäologischen Materialien während der Lagerung in den Befunden, wie z. B. der Ionenaustausch zwischen Erde und Keramik, bei der Ionen an der Keramikoberfläche durch andere Ionen gleicher Ladung ersetzt werden können. Da Keramik ein poröses Material ist, wirkt dieser Effekt sogar noch stärker. Das Ionenaustauschvermögen ist wesentlich von dem pH-Wert des Milieus der Lagerorte abhängig [18]. Dieses könnte zu einer Abweichung der Konzentrationen mancher Elemente bei den exportierten Proben führen. In der **Abbildung 4** ist zu erkennen, dass die MgO-CaO-Werte der zwei Keramikproben aus dem Mayener Gräberfeld sich etwas von denen der »Frankenstraße« oder der Straße »Am Sonnenhang« entfernen. Allerdings passen die anderen dargestellten Komponenten, wie z. B. Si, Al, K, Na, Ti, Cr, Fe usw., gut zu den Mayener Referenzproben. In diesem Fall ist allein aufgrund der bivarianten Diagramme schwer zu beurteilen, ob diese Proben aus Mayen stammen. Deshalb ist das Ergebnis der Clusteranalyse entscheidend. Unter Berücksichtigung der Umweltbeeinflussung dürften einige Messwerte der Exportware etwas vom Standard abweichen, wenn das gesamte chemische Muster keine große Distanz vom Standard aufweist.

Die Mayener Ware ist eine typische, aus roten Tonen hergestellte Keramik. Die rote Farbe der Mayener Waren ist auf die 5-10 Gew.-% von Fe_2O_3 bzw. Hämatit zurückzuführen. Die eisenhaltigen Mineralien wie

Hämatit und Goethit, Pyrit usw. sind häufige Beimengungen von natürlichen Tonen. Die geologische Position natürlicher Tone kann sehr verschieden sein. Sie können Sedimente in Seen, Flüssen, Flussauen, Deltas oder Brackwässern bilden [19]. Die Keramik, welche aus solchen eisenhaltigen Tonen hergestellt und in oxidierender Atmosphäre der Ofen gebrannt wurde, bekommt die rote Farbe. Deshalb kann man die Mayener Waren nicht alleine der roten Farbe nach charakterisieren. Beispielsweise besitzt die Keramikprobe Erft 2 die rote Farbe, aber nicht das chemische Muster der Mayener Keramik. Wahrscheinlich wurde sie in einem Töpferofen außerhalb von Mayen mit einem anderen roten Tonrohstoff produziert. Um solche, optisch den Mayener Produkten ähnelnde Keramiken zu identifizieren, ist die Methode der chemischen Untersuchungen und der Vergleiche mit Referenzdaten unverzichtbar.

BRENNEXPERIMENTE ZUR BESTIMMUNG DER BRENNTEMPERATUR

Material und Methode

In der direkten Nähe einiger Töpferöfen in den »Burggärten« wurde während der Ausgrabung Tonmaterial gefunden. Nach der chemischen und der Phasen-Analyse besitzt dieses Tonmaterial die gleiche Zusammensetzung wie die im Bereich der »Burggärten« gefertigte Keramik. Makroskopisch befindet sich dieses Tonmaterial im Rohzustand. Wahrscheinlich waren sie Reste des Tonrohstoffs der »Burggärten«-Keramik, welche ohne Aufbereitung liegen gelassen wurden. Mit diesem Material wurden Brennexperimente bei verschiedenen Temperaturen durchgeführt.
Der Ton wurde erst mit Wasser homogenisiert, in eine runde Plätzchenform gebracht und eine Woche lang bei Raumtemperatur getrocknet. Danach wurden die Plätzchen im Ofen mit Aufheizraten von 10 K/min jeweils bis 850 °C, 900 °C, 950 °C, 1000 °C, 1050 °C, 1100 °C, 1150 °C und 1200 °C aufgeheizt und in jeder Stufe für 24 Stunden isotherm gebrannt. Ausnahmsweise erfolgte der Brand bei 1200 °C in einer Dauer von nur 10 Stunden. Das Brennen läuft unter oxidierenden Bedingungen.
Mittels der Röntgenpulverdiffraktometrie wurden die fertig gebrannten Keramikplätzchen auf ihre Mineralphasenzusammensetzungen hin untersucht. Da die Phasenzusammensetzung der Keramik von der Brenntemperatur abhängig ist, dienen die XRD-Ergebnisse als Standard zur Bestimmung der Brenntemperaturen. Durch den Vergleich der XRD-Daten mit den Standard-Werten werden die Brenntemperaturen der Keramikscherben aus den Befunden klassifiziert.

Ergebnis

Je nach Brenntemperatur variieren die mineralogischen Bestandteile des gebrannten Tons (**Abb. 5**). Bei 850 °C ist Illit noch vorhanden, das Eisen bildet Hämatit. Bei 900 °C ist der Illit-Peak abgeschwächt. Bei 950 °C lässt sich Illit nicht mehr nachweisen und es liegen nur Quarz und Hämatit vor. Bei 1000 °C wird Mullit (bei einem 2θ-Winkel von ca. 26 °) aus von Illit freigesetztem Al_2O_3 mit SiO_2 gebildet. Bei 1050 °C wird der Mullit-Peak deutlicher, ein zweiter Peak erscheint bei einem 2θ-Winkel von ca. 17 °. Cristobalit taucht bei einem 2θ-Winkel von ca. 22 ° auf. Bei 1100 °C ist der Cristobalit-Peak sehr deutlich, aber in der Gesamtintensität noch kleiner als der von Quarz, welcher bei einem 2θ von 21 ° auftritt. Bei 1150 °C tritt der Cristobalit-Peak gegenüber Quarz in den Vordergrund und ist bei 1200 °C schon doppelt so stark wie der von Quarz.

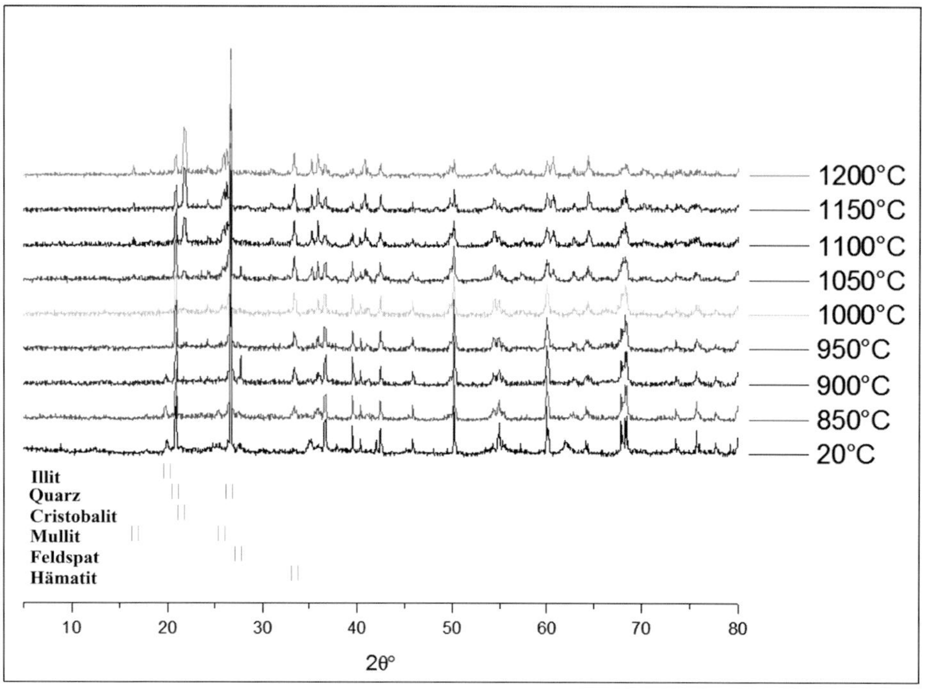

Abb. 5 Standarddiagramm zur Bestimmung der Brenntemperatur mittels Röntgendiffraktometrie.

Die zu elf Töpferöfen der Ausgrabung »Oben auf dem Glacis/Burggärten« gehörenden 79 Keramikscherben wurden unter gleichen Messbedingungen mit Röntgenpulverdiffraktometrie gemessen, mit den obigen Standards verglichen und so deren jeweilige Brenntemperatur bestimmt.

	Probenzahl	Minimum T (°C)	Maximum T (°C)	Mittelwert (°C)
Ofen mit niedrigerer Temperatur < 1050 °C				
Töpferofen 1	21	900	1050	976
Töpferofen 3	8	950	1050	1012
Töpferofen 4	8	900	1050	981
Töpferofen 11	5	900	1050	970
Töpferofen 13	3	950	950	950
Ofen mit höherer Temperatur > 1050 °C				
Töpferofen 5	14	1000	1200	1100
Töpferofen 6	6	950	1150	1041
Töpferofen 8	2	1050	1050	1050
Töpferofen 9	2	1050	1050	1050
Töpferofen 12	4	1050	1150	1075
Töpferofen 14	6	1050	1150	1092

Tab. 4 Statistik der Brenntemperatur der zwei Ofentypen aus den Mayener Burggärten.

Die elf Töpferöfen lassen sich aufgrund der anzunehmenden Brenntemperatur der 79 untersuchten Keramikscherben in zwei Gruppen einteilen: Gruppe 1 umfasst die Öfen mit niedriger Brenntemperatur von durchschnittlich 950-1012 °C, mit einer Maximaltemperatur von 1050 °C. Gruppe 2 schließt die Öfen mit höheren durchschnittlichen Brenntemperaturen (1041-1100 °C) ein, mit einer maximalen Brenntemperatur von 1200 °C.

Diskussion

Das Ergebnis zeigt eine inhomogene Verteilung der Temperaturen in den Töpferöfen. Da die Brenntemperatur je nach der Position der Keramik im Ofen in einem begrenzten Bereich schwankt, entspricht dieses der Realität. Es zeichnen sich zwei Temperaturstufen für die elf Töpferöfen ab, die wahrscheinlich für zwei verschiedene Aufbau- oder Brandtechniken der Töpferöfen sprechen. Diese Information kann bei der weiteren Erforschung antiker Öfen und Technologien helfen.

Die Bestimmung der Brenntemperatur der antiken Keramik ist ein klassisches archäometrisches Thema[20]. Viele Methoden wurden angewandt, um diese Fragestellung zu untersuchen, so z. B. die Rasterelektronenmikroskopie[21], die Röntgendiffraktometrie[22], die Differential-thermische-Analyse[23], die thermogravimetrische Analyse und die Thermoexpansions-Analyse[24]. Der Vorteil der Röntgendiffraktometrie liegt darin, mit einer Methode gleichzeitig Informationen über die Mineralbestandteile und die Brenntemperatur zu erhalten. Da das Brennverhältnis und die Phasenumwandlung sehr empfindlich vom Ausgangmaterial abhängen, sollte bei dieser Methode der »originale« Rohstoff für Brennversuche verwendet werden. Mit dem vorgestellten Standard ist es möglich, die Brenntemperaturen der Mayener mittelalterlichen Keramik oder Keramik ähnlicher chemischer Zusammensetzung quantitativ zu bestimmen. Für die archäologischen Keramiken mit abweichender chemischer und Mineralphasen-Zusammensetzung ist dieser Standard nur zur begrenzten qualitativen Bestimmung anwendbar.

In der **Abbildung 2** zeigt die Keramik aus der Töpferei an der »Frankenstraße« deutliche Mullit- und Cristobalit-Anteile, während die Keramik aus dem Bereich an der Straße »Am Sonnenhang« diese zwei Phasen nicht besitzt. Nach dem Standarddiagramm kann man feststellen, dass die Keramiken von der »Frankenstraße« mit höherer Temperatur als die Keramiken aus dem Bereich an der Straße »Am Sonnenhang« gebrannt wurden. Allerdings lässt sich ihre Temperatur nicht genau bestimmen, weil die chemische Zusammensetzung der zwei römischen Keramiken von dem Standard sehr abweicht. Zur quantitativen Bestimmung ihrer Brenntemperaturen sind weitere Experimente mit dem zugehörigen Rohmaterial erforderlich.

Anmerkungen

1) Nierhaus 1940, 47-54. – Fellmann 1952, 161-173. – Cüppers/Hussong 1972.
2) Gross 1996.
3) Wegner 1988, 255-266. – Wegner 1990, 59-71.
4) Grunwald 2011.
5) Blackman/Stein/Vandiver 1993, 60-80.
6) Schneider/Daszkiewicz 2010.
7) Salmang/Scholze 2007.
8) Ebenda.
9) Ebenda.
10) z. B. Schreg 2007, 189
11) Hennigsen 1980, 63-72.
12) Gluhak 2009, 1774-1782.
13) Grunwald 2011.
14) Grünewald im Druck.
15) Schermelleh-Engel/Werner 2007, 59-71.
16) Grünewald im Druck.
17) Gluhak 2010a.
18) Jasmund/Lagaly 1993.
19) Ebenda.
20) Hoffmann/Goldmann 1979.
21) Heimann 1978/79. – Maniatis/Tite 1978/79.
22) Rice 2005.
23) Heimann 1978/79. – Xu/Hofmeister 2010.
24) Heimann 1978/79, 79-94.

Literatur

Blackmann/Stein/Vandiver 1993: M. J. Blackman / G. J. Stein / P. B. Vandiver, The Standardization Hypothesis and Ceramic Mass Production: Technological, Compositional and Metric Indexes of Craft Specialization at Tell Leilan, Syria. Am. Ant. 58, 1993, 60-80.

Cüppers/Hussong 1972: H. Cüppers / L. Hussong, Die Trierer Kaiserthermen. Die spätrömische und frühmittelalterliche Keramik. Trierer Grab. u. Forsch. 1, 2 (Mainz 1972).

Fellmann 1952: R. Fellmann, Mayener-Eifelkeramik aus den Befestigungen des spätrömischen Rheinlimes in der Schweiz. Jahrb. SGUF 4, 1952, 161-173.

Gluhak 2010a: T. M. Gluhak, Petrologisch-geochemische Charakterisierung quartärer Laven der Eifel als Grundlage zur archäometrischen Herkunftsbestimmung römischer Mühlsteine [Diss. Univ. Mainz 2010]. Online abrufbar unter: http://ubm.opus.hbz-nrw.de/volltexte/2010/2227/pdf/doc.pdf (Stand 11.11.2011).

2010b: T. Gluhak, Mühlen für das römische Militär. Geochemische Herkunftsanalysen von Mühlsteinen aus den augusteischen Lagern Haltern, Oberaden, Anreppen und Barkhausen. Arch. Korrbl. 40, 2010, 273-284.

Gluhak/Hofmeister 2009: T. Gluhak / W. Hofmeister, Roman lava quarries in the Eifel region (Germany): geochemical data for millstone provenance studies. Journal Arch. Scien. 36, 2009, 1774-1782.

Gross 1996: U. Gross, Mittelalterliche Keramik-, Bein- und Metallfunde. In: W. Lang / M. Bachteler / R. Rademacher / U. Gross / H. Meurer, Archäologische Zeugnisse vom Hohenstaufen. Die Grabungen von 1935 bis 1938. Veröff. Stadtarchiv Göppingen 34 (Göppingen 1996) 62-82.

Grünewald im Druck: M. Grünewald, Die römischen Gräberfelder in Mayen. Monogr. RGZM 96 (im Druck).

Grunwald im Druck: L. Grunwald, Keramik für den europäischen Markt – Die römischen und mittelalterlichen Töpfereien von Mayen/Eifel. Beitr. Mittelalterarch. Österreich 27/2011 (im Druck).

Heimann 1978/79: R. Heimann, Mineralogische Vorgänge beim Brennen von Keramik und Archäothermometrie. Acta Praehist. et Arch. 9/10, 1978/79, 79-94.

Henningsen 1980: D. Henningsen, Schwerminerale vulkanischer Herkunft in quartären Flußablagerungen der Weser und Leine. Eiszeitalter u. Gegenwart 30 (Hannover 1980) 63-72.

Hoffmann/Goldmann 1978/79: B. Hoffmann / K. Goldmann, Brenntechniken von Keramik und ihre Wiedergewinnung durch Experimentelle Archäologie. Acta Praehist. et Arch. 9/10, 1979, 1-2.

Hunold 2011: A. Hunold, Das Erbe des Vulkans. Eine Reise in die Erd- und Technikgeschichte zwischen Eifel und Rhein (Regensburg, Mainz 2011).

Jasmud/Lagaly 1993: K. Jasmund / G. Lagaly, Tonminerale und Ton (Darmstadt 1993).

Maniatis/Tite 1978/79: Y. Maniatis / M. S. Tite, Examination of Roman and Medieval Pottery. Using the Scanning Electron Microscope. Acta Praehist. et Arch. 9/10, 1978/79, 125-130.

Nierhaus 1940: R. Nierhaus, Zur Verbreitung der spätrömischen Eifelkeramik am Oberrhein. Germania 24, 1940, 47-54.

Rice 2005: P. M. Rice, Pottery analysis (London 2005).

Salmang/Scholze 2007: H. Salmang / H. Scholze, Keramik (Berlin, Heidelberg 2007).

Schaaff 2006: H. Schaaff, Der Vulkanpark Osteifel – Wissenschaft und Tourismus in einem alten Steinbruch- und Bergwerksrevier. In: W. Rosendahl u. a. (Hrsg.), Geotope – Bausteine der Regionalentwicklung. Schr. Dt. Ges. Geowiss. 44, 2006, 89-97.

2010: H. Schaaff, Steine für das römische Reich. Zu den Anfängen des antiken Steinbruch- und Bergwerksreviers zwischen Eifel und Rhein. Arch. Korrbl. 40, 2010, 265-272.

Schermelleh-Engel/Werner 2007: K. Schermelleh-Engel / C. Werner, Clusteranalyse – Computerunterstützte Einführung in multivariate statistische Analyseverfahren (Frankfurt a. M. 2007).

Schreg 1997: R. Schreg, Keramik aus Südwestdeutschland. Eine Hilfe zur Beschreibung, Bestimmung und Datierung archäologischer Funde vom Neolithikum bis zur Neuzeit. Lehr- u. Arbeitsmat. Arch. Mittelalter u. Neuzeit (Tübingen 1997).

Xu/Hofmeister 2010: W. Xu / W. Hofmeister, Bestimmung der Brenntemperatur von antiker Keramik mit zwei mineralogischen Methoden: Röntgen-Pulver-Diffraktometrie (XRD) und Differential-Thermo-Analyse (DTA). In: Metalla Sonderh. 3 (Bochum 2010).

Wegner 2006: H.-H. Wegner, Die Eisenzeit im Rheinischen Gebirge und am Mittelrhein. In: J. Kunow / H.-H. Wegner (Hrsg.), Urgeschichte im Rheinland (Köln 2006) 255-266.

Wegner 2007: H. Wegner, Die Kelten an Mittelrhein und Mosel. Von ihren Anfängen bis zur römischen Eroberung. In: Krieg und Frieden. Kelten – Römer – Germanen [Ausstellungskat. Bonn] (Bonn, Darmstadt 2007) 59-71.

Zusammenfassung / Abstract

Charakterisierung der Mayener Keramik durch mineralogische Untersuchungsmethoden

Mit den Messmethoden der Röntgenfluoreszenzspektrometrie und der Röntgenpulverdiffraktometrie wurde Keramik aus vier Fundstellen der Mayener Töpfereien auf ihre chemische und mineralische Phasenzusammensetzung untersucht. Anhand der Messergebnisse lässt sich bei der Herstellung von Mayener Keramikprodukten von der Römerzeit bis in das Mittelalter eine technische Entwicklung zu höheren Brenntemperaturen nachweisen. Erreicht wurde die Temperatursteigerung durch die Änderung des Magerungsmittels von Feldspat- zu Quarzsand. Durch multivariable Statistikanalysen der chemischen Komponenten gelang es sowohl für die römische Epoche als auch für das Mittelalter die Mayener Keramik zu charakterisieren und die Mayener Ware von antiken Keramiken aus anderen Töpfereistandorten abzugrenzen. Diese neuen Erkenntnisse bildeten die Basis für Provenienzanalysen. Die Brenntemperaturen der untersuchten Mayener Töpferöfen wurden auf der Basis der XRD-Ergebnisse der in den Brennanlagen gefundenen Keramik bestimmt.

Characterising Mayen pottery by means of methods of mineralogical analysis

Pottery from four sites within the potteries of Mayen were analysed for their chemical and mineralogical make-up using the methods of X-ray flourescence spectrometry and X-ray powder diffraction (XRD). For the production of the Mayen pottery manufacture from the Roman period into the Middle Ages the results of the measurements prove a technical development towards higher temperatures during firing. The increase in temperature was achieved through a change in the material for the temper from feldspar to quarz. Using multivariate statistical analyses of the chemical components, it was possible to characterise the Mayen pottery both of the Roman period and for the Middle Ages and to differentiate Mayen pottery from ancient ceramics from other potteries. This new knowledge provided the basis for analyses of provenance. The firing-temperatures of the Mayen pottery-kilns investigated were determined using the XRD-results on the pottery found within the kilns. Translation: C. Bridger

EVELINE SAAL

GEFÄSSBEIGABE: (K)EIN AUSLAUFMODELL

BEISPIELE ZU SPÄTMEROWINGISCH-FRÜHKAROLINGISCHEN KERAMIKGEFÄSSEN AUS DEM GRÄBERFELD VON RHENS AM MITTELRHEIN

Die Stadt Rhens liegt im rheinland-pfälzischen Landkreis Mayen-Koblenz unmittelbar am linken Rheinufer zwischen den Städten Koblenz im Norden und Boppard im Süden (**Abb. 1**).

Hier wurde in den Jahren 1990/91 beim Bau der Umgehungsstraße B9 ein bis dahin unbekanntes merowingerzeitliches Reihengräberfeld entdeckt und im Rahmen einer Rettungsgrabung durch die Generaldirektion Kulturelles Erbe, Direktion Landesarchäologie, Außenstelle Koblenz, ausgegraben [1]. Insgesamt konnten 105 Gräber erfasst werden, die ab dem späten 6. bis nach der Mitte des 8. Jahrhunderts datieren, wobei der zeitliche Schwerpunkt der Bestattungen deutlich im 7. Jahrhundert liegt. Das Gräberfeld von Rhens ist für die Keramikforschung insofern von Interesse, da hier noch vom ausgehenden 7. bis nach der Mitte des 8. Jahrhunderts teilweise umfangreiche Beigaben in die Gräber gelangten, worunter neben Trachtaccessoires, wie Fibeln, Perlen und Ringschmuck bei den Frauen und Waffen, Geräten und Gürtelbestandteilen bei den Männern, auch Gefäße zählen.

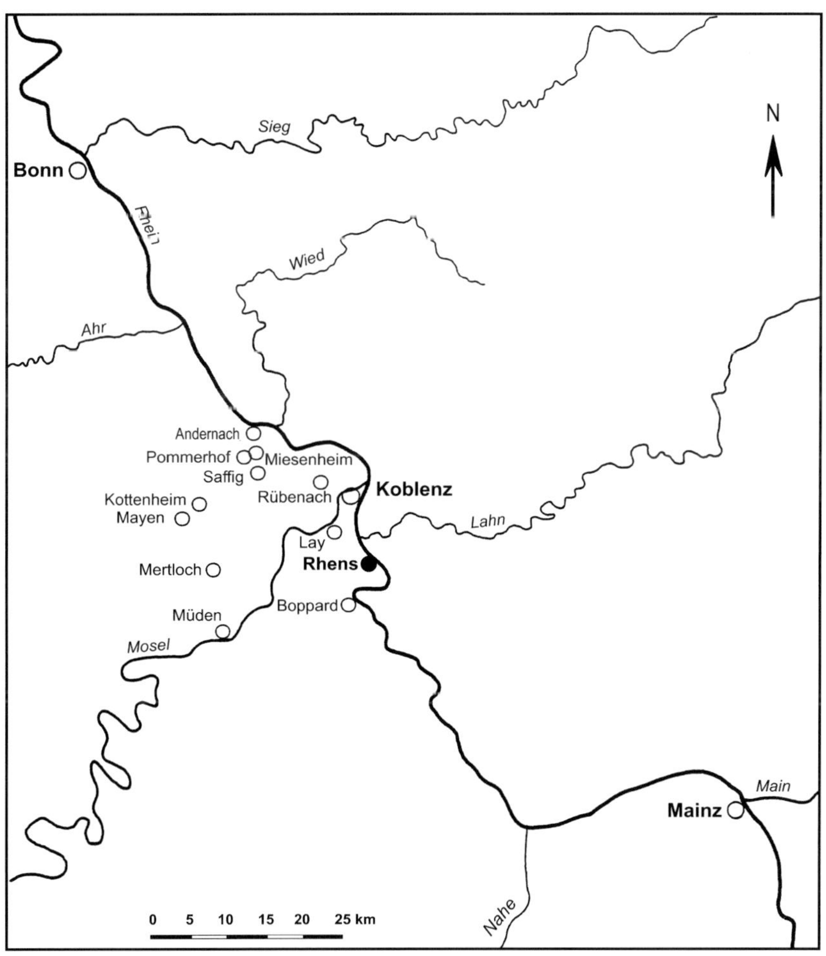

Abb. 1 Orientierungsplan Mittelrhein. – (Kartengrundlage GDKE, Direktion Landesarchäologie, Außenstelle Koblenz).

Die Nekropole lag oberhalb des Stadtkerns auf einem nach Nordosten zum Rhein hin abfallenden Hang und schloss an den heutigen Friedhof bei der romanischen Kirche St. Dionysius an. Durch die bei Grabungsbeginn bereits weit fortgeschrittenen Baumaßnahmen der Straßentrasse ging ein etwa 20 m breiter und 35 m langer Streifen des vermutlich dicht belegten Friedhofkerns verloren. Auf dem modernen Friedhofsgelände traten sowohl spätantike als auch frühmittelalterliche Keramikfunde zutage, die darauf schließen lassen, dass das Areal um die extra muros gelegene ehemalige Pfarrkirche bereits seit der Spätantike als Siedlungs- und Begräbnisort genutzt wurde. Insgesamt konnten 105 frühmittelalterliche Gräber dokumentiert werden, wobei das Gräberfeld vor der Zerstörung durch den Straßenbau sicherlich mit mindestens 250 Gräbern belegt war.

Nach der weithin geltenden Sitte verzichtete man im Moselmündungsgebiet spätestens ab dem ausgehenden 7. Jahrhundert wohl aufgrund der fortschreitenden Christianisierung und des zunehmenden kirchlichen Einflusses allmählich auf die Ausstattung der Verstorbenen mit Grabbeigaben nach heidnischem Brauch[2]. Die Beigabe von Keramikgefäßen, wie Töpfen und Schüsseln als Speisebehälter sowie Kannen, Flaschen und Bechern als Flüssigkeitsbehälter, wird in einigen mittelrheinischen Nekropolen bereits um die Mitte des 7. Jahrhunderts aufgegeben, wie zum Beispiel in Koblenz-Rübenach[3]. In einigen Fällen ist diese Sitte aber in spätmerowingischen Gräbern nach der Mitte des 7. Jahrhunderts zu beobachten, wie Bestattungen von Pommerhof[4], aus Mertloch[5], Saffig[6] oder Müden[7] beweisen, weshalb diese Sitte als eine Art Auslaufmodell bezeichnet werden kann[8]. Generell betrachtet läuft die Sitte der Beigaben von Speisebehältern früher aus, während die Trankbeigabensitte länger tradiert wurde[9], bis schließlich, durch einen Wandel im Bestattungsritus, nur noch gelegentlich Gefäßfragmente in den Gräbern der Region deponiert wurden[10].

GEFÄSSBEIGABEN AUS RHENS

In Rhens wurde, verglichen mit anderen Gräberfeldern des Gebietes, ungewöhnlich lange die Sitte geübt, den Verstorbenen Gefäße als Speise- und Trankbehälter mitzugeben, wie chronologisch aussagekräftige Beifunde der Grabinventare belegen. Ausgesprochen gut lässt sich dieser Umstand vor allem in einigen späten Frauengräbern beobachten. Insgesamt liegen aus den 105 Gräbern 51 Gefäße aus Ton und fünf Exemplare aus Glas vor. Das Typenrepertoire reicht von Knickwandtöpfen und -bechern, Krügen, Flaschen, einer Feldflasche und sekundär verwendeten römischen Gefäßen, bis hin zu Schüsseln und einem Wölbwandtopf. Am häufigsten waren Knickwandgefäße zu beobachten, gefolgt von Krügen, Schüsseln und Flaschen. Die Gefäße gelangten meist in der Einzahl in die Gräber, wobei sich in fünf Bestattungen auch die Kombination von zwei oder mehreren Stücken fand[11] und drei Gräber neben Keramik auch Glasgefäße enthielten[12]. Bis auf geringe Ausnahmen wurden die Behälter regelhaft im Fußbereich deponiert angetroffen. Um einen Einblick in die spätesten Gefäßtypen des Gräberfeldes zu geben, werden im Folgenden aus dem umfangreichen Spektrum einige ausgesuchte Exemplare vorwiegend aus Frauenbestattungen vorgestellt.

VORSTELLUNG AUSGEWÄHLTER GRABGEFÄSSE

Wölbwandtopf aus Grab 7

Die bewusste Deponierung eines Gefäßfragmentes war in Rhens nur in der Frauenbestattung 7 zu beobachten. Nach den vergesellschafteten Trachtbestandteilen, wie einem Paar großer Bronzeohrringe mit aufgeschobenem Polyeder und Drahtumwicklung, einer Kette aus Glasperlen und Molluskenscheibchen, einer gleicharmigen Bügelfibel und eines Arm- sowie Fingerringes, datiert die Frauenbestattung in das erste Drittel des 8. Jahrhunderts. Hier war eine große rauwandige und oxidierend gebrannte Randscherbe eines Wölbwandtopfes (**Abb. 2**, Grab 7) zusammen mit einem Beinkamm im Fußbereich niedergelegt. Das fragmentierte Gefäß stellt das einzige Exemplar dieser Gattung in den Gräbern dar und diente vor der Niederlegung als Kochgefäß, wie Brandspuren auf der Außenseite beweisen. Die Beigabe des unüblichen Wölbwandtopfes erklärt sich durch den auf der Scherbe liegenden Kamm und wird, wie Tobias Gärtner jüngst anhand von Parallelbefunden des Gräberfeldes von Eltville vorschlug, im Zusammenhang mit der Totenwäsche gestanden haben [13]. Hier liegt also keine echte Beigabe im Sinne eines Speisebehälters für die letzte Wegzehrung vor, sondern eine sekundäre Verwendung des alt fragmentierten Kochgefäßes im Rahmen des Bestattungsritus. Bereits Kurt Böhner ordnete seinen Typ D12, die »Wölbwandtöpfe mit annähernd gleichmäßig gewölbter Wand«, zu dem das Rhenser Stück mit dem hohen, schräg nach außen gestellten Rand gehört, den Trierer Töpfereien zu [14]. Formal gehört das Gefäß den »Kochtöpfen mit zur Aufnahme eines Deckels aufwärts gebogenem Rand« der fränkischen Keramik aus den Trierer Kaiserthermen an [15]. Unter den Scherben dieses so genannten Typus 9 gibt es einen Vertreter, dessen Rand auf der Außenseite mit Rillen verziert ist, wie sie ähnlich auf dem Rhenser Stück zu finden sind [16]. Nach Ludwig Hussong datiert diese Keramik über die Gruppe der Trierer Hospitalkeramik allgemein in das 8. und 9. Jahrhundert, wobei sie möglicherweise bereits den ersten Jahrzehnten des 8. Jahrhunderts angehört [17]. Gleich mehrere vergleichbare Stücke aus hellem Ton mit aufwärts gebogenen, annähernd vertikal gestellten Rändern, die in die erste Hälfte des 8. Jahrhunderts gehören, fanden sich in den Grubenhäusern Nr. 1020 und 1056 in Mondelange/Lothringen (F) [18].

Bei den Wölbwandtöpfen des Köln-Bonner Vorgebirges der Phase A nach Christoph Keller ist der größte Durchmesser meist in der oberen Gefäßhälfte zu finden und besitzt oft denselben Durchmesser wie der Rand [19]. Mit fortschreitender Zeit legen die Gefäße an Bauchumfang zu. Diese Tendenz lässt sich an einem Wölbwandtopf mit schräg nach außen gestelltem Rand aus Bornheim-Walberberg beobachten, der nach Ulrike Müssemeier der Phase B nach Keller zugeordnet werden kann (zweite Hälfte 8. Jahrhundert) [20]. In seiner Ausformung erinnert das Exemplar aus Walberberg an den Wölbwandtopf aus Grab 7, der jedoch noch schlanker ausgeführt ist und somit eher der Phase A zuzuordnen wäre, die zeitlich etwa mit der Niederrhein-Phase 11 (705-740) nach Frank Siegmund gleichgesetzt werden kann [21].

Auch aus den Mayener Töpfereien liegen vergleichbare Randformen von Deckelfalztöpfen der Ware MD, Form A4 vor, welche dem Typ Trier D12 entsprechen und ab dem späten 5. Jahrhundert (Stufe 3 nach Redknap) bis in das 7. Jahrhundert (Stufe 4 nach Redknap) aber »in abweichenden/rituellen Kontexten auch später« vorkommen, doch selten in die Gräber gelangten und daher nicht eindeutig datiert sind [22]. Nach dem Rhenser Grabfund wäre Mark Redknaps Datierung der Gefäßform A4 nun auch auf die Stufe 5 oder sogar in einen frühen Abschnitt der Stufe 6 auszudehnen. Es ist nicht nachgewiesen, ob der Wölbwandtopf ein Produkt der Trierer oder der Mayener Töpfereien darstellt. Festzuhalten bleibt, dass im ersten Drittel des 8. Jahrhunderts sowohl in den Regionen am Oberlauf der Mosel, als auch im Moselmündungsgebiet sowie

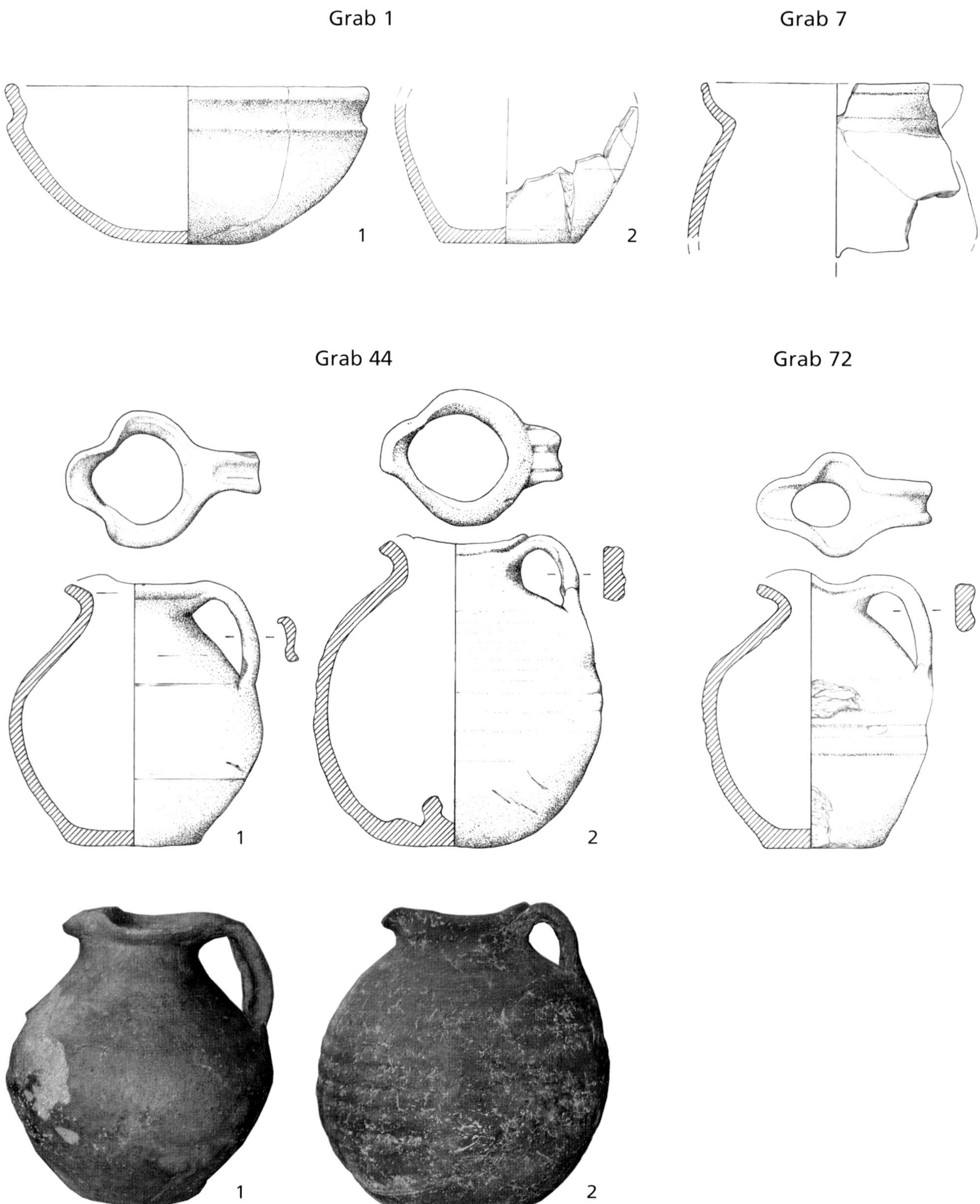

Abb. 2 Gefäßbeigaben aus dem Gräberfeld von Rhens, Lkr. Mayen-Koblenz. – (Zeichnung E. Saal / M. Meinen; Foto E. Saal). – M. 1:3.

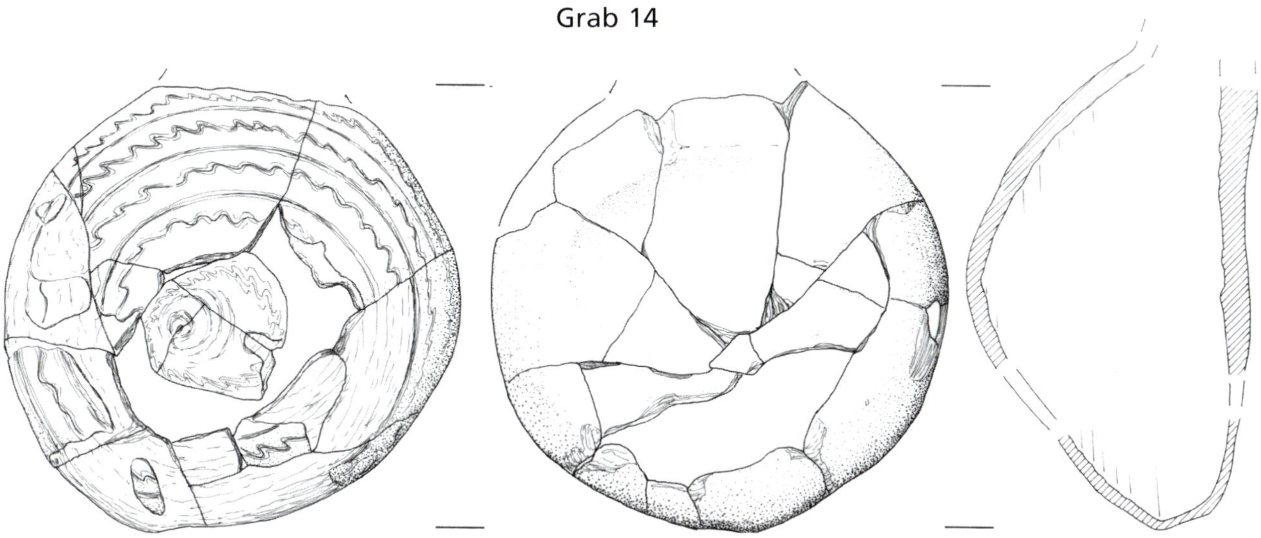

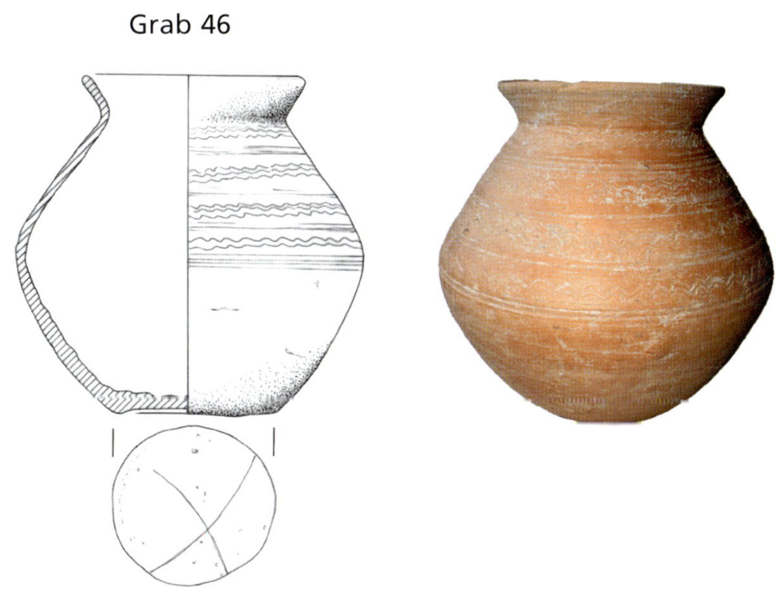

Abb. 3 Gefäßbeigaben aus dem Gräberfeld von Rhens, Lkr. Mayen-Koblenz. – (Zeichnung E. Saal / M. Meinen; Foto E. Saal). – M. 1:3.

im Köln-Bonner Raum vergleichbare Formen der Wölbwandgefäße auftreten, worin sich die Tendenz einer gemeinsamen typologischen Entwicklung der Keramik andeutet.

Zwei Kleeblattkrüge aus Grab 44

Das Grab 44 war bis auf ein Messerfragment und zwei Kleeblattkrüge, die abermals im Fußbereich abgestellt waren, vollkommen durch antike Plünderer ausgeräumt. Der großzügige Grabbau mit einer Steinumstellung des Sarges lässt an eine ehemals gehobene Ausstattung der Bestattung denken, von der nur noch wenige Knochenpartikel auf der Grubensohle erhalten waren und deren Geschlecht daher nicht zu bestimmen war. Als Besonderheit waren hier gleich zwei Krüge unterschiedlicher Warenarten miteinander vergesellschaftet[23]. Während der rauwandige und reduzierend gebrannte Kleeblattkrug 1 (**Abb. 2**, Grab 44,1) der Form Trier D3 mit einem gewölbten Bauch und einem Standboden ausgestaltet ist, überrascht der dickwandige und kugelige Kleeblattkrug 2 (**Abb. 2**, Grab 44,2) durch den harten oxidierenden Brand mit leicht metallischem Schimmer, den niedrigen Rand und den annähernd kugeligen Linsenboden, womit er dem Typ Trier E3 oder Mayen ME, Form F15 zuzuordnen ist[24]. Die komplette Gefäßoberwand ist stark von Drehrillen bedeckt, die anscheinend als Schmuck empfunden und so nicht weiter geglättet wurden. Eine gleichartige Verzierung der Oberwand liegt an dem hart gebrannten Kleeblattkrug Trier E3 aus Grab 328 von Müden vor, der von Regina Machhaus an den Übergang zur Stufe V datiert wird[25]. Wie Lutz Grunwald in Bezug auf das Grab 1/1989 von Koblenz-Lay, das einen frühen Kugeltopf enthielt, hinwies, kamen die Kugeltöpfe, denen der kugelige Kleeblattkrug an die Seite gestellt werden kann, in der Zeit nach 670/80 auf und verdrängten im Verlauf des fortgeschrittenen 8. Jahrhunderts die traditionellen Gefäßtypen[26]. Ein hart gebrannter Henkeltopf mit Rillenzier wurde als reguläre Beigabe im Kopfbereich der gestörten Bestattung aus Grab 710 von Rübenach geborgen und war mit einem Messer und einem eisernen Schnallendorn vergesellschaftet[27]. Christiane Neuffer-Müller und Hermann Ament wiesen den Henkeltopf aufgrund des harten Brandes der Stufe V zu[28], wobei das Grab der Lage nach der Belegungsphase C angehört, die Aments Stufe JM II entspricht[29]. Neuen Forschungsansätzen zufolge wird jedoch mit einem Belegungsende der Rübenacher Nekropole in weit jüngerer Zeit zu rechnen sein (vgl. Beitrag Lutz Grunwald), wobei der grundlegenden Stufe JM II eine längere Zeitspanne einzuräumen ist[30]. Gut vergleichbar mit dem Stück ist ein als Einzelfund überlieferter hart gebrannter Kleeblattkrug aus Miesenheim[31], der nach Ament anhand seiner »Tonbeschaffenheit und Form eine abermals jüngere Entwicklungsstufe darstellt« als das Gefäß aus Rübenach Grab 710[32]. Das Rhenser Grab ist durch das Fehlen der Beifunde zeitlich nicht näher als in das endende 7. bis in die erste Hälfte des 8. Jahrhunderts zu bestimmen, wobei die rillenbedeckte Oberwand eine bereits entwickelte Zeitstellung nahelegt. Doch belegt dieses Beispiel das gleichzeitige Vorkommen der noch weichen rauwandigen Ware MD und der hart gebrannten Ware ME nach Redknap[33] recht deutlich. Während in den Jahrzehnten um 700 langsam die neue hart gebrannte Keramikware aufkommt, laufen die beibehaltenen traditionellen Formen und Warenarten fort. Dieses Nebeneinander der Warenarten lässt sich auch in Grab 1 beobachten.

Schüssel und Krug aus Grab 1

Die oxidierend gebrannte Schüssel mit Linsenboden (**Abb. 2**, Grab 1,1) der geglätteten Mayenware MB/C aus Frauengrab 1 weist starke Abnutzungsspuren auf und kann durch ihren abgesetzten und einziehenden Rand der Form D12 nach Redknap zugewiesen werden[34]. Der Linsenboden der Rhenser Schüssel spricht für einen späten Zeitansatz. Geglättete Schüsseln mit »knickartig einwärts-aufwärts gebogenem Rand« bedingen bei der Keramik der Trierer Kaiserthermen den Typ 5, der dem Typ Böhner D16c sehr nahe steht und Parallelen in der Trierer Hospitalkeramik besitzt, welche allgemein in das 8. und 9. Jahrhundert datiert, wobei der zeitliche Fokus auf dem frühen 8. Jahrhundert zu liegen scheint[35]. Nach Hussong sind die Frühformen des Typs geglättet, besitzen einen hohen Randknick und eine noch nicht ausgebildete Bodenplatte, was auch für das Rhenser Stück gelten kann[36]. In Grubenhaus 10/11 der Siedlung von Kottenheim kommt eine vergleichbare Schüssel aus hellbraunem Ton mit »wenig rauher Oberfläche« und unregelmäßig ebener Standfläche vor, die dem Rhenser Stück gut an die Seite gestellt werden kann[37]. Waldemar Haberey datierte die insgesamt fünf Grubenhäuser, in denen »nur ein kleines Bodenstück, das zu einem fränkischen Knicktopf gehören könnte« vorkam, anhand der Bruchstücke von teilweise klingend hart gebrannter Ke-

ramik und Reliefbandamphoren in das 8. und 9. Jahrhundert[38]. Für die karolingische Keramik aus dem Köln-Bonner Vorgebirge führt Keller Knickwandschalen als typisch für die Phase A an, die er zeitlich mit der Niederrhein-Phase 11 (705-740) nach Siegmund vergleicht[39]. Zwei formal als Parallelen anzuführende, allerdings hart gebrannte und geglättete Schüsselfragmente stammen aus den Gräbern 133 und 297 von Müden an der Mosel[40]. Die Scherben aus den angesprochenen Gräbern fanden sich oberhalb des Sarges, wo sie im 8. oder in der ersten Hälfte des 9. Jahrhunderts im Rahmen des Bestattungsritus deponiert wurden[41]. Im Gegensatz zu dem Beispiel aus dem Gräberfeld von Müden diente die Rhenser Schüssel jedoch noch als eine echte Grabbeigabe, da sie gemeinsam mit einem Kleeblattkrug regelhaft auf der Grabsohle neben der Verstorbenen deponiert war. Die Schüssel aus Grab 1 stellt mit ihrem Linsenboden möglicherweise eine Übergangsform zu den jüngeren, hart gebrannten Schüsseln aus Müden dar.
Die Oberwand des durch die Straßenbauarbeiten stark zerscherbten Kleeblattkruges (**Abb. 2**, Grab 1,2) blieb nicht erhalten. Der hart gebrannte Kleeblattkrug der Warenart ME gehört zu den in Rhens relativ selten vorkommenden oxidierend gebrannten Gefäßen. In Mayen deuten möglicherweise einige Bandhenkelfragmente auf ein Vorkommen von Kleeblattkrügen in der geglätteten Warenart MB/C hin[42], während von der hart gebrannten Mayener Warenart ME einige Kleeblattkrüge bekannt sind[43].
Ein vergleichbarer rotbrauner Krug des Typs Trier E3 stammt als Einzelfund aus Trier-Breitenstein, der aber im Gegensatz zu dem Rhenser Stück einen Linsenboden und eine Verzierung der Oberwand durch ein Zahnradband aufweist[44]. Die bereits bauchige Unterwand rückt den Kleeblattkrug aus Grab 1 in die Nähe des rauwandigen Kleeblattkruges 1 aus Grab 44 (**Abb. 2**, Grab 44,1), der wie oben beschrieben, gemeinsam mit einem hart gebrannten Krug vergesellschaftet war. Die bereits durch die Beigabe der Schüssel mit Linsenboden vermutete späte Zeitstellung des Grabes 1 bestätigt sich ebenfalls anhand der Belegungsabfolge sowie der Grabformen und lässt sich in die erste Hälfte des 8. Jahrhunderts näher eingrenzen[45]. Festzuhalten bleibt für Grab 1 das kombinierte späte Vorkommen eines Speisebehälters mit Linsenboden der Warenart MB/C und eines Schankgefäßes mit Standboden der Ware ME.
Beide Gefäße zeigen starke Gebrauchsspuren und stellten wohl nicht die beste Garnitur des häuslichen Gebrauchsgeschirrs dar.

Kleeblattkrug aus Grab 72

Zu dem glattwandigen und reduzierend gebrannten Kleeblattkrug mit Standboden (**Abb. 2**, Grab 72) aus dem gestörten Frauengrab 72 liegen bislang keine Parallelen vor. Das Stück war mit einem gläsernen Glockentummler zu einem Trinkservice ergänzt. Die größte Weite des Kleeblattkruges liegt oberhalb der Gefäßmitte. Die niedrige Oberwand verläuft gerade zu dem kurzen und sehr engen Hals und erweitert sich in einen zierlichen Ausguss. Um die sich konisch verjüngende Unterwand verlaufen kräftige Drehrillen; am Henkelansatz findet sich ein Fingerabdruck. Die Gestalt des Gefäßkörpers erinnert an den Kleeblattkrug mit weitem Hals und Linsenboden des Typs Trier D3 aus Hillesheim Grab 2[46] oder an die der Flasche aus Grab 42b von Walsum[47]. Für Grab 72, das auch den Nadelhalter einer geplünderten Fibel enthielt, kann anhand der chronologisch relevanten Beifunde einer mit Perlkranznieten verzierten Riemenzunge und eines schmalen Glockentummlers des Typs Trier C die Datierung in das erste Drittel des 8. Jahrhunderts wahrscheinlich gemacht werden. Es zeigt, dass in dieser Zeit Gefäße als Beigaben in die Gräber gelangten, die nicht zwangsläufig hart gebrannt sein mussten und somit noch der herkömmlichen Keramiktradition angehörten.

Feldflasche aus Grab 14

Ein weiteres – in Rhens aber einzigartiges – Schankgefäß liegt mit der Feldflasche (**Abb. 3**, Grab 14) aus der stark gestörten Nachbestattung einer Frau aus Grab 14 vor. Es bildete zusammen mit einem breiten gläsernen Glockentummler des Typs Trier C ein Trinkservice. Die geglättete und oxidierend gebrannte Feldflasche von oranger Farbe besitzt auf der stark konisch gewölbten Vorderseite ein Muster aus konzentrisch verlaufenden Rillen und Wellenbändern. Sowohl die Henkel als auch der Hals sind nicht erhalten, da das Stück stark durch die Baufahrzeuge zerdrückt aufgefunden wurde. Nach Ament wurde diese vornehmlich im Mittelrhein- und Moselgebiet vorkommende Gefäßgattung im Töpfereizentrum von Mayen produziert, während andernorts auf aus Holz gedrechselte Feldflaschen zurückgegriffen wurde [48]. Zuletzt unterteilte Machhaus die Feldflaschen in eine linsenförmige Variante, der auch das Stück aus Rhens angehört, sowie in eine Variante mit fast kugeliger Vorderseite [49]. Die Gruppe der linsenförmigen Feldflaschen ist noch um ein Stück aus Andernach, Martinsberg, zu ergänzen [50]. Die Feldflasche mit kugeliger Vorderseite aus dem Müdener Männergrab 102 war mit einem Tummler Böhner C vergesellschaftet, welcher das Grab in die Stufe V nach Böhner datiert [51]. Das Fragment einer ähnlich verzierten Feldflasche (Form D67) liegt aus Mayen in der Warenart MB/C vor und datiert nach Redknap in die Mayen Stufe 5, wobei ein Stück Tüllenausguss einer Feldflasche mit zwei Henkeln (Form D 72) zeitlich bereits der Mayen Stufe 6 angehört [52]. Die Zeitstellung des Rhenser Grabes 14 bestätigt sich neben der Tatsache, dass die Dame in dem Grab nachbestattet wurde, auch anhand der Beigaben eines Glockentummlers und eines zweireihigen Beinkammes mit dreieckiger Endplatte des Typs Wenigumstadt [53], welche in die spätmerowingische bis frühkarolingische Zeit datieren. Die Bestattung der Frau wird in der Zeit um 720 oder bald danach erfolgt sein. Die Wellenbandverzierung kommt in Rhens ansonsten nur noch auf dem ebenfalls oxidierend und hart gebrannten Knickwandtopf aus Grab 46 vor, das nach Aussage der Beigaben in die Zeit bald nach der Mitte des 8. Jahrhunderts gehört.

Knickwandtopf aus Grab 46

Mit dem Frauengrab 46 liegt eines der jüngsten Gräber der Nekropole vor, für das, nach Aussage der beigegebenen Trachtelemente wie der Perlen, des übergroßen Ohrringpaares von bis zu 9,0 cm Durchmesser mit Drahtumwicklung und aufgeschobenen doppelkonischen Goldblechperlen sowie der gleicharmigen Bügelfibel aus Silberblech des Typs Kottenheim, eine Zeitstellung in die frühe zweite Hälfte des 8. Jahrhunderts, bzw. an den Beginn der Stufe K I nach Grunwald [54] vorgeschlagen wird [55]. Der dünnwandige und gut geglättete Knickwandtopf (**Abb. 3**) aus Grab 46 des Typs Trier C4 [56] oder Mayen MB/C [57] wurde im Gegensatz zu der Masse der in Rhens vorkommenden Knickwandgefäße oxidierend und bereits tendenziell hart gebrannt. Der Bauchknick ist gerundet und die Oberwand ist abwechselnd mit Wellenlinien und Rillenbündeln verziert. Auf dem leicht einziehenden Boden findet sich ein eingeritztes Kreuz. Zu dem Gefäß liegen bislang keine direkten Parallelen aus Bestattungen vor. Nach Redknap finden sich in der kugeligen Gestaltung und dem hohen Rand Elemente wieder, »die am Übergang vom typisch merowingischen doppelkonischen Topf zum karolingischen Kugeltopf auftreten« [58]. Aufgrund des geraden und trichterartig nach außen biegenden Randes lässt sich das Gefäß gut mit einer Variante der weitbauchigen Töpfe mit eingezogener Mündung der fränkischen Keramik aus den Trierer Kaiserthermen vergleichen [59]. Der Beginn dieser Keramik ist nach Hussong anhand von Vergleichen mit der Trierer Hospitalkeramik »in das 8. Jahrhundert, vielleicht sogar in dessen erste Jahrzehnte« zu setzen [60].

FAZIT

Die stetig seltener werdenden Keramikgefäße stellen in den Bestattungen des Moselmündungsgebiets in der jüngeren Merowingerzeit und in der beginnenden Karolingerzeit durch die immer weiter abnehmende Beigabensitte quasi »Auslaufmodelle« dar. Wie die Beispiele zu ausgewählten Gefäßbeigaben aus dem Gräberfeld von Rhens vor Augen führen, praktizierte die als konservativ anzusprechende Rhenser Siedlungsgemeinschaft auch noch in den Gräbern dieser späten Zeit die Beigabensitte in zum Teil recht erheblichem Umfang. Da sich eine ähnliche Entwicklung auch bei dem Gräberfeld von Müden abzeichnet[61], stellt dieser Umstand in der Region keinen Einzelfall dar. Die Beigabe ganzer Gefäße ist in Rhens noch in der frühen zweiten Hälfte des 8. Jahrhunderts nachgewiesen. Die regelhaft im Fußbereich niedergelegten Gefäße decken vielfältige Formen ab und entsprechen dabei weitestgehend den im Moselmündungsgebiet bekannten Typen. Mit fortschreitender Zeit lässt sich die Tendenz zum härter werdenden Brand ebenso konstatieren wie die Neigung zur kugeligeren Formgebung der Gefäße, was das Beispiel der beiden unterschiedlich hart gebrannten Kleeblattkrüge aus Grab 44 zu unterstreichen vermag. Daneben wird anhand der beiden Gefäße aus Grab 1 auch das gleichzeitige Vorkommen von Linsen- und Standböden deutlich. Karolingische Kugeltöpfe sind in Bestattungen dieser Zeit nicht nachgewiesen. In Rhens scheinen die seltenen oxidierend gebrannten Gefäße vor allem auf die späten Belegungsphasen des Gräberfeldes beschränkt zu sein, ebenso wie die Verzierung der Keramiken durch ein Wellenband. In Einzelfällen kommen neben den weiterhin üblichen Trinkgefäßen auch noch Gefäße zur Speisebeigabe vor. Die Gattung der Wölbwandtöpfe war nicht als Grabgefäße für die Speisebeigabe üblich, doch legt ein solches Fragment aus Frauengrab 7, das als Unterlage für einen Beinkamm verwendet wurde, eine rituelle Handlung im Rahmen der Bestattungszeremonie nahe. Wie die Vergleiche der Gefäßformen des Moselmündungsgebietes, der Regionen am Oberlauf der Mosel sowie des Köln-Bonner Vorgebirges widerspiegeln, ist trotz regionaler Eigenständigkeiten eine gemeinsame Typenentwicklung anzuführen, die wohl den gängigen Geschmack der Zeit repräsentiert. Für den Transfer dieser kollektiven Modeströmungen werden die Flusssysteme von Rhein und Mosel eine wesentliche Vermittlerfunktion eingenommen haben.

Anmerkungen

1) Grunwald 1990, 50. – Neumayer 1993, 128f. 202. – Saal im Druck. – Das Gräberfeld wird zurzeit durch die Verfasserin im Rahmen der Dissertation »Das merowingerzeitliche Gräberfeld von Rhens, Landkreis Mayen-Koblenz. Beiträge zur frühmittelalterlichen Chronologie und Siedlungsgeschichte an Mittelrhein und unterer Mosel« an der Philipps-Universität Marburg (Prof. Dr. H. W. Böhme) untersucht.
2) Ament 1976a, 34. – Ament 1976b, 313. – Melzer 1993, 90 94f. 108.
3) Neuffer-Müller/Ament 1973, 146. 148.
4) Ament 1976a, 33. 130.
5) Ament 1993, 38. 41.
6) Melzer 1993, 94. 108.
7) Machhaus 2003, 87f.
8) Diese Beobachtung beruht auf dem uns heute zur Verfügung stehenden Fundgut und könnte evtl. auch für weitere Nekropolen mit nicht erfassten späten Gräberfeldarealen gelten. Das Gräberfeld von Saffig wurde nicht komplett ergraben, bzw. es liegen noch zwölf bislang nicht ausgewertete Bestattungen vor, weshalb dort möglicherweise Friedhofsareale jüngerer Zeitstellung bislang fehlen. Aus dem gegen Ende des 19. Jh. durch Antiquitätenhändler geplünderten Gräberfeld von Mertloch sind aus dem manipulierten Fundgut nur 13 Gefäße überliefert, was im Kontext mit dem monetären Wert der »Antiquitäten« für die damaligen Ausgräber stehen mag. Festzuhalten bleibt, dass sich in Rhens ein Zeithorizont zeigt, der bislang durch die regionale Gräberfeldarchäologie schwer zu fassen ist.
9) Ament 1976a, 33. 130. – Ament 1993, 38. – Melzer 1993, 94.
10) Gärtner 2009, 215. 220-226.
11) Grab 1: Schüssel und Kleeblattkrug. – Grab 28: Knickwandtopf und Knickwandschüssel. – Grab 36: Flasche und Miniaturgefäß Typ Niederbieber 81. – Grab 41: Zwei Knickwandbecher, eine rotgestrichene Schüssel, zwei Kugelbecher aus Glas. – Grab 44: Zwei Kleeblattkrüge.
12) Grab 14: Feldflasche und Glockentummler. – Grab 72: Kleeblattkrug und Glockentummler. – Grab 41: Zwei Knickwandbecher, eine rotgestrichene Schüssel, zwei Kugelbecher aus Glas.

13) Gärtner 2009, 217f. 220. – Blaich 2006, 154.
14) Böhner 1958, 55 Taf. 5, 14.
15) Hussong/Cüppers 1972, 109f. Abb. 53, 6-7 Typ 9.
16) Ebenda Abb. 53, 10.
17) Ebenda 100.
18) Bressoud u. a. 2008/1, 33 Abb. 2.
19) Keller 2004, 126.
20) Müssemeier 2007, 232f. Abb. 13 u. 6.
21) Keller 2004, 133. – Siegmund 1998, 199. 202f. 208.
22) Redknap 1999, 28. 180f. Abb. 28-29.
23) Zwei Schankgefäße finden sich nur sehr selten in einem Grab vergesellschaftet. – Vgl. Ament 1976a, 31 Anm. 23.
24) Böhner 1958, 51f. Taf. 4, 6-8. D3: »Kleeblattkrug mit annähernd gleichmäßig ausgewölbtem, zuweilen fast kugeligem Körper«; Böhner 1958, 60 Taf. 7, 3. E3: »Kleeblattkrug mit gleichmäßig stark aufgewölbter Wand und linsenförmigem Boden«; Redknap 1999, 272 Abb. 70. – Der manganrote-dunkelbraune Krug 2 aus Grab 44 darf sicherlich als ein Übergangsprodukt von der harten zur steinzeugartig hart gebrannten Ware angesehen werden.
25) Machhaus 2003, 75f. 78 Taf. 115 E, 4.
26) Grunwald 2007, 271f. Abb. 26, 4.
27) Neuffer-Müller/Ament 1973, 45 Taf. 41, 3.
28) Ebenda 45.
29) Ebenda Abb. 5-6. – Ament 1993, 39.
30) Grunwald 2007, 452 Abb. 3.
31) Ament 1976a, Taf. 43, 13.
32) Ament 1993, 39f.
33) Redknap 1999, 67-72. 101-108.
34) Ebenda 238f. Abb. 55.
35) Hussong/Cüppers 1972, 100. 104f. Abb. 50, 2.
36) Ebenda 104.
37) Haberey/Rest 1941, 401 Abb. 108, 7.
38) Ebenda 402f.
39) Keller 2004, 126-129. 133 Abb. 1, 13-14.
40) Machhaus 2003, Taf. 107, D1; 114, F1.
41) Ebenda 75-79. – Zuletzt Gärtner 2009, 219-221. 224-226.
42) Redknap 1999, 258 Abb. 63 D55.
43) Ebenda 272 Abb. 70 D15.
44) Böhner 1958, 60 Taf. 7, 3.
45) So liegt Grab 1 gemeinsam mit Grab 7, das ebenfalls Bestandteil dieser Abhandlung ist, in einer Reihe. Beide Gräber weisen sehr schmale Grabformen auf, welche in Rhens ebenfalls als Anzeiger einer späten Datierung zu werten sind.
46) Böhner 1958, 51 Taf. 4, 6.
47) Stampfuß 1939, 51 Taf. 16, 8. – Die Flasche gehört dem Typ S-Fla1.2 an, der am Niederrhein in die Phasen 7-8 der Bonner Franken-AG datiert. Siehe dazu Müssemeier u. a. 2003, 64.
48) Ament 1976a, 45f. Anm. 24.
49) Machhaus 2003, 70-72.
50) Vogel 2006, 56. 171 Taf. 40, 7.
51) Machhaus 2003, 72. 79 Taf. 102, A.
52) Redknap 1999, 264 Abb. 65, D67.1; D72.1.
53) Stauch 2004, 186-188. 192.
54) Grunwald 2007, 452. Phase K I = 750 bis um 800.
55) Dieser chronologische Ansatz wurde von der Verfasserin anhand der Größenentwicklung der Ohrringe erarbeitet und ist Bestandteil der Dissertation.
56) Böhner 1958, 48 Taf. 3, 8; Trier C4: »Mäßig schlanker Knickwandtopf mit abgerundetem Bauchknick und etwa gleichhoher Ober- und Unterwand«.
57) Redknap 1999, 245f. Abb. 57. – Die Form D34 (= unverdickte oder wenig verdickte, leicht ausladende Topfränder) datiert in die Mayen Stufen 5-6.
58) Redknap 1999, 82.
59) Hussong/Cüppers 1972, 110-112 Abb. 54, 20; Typ 10, Variante Bc: »Weitbauchige Töpfe mit knickartig nach außen gebogenem Rand«.
60) Ebenda 100.
61) Machhaus 2003, 87-89.

Literatur

Ament 1976a: H. Ament, Die fränkischen Grabfunde aus Mayen und der Pellenz. Germ. Denkmäler Völkerwanderungszeit B 9 (Berlin 1976).

1976b: H. Ament, Chronologische Untersuchungen an fränkischen Gräberfeldern der jüngeren Merowingerzeit im Rheinland. Ber. RGK 57, 1976, 285-336.

1993: H. Ament, Siedlung und Gräberfeld des frühen Mittelalters von Mertloch, Künzerhof (Kreis Mayen-Koblenz). Wiss. Beibde. Anz. German. Nationalmus. 9 (Nürnberg 1993).

Blaich 2006: M. C. Blaich, Das frühmittelalterliche Gräberfeld von Eltville, Rheingau-Taunus-Kreis. Fundber. Hessen Beih. 2,1. Hessische Forsch. Gesch. Landes- u. Volkskde. 44, 1 (Bonn 2006).

Böhner 1958: K. Böhner, Die fränkischen Altertümer des Trierer Landes. Germ. Denkmäler Völkerwanderungszeit B 1 (Berlin 1958).

Bressoud u. a. 2008: A. Bressoud / M. Frauciel / M. Gazenbeek / R. Lansival / R. Prouteau, PCR »La céramique de l'Antiquité tardive et du haut Moyen Age entre Meuse et Rhin« 2006-2009. Programme 25. Rapport 2008/1.

Gärtner 2009: T. Gärtner, Heidnisch oder christlich? Über Deponierungen von Gefäßfragmenten in frühmittelalterlichen Gräbern West- und Süddeutschlands. Ethnogr.-Arch. Zeitschr. 50, 2009, 215-234.

Grunwald 1990: L. Grunwald, Das fränkische Gräberfeld von Rhens. Arch. Deutschland 4, 1990, 50.

2007a: L. Grunwald, Das fränkische Gräberfeld von Koblenz-Lay. Ber. Arch. Mittelrhein u. Mosel 12 (Koblenz 2007) 247-334.

2007b: L. Grunwald, Friesische Sceattas als Schlüssel zur Lösung? Anmerkungen zur Chronologie der jüngeren Merowingerzeit im Mittelrheingebiet. Arch. Korrbl. 37, 2007, 447-456.

Haberey/Rest 1941: W. Haberey / W. Rest, Vorgeschichtliche und frühmittelalterliche Siedlungsreste in Kottenheim, Kreis Mayen. Bonner Jahrb. 146, 1941, 395-403.

Hussong/Cüppers 1972: L. Hussong / H. Cüppers, Die Trierer Kaiserthermen. Die spätrömische und frühmittelalterliche Keramik. Trierer Grab. u. Forsch. 1, 2 (Mainz 1972).

Keller 2004: Ch. Keller, Badorf, Walberberg und Hunneschans. Zur zeitlichen Gliederung karolingischer Keramik vom Köln-Bonner Vorgebirge. Arch. Korrbl. 34, 2004, 125-137.

Machhaus 2003: R. Machhaus, Das frühmittelalterliche Gräberfeld von Müden, Kr. Cochem-Zell. Ber. Arch. Mittelrhein u. Mosel 8 (Trier, Koblenz 2003) 21-283.

Melzer 1993: W. Melzer, Das fränkische Gräberfeld von Saffig, Kreis Mayen-Koblenz. Internat. Arch. 17 (Buch am Erlbach 1993).

Müssemeier u.a. 2003: U. Müssemeier / E. Nieveler / R. Plum / H. Pöppelmann, Chronologie der merowingerzeitlichen Grabfunde vom linken Niederrhein bis zur nördlichen Eifel. Mat. Bodendenkmalpfl. Rheinland 15 (Köln, Bonn 2003).

2007: U. Müssemeier, Bornheim-Walberberg, Rhein-Sieg-Kreis, Franz-von Kempis-Weg, Ofen Stelle 7 und Arbeitsgrube Stelle 45, Nordrhein-Westfalen D. In: A. Heege (Hrsg.), Töpferöfen – Pottery kilns – Fours de potiers. Die Erforschung frühmittelalterlicher bis neuzeitlicher Töpferöfen (6.-20. Jh.) in Belgien, den Niederlanden, Deutschland, Österreich und der Schweiz. Basler H. Arch. 4 (Basel 2007) 225-233.

Neuffer-Müller/Ament 1973: Ch. Neuffer-Müller / H. Ament, Das fränkische Gräberfeld von Rübenach, Stadt Koblenz. Germ. Denkmäler Völkerwanderungszeit B 7 (Berlin 1973).

Neumayer 1993: H. Neumayer, Merowingerzeitliche Grabfunde des Mittelrheingebietes zwischen Nahe- und Moselmündung. Arch. Schr. Inst. Vor- u. Frühgesch. Johannes-Gutenberg-Univ. Mainz 2 (Mainz 1993).

Redknap 1999: M. Redknap, Die römischen und mittelalterlichen Töpfereien in Mayen. In: H.-H. Wegner (Hrsg.), Ber. Arch. Mittelrhein u. Mosel 6 (= Trierer Zeitschr. Beih. 24) (Trier, Koblenz 1999) 11-401.

Saal im Druck: E. Saal, Rhens. Ber. Arch. Mittelrhein u. Mosel 17 (im Druck).

Siegmund 1998: F. Siegmund, Merowingerzeit am Niederrhein. Die frühmittelalterlichen Funde aus dem Regierungsbezirk Düsseldorf und dem Kreis Heinsberg. Rhein. Ausgr. 34 (Köln, Bonn 1998).

Stampfuß 1939: R. Stampfuß, Der spätfränkische Sippenfriedhof von Walsum. Quellenschr. Westdt. Vor- u. Frühgesch. 1 (Leipzig 1939).

Stauch 2004: E. Stauch, Wenigumstadt. Ein Bestattungsplatz der Völkerwanderungszeit und des frühen Mittelalters im nördlichen Odenwaldvorland. Universitätsforsch. Prähist. Arch. 111 (Bonn 2004).

Vogel 2006: A. Vogel, Die merowingischen Funde aus Andernach (Kr. Mayen-Koblenz). Universitätsforsch. Prähist. Arch. 131 (Bonn 2006).

Zusammenfassung / Abstract

Gefäßbeigabe: (k)ein Auslaufmodell. Beispiele zu spätmerowingisch-frühkarolingischen Keramikgefäßen aus dem Gräberfeld von Rhens am Mittelrhein

In dem merowinger- bis frühkarolingerzeitlichen Gräberfeld von Rhens am Mittelrhein wurde die Beigabensitte ungewöhnlich lange bis in die frühe zweite Hälfte des 8. Jahrhunderts n. Chr. ausgeübt. Dieses zeigt zum Beispiel die regelhafte Deponierung von Gefäßen. Zu den mitgegebenen Keramikgefäßen gehörten neben Kleeblattkrügen und einer Feldflasche auch Schüsseln, ein Knickwandtopf sowie das Fragment eines Wölbwandtopfes. Hieraus kann geschlossen werden, dass die merowingischen Gefäßformen bis in die zweite Hälfte des 8. Jahrhunderts in Gebrauch waren und als Bestandteil des Bestattungsritus genutzt wurden. Somit ist von einer deutlich längeren Laufzeit dieser Gefäßtypen auszugehen. Da sich auch in anderen Regionen, wie zum Beispiel dem Trierer Raum oder dem Köln-Bonner Vorgebirge, bis in das späte 8. Jahrhundert ein Festhalten an dem merowingischen Formenkanon abzeichnet, scheint das Fundgut aus Rhens für eine großräumige, parallelverlaufende Grundtendenz in der Keramikentwicklung zu stehen. Gleichzeitig sollte in Zukunft bei der Analyse von spätmerowingischen Gräberfeldern detailliert darauf geachtet werden, ob sich eine vergleichbare Entwicklung wie in Rhens auch an anderen Bestattungsplätzen nachweisen lässt. Das Gräberfeld von Müden an der Mosel gibt Anlass zu der Vermutung, dass eine entsprechende Entwicklung öfter als bisher angenommen stattgefunden hat.

Pottery offering: (not) a defunct model. Examples of late Merovingian and early Carolingian pottery vessels from the cemetery of Rhens on the Central Rhine

In the late Merovingian and early Carolingian cemetery of Rhens on the Central Rhine the ritual of depositing grave-goods was practiced unusually long into the second half of the 8th century. This is demonstrated, for instance, by the regular deposition of vessels. Belonging to the pottery vessels offered were flagons with trefoliate rims, a field-bottle, bowls, a biconical pot and the fragment of a round-bodied pot. From this one can deduce that the Merovingian vessel forms were employed up to the second half of the 8th century and used as part of the burial ritual. One must assume, therefore, that these had a much longer life than previously thought. Since in other regions, too, such as around Trier and the ›Vorgebirge‹ between Cologne and Bonn, one can discern a retention of Merovingian forms into the late 8th century, the finds material from Rhens seems to be representative of a regional, contemporary basic tendency in pottery development. At the same time, one should be especially aware in the analysis of late Merovingian cemeteries in the future, if a comparable development with Rhens can be proven for other cemeteries. The cemetery of Müden on the Moselle gives rise to the conjecture that such a development occurred more often than has hitherto been assumed.

Translation: C. Bridger

ULRIKE MÜSSEMEIER · MICHAEL SCHNEIDER

KERAMIKPRODUKTION DER SPÄTEN MEROWINGER- UND FRÜHEN KAROLINGERZEIT IN BORNHEIM-WALBERBERG, RHEIN-SIEG-KREIS

Der Bornheimer Ortsteil Walberberg (Rhein-Sieg-Kreis) am Osthang der Ville, dem so genannten Vorgebirge zwischen Köln und Bonn, ist in der Forschung bekannt für seine frühmittelalterliche Töpferei [1]. Nahe der Kitzburg im Süden von Walberberg fanden in den Jahren 2006 bis 2011 die jährlichen Lehrgrabungen der Vor- und Frühgeschichtlichen Archäologie der Rheinischen Friedrich-Wilhelms-Universität Bonn in Kooperation mit dem LVR-Amt für Bodendenkmalpflege im Rheinland statt [2]. Das Grabungsgelände liegt an einem nach Südosten geneigten Hang des Vorgebirges oberhalb des Siebenbachs. Geologisch gehört dieser Bereich zur lössbedeckten Mittelterrasse des Rheins. Westlich dieses Geländes stehen oberflächennah tertiäre Tone an [3]. Konzentriert finden sich die nächstgelegenen frühmittelalterlichen Töpfereien entlang der heutigen Buschgasse 250 m nordwestlich des Grabungsgeländes [4].

Durch die über Jahrhunderte währende intensive landwirtschaftliche Nutzung ist die im Holozän auf Löss entstandene Parabraunerde in den Hanglagen des Vorgebirges stark erodiert (so genannte Rendzina). Stellenweise ist der Abtrag so weit fortgeschritten, dass der Ackerboden heute direkt auf dem Löss liegt; die einstige Braunerde ist völlig verschwunden. Die Grabungen auf dem Gelände nahe der Kitzburg führten die erosionsbedingte Gefährdung und fortschreitende Zerstörung der archäologischen Substanz deutlich vor Augen.

Aufgrund von Oberflächenfunden wurde bereits in den 1930er Jahren unmittelbar südlich des Grabungsgeländes am Siebenbach eine römische Trümmerstelle lokalisiert, die wahrscheinlich auf ein römisches Landgut zurückgeht [5]. Begehungsfunde seit den 1970er Jahren belegen eine Nutzung von der mittleren Kaiserzeit bis in das späte 4. oder frühe 5. Jahrhundert [6]. Vermutlich sind die im Ausschnitt der Grabungsfläche erfassten römischen Gräber – eine Brandbestattung der zweiten Hälfte des 1. Jahrhunderts (2010/51) sowie vier Körperbestattungen des 4. bis frühen 5. Jahrhunderts (**Abb. 1**) – diesem römischen Siedlungsplatz am Siebenbach zuzuweisen [7]. Die in den Körpergräbern nachweisbare Beigabensitte, insbesondere die Beigabe einer umgestülpt im Brust-/Bauchbereich der Verstorbenen niedergelegten Glasschale, ist typisch für spätantike Bestattungen im ländlichen Umfeld von Köln und Bonn [8].

Die genannten Feldbegehungen seit den 1970er Jahren schlossen auch den nördlich der Trümmerstelle gelegenen, hier behandelten Fundplatz ein. Nach den Ergebnissen von W. Giertz ließen die Begehungsfunde auf eine Besiedlung im Anschluss an die spätantike Phase ab der Mitte bis zweiten Hälfte des 5. Jahrhunderts schließen und machten für drei Bereiche frühmittelalterliche Keramikproduktion wahrscheinlich [9]. Der Walberberger Fundplatz bot somit die Möglichkeit, im Rahmen der Lehrgrabungen frühmittelalterliche Siedlungsreste und Töpferöfen im Umfeld eines bis in die Spätantike genutzten römischen Landgutes zu erforschen.

Im Ausschnitt der Grabungsfläche sind die ältesten Befunde bandkeramisch zu datieren; ein weiterer wies eisenzeitliches Fundmaterial auf (**Abb. 1**; braune und pinkfarbene Signaturen). Diese Gruben sind im Kontext weiterer bandkeramischer und eisenzeitlicher Befunde der näheren Umgebung zu sehen [10]. Merowingerzeitliche Siedlungsbefunde setzen in der zweiten Hälfte des 5. Jahrhunderts ein (**Abb. 1**; rote Signatur). Neben verschiedenen Gruben sind vor allem zwei Grubenhäuser zu erwähnen (2006/03 und 2006/12). Es

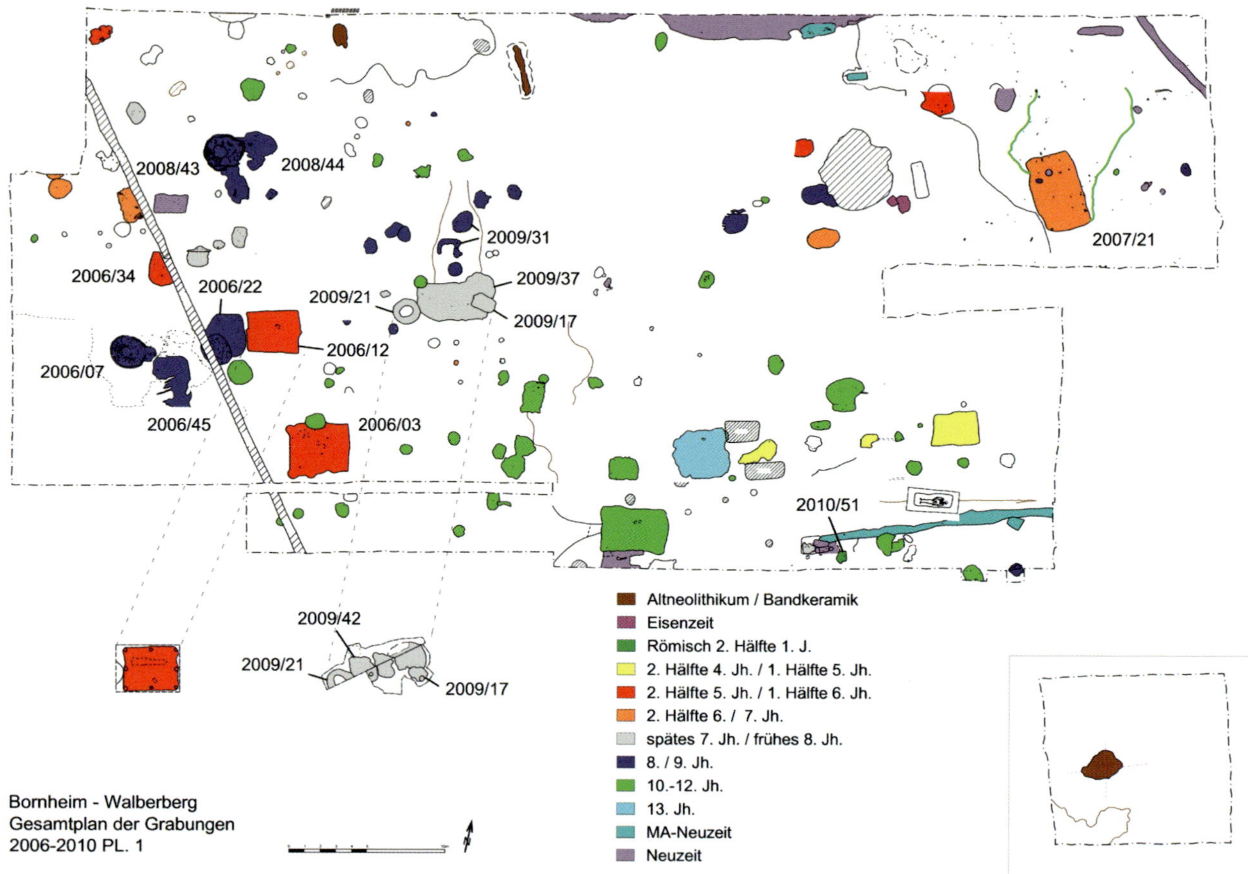

Abb. 1 Grabungsplan der Kampagnen 2006-2010 mit den einzelnen Zeitstufen. – (Plan A. Bechstein, Rheinische Friedrich-Wilhelms-Universität Bonn; VerfasserIn, beide LVR-ABR).

handelt sich um Sechspfostenbauten, deren Gruben nur noch eine Tiefe von ca. 0,20-0,30 m aufwiesen. Der ehemalige Laufhorizont ließ sich in beiden Häusern als wenige Millimeter starke, helle Lössschicht verfolgen. Ihre Einfüllung war stark mit verkohlten pflanzlichen Resten [11], Tierknochen [12], Brandlehm, römischen Ziegeln und großteilig zerscherbter Keramik durchsetzt. Eine ähnliche Einfüllung wurde auch aus der Grube 2006/34 geborgen.

Schälchen und Schalen mit Standring in rotbraungestrichener Ware [13] kommen in den ältermerowingerzeitlichen Walberberger Befunden recht häufig vor. Zu nennen sind Formen, für die Vergleichsstücke unter der so genannten Umbaukeramik der Trierer Kaiserthermen wie auch der Keramik der Barbarathermen vorliegen (**Abb. 2, 1-4; 4, 9; 5, 5-6**) [14]; auch eine Reibschale ist hier vertreten. Eine Auswahl dieser Typen, nämlich Standringschalen mit rundstabig nach außen verdicktem Rand und Knickwandschalen mit Standring und nicht verdickter Randlippe, gelangten wiederholt auch in merowingerzeitliche Gräber der zweiten Hälfte des 5. und der ersten Hälfte des 6. Jahrhunderts [15]. Die in Grabfunden dieser Zeit dominierende Gefäßgattung der Knickwandtöpfe, gefertigt aus reduzierend gebrannter, schwach gemagerter, glattwandige Ware, ist hingegen nur mit wenigen Fragmenten belegt. Das Exemplar (**Abb. 5, 7**) gehört zu einer frühen Form mit abgesetztem Boden [16]. Die Knickwandtopffragmente (**Abb. 4, 10**) zeigen eine stark einschwingende Oberwand mit typischer Rosettenverzierung [17]. Am häufigsten vertreten sind unter den Walberberger Siedlungsfunden der älteren Merowingerzeit aber Gefäße aus rauwandiger Ware. Hier dominieren Wölbwandtöpfe mit und ohne Deckelfalz (**Abb. 2, 6-10; 3, 1-6**), aber auch Schalen mit einziehendem Rand und eine frühe Knickwandschale kommen vor (**Abb. 3, 7-9**). Die rauwandigen Gefäße aus Grubenhaus 2006/12 (**Abb. 4,**

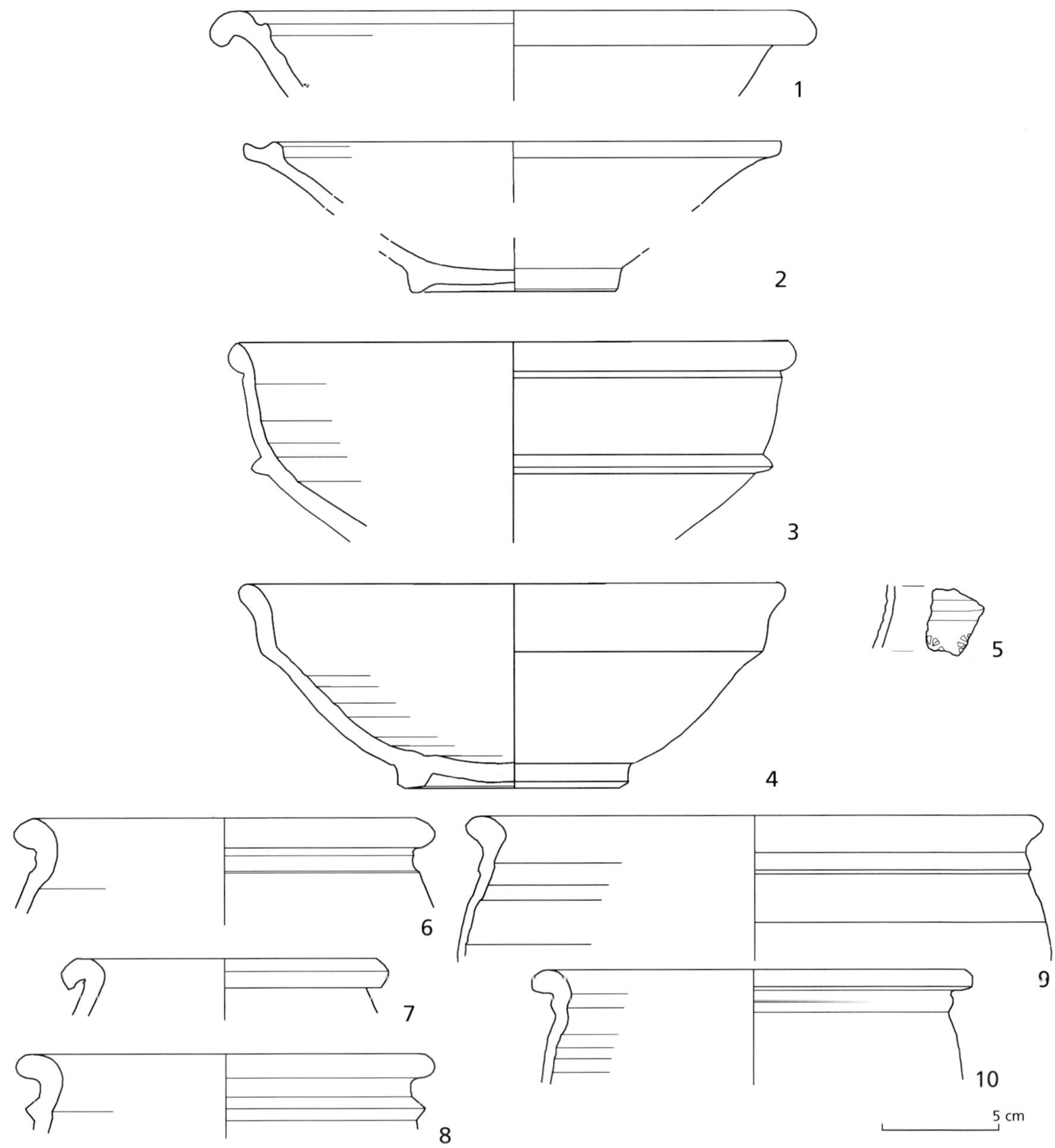

Abb. 2 Keramik aus Grubenhaus St. 2006/03. – (Tafel Verfasserin, LVR-ABR). – M. 1:3.

1-8) machen einen etwas jüngeren Eindruck als jene aus Grubenhaus 2006/03 und Grube 2006/34. Die hier vorliegenden Wölbwandtöpfe haben regelhaft keinen Wulst oder Grat mehr unterhalb des Randes [18]. Auch die leider unvollständige, eher plumpe Kanne weist mit ihrer konischen Unterwand in das entwickelte 6. Jahrhundert. Handaufgebaute Gefäße, wie der Topf mit senkrechten Rippen und Linienbündeln (**Abb. 6**), bleiben unter der merowingerzeitlichen Walberberger Keramik eine Ausnahme. Dieser Topf ist dem Typ Obermöllern zuzuweisen und steht in mitteldeutscher Form- und Verzierungstradition; ähnliche Stücke stammen außerdem aus dem Rhein-Main-Gebiet [19].

In den vorgestellten Befunden der älteren Merowingerzeit tritt bereits sehr stark mit Quarzsand gemagerte rauwandige Ware auf, deren Machart für eine Produktion am Köln-Bonner Vorgebirge spricht (**Abb. 7**). Mit ihrer Magerungsdichte, Korngröße des Quarzsandes, Brandhärte und Oberflächenfarbe entspricht diese

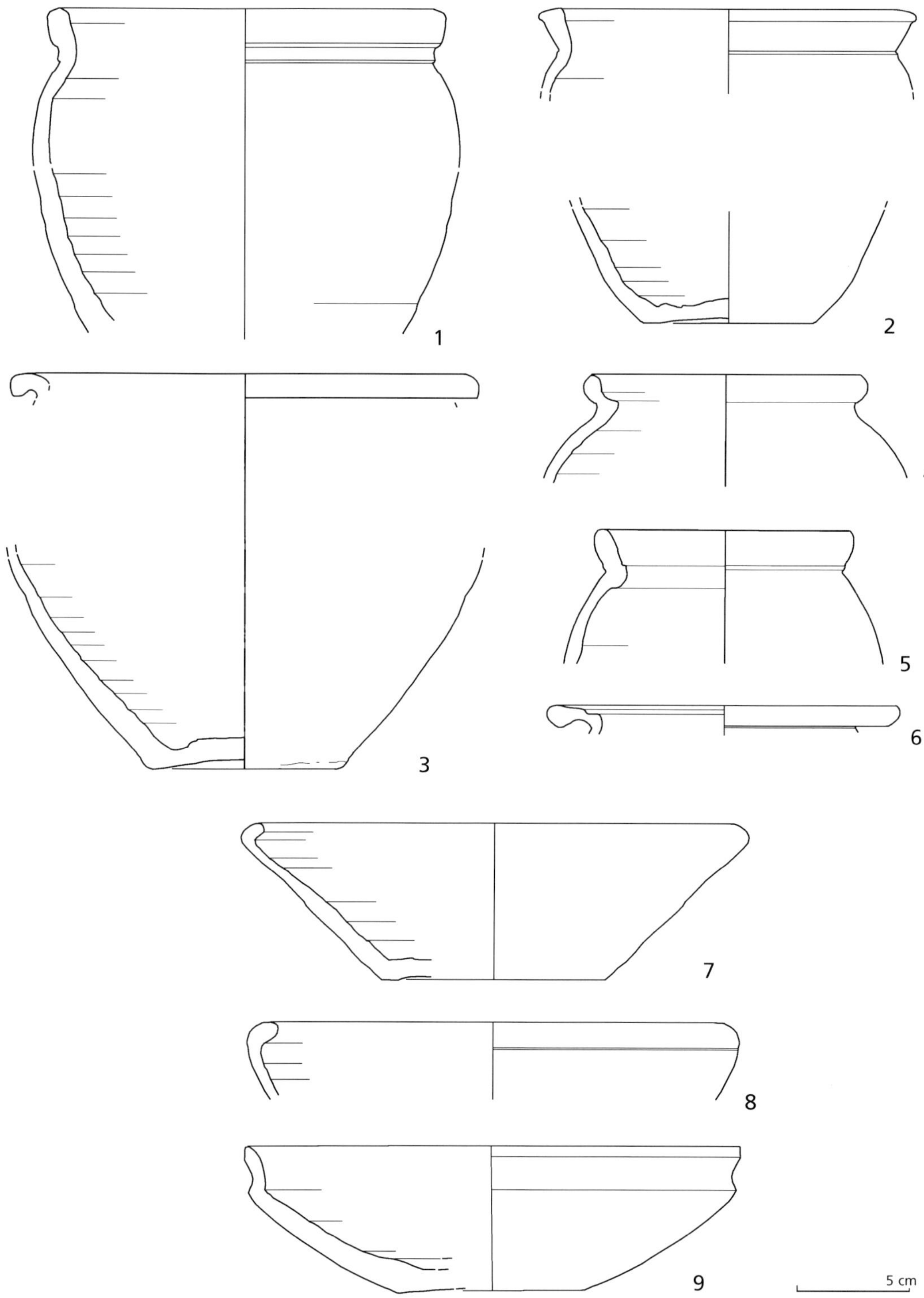

Abb. 3 Keramik aus Grubenhaus St. 2006/03. – (Tafel Verfasserin, LVR-ABR). – M. 1:3.

Keramik der ab der späten Merowingerzeit in den Bornheimer Ortsteilen Waldorf und Walberberg produzierten rauwandigen Ware[20], die nach dem zuerst genannten Produktionsort als Waldorfer Ware bezeichnet wird[21]. Leider liegen für die frühe Produktionszeit dieser Ware aus dem Vorgebirge bisher keine dokumentierten Töpfereibefunde vor[22]. Aufgrund der überlieferten Fundumstände kann lediglich für zwei

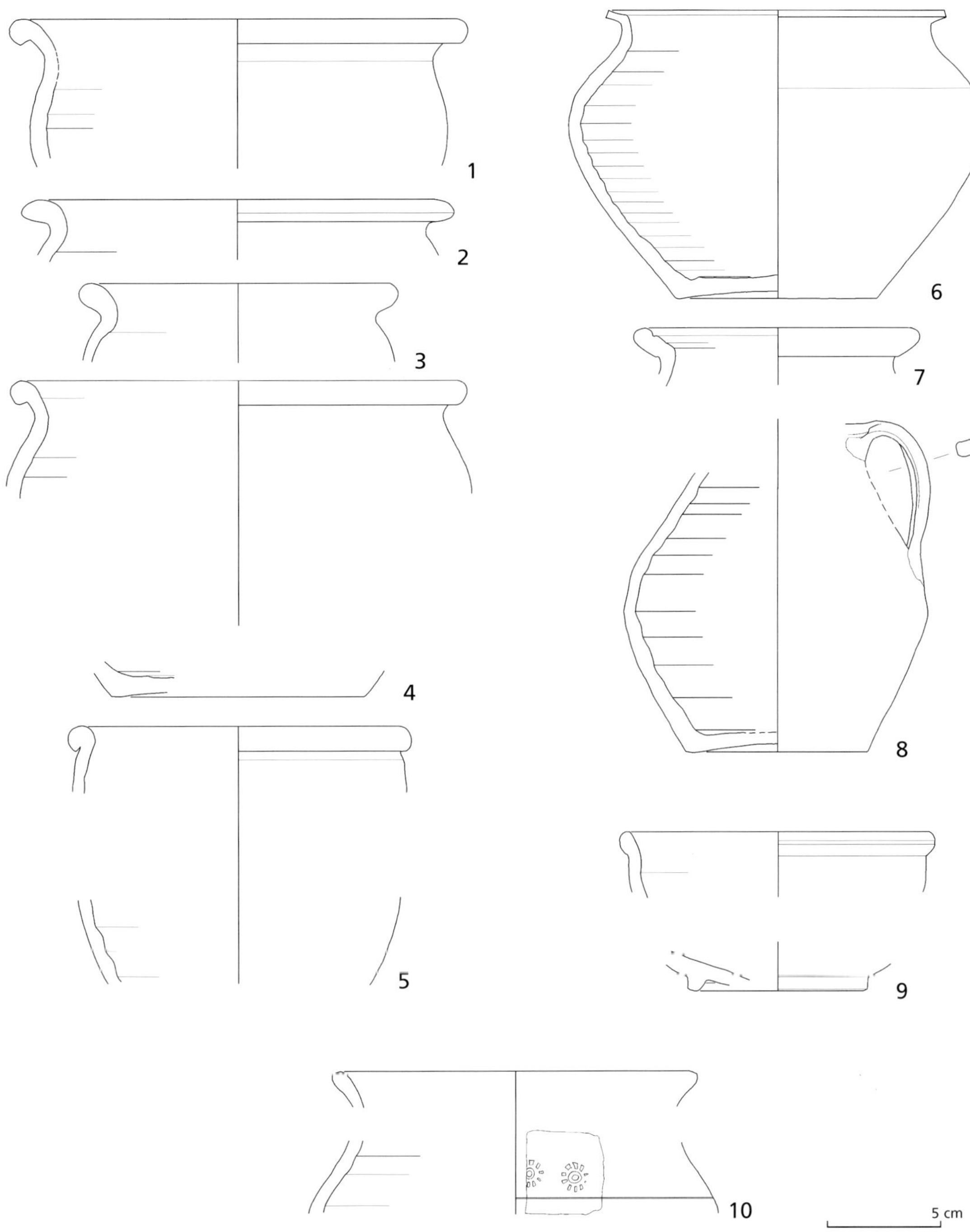

Abb. 4 Keramik aus Grubenhaus St. 2006/12. – (Tafel Verfasserin, LVR-ABR). – M. 1:3.

Fundplätze im südlich von Walberberg gelegenen Bornheimer Ortsteil Kardorf Keramikproduktion bereits im 6. Jahrhundert vermutet werden (**Abb. 8**)[23].

Neben der rauwandigen Ware aus dem Vorgebirge ist in den Befunden der zweiten Hälfte des 5. Jahrhunderts und ersten Hälfte des 6. Jahrhunderts ein deutlicher Anteil stark gemagerter, rauwandiger Ware vertreten, die neben Quarzsand weitere Magerungsbestandteile aufweist, unter denen vor allem eckige, glänzend schwarze Partikel besonders auffällig sind (**Abb. 9**). Analysen stehen noch aus, makroskopisch können diese Partikel aber als Augit oder Hornblende angesprochen werden, die typisch für die rauwandige

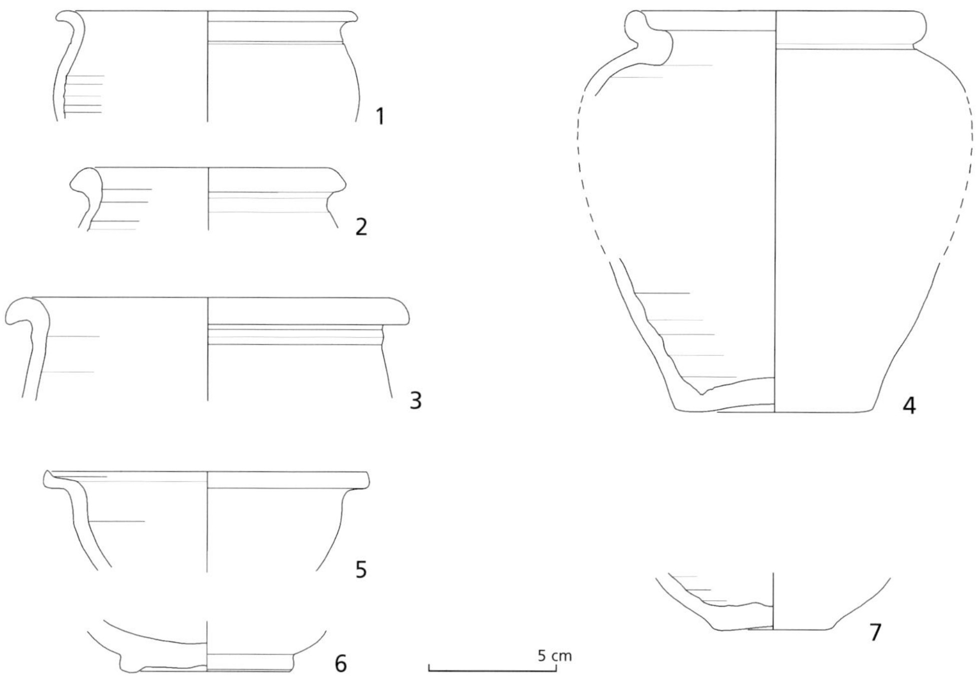

Abb. 5 Keramik aus Grube St. 2006/34. – (Tafel Verfasserin, LVR-ABR). – M. 1:3.

Abb. 6 Handaufgebauter Topf aus Grubenhaus St. 2006/12. – (Foto Verfasserin, LVR-ABR).

Mayener Keramik MD sind[24] und auch bei hart gebrannter Mayener Ware ME vorkommen[25]. Vergleichend wurde Keramik Mayener Provenienz betrachtet, die in den 1920er Jahren in das Bonner Landemuseum gelangt war (**Abb. 10**)[26].

Weitere Walberberger Gruben lassen sich aufgrund ihres keramischen Inventars in die zweite Hälfte des 6. oder das 7. Jahrhundert datieren (**Abb. 1**; orange Signatur). Hierfür spricht auch eine in Grube 2007/21 vergesellschaftete weiße Perle mit durchscheinend grünlichblauer Fadenauflage[27]. Zu der Keramik gehören vor allem entwickelte Wölbwandtöpfe mit und ohne Deckelfalz sowie Knickwandschalen (**Abb. 11**). Diese bestehen jetzt ausschließlich aus stark mit Quarzsand gemagerter Ware des Vorgebirges. Es kann vermutet werden, dass die hiesige Produktion zu dieser Zeit den Bedarf vollständig abdeckte und die Mayener Ware verdrängte.

Abb. 7 Randstück eines Wölbwandtopfes aus früher quarzsandgemagerter Ware vom Vorgebirge aus Grubenhaus St. 2006/03. – (Foto M. Thuns, LVR-ABR). – M. 1:1.

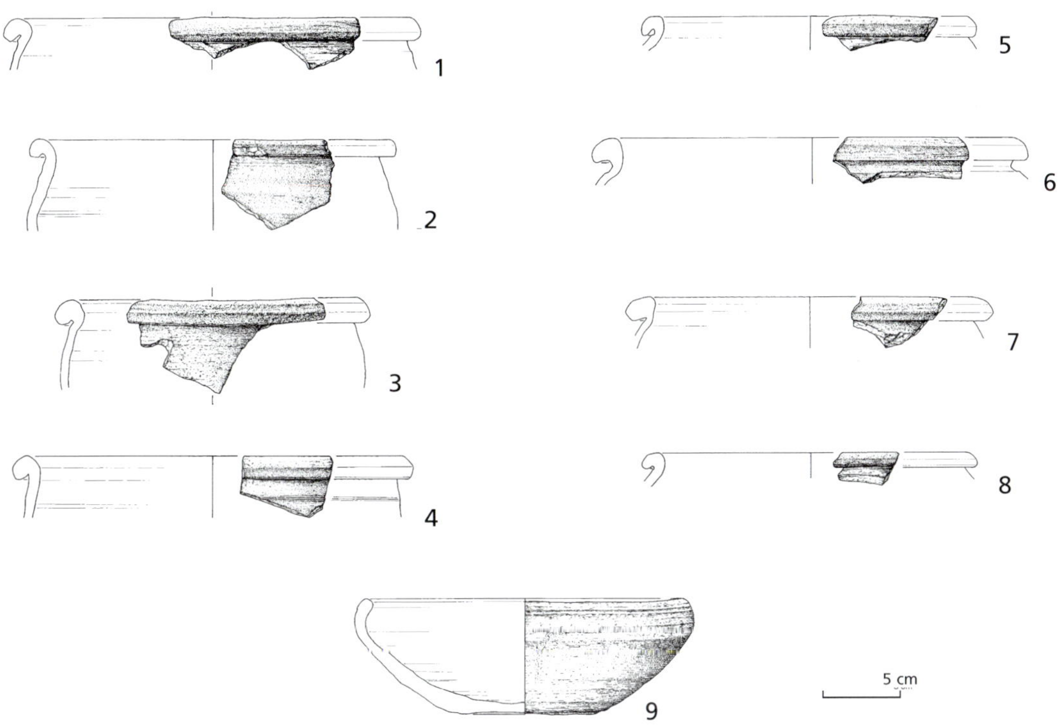

Abb. 8 Wahrscheinlicher Töpfereiabfall des 6. Jahrhunderts aus Waldorf-Kardorf. – (Tafel LVR-LMB). – M. 1:5.

Abb. 9 Randstücke von Wölbwandtöpfen mit und ohne Deckelfalz aus Mayener Ware aus Grubenhaus St. 2006/12 und Grube St. 2006/34. – (Foto M. Thuns, LVR-ABR). – M. 1:1.

Abb. 10 Keramik Mayener Provenienz. – (Fotos R. Vogel, LVR-LMB). – M. 1:1.

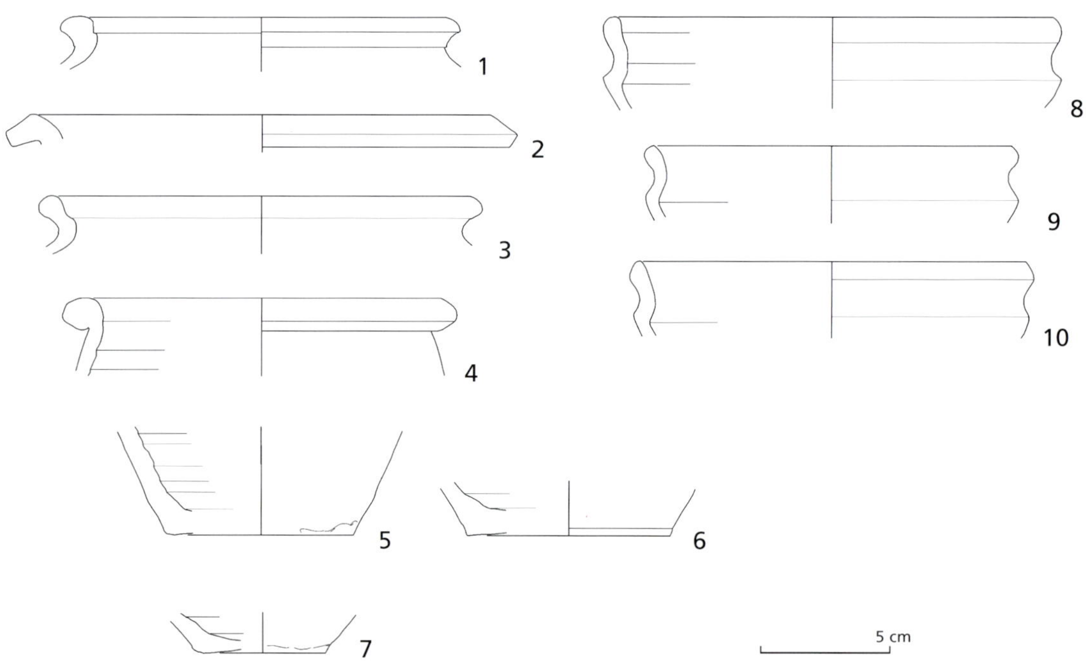

Abb. 11 Keramik aus Grube St. 2007/21. – (Tafel Verfasserin, LVR-ABR). – M. 1:3.

Im ausgegrabenen Areal fanden sich insgesamt sechs Töpfereibrennöfen, die alle dem Typus des stehenden Ofens mit rundem bis ovalem Grundriss und senkrechtem Zug zugeordnet werden können, dem gängigen Ofentyp der karolingerzeitlichen Vorgebirgstöpferei[28]. Beispielhaft wird hier das in der ersten Kampagne ergrabene Exemplar etwas detaillierter vorgestellt[29].

Von dem 2006 gegrabenen Ofen (**Abb. 12**) fand sich noch der Feuerungsraum mit zentraler Mittelsäule sowie Schürkanal (2006/07) und Arbeitsgrube (2006/45). Der ovale Feuerungsraum mit einem Durchmesser von 2,05-2,30 m und einer Grabenbreite von 0,40-0,50 m wurde in die anstehende Braunerde und den darunter liegenden Löss eingegraben und durch die Befeuerung gebrannt. Sein tiefstes Niveau lag im Osten

Abb. 12 Ofen St. 2006/07 mit noch verfülltem Schürkanal und den trapezförmigen Aussparungen. – (Foto Verfasserin, LVR-ABR).

vor dem Schürkanal, die Ofenwandung war hier noch in einer Höhe von 0,9 m erhalten. Nach Westen stieg das Niveau stufenförmig um 0,2 m nördlich und 0,3 m südlich der Mittelsäule an. Die Außenwand des Feuerungsraums war im Wesentlichen senkrecht gearbeitet und wies eine grünlichgrau gesinterte, relativ glatte Oberfläche auf. Es zeigten sich recht einheitlich ausgerichtete Abstechspuren eines Spatens oder ähnlichen Werkzeugs. Die Schnitte durch den Feuerungsraum zeigten, dass die Ofenwand in einer Stärke von 3 bis 5 cm hart gebrannt war. Daran schloss eine 8 bis 12 cm starke, rot verziegelte Zone an, die in den anstehenden Boden überging. Die Ausbildung dieser Zonen spiegelt die Hitzeentwicklung im Feuerungsraum wider. Diese war an den höheren Wandbereichen stärker als an den tiefer gelegenen oder auf der Sohle des Feuerungsraums. Die Mittelsäule besaß entsprechend dem Feuerungsraum eine leicht länglich ovale Form mit einem max. Durchmesser von 1,50 m an der Basis und 0,82 m an der Oberkante. Auffällig an der Mittelsäule waren längliche Aussparungen mit trapezförmigem Querschnitt und gesinterter Oberflächen, welche nicht ganz bis auf die Sohle des Feuerungsraums reichten (**Abb. 12**). Diese waren im Norden, Süden und Westen zu finden, wobei die westliche Aussparung am besten erhalten war. Möglicherweise fassen wir hier Abdrücke einer Holzkonstruktion, die speichenartig im Feuerungsraum saß und die auf der Mittelsäule aufsitzende Lochtenne vor dem Brand zusätzlich abstützte. *In situ* hatte sich diese nicht erhalten. Aus der Verfüllung des Feuerungsraums liegen nach der bisherigen Sichtung des Ofenbruchmaterials aber einige Fragmente vor, die zu einer Lochtenne gehörten[30].

Schürkanal und Arbeitsgrube schlossen sich im Osten an den Feuerungsraum an. Der trapezförmige Schürkanal war 1,10 m (Westbereich) auf 0,75 m (Ostbereich) breit und ca. 0,50 m lang. Die Länge der Arbeitsgrube betrug an der Sohle 1,70 m, auf Höhe von Planum 1 3 m. Das Westprofil mittig durch die Arbeitsgrube zeigte im Süden einen flacheren, leicht getreppten Verlauf; möglicherweise lag hier der Zugang. Die relativ homogene Verfüllung des Feuerungsraums mit v. a. dicht gelagerten Ofenbruchstücken spricht dafür, dass der Einfüllungsprozess kurzfristig erfolgte und offenbar aktiv betrieben wurde. Hätte der Ofen längere Zeit offen dagelegen, so wäre auf seiner Sohle wahrscheinlich eine Einschwemmschicht nachweisbar gewesen[31]. Die oberste Einfüllung der Arbeitsgrube entsprach in Farbe und Konsistenz der Verfüllung des Feuerungsraums. Sie kann als Zerstörungshorizont des Ofens angesprochen werden. Das darunter liegende Schichtpaket war stark mit Holzkohlebändern durchsetzt und kann als letzte Ausräumphase gedeutet werden[32].

Im Ostbereich der Arbeitsgrube wurden die Reste eines zweiten Töpfereibrennofens (2006/22) angetroffen, der bereits in der Karolingerzeit teilweise und in den frühen 1950er Jahren bei der Anlage eines Kanalgrabens größtenteils zerstört worden war[33]. Bei dem 2008 dokumentierten Töpferofen handelte es sich um einen stehenden Ofen mit rundem Grundriss (2008/43 u. 2008/44). Die ehemals auf der Mittelsäule ruhende Lochtenne war ebenfalls nicht mehr vorhanden, aber der in den Löss eingegrabene und verziegelte Schürkanal zwischen Feuerungsraum und Arbeitsgrube hatte sich vollständig erhalten.

Hervorzuheben sind zwei als unvollendete Öfen zu deutende Befunde. Von Stelle 2009/21 zeichnete sich im Planum eine ringförmige, leicht humose Verfärbung mit einem Durchmesser von 1,80 m ab (**Abb. 13**). Das Profil zeigte den für Feuerungsräume frühmittelalterlicher Öfen typischen Querschnitt mit senkrechten Wänden und annähernd gerader Sohle, dazwischen eine aus dem anstehenden Boden ausgestochene Mittelsäule. Über einen Tunnel, der später als Schürkanal unter dem anstehenden B-Horizont dienen sollte, war der Feuerungsraum mit einer im Osten anschließenden Arbeitsgrube verbunden (Stelle 2009/42). Stelle 2009/21 hat nur wenig Keramik erbracht. Die im Osten anschließende Arbeitsgrube wurde allerdings vom Zerstörungshorizont (Stelle 2009/37) eines benachbarten Ofens (Stelle 2009/17) überlagert, aus dem deutlich mehr Keramik stammt, darunter auch eindeutige Fehlbrände.

Unmittelbar nördlich an Stelle 2009/21 schloss sich das zweite unvollendete Exemplar an (**Abb. 14**). Auch hier konnte ein Töpferofen erfasst werden (2009/31), dessen Schürkanal allerdings deutlich eine Verziegelung *in situ* mit einer überlagernden Holzkohlenschicht erkennen ließ. Dies zeigt zumindest einen Befeuerungsversuch an. Möglicherweise erbrachten die ersten Brennversuche nicht das gewünschte Ergebnis und ließen die vorzeitige Aufgabe des Ofenbaus ratsam erscheinen.

Die Töpfereibefunde der Grabungskampagne 2009 geben einen wertvollen Einblick in die noch unzureichend erforschte frühmittelalterliche Ofenbauweise. Sie führen vor Augen, dass die problemlose Inbetriebnahme von Töpferöfen keine Selbstverständlichkeit war, sondern vorangehende Versuchsphasen und Fehlschläge dazugehörten.

Die aus den vorgestellten Befunden geborgene Keramik korrespondiert mit den von Christoph Keller für die karolingerzeitliche Keramik des Vorgebirges aufgestellten Phasen A und B[34].

Neben dem unvollendeten Ofen 2009/21 mit der zugehörigen Arbeitsgrube 2009/42 sind der frühen Phase außerdem eine Reihe von Gruben zuzuordnen (s. **Abb. 1**; hellgraue Signatur). Das Formenspektrum (**Abb. 15**) umfasst vor allem kleine und größere Wölbwandtöpfe mit und ohne Deckelfalz, Zwei- oder Mehrhenkelkrüge, Knickwandschalen, ein Gefäß mit Randöse und eine Flasche. Folgende Merkmale sind charakteristisch: Die Wölbwandtöpfe besitzen im Vergleich mit jüngeren karolingerzeitlichen Töpfen einen noch relativ steilen Wandungsverlauf, eine Tendenz zu kugeligeren Formen ist aber bereits zu erkennen. Rollrädchen- und unregelmäßige Wellenbandverzierung kommen eher selten vor und finden sich auf der Schulter der Gefäße wie auch auf ihrem Rand. In der Regel besitzen die Gefäße Standböden mit ausgeprägten Drehriefen im Inneren, Linsenböden sind selten. Typisch sind außerdem die bandförmigen Henkel der Krüge, die noch in voller Breite auf dem Rand festgestrichen waren. Diese Keramik gehört der Machart nach zur grob gemagerten, rauwandigen Ware der merowingerzeitlichen Gruppe D nach K. Böhner[35] (**Abb. 17**), wie sie auch im benachbarten Bornheimer Ortsteil Waldorf hergestellt wurde (so genannte Waldorfer Ware)[36].

Die restlichen vorgestellten Befunde sowie einige weitere Gruben und Pfosten lassen sich am besten der Phase B zuordnen (**Abb. 1**; blaue Signatur)[37]. An Gefäßformen liegen Töpfe, Schüsseln, Zwei- oder Mehrhenkelkrüge, Flaschen (**Abb. 16**) und neu aufkommend Reliefbandamphoren vor (**Abb. 18**). Die Körper der

Abb. 13 Unvollendeter Ofen St. 2009/21 im Planum 1. – (Foto K. Ludwig, Rheinische Friedrich-Wilhelms-Universität Bonn).

Abb. 14 Unvollendeter Ofen St. 2009/31. Westprofil des Schürkanals mit dem ausgenommenen Feuerungsraum links und Arbeitsgrube rechts im Bild. – (Foto K. Ludwig, Rheinische Friedrich-Wilhelms-Universität Bonn).

Töpfe sind noch relativ schlank, weisen aber eine stärker gerundete Schulterpartie auf als die vorherigen Exemplare. Die Schüsseln sind weitmundig. Wackelböden sind nun die Regel. Sie weisen im Gegensatz zu den älteren Standböden kaum noch Drehrillen auf, da diese auf der Innenseite verstrichen wurden. Die Krüge oder Flaschen besitzen einen relativ weiten Hals und einen Rand mit Innenkehlung. Als Verzierungen kommen häufiger grobes einzeiliges Rechteckrollstempelmuster oder Wellenlinien vor, beide auch an den Schalen- und Topfrändern. Die Reliefbandamphoren besitzen gerippte Bandhenkel, die nur noch an den Henkelrändern mit der Lippe verstrichen wurden[38]. Die Amphorenränder können gerade und kaum verdickt sein. Zumeist sind sie aber außen dreieckig bis gerundet abgestrichen und besitzen eine leichte Innenkehle. Waagerecht umbiegende Ränder kommen auch vor. Die aufgelegten Leisten führen einzeln oder zwei- bis dreistrahlig vom Randschulterumbruch nach unten. Sie tragen zumeist Fingertupfenverzierung, gelegentlich kommen gegitterte Einzelstempel oder Rosettenstempel vor. Die Gefäße sind nun insgesamt deutlich weniger stark gemagert als die älteren Exemplare der Phase A. Grob lassen sich zwei Varianten abgrenzen. Ein Teil der Gefäße weist eine leicht raue bis raue Oberfläche auf, der andere Teil erscheint optisch und haptisch als glatt, wobei die rauen Gefäße tendenziell mehr Magerungspartikel und stärkere Korngrößen besitzen (**Abb. 19**).

Phase B kann bisher nicht über festdatierte Vergleiche zeitlich näher eingeordnet werden. Aufgrund der typologischen Nähe zum Formenspektrum der Phase A wird eine Datierung in die zweite Hälfte des

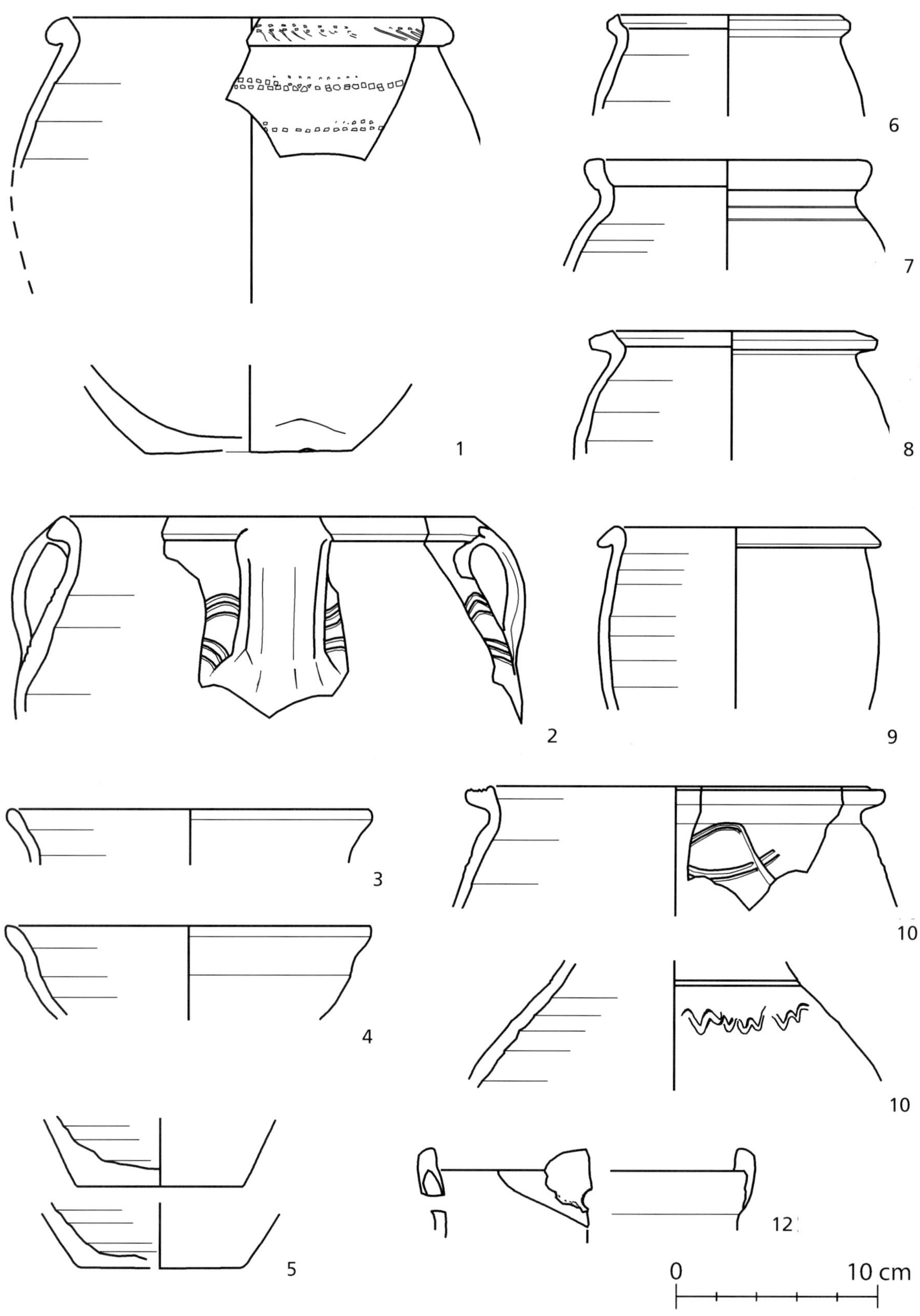

Abb. 15 Keramikgefäße der älteren Phase A. – (Tafel Verfasserin, LVR-ABR). – M. 1:3.

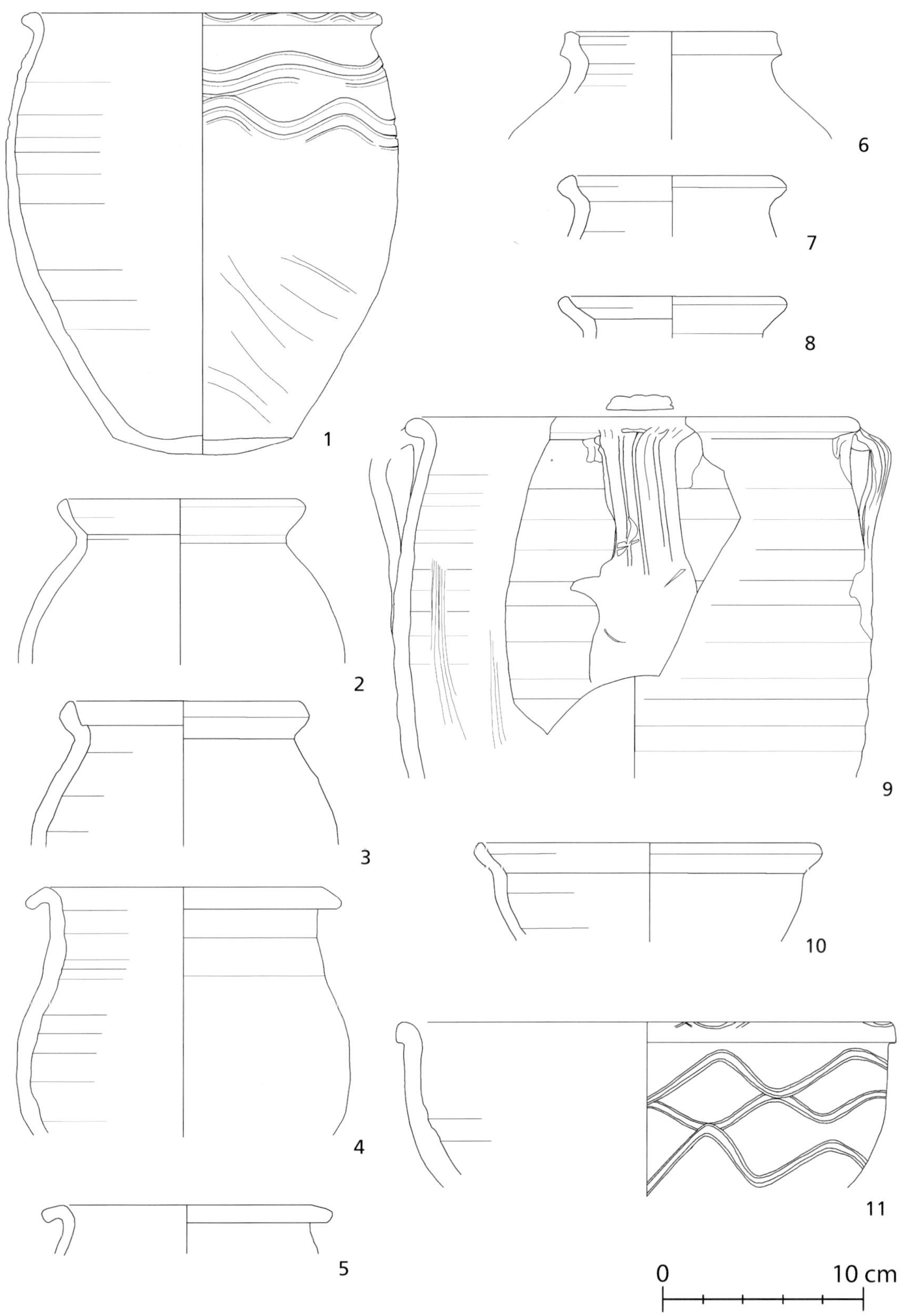

Abb. 16 Keramikgefäße der jüngeren Phase B. – (Tafel Verfasserin, LVR-ABR). – M. 1:3.

Abb. 17 Rauwandiger, grob gemagerter Standboden mit Drehriefen der Phase A. – (Foto M. Thuns, LVR-ABR). – M. 1:1.

8. Jahrhunderts angenommen[39]. Eine Bestätigung findet diese Datierung jetzt durch ein kalibriertes ^{14}C-Datum aus der Arbeitsgrube 2006/45[40]. Die Kalibrierung hat zwei wahrscheinliche Altersbereiche ergeben: Der jüngere mit einer Datierungsspanne um die Mitte bis in die zweite Hälfte des 8. Jahrhunderts passt gut zu der oben genannten Datierung von Phase B[41].

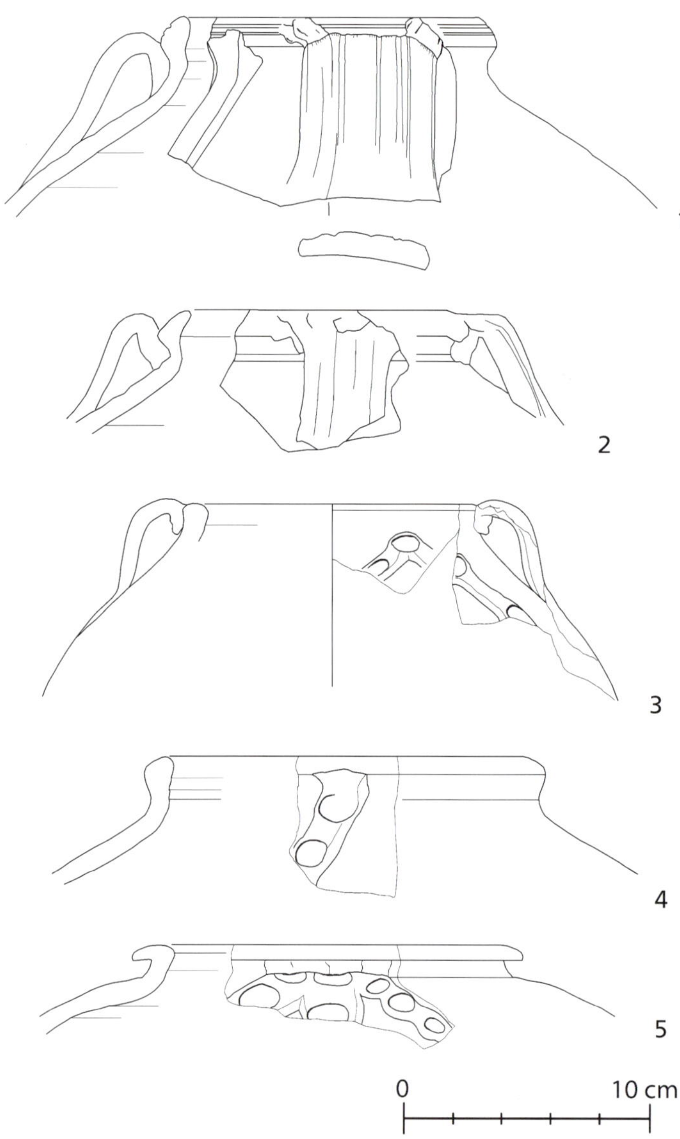

Abb. 18 Reliefbandamphoren der jüngeren Phase B. – (Tafel Verfasserin, LVR-ABR). – M. 1:3.

Abb. 19 Ware der Phase B: **1** Innen verstrichener Wackelboden derraueren Variante. – **2** Punktuell am Rand befestigter Bandhenkel der glatteren Variante. – (Fotos: M. Thuns, LVR-LMB). – 1 M. 1:1, 2 M. 1:2.

Anmerkungen

1) Zur Forschungsgeschichte vgl. Beitrag Keller.
2) Bemmann/Müssemeier 2006; Bemmann/Müssemeier 2008; Bemmann/Müssemeier 2009. – Ermöglicht wurden die Grabungen durch das Denkmalförderungsprogramm des Landes Nordrhein-Westfalen. Die Bearbeitung erfolgt im Rahmen einer Dissertation (M. Schneider); Prof. Dr. Jan Bemmann (Universität Bonn, Inst. für Kunstgeschichte und Archäologie, Abt. Vor- und Frühgeschichtliche Archäologie) ist für jedwede Unterstützung und die Übertragung der Bearbeitung zu danken.
3) Zur Geologie vgl. ausführlicher Beitrag Keller.
4) Rech 1989; Francke 1997; Keller 1998a. – Die Ofenstandorte Nr. 9 und 13 bei Rech 1989, 287 Abb. 1 sind falsch lokalisiert; vgl. Beitrag Keller, Abb. 1.
5) Bonner Jahrb. 135, 1930, 182 Nr. 27; Bonner Jahrb. 155/156, 1955/56, 530. – Geophysikalische Untersuchungen sind hier für 2012 geplant.
6) Giertz 2000, 229.
7) Bemmann/Müssemeier 2006; Bemmann/Müssemeier 2009. – Sollte dies zutreffen, so würde die Brandbestattung für einen Siedlungsbeginn bereits im 1. Jahrhundert sprechen.
8) Gottschalk 2006.
9) Giertz 2000, 229-331. – W. Giertz rechnete bereits ab dem 6. Jahrhundert mit hiesiger Keramikproduktion; dieses konnten die Grabungen nicht bestätigen.
10) Kobe u. a. 2003.
11) In Bearbeitung durch S. Schamuhn, Archäobotanik der Universität zu Köln.
12) In Bearbeitung durch H. Berke, Afrikainstitut der Universität zu Köln.
13) Zum Aufkommen vgl. Pöppelmann 2010, 68f.
14) Hussong/Cüppers 1972, 73. 86. 91 Taf. 16, 25. 28a; 19, 4. 16b; 20, 16a. 21a. 23a.
15) Zu den Typen S-Sha2.31 und S-Sha2.32 vgl. Siegmund 1998, 156; Müssemeier u. a. 2003, 67f.
16) Vgl. mit weiterer Literatur Nieveler 2003, 31.
17) Zu dem Typ KWT1A vgl. Müssemeier u. a. 2003, 57f.
18) Gross 1992, 429.
19) Vgl. mit weiterer Literatur Blaich 2005, 67-71. – Vgl. auch Gross 1997.
20) Rech 1989. – Francke 1997. – Keller 2004. – Bemmann/Müssemeier 2009.
21) Müssemeier 2003, Teil III 327. Vgl. unten S. 200 und Beitrag Keller.

22) Giertz hat für den hier behandelten Fundplatz aufgrund von Oberflächenfunden auf eine Keramikproduktion bereits im 6. Jahrhundert geschlossen (Giertz 2000, 230). Die Grabungen konnten dies nicht bestätigen.
23) 81 Bornheim-Waldorf-Kardorf I und 82 Bornheim-Waldorf-Kardorf II: Müssemeier 2003, Teil III 328-332.
24) Redknap 1999, 67. 141 Farbtaf. 1, 6. 8. – Vgl. Frechen 1958, 63f.
25) Redknap 1999, 101. 143 Farbtaf. 3, 18.
26) Für die Möglichkeit der Autopsie ist M. Schmauder, LVR-LandesMuseum Bonn, zu danken. Es handelt sich um Keramik aus Fundstelle 21, Schnitt 3, Grube 2 (LVR-LMB Inv.Nr. 30 032), die M. Redknap Mayen Stufe 4/5 des 7. und frühen 8. Jahrhunderts zuweist (Redknap 1999, 200-201 Abb. 39, A34. 31; 279. 282 Abb. 75, F18. 65). Ein weiteres Randstück eines frühen Wölbwandtopfes stammt aus Fundstelle 42 (Redknap 1999, 192. 195 Abb. 35, A16. 21; LVR-LMB Inv.Nr. 29 928).
27) Typ S-Per32.6. – Vgl. Siegmund 1998, 68; Müssemeier u. a. 2003, 38.
28) Siehe hierzu Keller 1998a, 293-295; Keller 1998b; Keller 2007.
29) Vgl. Müssemeier 2007.
30) Vgl. Keller 1998b, 622-625.
31) Keller 1998a, 290.
32) Zuunterst liegend fand sich eine Rotlehmkonzentration, welche vermutlich eine ältere Nutzungsphase widerspiegelt.
33) Erhalten geblieben war nur ein ca. 1,20 × 1,20 m messendes, *in situ* gebranntes Stück der Sohle des Feuerungsraumes (2006/22), sowie die ebenfalls durch den Kanalgraben gestörte im Osten anschließende Arbeitsgrube (2006/42).
34) Hierzu Keller 2004. – Vgl. auch Beitrag Keller.
35) Böhner 1958, 49ff. – Genauer eingegrenzt bei Müssemeier 1997, 114.
36) Vgl. oben S. 194 und Beitrag Keller.
37) Keller 2004, 128f. mit Abb. 3.
38) Dies ist ein frühes Merkmal der ältesten Reliefbandamphoren. Vgl. ebenda 129.
39) Ebenda 134.
40) Sie wurde der Holzkohleschicht entnommen, welche als letzte Ausräumphase gedeutet wird.
41) Datierungsergebnis der Probe KIA 31226: Radiocarbon Age BP 1290 ± 23; Bestimmung durch P. M. Grootes, Leibniz Labor für Altersbestimmung und Isotopenforschung, Universität Kiel. Außerdem wurde an dem Ringgraben eine paläomagnetische Beprobung durch Elisabeth Schnepp (Universität Leoben) vorgenommen, deren endgültige Ergebnisse aber noch nicht vorliegen.

Literatur

Bemmann/Müssemeier 2006: J. Bemmann / U. Müssemeier, Grabungen im frühmittelalterlichen Töpfereibezirk. Arch. Rheinland 2006, 162-164.

2008: J. Bemmann / U. Müssemeier, Fortsetzung der Grabungen im frühmittelalterlichen Töpfereibezirk von Walberberg. Arch. Rheinland 2008, 122-125.

2009: J. Bemmann / U. Müssemeier, Ein römischer Sarkophag im frühmittelalterlichen Töpfereibezirk von Walberberg. Arch. Rheinland 2009, 129-131.

Blaich 2005: M. C. Blaich, Thüringisches und südskandinavisches Fundgut in Gräbern des frühmittelalterlichen Friedhofs und im Rhein-Main-Gebiet. Kommentar zu vier Verbreitungskarten. In: H.-J. Häßler (Hrsg.), Neue Forschungsergebnisse zur nordwesteuropäischen Frühgeschichte unter besonderer Berücksichtigung der altsächsischen Kultur im heutigen Niedersachsen. Stud. Sachsenforsch. 15 (Oldenburg 2005) 63-82.

Böhner 1958: K. Böhner, Die fränkische Altertümer des Trierer Landes. Germ. Denkmäler Völkerwanderungszeit B 1 (Berlin 1958).

Francke 1997: U. Francke, Ausgrabungen eines karolingischen Töpfereikomplexes in Walberberg. Arch. Rheinland 1997, 147f.

Frechen 1958: J. Frechen, Die petrographische Untersuchung der Keramik und ihre Ergebnisse. In: K. Böhner, Die fränkische Altertümer des Trierer Landes. Germ. Denkmäler Völkerwanderungszeit B 1 (Berlin 1958) 63-68.

Giertz 2000: W. Giertz, Reliefbandamphoren aus St. Quirin im Kontext karolingischer Keramik. In: M. Tauch (Hrsg.), Quirinus in Neuss [Ausstellungskat. Neuss] (Köln 2000) 222-271.

Gottschalk 2006: R. Gottschalk, Die Schale auf der Brust. Eine spätantike Bestattungssitte im Rheinland. Bonner Jahrb. 206, 2006, 241-247.

Gross 1992: U. Gross, Zur rauhwandigen Drehscheibenware der Völkerwanderungszeit und des frühen Mittelalters. Fundber. Baden-Württemberg 17/1, 1992, 422-440.

1997: U. Gross, Das Zeugnis der handgemachten Tonware. Fränkische Siedlungspolitik im Spiegel der südwestdeutschen Rippen- und Buckelkeramik. In: Die Alamannen [Ausstellungskat. Südwest LB-Forum Stuttgart] (Stuttgart 1997) 233-236.

Hussong/Cüppers 1972: L. Hussong / H. Cüppers, Die Trierer Kaiserthermen: Die spätrömische und frühmittelalterliche Keramik. Trierer Grab. u. Forsch. 1, 2 (Mainz 1972).

Keller 1997: Ch. Keller, Die karolingische Keramik aus dem Töpferofen auf dem Grundstück Von-Groote-Straße/Buschgasse in Bornheim-Walberberg [Magisterarbeit Univ. Bonn 1997].

1998a: Ch. Keller, Karolingische Töpferöfen in Bornheim-Walberberg, Rhein-Sieg-Kreis. Bonner Jahrb. 198, 1998, 285-348.

1998b: Ch. Keller, Frühmittelalterliche Töpferöfen im Rheinland. Arch. Korrbl. 28, 1998, 621-628.

2004: Ch. Keller, Badorf, Walberberg und Hunneschans. Zur zeitlichen Gliederung karolingerzeitlicher Keramik vom Köln-Bonner Vorgebirge. Arch. Korrbl. 34, 2004, 125-137.

2007: Ch. Keller, Karolingerzeitliche Töpferofen am Vorgebirge – Zwei Beispiele aus Eckdorf und Walberberg, Nordrhein-Westfalen D. In: A. Heege (Hrsg.), Töpferöfen – Pottery kilns – Fours de potiers. Die Erforschung frühmittelalterlicher bis neuzeitlicher Töpferöfen (6.-20. Jh.) in Belgien, den Niederlanden, Deutschland, Österreich und der Schweiz. Basler H. Arch. 4 (Basel 2007) 205-217.

Kobe u. a. 2003: J. Kobe / U. Schoenfelder / J. Volsek, Neolithische bis neuzeitliche Siedlungsreste in Walberberg. Arch. Rheinland 2003, 42f.

Müssemeier 1997: U. Müssemeier, Die Keramik. In: Die Franken in Wesseling. Die Ausgrabungen an der Pontivystraße. Kunst u. Alt. am Rhein 142 (Köln 1997) 112-120.

2003: U. Müssemeier Die merowingerzeitlichen Funde aus der Stadt Bonn und ihrem Umland [unveröff. Diss. Univ. Bonn 2003].

2007: U. Müssemeier, Bornheim-Walberberg, Rhein-Sieg-Kreis. Franz-von-Kempis-Weg, OV 2006/173, Ofen Stelle 7 und Arbeitsgrube Stelle 45. In: A. Heege (Hrsg.), Töpferöfen – Pottery kilns – Fours de potiers. Die Erforschung frühmittelalterlicher bis neuzeitlicher Töpferöfen (6.-20. Jh.) in Belgien, den Niederlanden, Deutschland, Österreich und der Schweiz. Basler H. Arch. 4 (Basel 2007) 225-233.

Müssemeier u. a. 2003: U. Müssemeier / E. Nieveler / R. Plum / H. Pöppelmann, Chronologie der merowingerzeitlichen Grabfunde vom linken Niederrhein bis zur nördlichen Eifel. Mat. Bodendenkmalpfl. Rheinland 15 (Köln, Bonn 2003).

Nieveler 2003: E. M. Nieveler, Die merowingerzeitliche Besiedlung des Erftkreises und des Kreises Euskirchen. Rhein. Ausgr. 48 (Mainz 2003).

Pöppelmann 2010: H. Pöppelmann, Das spätantik-frühmittelalterliche Gräberfeld von Jülich, Kr. Düren. Bonner Beitr. Vor- u. Frühgesch. Arch. 11 (Bonn 2010).

Rech 1989: M. Rech, Zur frühmittelalterlichen Topographie von Walberberg. Bonner Jahrb. 189, 1989, 285-344.

Redknap 1999: M. Redknap, Die römischen und mittelalterlichen Töpfereien in Mayen. In: H.-H. Wegner (Hrsg.), Ber. Arch. Mittelrhein u. Mosel 6 (= Trierer Zeitschr. Beih. 24) (Trier, Koblenz 1999) 11-401.

Siegmund 1998: F. Siegmund, Merowingerzeit am Niederrhein. Die frühmittelalterlichen Funde aus dem Regierungsbezirk Düsseldorf und dem Kreis Heinsberg. Rhein. Ausgr. 34 (Köln, Bonn 1998).

Zusammenfassung / Abstract

Keramikproduktion der späten Merowinger- und frühen Karolingerzeit in Bornheim-Walberberg, Rhein-Sieg-Kreis

Im Süden des Bornheimer Ortsteils Walberberg (NRW) ist seit den 1930er Jahren eine römische Trümmerstelle bekannt, von der Fundmaterial des 2. bis frühen 5. Jahrhunderts stammt. Auf dem nördlich angrenzenden Acker fand man bei Feldbegehungen immer wieder Keramik, die für eine Besiedlung während der anschließenden Merowingerzeit sprach, sowie zahlreiche Hinweise auf frühmittelalterliche Töpferei. Der Walberberger Fundplatz bot somit die Möglichkeit, merowingerzeitliche Siedlungsreste im Umfeld eines bis in die Spätantike genutzten römischen Siedlungsplatzes zu erforschen und versprach zudem neue Erkenntnisse zur frühmittelalterlichen Töpferei im Vorgebirge zwischen Köln und Bonn. Neben zahlreichen Siedlungsbefunden und einem kleinen spätantiken Bestattungsplatz konnten im Rahmen von Lehrgrabungen der Universität Bonn in Zusammenarbeit mit dem LVR-Amt für Bodendenkmalpflege im Rheinland in den Jahren 2006 bis 2011 u. a. die Reste mehrerer stehender Töpferöfen untersucht werden.

Pottery production of the Late Merovingian and Early Carolingian period in Bornheim-Walberberg, Rhein-Sieg-Kreis

Since the 1930ies a Roman site has been known in the south of Walberberg (Bornheim, Northrhine-Westphalia) which has produced finds of the 2nd to early 5th century. Field-walking on a plot directly to the north has continually provided pottery which indicated a settlement during the subsequent Merovingian period, as well as many signs of early mediaeval pottery-production. Thus, the site of Walberberg offered the possibility of investigating Merovingian settlement remains in the proximity of a Roman site which was in use into the Late Roman period and, moreover, promised new knowledge on an early mediaeval pottery-site in the Vorgebirge between Cologne and Bonn. Beside numerous settlement features and a small Late Roman cemetery, the remains of several standing pottery-kilns could be investigated within excavations of the University of Bonn in co-operation with the LVR-Service for Archaeological Heritage in the Rhineland.

Translation: C. Bridger

CHRISTOPH KELLER

KAROLINGERZEITLICHE KERAMIKPRODUKTION AM RHEINISCHEN VORGEBIRGE

Seit dem frühen Mittelalter entwickelte sich am nördlichen Rand der rheinischen Tiefebene im Kölner Umland eine Töpfereiregion, die dank qualitätvoller Tone und guter Anbindung an wichtige Verkehrswege den überregionalen Handel mit Keramik belieferte. Der Ausgangspunkt dieser Entwicklung befindet sich am Rheinischen Vorgebirge, dem Osthang eines zwischen Köln und Bonn gelegenen Höhenzuges. Dieser entstand als Resultat tektonischer Hebungs- und Senkungsprozesse seit dem Tertiär. In der absinkenden niederrheinischen Bucht wurden zunächst Kiese und Sande, aber auch mächtige Tonschichten im Deltabereich des tertiären Rheins abgelagert. Diese wurden in der Folge durch Braunkohleflöze und die Hauptterrassenschotter des Rheins überdeckt[1]. Kleinräumige Hebungen und Senkungen der in mehrere Schollen zerfallenen Niederrheinischen Bucht führten dazu, dass das Vorgebirge als Teil des Villerückens als Horst stehen blieb. Die Kölner Scholle senkte sich dem hingegen zusammen mit dem Rhein weiter ab[2]. Dadurch wurden die tertiären Tonschichten am Osthang des Vorgebirges aufgeschlossen, wo sie heute unter einer mehr oder weniger mächtigen Lössbedeckung anstehen. Besonders nahe kleiner Bachläufe, die zum Teil tiefe Rinnen und Täler in den Hang geschnitten haben, und im Bereich ausgeprägter Oberflächenerosion, ließen sich Töpfer nieder, um den hier oberflächennah anstehenden Ton für ihre Produktion abzubauen. Durch die Nähe zu den Bachläufen stand ihnen auch ausreichend Wasser für die Verarbeitung zur Verfügung. Das für den Brennprozess notwendige Holz wurde auf der Hochfläche des Vorgebirges geschlagen, wo sich in nachrömischer Zeit auf minderwertigen Böden die ausgedehnten Waldflächen des Kottenforstes gebildet hatten[3]. Soweit dies bisher durch Grabungen bekannt ist, scheinen die Töpfer erstmals im 6. Jahrhundert mit der Nutzung der Tonvorkommen begonnen zu haben, die sie bis in das 15. Jahrhundert ausbeuteten[4]. Die Kartierung der Töpfereistandorte zeigt, dass diese sich von Bornheim-Kardorf im Süden bis nach Brühl-Fischenich im Norden über eine Distanz von fast 20 km erstreckten (**Abb. 1**). Da sich aber gleichzeitig eine Verlagerung der Töpfereitätigkeit von Süden nach Norden beobachten lässt, ist zu keinem Zeitpunkt in dem gesamten Bereich getöpfert worden.

Soweit sich dies bei den vielfach nur kleinflächigen Ausgrabungen bisher belegen lässt, lagen die Töpfereibetriebe in kleinen Gruppen zusammen und verlagerten ihren Standort mit der Zeit nur kleinräumig (**Abb. 2**). Bisher wurden allerdings nur die Brennöfen und Abfallgruben, nicht aber die Wohn- und Werkstattgebäude gefunden. Bei der Platzwahl sparte man die Gewässer-fernen Bereiche des Vorgebirgshanges aus. Ein Töpfereistandort bestand in der Regel weniger als zweihundert Jahre, bevor die Produktion an dieser Stelle aufgegeben wurde. Vermutlich war nach dieser Zeit der in der Nähe für die Brennholzgewinnung brauchbare Wald so weit übernutzt, dass er nicht mehr genügend Brennstoff liefern konnte.

DIE WARENARTEN

Zeitlich wie räumlich ist zu beobachten, dass am Vorgebirge verschiedene, in der Regel an der Magerungsmenge und Korngröße sowie der Oberflächenstruktur unterscheidbare Waren produziert worden sind.

Bereits in seiner ersten Arbeit »Zur karolingischen Keramik« beschrieb Constantin Koenen nicht nur die ty-

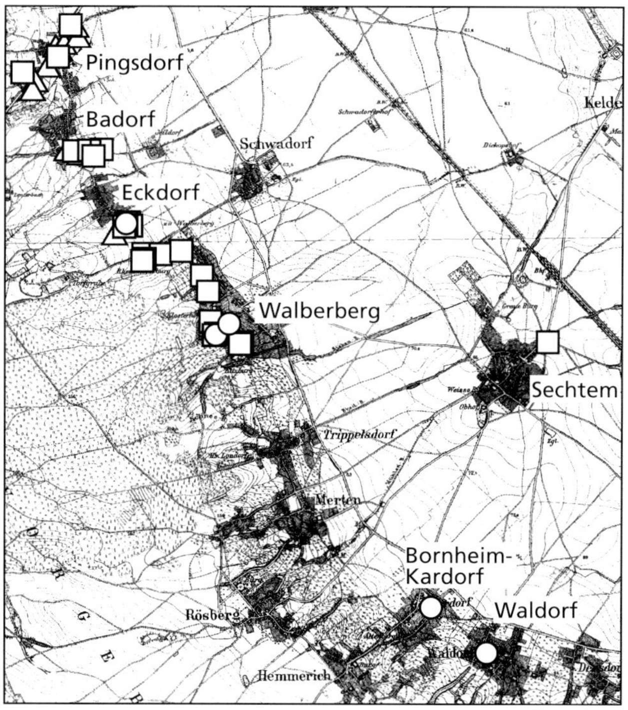

Abb. 1 Lage der frühmittelalterlichen Töpfereien am Rheinischen Vorgebirge (Kreis 7. Jahrhundert, Quadrat 8.-9. Jahrhundert, Dreieck 10.-12. Jahrhundert). – (Kartengrundlage Preußische Neuaufnahme Bl. 5107 [Brühl] und 5207 [Sechtem] © topographische Karte, GEObasis NRW, Bonn).

pologischen Merkmale der von ihm behandelten »Reliefbandschmuck-Amphoren«, sondern auch technologische Aspekte der Keramik[5]. Die Bearbeitung mittelalterlicher Keramik des Rheinlandes, die sich aus ersten Anfängen während der dreißiger und vierziger Jahre des 20. Jahrhunderts in der Nachkriegszeit entwickelte, legte einen Schwerpunkt auf die Definition und Beschreibung technologischer Aspekte der Töpferwaren. Diese Entwicklung hatte bereits 1936 in der Gründung der »Zentralstelle für petrographische Vor- und Frühgeschichtsforschung« am Mineralogischen Institut der Bonner Universität ihren Anfang genommen[6]. Gerade die Zusammenarbeit zwischen dem Mineralogen Josef Frechen und Kurt Böhner, dem Direktor des Rheinischen Landesmuseums Bonn zwischen 1956 und 1958, sowie einer Reihe anderer Archäologen, förderte nach dem zweiten Weltkrieg diese Entwicklung.

In Anlehnung an die bereits allgemein akzeptierte Gliederung römischer Keramik entwickelte Böhner das Konzept einer Warengliederung mittelalterlicher Keramik, die technologische Aspekte als Kriterium für die Erstellung einer Grundordnung verwendete[7]. Sein Vorschlag fand weite Verbreitung, da er damals eine Trennung verschiedener »Töpferbezirke« postulierte, was für die Erforschung mittelalterlicher Handelsverbindungen von immenser Bedeutung war. In der Folgezeit war daher die Erarbeitung fein aufgegliederter Warengruppen vorrangiges Ziel der meisten Bearbeiter, so dass heute für die karolingerzeitlichen Keramikgruppen im Rheinland mehrheitlich eine verlässliche Beschreibung vorliegt[8].

Auf Grund ihrer Genese sind die Tonlagerstätten am Vorgebirge relativ homogen. Sie gestatten eine Differenzierung anhand der vorkommenden Spurenelemente[9]. Eine makroskopische Unterscheidung, wie sie für die Bearbeitung archäologischer Keramik zumeist angewendet wird, ist aber nur begrenzt möglich. Der schwach eisenhaltige Ton weist in Bezug auf Farbe und Ritzhärte ein immer ähnliches Verhalten auf. Abhängig von der steigenden Brenntemperatur nimmt bei oxidierendem Brand, wie er für die Karolingerzeit durchgängig üblich ist, die Ritzhärte zu und die Scherbenfarbe verändert sich von weißlichen Farbtönen über gelb und beige hin zu dunkelbraun, dunkelgrau und oliv[10]. Auch die zu beobachtende Bruchstruktur hängt zu guten Teilen von der erreichten Brenntemperatur ab. Lediglich die dem Ton zugegebene Magerung scheint ein Kriterium darzustellen, welches sich für eine Unterscheidung verschiedener Warenarten

eignet. Zwar wurde im gesamten Bereich des Vorgebirges in der Regel der lokal anstehende und in seiner Zusammensetzung homogene Quarzsand verwendet, aber die verwendete Korngröße und die Menge der Magerung lassen ebenso wie die daraus resultierende Oberflächenstruktur eine Differenzierung verschiedener Gruppen zu. Auch die Verwendung von schamottartigen Zuschlägen scheint ein Unterscheidungskriterium zu sein.
In der Literatur haben sich für diese Gruppen verschiedene eponyme Warennamen eingebürgert. Diese Entwicklung setzte 1937 mit der Arbeit von Herbert Jankuhn ein, der auf die Grabungsbefunde von Fritz Fremersdorf aus dem Jahr 1931 in Badorf bei Brühl Bezug nahm und die zuvor als »Fränkische Drehscheibenware« bezeichnete Keramik unter dem Begriff »Badorfer Keramik« zusammenfasste [11]. Inzwischen ist durch den verbesserten Kenntnisstand deutlich geworden, dass sich die Herstellung der verschiedenen Warenarten nicht auf einen einzelnen Ort beschränkt hat, sondern unterschiedliche Warenarten zeitlich nacheinander im selben Töpfereibezirk produziert wurden [12]. Zumindest für die Badorfer Ware zeichnet sich außerdem ab, dass sie in viel größerem Umfang in Bornheim-Walberberg und Brühl-Eckdorf als im Namen gebenden Badorf gefertigt wurde. Die im Folgenden vorgestellten vier Warenarten wurden während des 8. und 9. Jahrhunderts am Vorgebirge hergestellt.

Waldorfer Ware

An zwei Stellen wurde im 20. Jahrhundert in Bornheim-Waldorf spätmerowingerzeitliche Keramik entdeckt [13]. Die dort produzierte rauwandige Keramik lässt sich unmittelbar mit dem an der Kitzburger Straße in Bornheim-Walberberg entdeckten Fundkomplex vergleichen [14]. Die hier als Waldorfer Ware bezeichnete Keramik zeichnet sich durch ihren hohen Magerungsanteil aus (vgl. Abbildung 7 im Beitrag Ulrike Müssemeier/Michael Schneider) [15]. Verwendet wurde weißer und transparenter Quarzsand, der eine Korngröße zwischen 0,3 und 0,5 mm, daneben aber auch einen hohen Anteil mit Größen bis zu 0,8 mm und mehr aufweist. In geringer Menge ist schamottartiger Zuschlag mit Korngrößen um 1,0 mm zu erkennen, der sowohl rot wie auch dunkelrot bis schwarz gebrannt sein kann. Die Oberfläche fühlt sich durch die vorstehende Magerung, deren Partikel zumeist mit einer dünnen Tonschicht bedeckt sind, sehr rau an. Der glatte Bruch ist durch viele kurze flache Poren schichtig strukturiert. Vielfach sind bereits erste Anzeichen von Sinterung zu beobachten. Wie bei allen Vorgebirgswaren korrelieren Brandhärte und Oberflächenfarbe, die von Weißtönen über gelb und beigebraun bis zu grau und schwarz reichen kann. Waldorfer Ware ist als Teil der, in Anlehnung an die von Böhner beschriebenen rauwandigen Ware, am Niederrhein als Ware D bezeichneten Keramik zu betrachten [16]. Auch wenn die Waldorfer Ware zusammen mit der Großgruppe Ware D gemeinhin als typische merowingerzeitliche Warenart angesehen wird, lässt sie sich zumindest im Fundmaterial des karolingerzeitlichen Bonn noch bis in das 9. Jahrhundert hinein nachweisen.

Badorfer Ware

Anhand des aus einem Töpferofen in Brühl-Badorf geborgenen Fundmaterials benannte Jankuhn die zuvor als »Fränkische Drehscheibenkeramik« bezeichnete Ware als »Badorfer Keramik« (**Abb. 3**) [17]. Auf Grund des unterschiedlichen Dekors grenzte er allerdings die im Scherben sehr ähnlichen Reliefbandamphoren als eigene Warenart ab, obwohl sich dies anhand von warenkundlichen Kriterien nicht nachvollziehen lässt [18]. In der Folge wurde die Badorfer Ware vor allem anhand von Fundmaterial aus Siedlungskontexten beschrieben, ohne dass Material aus dem namengebenden Fundort adäquat vorgelegt wurde [19]. Eine erste

Abb. 2 Plan der archäologischen Ausgrabungen 1968, 1974 und 2003/2004 in Brühl-Eckdorf am Grünen Weg, in denen große Teile eines Töpfereibezirks, der vom frühen 8. bis in das 10. Jahrhundert hinein produzierte, untersucht werden konnten.

umfassendere Warenbeschreibung veröffentlichte Böhner, wobei er sich aber nur auf wenige Scherben der Kirchengrabungen in Breberen und Doveren stützte[20]. Diese Warendefinition wurde vor allem für die Fundvorlagen der großen frühmittelalterlichen Handelsplätze, wie etwa Haithabu, Dorestad, Hamwic oder London, überarbeitet[21].

Gleichzeitig wurde der Begriff Badorfer Ware synonym für karolingerzeitliche Keramik verwendet. Um die sich daraus impliziert ergebende Datierung beibehalten zu können, führte Fritz Tischler den Begriff der »älteren Badorfer Ware« ein[22]. An dieser Stelle sei darauf hingewiesen, dass spätestens im 7. Jahrhundert Gefäße in dieser Warenart produziert wurden[23]. Badorfer Ware weist mit Magerungsgrößen zwischen 0,05 und 0,3 mm die geringste Korngröße karolingerzeitlicher Keramikprodukte vom Vorgebirge auf[24]. Als Zuschlag lässt sich nur gut sortierter Quarzsand nachweisen; gelegentlich findet sich schamottartiger Zuschlag. Die Oberfläche ist entsprechend glatt. Anders als von Böhner beschrieben findet sich eine kreidige Ober-

Abb. 3 Oberfläche und Bruchstruktur: Badorfer, Walberberger und Vorgebirgsware (von oben nach unten). – (Fotos M. Thuns). – M. 1:1.

fläche nur bei den selten auftretenden sehr niedrig gebrannten Gefäßen. Die meisten Scherben sind härter gebrannt und haben dem entsprechend eine abriebfeste Oberfläche [25]. Wie bei den anderen Warenarten des Vorgebirges reicht das Farbspektrum je nach Brenntemperatur von weißen und hellbeigen bis zu dunkelgrauen Tönen, wobei der Schwerpunkt auf den hellen, oxidierend gebrannten Varianten liegt. Die Härte des Scherbens kann gleichfalls von weicher Irdenware bis zu echtem Steinzeug reichen.

Walberberger Ware

Walberberger Ware (**Abb. 3**), die erstmals von Kurt Böhner vorgestellt wurde, ist in der Regel sehr hart gebrannt [26]. Bezeichnenderweise wurde von Böhner in der Warenbeschreibung der Terminus »Steinzeug« vermieden und durch »steinzeugartig hart gebrannt« ersetzt, obwohl ein nicht geringer Teil der Scherben eine vollständige Sinterung aufweist. Die als Walberberger Ware bezeichnete Keramik ist mit Quarzsanden von 0,4 bis 0,6 mm Korngröße gemagert; zusätzlich findet sich ein geringerer Anteil mit 1,0 bis 2,0 mm Durchmesser [27]. Gelegentlich beigemengte rote Partikel sind vermutlich natürliche Eisenkonkretionen. Die groben Magerungsbestandteile treten deutlich aus der Gefäßoberfläche hervor und erzeugen so die für die Walberberger Ware typische pickelige Oberfläche, die äußerlich vielfach der hart gebrannten Ware Mayen D ähnelt. Dank der geringen Anzahl dieser Partikel fühlt sie sich allerdings immer noch glatt an, während etwa die dichter gemagerte Pingsdorfer Ware eine sandpapierartig raue Oberfläche charakterisiert. Die

Auswertung der Keramik, die an der von-Groote-Straße 2-4 geborgen wurde, zeigt, dass die Töpfer offensichtlich zwei Gruppen unterschiedlicher Härte produzieren wollten [28]. Die meist helle, oxidierend gebrannte Gruppe ist mit einer durchschnittlichen Ritzhärte von 2-4 deutlich weicher als die dunklen, reduzierend gebrannten Scherben der zweiten Gruppe, die eine Härte von 6-7 besitzt. Die härter gebrannte Gruppe weist einen hohen Prozentsatz vollständig durchgesinterten Steinzeugs auf. Entsprechend der Härte bricht die Keramik zumeist glatt; lediglich vollständig gesinterte Scherben brechen leicht muschelig. Der Bruch ist zumeist dicht, selten wird er von einzelnen langflachen Poren durchzogen. Bei vielen Scherben sind deutlich verschiedenfarbige Schlieren einer aus mehreren Tonen bestehenden und nicht vollständig durchmischten Matrix zu erkennen. Auf Grund der Brandhärte und der Brennatmosphäre finden sich bei Walberberger Keramik weißbeige bis dunkelgraue Scherben.

Vorgebirgsware (Pingsdorf)

Bereits in der Untersuchung der früh- und hochmittelalterlichen Siedlung Wüstweiler konnte Andreas Heege eine Warengruppe erkennen, die in Magerungsmenge und -größe zwischen Badorfer und Pingsdorfer Ware einzuordnen war [29]. Diese ließ sich im Produktionsspektrum der Pingsdorfer Töpfereien ebenfalls nachweisen (**Abb. 3**) [30]. Da der Terminus »Pingsdorfer Ware« bereits mit einer chronologischen Fixierung auf das 10.-12. Jahrhundert versehen ist, soll hier in Anlehnung an den von Böhner geprägten Begriff des »Vorgebirgstons« der Terminus »Vorgebirgsware« verwendet werden [31]. Dieser ist allerdings kein Sammelbegriff karolingerzeitlicher Keramik der Region, wie ihn Manfred Rech an Stelle von »Badorfer Ware« einführen wollte [32]. Der Scherben ist mit Quarzsand zwischen 0,1 und 0,2 mm etwas feiner als die während des 10.-12. Jahrhunderts am gleichen Ort produzierte Keramik [33]. Die Oberfläche wird durch die schwach hervortretende Magerung als etwas rauer als die Badorfer Ware charakterisiert. Sie erreicht aber noch nicht die sandpapierartige Struktur der Pingsdorfer Ware. Der Bruch ist kompakt. Nur selten lassen sich längliche Poren beobachten. Der Scherben bricht glatt. Die Keramik wurde in der Regel sehr hart gebrannt. Vielfach tritt vollständig durchgesintertes Steinzeug auf. Die aus Pingsdorf bekannten Produktionsabfälle zeigen eine durchschnittlich hohe Brandhärte, wie sie erst zu Beginn des 14. Jahrhunderts wieder erreicht wurde. Anders als die klassische Pingsdorfer Ware dominierten in der karolingischen Periode blaugraue bis schwarze Oberflächenfarben. Daneben treten aber auch weiße, gelbe und olive Farbtöne auf. Der Bruch der dunklen Varianten ist zumeist dunkelrot bis violett.

TYPOLOGIE UND PHASENGLIEDERUNG

Die typologische Gliederung der mittelalterlichen Keramik im Rheinland wurde bis in die jüngste Zeit stark vernachlässigt [34]. Obwohl spätestens seit den fünfziger Jahren des 20. Jahrhunderts aus Produktionszusammenhängen in Waldorf, Walberberg, Eckdorf oder Pingsdorf ausreichend große Fundkomplexe vorlagen, unterblieb eine Bearbeitung. Dies erschwerte auch eine typologische Gliederung des keramischen Fundmaterials aus Siedlungsgrabungen [35]. Die Ursache hierfür ist in der 1950 geäußerten These Böhners zu sehen, dass eine Gliederung mittelalterlicher Keramik nur anhand technologischer Kriterien möglich sei [36]. Durch die Möglichkeiten, die naturwissenschaftliche Untersuchungen mittels Dünnschliffen boten, angetrieben, wurde die Ware nicht nur zum ersten sondern alleinigen Gliederungskriterium [37]. Letztlich wurde Böhners den Forschungsstand charakterisierende Äußerung zum Dogma von der »typologischen Ungliederbarkeit« der Keramik [38]. »Die deutlich erkennbaren Veränderungen, denen Gefäßformen und Verzierungen im Lauf

der Entwicklung unterworfen waren, werden es freilich zweifellos eines Tages gestatten, innerhalb der großen Gruppen der verschiedenen Tonarten eine auch zeitlich auswertbare Unterteilung vorzunehmen«[39]. Böhners zweiter Aussage wurde jedoch keine Beachtung geschenkt und zumeist auf eine typologische Bearbeitung verzichtet. Erst in den achtziger Jahren des 20. Jahrhunderts zeigten erste Arbeiten, wie etwa die Bearbeitung des Fundmaterials aus Dorestad[40], dass auch auf typologischem Weg Ergebnisse zu erlangen sind. Inzwischen ist es durch die Bearbeitung verschiedener Töpfereikomplexe möglich, die von Markus Sanke für die Produktion in Pingsdorf beschriebene Phasengliederung in die Zeit des 8. und 9. Jahrhunderts auszudehnen und so an die Chronologiesysteme der Merowingerzeit anzuschließen[41].
Dieser Zeitraum bereitet als typische Übergangszeit Schwierigkeiten in der Gliederung der Keramik, da in der Karolingerzeit im Rheinland Keramikgefäße als Grabbeigaben langsam ausfallen, gleichzeitig aber Siedlungsbefunde mit entsprechenden Fundkomplexen weitestgehend fehlen oder noch nicht publiziert sind[42]. War es bisher möglich, diesen Zeitraum in fünf in etwa gleich lange Perioden zu untergliedern, scheint eine weitere Differenzierung der Zeitphasen möglich[43]. Dies wird dadurch begünstigt, dass trotz der großräumig verteilt stattfindenden Produktion und der Produktionsabbrüche an einzelnen Standorten zwar unterschiedliche Warenarten, aber keine divergierende Formentwicklung erkennbar sind. Vielmehr scheinen die Töpfer des Vorgebirges unter typologischen Gesichtspunkten eine homogene Gruppe gewesen zu sein, die Neuerungen in Dekor und Form in etwa zeitgleich aufgegriffen hat.

Phase A1-A2

Phase A ist deutlich vom merowingerzeitlichen Formenspektrum geprägt, wie es sich auch noch als Beigaben in einzelnen Gräbern finden lässt[44]. Allerdings bereitet eine direkte Parallelisierung des anhand von Gräberfeldanalysen gewonnenen Chronologieschemas von Frank Siegmund mit der hier vorgestellten Phase A Schwierigkeiten, da chronologisch relevante Einzelmerkmale wie etwa die Bodenform nicht in die typologische Gliederung Eingang gefunden haben[45]. Außerdem wurde die weitere Formentwicklung der Wölbwandtöpfe von steilwandigen hin zu stärker bauchigen Gefäßen, wie sie unter anderem für die Trennung der Phasen A und B bedeutsam ist, nicht berücksichtigt.
Bisher liegt Fundmaterial, das der Phase A zugewiesen werden kann, aus Bornheim-Waldorf und Bornheim-Walberberg vor[46]. Phase A ist vor allem durch die Vielzahl der Wölbwandtöpfe geprägt, die mit ihren steilwandigen oder schwach gebauchten Gefäßkörpern noch deutlich in merowingerzeitlicher Formtradition stehen. Sie haben hakenförmig umgelegte, dreieckig verdickte oder waagerecht nach außen abgestrichene Ränder, die gelegentlich eine deckelfalzartige Kehle auf der Innenseite des Randes aufweisen können. Kleinere Töpfe besitzen hakenförmig nach außen gestellte oder rechteckig verdickte Ränder mit starkem Deckelfalz. Die Knickwandschalen und weitmundigen Schüsseln treten zumeist in kleinen Stückzahlen in den Fundkomplexen auf. Sie eignen sich nur bedingt für eine relativchronologische Einordnung, da sie sich nur sehr langsam fortentwickeln, gleichzeitig aber Schalen und Schüsseln in töpfereispezifischen Sonderformen produziert wurden. Als Einzelformen treten in Waldorf III ebenso wie in Grube 2006/8 in Walberberg, Franz-von-Kempis-Straße, auch kleine Knickwandbecher und Kleeblattkannenderivate auf.
In Phase A ist nur ein sehr spärliches Dekor durch eingeritzte horizontale Linien oder Wellenbänder auf Schulter und Rand der Gefäße zu beobachten. Weitere typische Merkmale sind die zumeist sehr dicken Standböden mit ausgeprägten, vielfach sehr engen Drehrillen auf der Innenseite sowie die noch fehlende Verstreichung der Henkel mit der Lippe des Gefäßes.
Noch unklar ist der Zeitpunkt, an dem die Mehrhenkelflaschen des Typs »Walsum« auftreten. Nach der Phasengliederung von Frank Siegmund müsste man schon in Phase A mit ihrem Erscheinen rechnen[47]. Aller-

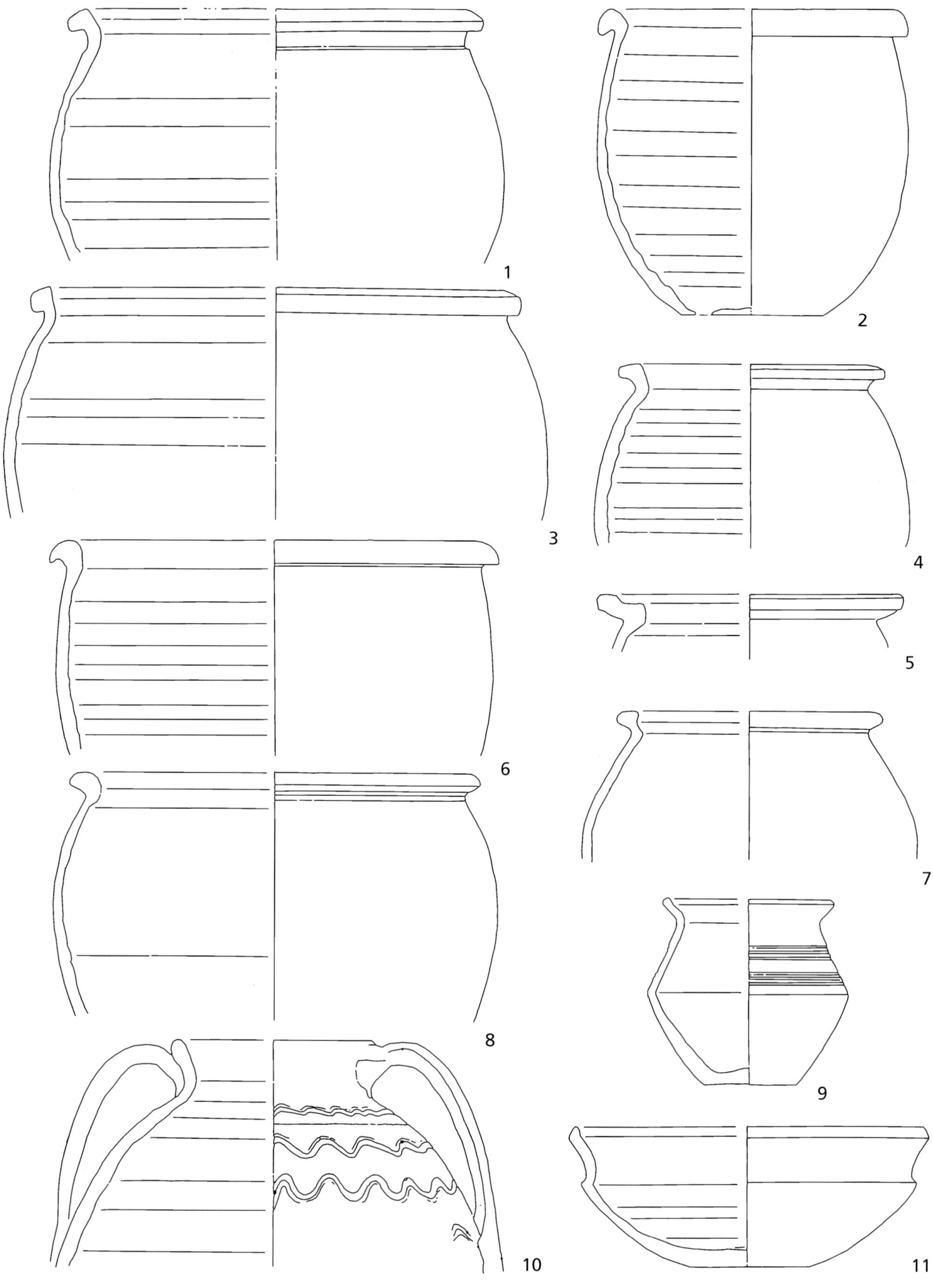

Abb. 4 Keramik der Phase A2 aus dem Fundplatz Waldorf III. – (Nach Müssemeier 2003, Taf. 273-283). – M. 1:3.

dings scheinen sie erst am Ende von Phase A aufzukommen, worauf sowohl der häufig zu beobachtende Linsenboden sowie, zumindest im Töpfereikomplex Waldorf III, die Vergesellschaftung mit bauchigen Wölbwandtöpfen hindeutet (**Abb. 4**).
Auch wenn bisher noch nicht ausreichend detaillierte Fundanalysen vorliegen, scheint es angebracht zu sein, die Phase A zu untergliedern. Den Beginn der jüngeren Phase A2 kennzeichnen das Auftreten der Mehrhenkelflaschen sowie die Einführung des Linsenbodens, der sich allerdings erst in den folgenden Phasen deutlicher durchsetzt. Auch die beginnende Tendenz zu zunehmend kugeligeren Gefäßkörpern, wie sie etwa in einem Ofen an der Franz-von-Kempis-Straße in Walberberg zu beobachten ist, bildet ein Charakteristikum von Phase A2 [48]. Allerdings bedarf es der Vorlage weiterer Fundkomplexe, bis diese Phasenteilung genauer beschreiben werden kann.

Phase B

Phase B wurde bisher nur anhand weniger Fundkomplexe nachgewiesen, was möglicherweise auf eine relativ kurze Laufzeit dieses Zeitabschnitts hindeuten könnte [49]. Die aus der merowingerzeitlichen Tradition entwickelten Wölbwandtopf- und Topfformen setzen die Tendenz zu immer kugeligeren Gefäßen fort (**Abb. 5**). In der Regel ist der Randdurchmesser deutlich kleiner als der Bauchdurchmesser. Der Gefäßumbruch befindet sich etwa in der Gefäßmitte, während er in den späteren Phasen in die obere Gefäßhälfte wandert. Wölbwandtöpfe haben zumeist dreieckige Ränder, die teilweise innen eine Kehle unterhalb der Mündung aufweisen können. Die Töpfe haben entweder einfach rundlich nach außen gerichtete Lippen oder die für diese und die nachfolgende Phase typischen schräg nach außen gestellten Ränder mit deutlicher Kehle auf der Innenseite. Zu den seltenen Exoten gehören Töpfe mit T-förmigen Rändern, die auf der flach gewölbten Oberseite in der Regel eine eingeritzte Wellenlinie tragen. Aus den Mehrhenkelflaschen werden durch aufgelegte Tonbänder die Reliefbandamphoren entwickelt [50]. Die Bänder sind zu Anfang unverziert. Die zu beobachtenden Fingertupfen scheinen zunächst nur eine Folge der Befestigung der Leisten auf dem Gefäßkörper zu sein, bevor sie als dekoratives Element verwendet werden. Neben Fingertupfen treten auch ringförmige Einstiche und erste Einzelstempel auf [51]. Die Leisten laufen zunächst in mehrstrahligen Bündeln zur Gefäßmitte, wo sie auf eine horizontal umlaufende Leiste treffen. Schalen und Schüsseln zeigen die für das Vorgebirge typische Formenvielfalt. Neben Schalen in der Tradition spätantiker Reibschüsseln finden sich auch noch die aus Phase A bekannten großen Schüsseln und kleine Schalen mit innen gekehltem Rand. Dekor ist in Phase B spärlich. Zumeist werden die verschiedenen Topfformen mit eingeritzten Wellenlinien verziert; nur gelegentlich treten ein- und zweizeilige Rollstempel auf. In Phase B werden mehr und mehr Gefäße mit einem Linsenboden versehen, ohne dass dieser den glatten Standboden vollständig verdrängen könnte. Henkel werden in dieser Phase unterhalb der Lippe mit dem Gefäßkörper verstrichen und dann seitlich an der Lippe angestrichen. Mit der Phase B, gegebenenfalls bereits schon Phase A2, setzt Thomas Höltken die früheste Phase I am Kölner Heumarkt an [52].

Phase C

In Phase C, die bisher nur aus einem Fundort bekannt ist, hat sich die Entwicklung der Randformen bei großen Töpfen und Kugeltöpfen weitestgehend angeglichen [53]. Zumeist sind rundlich verdickte oder rundlich herabhängende Lippen zu beobachten [54]. Daneben treten bei den großen Töpfen, die sich aus den Wölbwandtöpfen entwickelt haben, gelegentlich auch eckige Blockränder auf. Kugeltöpfe zeigen zum Teil noch

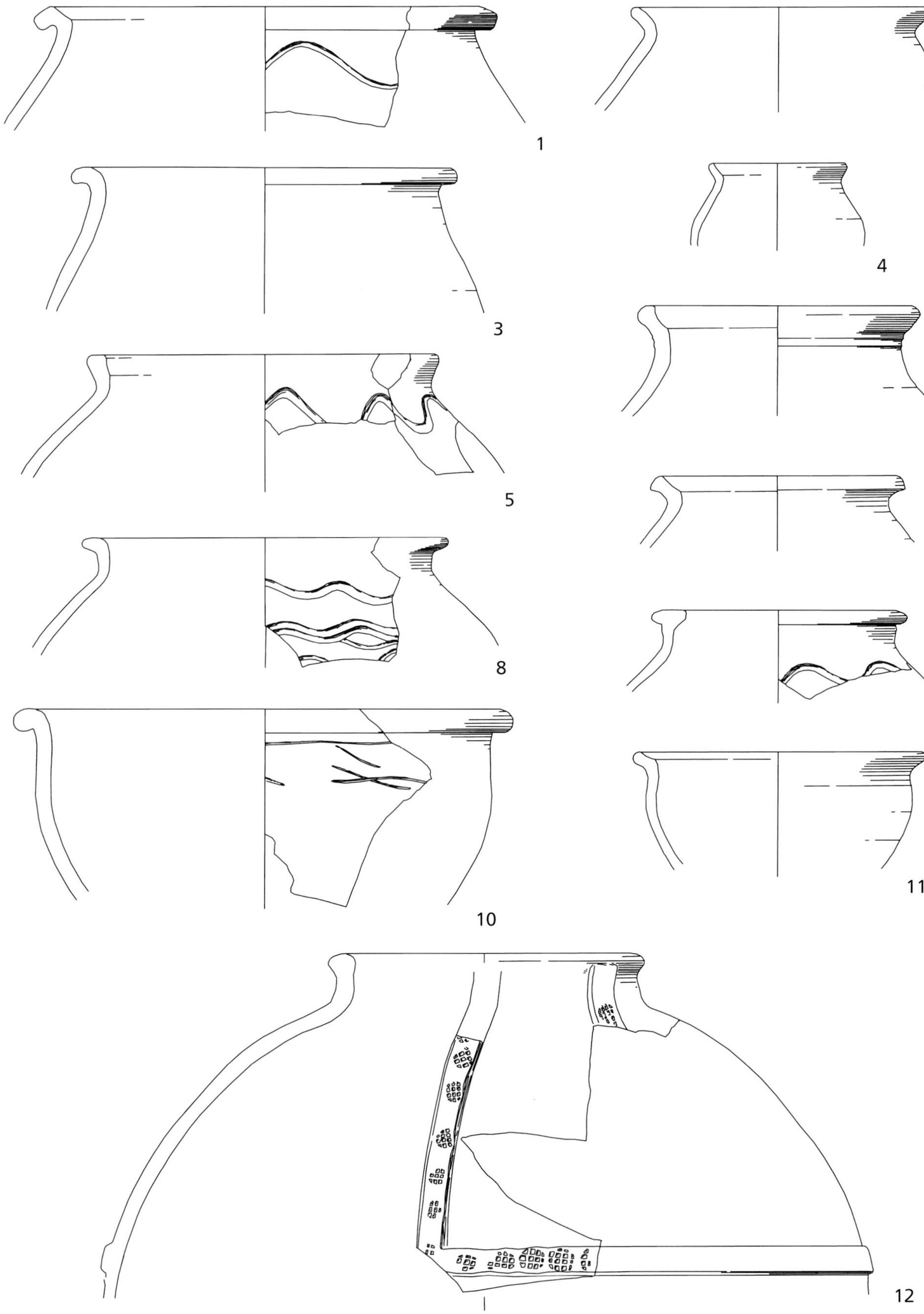

Abb. 5 Keramik der Phase B aus Ofen 10, Bornheim-Walberberg, Rheindorfer Burg. – M. 1:3.

die schräg nach außen gestellten Ränder mit Innenkehle. Die Reliefbandamphoren haben in dieser Phase zumeist keine Henkel mehr. Gleichzeitig scheint jetzt die Entwicklung zu immer größeren Gefäßformen zu beginnen, die mit jenen Reliefbandamphoren, die eine Höhe von bis zu 0,8 m erreichen, im 10. Jahrhundert endet. Die Reliefbänder, die jetzt nicht mehr so scharfkantig erscheinen, tragen noch immer Einzelstempel oder Fingereindrücke. Neben kumpfartigen Schalen und weitmundigen Schüsseln sind auch noch immer Knickwandschalen zu beobachten, die allerdings inzwischen eine deutlich halbkugeligere Form angenommen haben. In der Phase C lassen sich neben Linsenböden auch immer noch Standböden beobachten. Diese sind aber wie die Linsenböden an der Außenseite nachgearbeitet, worauf Schnitt- und Glättspuren hinweisen. Die Phase C endet kurz nach dem Beginn der Besiedlung im Halbkreiswall von Haithabu, der in die Zeit zwischen 810 und 830 n. Chr. zu datieren ist, sofern der Import mit rheinischer Keramik zeitgleich mit der Siedlung einsetzte[55].

Phase D1-D2

In der Phase D besitzen sowohl die großen Töpfe als auch die Kugeltöpfe, die beide jetzt stark gewölbte Schulterpartien haben, rundlich verdickte sowie dreieckig ausgezogene Ränder. Die rundlich verdickten Ränder sind eine Weiterentwicklung der in Phase C vorherrschenden rundlich herabhängenden Lippen, die zu diesem Zweck am Hals fest gedreht wurden. Die Schulter der Töpfe wurde regelhaft mit horizontalen Linien, Rollstempeln oder sehr selten eingeritzten Wellenlinien verziert. Neben den Knickwandschalen, deren Knick inzwischen ins obere Gefäßdrittel des stark gebauchten Schalenkörpers hinaufgerutscht ist, treten auch erstmals Schalen mit rundlich nach außen umgebogenen Rand auf. Die Reliefbandamphoren haben eine wulstartig auf der Schulter liegenden Rand[56]. Typisch für Phase D ist die Verwendung von Rollstempeln auf den Reliefleisten[57].

Auch wenn dies bisher nicht im Fundmaterial der Töpfereien selbst, sondern nur in Siedlungsfunden nachweisbar ist, scheint auch eine Auftrennung der Phase D möglich. Typisch für D2 könnte das Auftreten von eiförmigen Töpfen mit leicht nach außen gestellter Mündung und verdickter Lippe, die vielfach auch mit einer Tülle ausgestattet sind, sein[58]. Hierbei handelt es sich um jene Tüllenkannen, die in der Literatur regelhaft als typisches Gefäß der Badorfer Werkstätten vorgestellt werden[59]. Bei den Kugeltöpfen ist zu vermuten, dass die Zahl der scharf dreieckig ausgezogenen Ränder zunimmt. Ebenso scheint der von Wolfram Giertz definierte Typ 9 mit seinem mehrzonigen Dekor auch eine spätere Entwicklung der Reliefbandamphoren der Phase D zu sein, die er anhand der bisher bekannten Stücke in das späte 9. Jahrhundert datiert[60]. Letztlich dürfte Phase D2 gefäßtypologisch weitestgehend der nachfolgenden Phase E entsprechen, ohne dass bereits Bemalung auftritt.

Für die absolute Datierung der Phasen D1-D2 liegen nur wenige Anhaltspunkte vor. Das Ensemble der Schallgefäße aus St. Viktor in Xanten dürfte am ehesten der Phase D1 zuzuordnen sein, da bei ihm vor allem rundlich verdickte Ränder zu beobachten sind[61]. Allerdings ist auch nach der abschließenden Bearbeitung der Grabungen nicht klar, wie viel Zeit zwischen der Erbauung von Kirchenbau VI, dem die Schalltöpfe zugewiesen werden, und der mit den Normannenüberfällen 864 n. Chr. verbundenen Brandzerstörung der Kirche gelegen hat. Thomas Otten geht von einer Errichtung »kurz vor der Mitte des 9. Jahrhunderts« aus[62]. Im Fundmaterial des Kölner Heumarkts entspricht die von Thomas Höltken definierte Phase III in etwa dem Typenspektrum von Phase D2, die er von der Mitte bis zum späten 9. Jahrhundert datiert[63]. Bei Ausgrabungen in der Innenstadt von Deventer konnte 2003 erneut der Zerstörungshorizont des Wikingerüberfalls von 882 n. Chr. unterhalb des später errichteten Stadtwalls untersucht werden[64]. Aus der Brandschicht (Kontext C11) wurde auch Walberberger und Badorfer Keramik geborgen, die der Stufe D2 zugewiesen werden

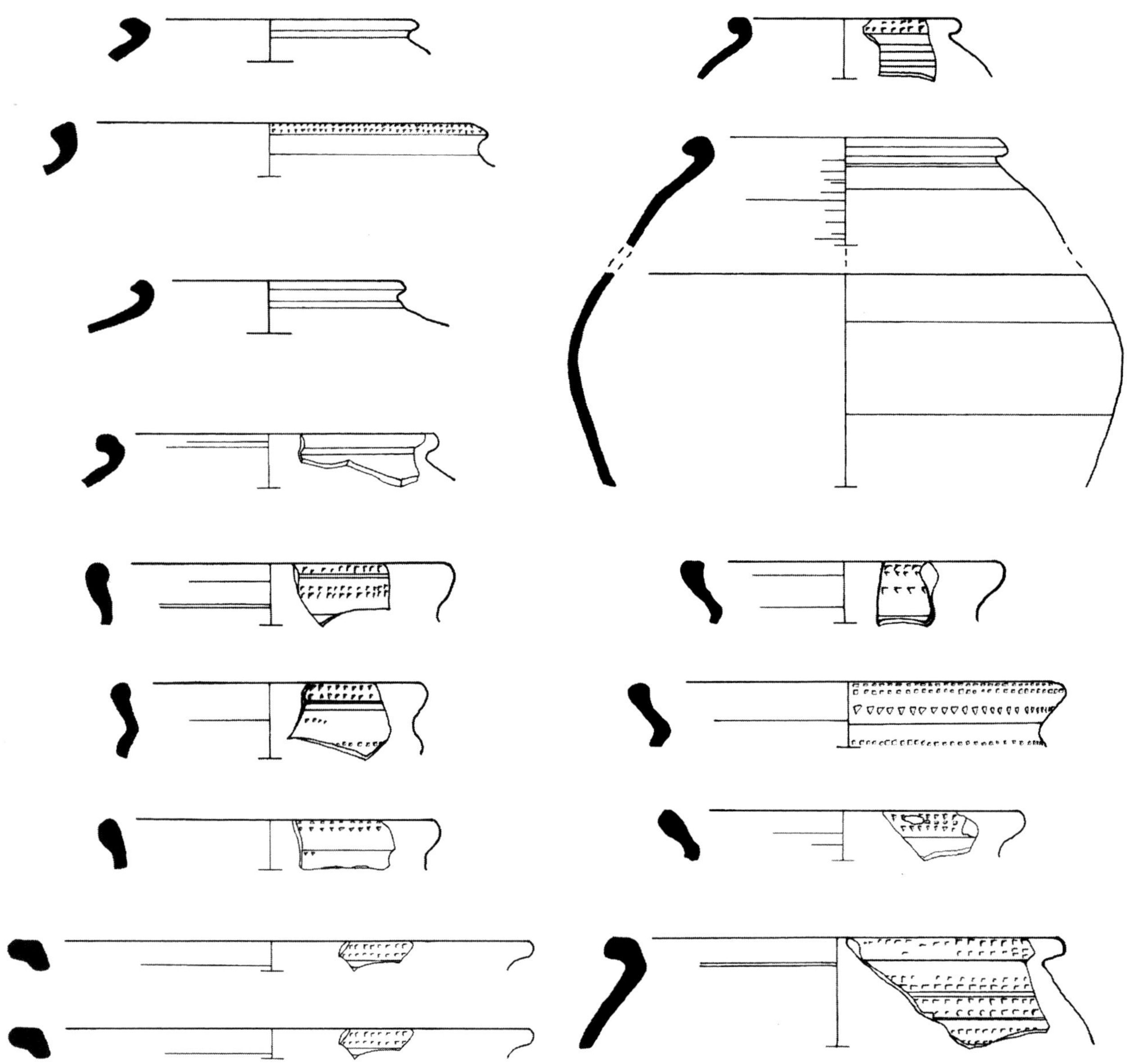

Abb. 6 Funde der Phase D2 aus dem Zerstörungshorizont des Wikingerüberfalls auf Deventer 882. – (Nach Bartels 2006). – M. 1:3.

kann (**Abb. 6**). Vergleichbares Fundmaterial liegt aus weiteren Grabungen in Zutphen und Deventer, die ebenfalls mit dem Wikingerüberfall von 882 n. Chr. in Verbindung gebracht werden, vor[65]. Aus der Wassermühle 2 von Erftstadt-Niederberg (vgl. Beitrag Torsten Rünger) stammt neben wenigen älteren Gefäßen, die am ehesten der Phase C zugewiesen werden können, vor allem Keramik der Phase D2. Allerdings lässt der 832 n. Chr. errichtete Befund keine Schlüsse darauf zu, ob wir es mit einer 50-jährigen Nutzung der Mühlenanlage zu tun haben oder ob die Phase D2 bereits im zweiten Viertel des 9. Jahrhunderts beginnt.

Phase E

Das erstmalige Auftreten von rotbrauner Bemalung in den Töpfereien des Vorgebirges markiert den Beginn der jüngsten Phase E. Große Töpfe besitzen jetzt eine senkrechte oder leicht nach außen gestellte Mündung,

deren Lippe leicht verdickt oder dreieckig ausgeformt sein kann. Der Rand ist von der kugeligen Schulter gelegentlich durch einen deutlichen Grat abgesetzt. Einige dieser Töpfe weisen auf die Schulter aufgesetzte und von innen durchgestochene Tüllen auf. Kugeltöpfe zeigen rundlich verdickte Ränder mit Innenkehle oder scharfkantig dreieckige Ränder. Die Schalen mit ausbiegendem Rand haben sich aus der Phase D weiterentwickelt, besitzen aber wie alle anderen Gefäße in Phase E noch keinen Standring. Die Reliefbandamphoren gleichen den aus der Phase D bekannten Formen. Lediglich der Rand weist jetzt gelegentlich Bemalung auf. Die Leisten werden zu immer komplizierteren, mehrzonigen Mustern zusammengelegt. Bisher fehlen in den Töpfereibefunden Reliefbandamphoren mit angesetztem hohen Hals und vier Bandhenkeln, für die Giertz eine Entstehung noch im späten 9. Jahrhundert nachweist[66].
Für die zeitliche Ansprache der Phase E sind einerseits die auf 882 n. Chr. datierten Zerstörungshorizonte aus Zutphen und Deventer von Bedeutung, da zu diesem Zeitpunkt offensichtlich noch keine Keramik aus dem Vorgebirge mit Bemalung auf dem Markt ist[67]. Anderseits liegt mit den Schalltöpfen aus St. Walburga in Meschede ein auf das Jahr 897/905 datierter Fundkomplex vor, in dem neben dem Formgut der Phase E auch echte Pingsdorfer Keramik vorkommt[68]. Dem entsprechend kann man Phase E in die letzten 15 Jahre des 9. und den Anfang des 10. Jahrhunderts datieren.

FAZIT

Es zeigt sich, dass die Keramikentwicklung des 8. und 9. Jahrhunderts am rheinischen Vorgebirge anhand typologischer Kriterien in sieben Phasen unterteilt werden kann. Vermutlich ermöglicht die Bearbeitung weiterer Töpfereikomplexe eine noch detaillierte Untergliederung bei gleichzeitig immer genauerer Beschreibung des charakteristischen Typenspektrums. Ein Desiderat ist noch immer das Fehlen absolut datierter Fundkomplexe aus dem 8. und der ersten Hälfte des 9. Jahrhunderts, was die absolutchronologische Fixierung der vorgestellten Phasen erschwert.

Anmerkungen

1) Bauer u. a. 1976, 25f. – Hesemann 1975, 255. – Schaake 1983, 16.
2) Bauer u. a. 1976, 26.
3) Kaspers 1957, 210-212.
4) Jürgens/Jürgens 1985.
5) Koenen 1887, 355. – Koenen 1898, 134-139.
6) Eggert/Pause 1997, 29f.
7) Böhner u. a. 1950, 207f.
8) Heege 1997, 215-218. – Keller 1998, 295-300. – Kluge-Pinsker 2001, 14. – Redknap 1999, 21f. – Sanke 2002, 49-57.
9) Sanke 2002, 57-61 mit weiterführender Literatur.
10) Exemplarisch gezeigt bei Sanke 2002, 53-57. 61-65.
11) Jankuhn 1937, 292. – Germania 16, 1932, 231.
12) Die bei Sanke 2002, 201 erkennbare deutliche Veränderung in der Körnungsgröße zwischen den Perioden 1 und 2, die jeweils nur durch einen Befund repräsentiert wird, könnte auch auf die Produktion unterschiedlicher Warenarten im Ortsbild von Pingsdorf zurückzuführen sein.
13) Jürgens/Jürgens 1985, 10f. – Müssemeier 2003, Fundpl. 79 Bornheim-Waldorf II und Fundpl. 80 Bornheim-Waldorf III.
14) Rech 1989, 309-315. Die Warenbeschreibung von M. Rech vermittelt fälschlicherweise den Eindruck, die Keramik sei relativ fein gemagert.
15) Müssemeier 2003, Teil III 327.
16) Siegmund 1998, 119. – Böhner 1958, 49f. beschreibt hingegen ausschließlich in Mayen und Trier produzierte Waren.
17) Jankuhn 1937, 292. – Zum Fundort vgl. Germania 16, 1932, 231.
18) Jankuhn 1937, 299.
19) Zusammenfassend: Sanke 2001, 286-290. – Lung 1955, 58f. übernimmt in seiner Materialvorlage aus Badorf zu guten Teilen Böhners Warenbeschreibung.
20) Böhner u. a. 1950, 214f.
21) Hübener 1959, 32-35. – Janssen 1987, 17f. – van Es/Verwers 1980, 56-59. – Hodges 1981, 18 (Class 7-8). – Vince/Jenner 1991, 98f.
22) Tischler 1952.
23) So etwa in Walberberg, Buschgasse 25, und Eckdorf; unpubliziert. Vgl. zu den Fundorten: Francke 1998 und Janssen 1987a.

24) Heege 1997, 215-217. – Sanke 2001, 289f.
25) So schon Lung 1955, 59.
26) Böhner 1955/56, 379. – Janssen 1987, 18f.
27) Heege 1997, 217f. – Keller 1998, 295-297. – Sanke 2001, 276f.
28) Keller 1998, 297-299.
29) Heege 1997, 215f. 221.
30) Sanke 2001, 302f. – Sanke 2002, 195-203.
31) Böhner u. a. 1950, 214. Nach Fundautopsie im RLMB handelt es sich bei dieser Ware um Keramik, wie sie während des 9. Jahrhunderts in Pingsdorf produziert wurde.
32) Rech 1989, 341.
33) Sanke 2002, 195-203.
34) Zusammenfassend auch Sanke 2002, 12.
35) Heege 1995, 11f.
36) Böhner u. a. 1950, 208.
37) So noch bei Erdmann u. a. 1984. – Janssen 1970. – Janssen 1987a. – Kunow u. a. 1986.
38) Heege 1995, 9.
39) Böhner u. a. 1950, 208.
40) van Es/Verwers 1980.
41) Keller 2004. – Sanke 2002. – Müssemeier u. a. 2003.
42) Zur Problematik der Korrelation der merowingerzeitlichen Chronologie mit Siedlungskeramik vgl. Höltken 2003, 529.
43) Zum bisherigen Forschungsstand: Keller 2004. – Höltken 2003.
44) Keller 2004, 126-128. – Müssemeier u. a. 2003, 109 (Phase 9). – Siegmund 1998, 205 (Niederrhein Phasen 10-11)
45) Ebenda 142f.
46) Waldorf (Waldorf III): Janssen 1987, 79f.; Müssemeier 2003, Taf. 273-283. – Waldorf (Waldorf II): Müssemeier 2003, Taf. 272. – Walberberg, Kitzburger Straße: Rech 1989, 309-315. – Walberberg, Franz-von-Kempisstraße: Bemmann/Müssemeier 2009.
47) Siegmund 1998, 149 (Kru 2.21 und Kru 2.22). – Stampfuß 1939, 46-48.
48) Zur Keramik: Müssemeier 2010, Abb. 154.
49) Bornheim-Walberberg, Rheindorfer Burg Ofen 10: unpubliziert. – Bornheim-Walberberg, Franz-von-Kempis-Straße, Ofen 7: Müssemeier 2007, Abb. 13; Müssemeier 2008, Abb. 136. – Brühl-Eckdorf, Grüner Weg 1974, Ofen 40: Keller 2004, Abb. 2. Entsprechend umfasst die Phasen Heumarkt I sowie A und B nach Höltken (Höltken 2003, 525).
50) Giertz 2000, 236f.
51) Ebenda. – Stampfuß 1939, 48. – Müssemeier 2008, 123.
52) Höltken 2003, 526-529. Er weist noch einmal deutlich auf die Schwierigkeiten der Korrelation von Fundmaterial aus Grabzusammenhängen mit Siedlungsmaterial sowie der anhand von Grabfunden erarbeiteten absoluten Chronologie der späten Merowingerzeit hin.
53) Bornheim-Walberberg, Von-Groote-Straße 2-4, Ofen 2: Keller 1998; Keller 2004, Abb. 3.
54) Höltken 2003, 518 fasst beide Randformen unter dem Typ R10a zusammen, weshalb vermutlich auch die Phasen C und D1 in der Heumarktphase II vereint sind.
55) Hübener 1959, Taf. 5, 136. 139; Taf. 6, 173 können noch in Phase C gesetzt werden. – Zur Datierung von Haithabu: Eckstein/Schietzel 1986, 180.
56) Giertz 2000, Typen 6-8.
57) Höltken 2003, 534.
58) Entspricht Randformen R11, R18, R 23 und R 13, wie sie von Höltken 2006, 530 für den Heumarkt definiert wurden.
59) So etwa: Hinz 1965, Abb. 4. – Janssen 1987, Taf. 2 (Typ 1).
60) Giertz 2000, 249f. – Höltken 2003, 535.
61) Bader 1962, Abb. 1-2.
62) Otten 2003, 208f.
63) Höltken 2003, 520f.
64) Bartels 2006.
65) Sanke 1999.
66) Giertz 2000, 250-252.
67) Sanke 1999, 260.
68) Kottmann 2004, 90.

Literatur

Bader 1962: W. Bader, Datierte Gefäße aus St. Viktor in Xanten. Bonner Jahrb. 162, 1962, 188-230.

Bartels 2006: M. Bartels, De Deventer Wal tegen de Vikingen. Rapportages Arch. Deventer 18 (Deventer 2006).

Bauer u. a. 1976: G. Bauer / K. Gerresheim / U. Kisker, Landschaftsrahmenplan Erholungspark Ville. Beitr. Landesentwicklung 35 (Köln 1976).

Bemmann/Müssemeier 2009: J. Bemmann / U. Müssemeier, Ein römischer Sarkophag im frühmittelalterlichen Töpfereibezirk von Walberberg. Arch. Rheinland 2009, 129-131.

Böhner 1955/56: K. Böhner, Frühmittelalterliche Töpferöfen in Walberberg und Pingsdorf. Bonner Jahrb. 155/56, 1955/56, 372-387.

1958: K. Böhner, Die fränkischen Altertümer des Trierer Landes. Germ. Denkmäler Völkerwanderungszeit B 1 (Berlin 1958).

Böhner u. a. 1950: K. Böhner / P. J. Tholen / R. v. Uslar, Ausgrabungen in den Kirchen von Breberen und Doveren (Regierungsbezirk Aachen). Bonner Jahrb. 150, 1950, 192-228.

Eckstein/Schietzel 1986: D. Eckstein / K. Schietzel, Dendrochronologische Gliederung der Baubefunde von Haithabu. In: H. Jankuhn / K. Schietzel / H. Reichstein (Hrsg.), Archäologische und naturwissenschaftliche Untersuchungen an ländlichen und frühstädtischen Siedlungen im deutschen Küstengebiet vom 5. Jahrhundert v. Chr. bis zum 11. Jahrhundert n. Chr. Bd. 2. Acta Humaniora (Weinheim 1984) 171-184.

Eggert/Pause 1997: G. Eggert / C. Pause, Keramik- und Steinobjekte »durchschauen«. Rhein. Landesmus. 1997/2, 29-32.

Erdmann u. a. 1984: W. Erdmann / H. J. Kühn / H. Lüdtke / E. Ring / W. Wessel, Rahmenterminologie zur mittelalterlichen Keramik in Norddeutschland. Arch. Korrbl. 14, 1984, 417-436.

van Es/Verwers 1980: W. A. van Es / W. J. H. Verwers, Excavations at Dorestad 1. The Harbour: Hoogstraat I. Nederlandse Oudheden 9 (Amersfoort 1980).

Giertz 2000: W. Giertz, Reliefbandamphoren aus St. Quirin im Kontext karolingischer Keramik. In: M. Tauch (Hrsg.), Quirinus in Neuss [Ausstellungskat. Neuss] (Köln 2000) 222-271.

Heege 1995: A. Heege, Die Keramik des frühen und hohen Mittelalters aus dem Rheinland. Arch. Ber. 5 (Bonn 1995).

1997: A. Heege, Hambach 500. Villa rustica und früh- bis hochmittelalterliche Siedlung Wüstweiler (Gemeinde Niederzier), Kreis Düren. Rhein. Ausgr. 41 (Köln 1997).

Hesemann 1975: J. Hesemann, Geologie Nordrhein-Westfalens. Bochumer Geogr. Arb. Sonderr. 2 (Paderborn 1975).

Hinz 1965: H. Hinz, Die karolingische Keramik in Mitteleuropa. In: W. Braunfels (Hrsg.), Karl der Große III (Düsseldorf 1965) 263-287.

Hodges 1981: R. Hodges, The Hamwih pottery: the local and imported wares from 30 years' excavations at Middle Saxon Southampton and their European Context. CBA Res. Rep. 37 = Southampton Arch. Res. Committee Rep. 2 (London 1981).

Höltken 2003: T. Höltken, Keramikfunde des 8.-10. Jahrhunderts vom Heumarkt in Köln. Kölner Jahrb. 36, 2003, 511-566.

Hübener 1959: W. Hübener, Die Keramik von Haithabu. Ausgr. Haithabu 2 (Neumünster 1959).

Jankuhn 1937: H. Jankuhn, Die Wehranlagen der Wikingerzeit zwischen Schlei und Treene. Ausgr. Haithabu 1 (Neumünster 1937).

Janssen 1970: W. Janssen, Der karolingische Töpfereibezirk von Brühl-Eckdorf, Kreis Köln. Neue Ausgr. u. Forsch. Niedersachsen 6, 1970, 226-239.

Janssen 1987: W. Janssen, Die Importkeramik von Haithabu. Ausgr. Haithabu 9 (Neumünster 1987).

Jürgens/Jürgens 1985: A. Jürgens/M. Jürgens, Grabungsergebnisse der Archäologen und Bodenfunde. In: G. Reineking von Bock u. a., Brühler Keramik des Mittelalters. Schriftenr. Brühler Gesch. 7 (Brühl 1985) 10-31.

Kaspers 1957: H. Kaspers, Comitatus nemoris. Die Waldgrafschaft zwischen Maas und Rhein. Beitr. Gesch. Dürener Land 7 (Düren, Aachen 1957).

Keller 1998: Ch. Keller, Karolingerzeitliche Töpferöfen in Bornheim Walberberg, Rhein-Sieg-Kreis. Bonner Jahrb. 198, 1998, 285-348.

2004: Ch. Keller, Badorf, Walberberg und Hunneschans. Zur zeitlichen Gliederung karolingerzeitlicher Keramik vom Vorgebirge. Arch. Korrbl. 34, 2004, 125-137.

Kluge-Pinsker 2001: A. Kluge-Pinsker, Produktion und Verbrauch von Keramik im mittelalterlichen Duisburg des 9.-10. Jahrhunderts. Arch. u. Denkmalpfl. Duisburg 5 (Duisburg 2001).

Koenen 1887: C. Koenen, Zur karolingischen Keramik. Westdt. Zeitschr. Gesch. u. Kunst 6, 1887, 354-366.

1895: C. Koenen, Gefäßkunde der vorrömischen, römischen und fränkischen Zeit in den Rheinlanden (Bonn 1895).

Kottmann 2004: A. Kottmann, Die Schalltöpfe von Meschede. Ein Keramikensemble aus der spätkarolingischen Stiftskirche St. Walburga [unveröff. Diss. Univ. Tübingen 2004].

Kunow u. a. 1986: J. Kunow / J. Giesler / M. Gechter / W. Gaitzsch / A. Follmann-Schulz / D. v. Brandt, Vorschläge zur systematischen Beschreibung von Keramik. Kunst u. Altertum Rhein 124 (Köln 1986).

Lung 1955: W. Lung, Töpferöfen der frühmittelalterlichen Badorfware. Kölner Jahrb. Ur- u. Frühgesch. 1, 1955, 56-66.

Müssemeier 2003: U. Müssemeier Die merowingerzeitlichen Funde aus der Stadt Bonn und ihrem Umland [unveröff. Diss. Univ. Bonn 2003].

2007: U. Müssemeier, Bornheim-Walberberg, Rhein-Sieg-Kreis, Franz-von-Kempis-Weg Ofen Stelle 7 und Arbeitsgrube Stelle 45, Nordrhein-Westfalen. In: A. Heege (Hrsg.), Töpferöfen – Pottery kilns – Fours de potiers. Basler H. Arch. 4 (Basel 2007) 225-233.

2008: U. Müssemeier, Fortsetzung der Grabungen im frühmittelalterlichen Töpfereibezirk von Walberberg. Arch. Rheinland 2008, 122-125.

Müssemeier u. a. 2003: U. Müssemeier / E. Nieveler / R. Plum / H. Pöppelmann, Chronologie der merowingerzeitlichen Grabfunde vom linken Niederrhein bis zur nördlichen Eifel. Mat. Bodendenkmalpfl. Rheinland 15 (Köln, Bonn 2003).

Otten 2003: T. Otten, Die Ausgrabungen unter St. Viktor zu Xanten. Dom und Immunität. Rhein. Ausgr. 53 (Mainz 2003).

Rech 1989: M. Rech, Zur frühmittelalterlichen Topographie von Walberberg. Bonner Jahrb. 189, 1989, 285-344.

Redknap 1999: M. Redknap, Die römischen und mittelalterlichen Töpfereien in Mayen. In: H.-H. Wegner (Hrsg.), Ber. Arch. Mittelrhein u. Mosel 6 (= Trierer Zeitschr. Beih. 24) (Trier, Koblenz 1999) 11-401.

Sanke 1999: M. Sanke, »Wikingerschutt« aus Deventer und Zutphen. In: S. Brather / Ch. Bücker / M. Hoeper (Hrsg.), Archäologie als Sozialgeschichte. Festschr. H. Steuer. Internat. Arch. Stud. Honoraria 9 (Rahden/Westf. 1999) 251-267.

2001: M. Sanke, Gelbe Irdenware. In: H. Lüdtke / K. Schietzel (Hrsg.), Handbuch zur mittelalterlichen Keramik in Nordeuropa (Neumünster 2001) 271-428.

2002: M. Sanke, Die mittelalterliche Keramikproduktion in Brühl-Pingsdorf. Rhein. Ausgr. 50 (Mainz 2002).

Schaake 1983: H. D. Schaake, Die Landschaften des Rhein-Sieg-Kreises und ihre natürlichen Grundlagen. In: P. Kieras (Hrsg.), Der Rhein-Sieg-Kreis (Stuttgart 1983) 15-31.

Siegmund 1998: F. Siegmund, Merowingerzeit am Niederrhein: die frühmittelalterlichen Funde aus dem Regierungsbezirk Düsseldorf und dem Kreis Heinsberg. Rhein. Ausgr. 34 (Köln, Bonn 1998).

Stampfuß 1939: R. Stampfuß, Der spätfränkische Sippenfriedhof von Walsum. Quellenschr. Westdt. Vor- u. Frühgesch. 1 (Leipzig 1939).

Tischler 1952: F. Tischler, Zur Datierung der frühmittelalterlichen Tonware von Badorf, Ldkr. Köln. Germania 30, 1952, 194-200.

Vince/Jenner 1991: A. Vince / A. Jenner, The Saxon and Early Medieval Pottery of London. In: A. Vince (Hrsg.), Finds and environmental Evidence. Aspects of Saxo-Norman London 2. London & Middlesex Arch. Soc. Special Paper 12 (London 1991) 19-119.

Zusammenfassung / Abstract

Karolingerzeitliche Keramikproduktion am Rheinischen Vorgebirge
Zwischen Köln und Bonn entwickelte sich seit dem 6. Jahrhundert am sogenannten Vorgebirge eine Töpfereiregion. Man produzierte Drehscheibenkeramik in gelber Irdenware. Anhand der Magerung lassen sich vier verschiedene Warenarten unterscheiden, die aber nicht nur in den jeweils namengebenden Orten Waldorf, Walberberg und Badorf produziert wurden. Die typologische Entwicklung der Gefäß- und Randformen erlaubt eine weitere Aufgliederung der bereits erarbeiteten Phasengliederung in sieben Abschnitte, die den Zeitraum des 8. und 9. Jahrhunderts abdecken.

The Carolingian pottery production of the Rhineland Vorgebirge
From the 6th century onwards there developed between Cologne and Bonn the pottery region of the so-called Vorgebirge. Here wheel-turned pottery of yellow earthenware was produced. Based upon the temper one can distinguish four different types of ware, which, however, were not only produced in the eponymous villages of Waldorf, Walberberg and Badorf. The typological development of the vessel- and rim-forms allows a further division of the existing phases into seven sections, which cover the period of the 8th and 9th century. Translation: C. Bridger

IVONNE WEILER-RAHNFELD

TÖPFEREIEN UND IHRE ABSATZGEBIETE AUS DER PERSPEKTIVE LÄNDLICHER SIEDLUNGEN AM BEISPIEL BONN-BECHLINGHOVEN

In den Jahren 2009 bis 2011 fanden durch das LVR-Amt für Bodendenkmalpflege im Rheinland umfangreiche Ausgrabungen auf einem knapp 2 ha umfassenden Areal im rechtsrheinischen Bonn-Bechlinghoven statt. Der Platz befindet sich auf der Niederterrasse des Rhein- und Siegtals, in einem modern fast ungestörten Gelände (**Abb. 1**). Anhand historischer Karten ist seit der kartografischen Landesaufnahme durch Tranchot und v. Müffling (1803-1820) bis in die Mitte des 20. Jahrhunderts keine Überbauung des Geländes feststellbar. Lediglich im östlichen Randbereich des Untersuchungsareals lagen Störungen der befundführenden Schichten durch zwei in den 1950er Jahren errichtete Gebäude vor.
Die Ausgrabung ermöglichte die archäologische Untersuchung einer merowingerzeitlichen ländlichen Siedlung der Zeit von der ersten Hälfte des 6. Jahrhunderts bis um 710, deren Ausmaße zu ca. 70 % erforscht

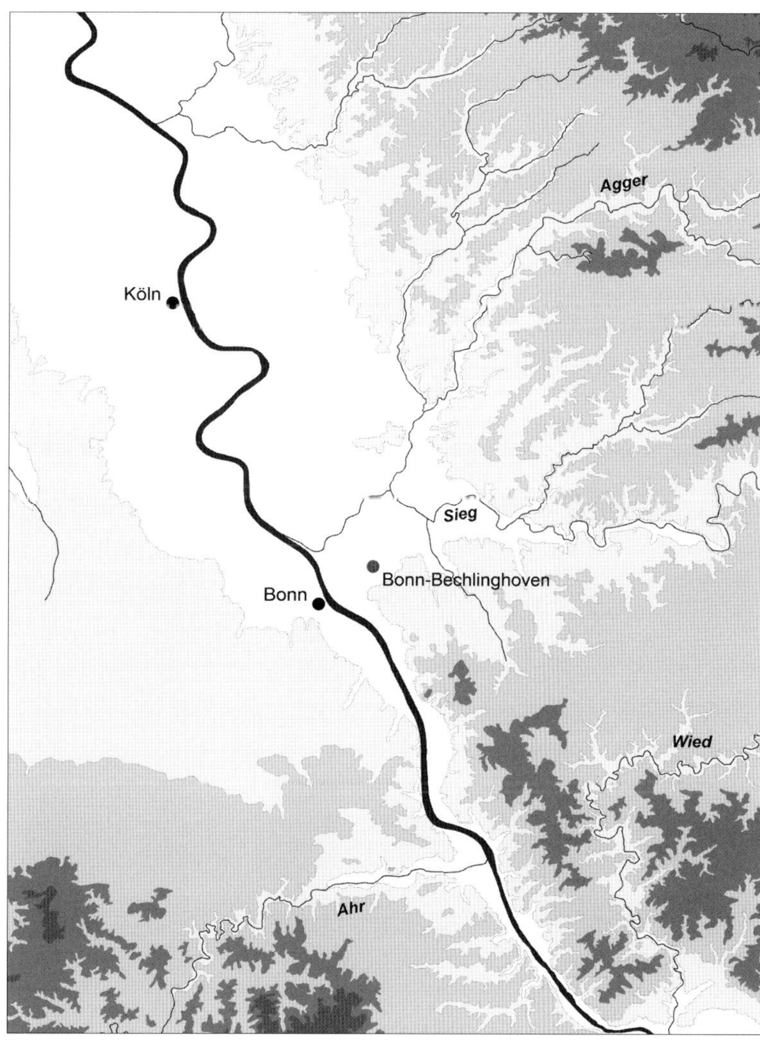

Abb. 1 Bonn, Bechlinghoven. Lage der Fundstelle. – (Karte LVR-Amt für Bodendenkmalpflege im Rheinland, Außenstelle Overath).

werden konnten. Nachdem die Siedlung im frühen 8. Jahrhundert wüst fiel, ließen sich im späten Früh- bis Spätmittelalter im östlichen Bereich erneut Siedler nieder. Bebauungsstrukturen aus diesen Zeitstufen sind bisher in diesem Areal nicht festzustellen. Es ist im Befund lediglich die äußere Randbebauung von Gehöften des 8. bis Anfang des 10. Jahrhunderts sowie des beginnenden 11. bis 13. Jahrhunderts anhand von Gräben, Gruben und Pfostengruben zu fassen. Diese überlagern z. T. die merowingerzeitlichen Befunde (Abb. 2).

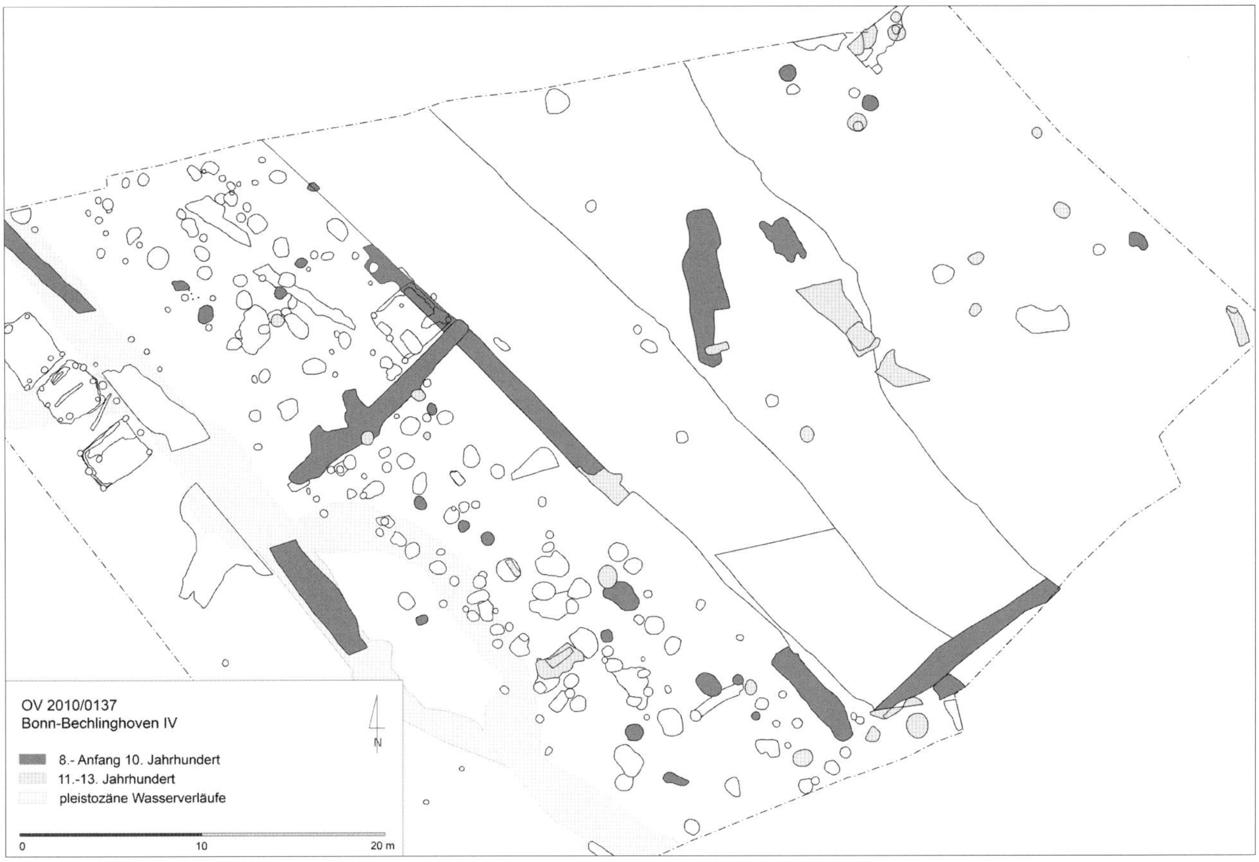

Abb. 2 Bonn, Bechlinghoven. Siedlungsstrukturen der Karolingerzeit und des Hochmittelalters auf dem Ausgrabungsgelände von 2010/11.

Das spätmerowingerzeitliche Keramikspektrum zeigt Material der Niederrhein Phasen 8-9 (640/50 bis um 710)[1] und ist geprägt von der rauwandigen, grob gemagerten Drehscheibenware MWDG und MWDGS[2]. Bei den Gefäßformen dominieren oxydierend gebrannte Wölbwandtöpfe mit unterschiedlich gestaltetem Rand und Knickwandschalen, wobei die Farbtöne von gelblich, bräunlich und rot bis olivgrün variieren. Im geringen Umfang liegen fein gemagerte, reduzierend grau gebrannte Wölbwandtöpfe in Badorfer Machart vor. Noch bis in die Zeit um 710 sind die Böden der aufgeführten Gefäßformen ausschließlich als flache Standböden gebildet. Linsenböden sind im spätmerowingerzeitlichen Formenspektrum der Bechlinghovener Siedlung nach derzeitigem Stand der Auswertung nicht vertreten. Neben den rauwandigen Waren MWDG und MWDGS liegt für den Zeitraum 640/650 bis um 710 noch steinzeugartig hart gebrannte Drehscheibenkeramik (Böhner E) vor, die das gleiche Formenspektrum umfasst. Eine Einordnung dieser Warenart in den nachmerowingerzeitlichen Horizont, wie dies Heege für Hambach 500 vornimmt, ist für die Siedlung in Bechlinghoven nicht nachzuvollziehen. Das Vorkommen der rauwandigen, grob gemagerten Ware mit der Ware Böhner E in den Verfüllungen zeitgleicher Grubenhäuser spricht für eine parallele Entwicklung und den Gebrauch dieser Keramiken im Siedlungskontext. Es bleibt die Frage nach der Herkunft der Keramikgefäße dieser Zeitstellung. Nicht die Gefäßformen sind von ausschlaggebender Bedeutung für die Provenienz, sondern primär Tonlagerstätten und Machart, die sich im Material der Töpfereien von Bornheim-Waldorf [3] und Bornheim-Walberberg [4], des Köln-Bonner Vorgebirges wiederfinden. Eine untergeordnete Rolle spielen ab der Mitte des 7. Jahrhunderts Erzeugnisse aus den Mayener Töpfereien.

Nachdem im beginnenden 8. Jahrhundert die fränkische Siedlung wüst fiel, lassen sich weiter im Osten des Untersuchungsareals, aber auch im äußersten östlichen Bereich der merowingerzeitlichen Bebauung, Siedlungsstrukturen der Karolingerzeit und des Hochmittelalters fassen (**Abb. 2**). Eine genaue Lokalisierung des karolingerzeitlichen Gehöfts war auf dieser Fläche nicht möglich. Bekannt sind für diese Zeitstellung Grabenstrukturen, die eine Parzellierung des Geländes vermuten lassen, sowie Gruben mit Keramikgefäßen aus Mayener Provenienz und aus dem Vorgebirge. Aus Mayen liegen dünnwandige, hart gebrannte Kugeltöpfe mit ausziehendem Rand und kantig abgeschnittener Randlippe der zweiten Hälfte des 8. Jahrhunderts bis ins 9. Jahrhundert [5] vor, die in der Regel keine Verzierungen aufweisen. Charakteristisch für diese Ware ist ein kompakter, roter bis rotbrauner Scherben mit Quarzmagerung und einer rötlich-braunen bis blau-grauen Oberfläche. Darüber hinaus finden sich im Bruch vereinzelt gelbe, in Längsrichtung der Wandung ausgezogene Tonschlieren. Diese Art der Kugeltöpfe ist der grob gemagerten Drehscheibenkeramik Mayener Art (MAY [6]) zuzuordnen, die zusammen mit Importen aus dem Vorgebirge in Gruben und Gräben vergesellschaftet sind. Ein Randfragment eines Kugeltopfes weist unterhalb des Randes ein Loch in der Wandung auf, das zur Aufhängung über dem Herdfeuer diente (**Abb. 3, 2**). Die gleiche Funktion ist bei einem Kugeltopf mit einem auf den Rand angesetzten Ösenhenkel zu beobachten. Referenzmaterial findet sich unter dem frühmittelalterlichen Siedlungsmaterial des Künzerhofs [7]. Für die Zeit des 8. bis in die Mitte des 10. Jahrhunderts liegen in Bechlinghoven in größerem Umfang Fragmente von Reliefbandamphoren der Töpfereien aus dem Köln-Bonner Vorgebirge vor. Zu den älteren Typen zählt ein Bruchstück mit erhaltenem Reliefband des Typs RBA 2 mit Fingereindrücken und ein Fragment der Form RBA 4 mit einem rund verdickten halslosen Rand und Rosetteneinzelstempeln, die in Grubenverfüllungen des 8. Jahrhunderts enthalten waren. Ferner liegen im Fundmaterial für das Ende des 9. bis in die Mitte des 10. Jahrhunderts Reliefbandamphoren des Typs RBA 8 und 10 vor, sowie aus einer Grube ein grobgemagerter Drehscheibenkugeltopf aus Irdenware (**Abb. 3, 3**), der in das dritte Viertel des 9. Jahrhunderts datiert werden kann. Töpfe mit kugeliger und unterschnittener Randlippe des Randtyps R8b [8] (**Abb. 3, 4**) lassen sich zeitlich in die zweite Hälfte des 9. Jahrhunderts einordnen.

Das hochmittelalterliche Keramikspektrum wird von zwei Warenarten repräsentiert, die primär aus den Töpfereien des Vorgebirges bezogen wurden. Einen großen Anteil stellt die ältere Grauware des 11.-13. Jahrhunderts, die durch handaufgebaute Kugeltöpfe (**Abb. 3, 7-11**) geprägt ist. Des Weiteren liegen im stark zerscherbten Keramikmaterial Gefäße der Ware Pingsdorfer Art (PIW, PIG und PID) [9] vor. Neben helltonigen Kugeltöpfen und Kannen (**Abb. 3, 5**) mit zeitlich variierenden roten Bemalungsmustern der Perioden 5-6 (Mitte 11. Jahrhundert bis um 1200) [10] sind auch eine geringe Anzahl an schlanken Bechern mit begrenzten oder unbegrenzten Gittermustern (**Abb. 3, 6**), sowie alternierenden Schrägstrichgruppen mit unterer Begrenzungslinie unter den Funden vertreten. Diese sind in den Pingsdorfer Töpfereien Ende des letzten Viertel des 10. bis Anfang des 12. Jahrhunderts produziert worden. Das Vorratsgeschirr wird bis in die Mitte des 10. Jahrhunderts durch die Reliefbandamphoren des Typs RBA 10 im Siedlungsmaterial der Karolingerzeit und des Hochmittelalters repräsentiert, wobei längere Laufzeiten dieser Gefäßform im Siedlungskontext auftreten können. Bis in das 12. Jahrhundert hinein sind in den Verfüllungen der hochmittelalterlichen Gruben, Gräben und auch der vorliegenden Planierschichten keine Vorratsgefäße nachweisbar. Erst ab der zweiten Hälfte des 12. Jahrhunderts lassen sich Importe aus dem Rhein-Maas-Gebiet fassen: Aus einer hochmittelalterlichen Planierschicht liegen Fragmente von zwei Vorratsgefäßen des Typs Elmpter Amphore vor, die

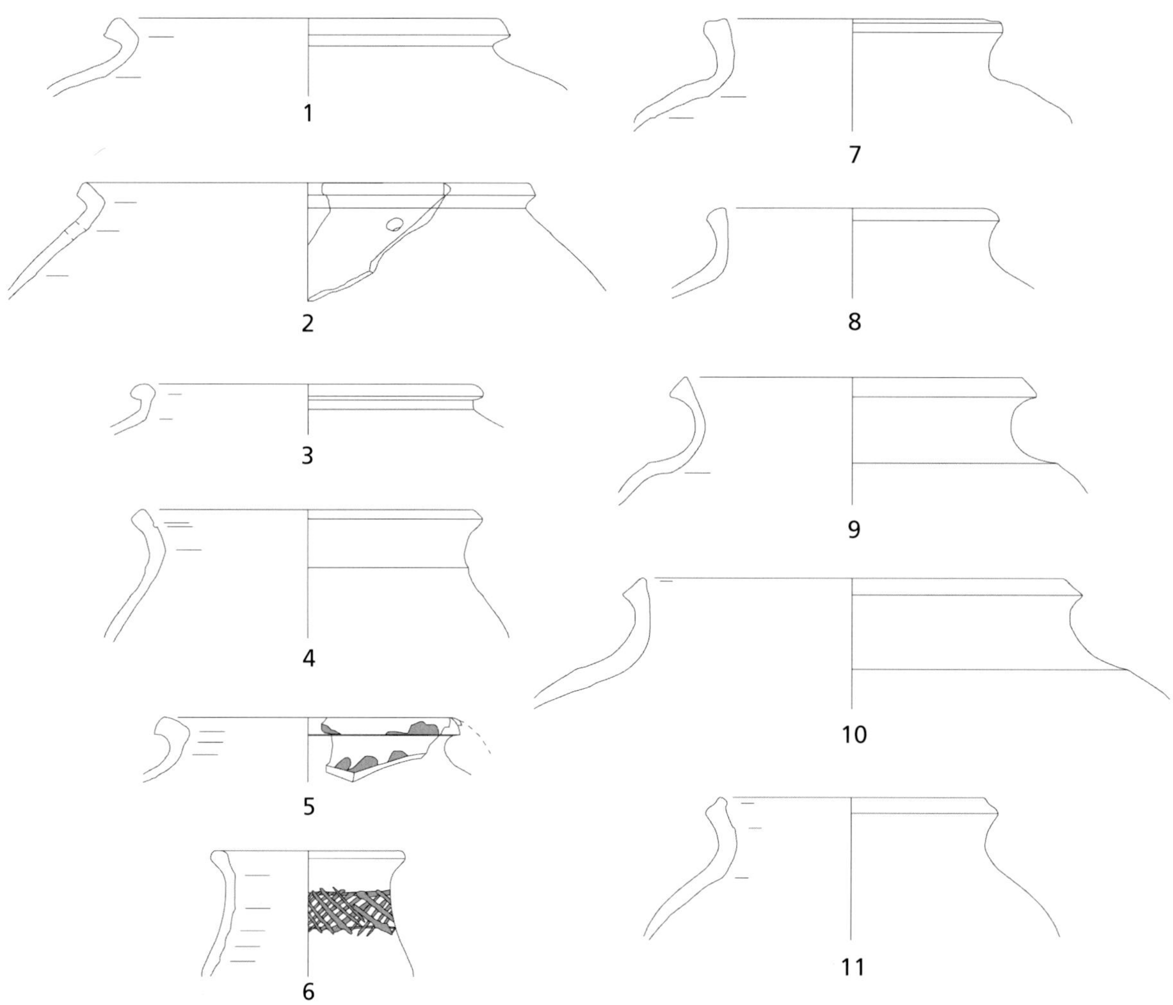

Abb. 3 Bonn, Bechlinghoven. Keramikgefäße aus den karolingerzeitlichen und hochmittelalterlichen Siedlungsphasen: **1-2** Kugeltöpfe der Keller Phase B; **3-4** Drehscheibenkugeltöpfe der Keller Phase C–D; **5-6** Tüllenkanne und schlanker Becher mit begrenztem Gittermuster der Periode 6 nach Sanke; **7-8** Kugeltöpfe der jüngeren Grauware der Periode 6 nach Sanke; **9-11** Kugeltöpfe der jüngeren Grauware der Periode 7-8 nach Sanke. – M. 1:3.

aus dem Töpfereikomplex um Brüggen-Elmpt stammen. Die kantig profilierte Randform, der hellgraue Ton mit dichter Quarzsandmagerung sowie die Verzierung mit zwei parallelen Rillen unterhalb des Randes und darunter anschließendem Wellenliniendekor findet Vergleiche im Fundmaterial von Elmpt-Overhetfeld [11]. Importe von Elmpter Amphoren sind nicht nur für den Kölner Raum, sondern unter anderem auch aus Bornheim-Sechtem [12] und Siegburg [13] belegt.

Der kurze Einblick in das Keramikspektrum der früh- bis hochmittelalterlichen Siedlungsphasen von Bonn-Bechlinghoven zeigt für das 7.-12. Jahrhundert einen durchgehenden Import von Waren aus dem Köln-Bonner Vorgebirge. Gegen Ende des 8. Jahrhunderts ist ein rückläufiger Absatz der Mayener Töpfereien zu verzeichnen. Ob dies regelhaft für das rechtsrheinische Gebiet der Köln-Bonner Bucht gilt, muss an dieser Stelle unbeantwortet bleiben. Da von der karolingerzeitlichen sowie der hochmittelalterlichen Besiedlung nur die Peripherie dokumentiert werden konnte, bleibt auch die Frage nach der Größe der hier vorliegenden Siedlungen offen. Ob es sich um Einzelgehöfte mit mehreren Bauphasen oder um einen Weiler gehandelt hat, ist anhand des Fundmaterials nicht zu klären. Für eine zeitlich unabhängige Entwicklung der Siedlungen spricht das Fehlen von Funden aus der Mitte des 10. Jahrhunderts bis um die Wende zum 11. Jahrhundert.

Anmerkungen

1) Franken AG 2003.
2) Heege 1997, 212-214.
3) Jürgens 1976, 52-54.
4) Rech 1989, 309-315. – Müssemeier 2009, 130f.
5) Sanke 2002, 147.
6) Heege 1997, 218f.
7) Ament 1974, 464 Abb. 8, 1-4.
8) Höltken 2003, 518 Abb. 2.
9) Heege 1997, 221-223.
10) Sanke 2003, 181f.
11) Kersten 1941, Abb. 111, 5.
12) Rech 1982, 163.
13) Rech 1985, 202.

Literatur

Ament 1974: H. Ament, Eine fränkische Siedlung beim Künzerhof Gemeinde Mertloch, Kreis Mayen-Koblenz. Germania 52, 1974, 454-467.

Franken AG 2003: U. Müssemeier / E. Nieveler / R. M. Plum u.a., Chronologie der merowingerzeitlichen Grabfunde vom linken Niederrhein bis zur nördlichen Eifel. Mat. Bodendenkmalpfl. Rheinland 15 (Bonn 2003).

Giertz 2000: W. Giertz, Reliefbandamphoren aus St. Quirin im Kontext karolingischer Keramik. In: M. Tauch, Quirinus von Neuss. Beiträge zur Heiligen-, Stifts- und Münstergeschichte (Köln 2000) 222-271.

Heege 1997: A. Heege, Hambach 500. Villa rustica und früh- bis hochmittelalterliche Siedlung Wüstweiler (Gemeinde Niederzier), Kreis Düren. Rhein. Ausgr. 41 (Köln, Bonn 1997).

Höltken 2003: T. Höltken, Keramikfunde des 8.-10. Jahrhunderts vom Heumarkt in Köln. Kölner Jahrb. 36, 2003, 511-566.

Jürgens 1975: A. Jürgens, Die römische Wasserleitung und eine fränkische Töpferei in Bornheim, Rhein-Sieg-Kreis. Rhein. Ausgr. (Bonn 1975) 52-54.

Keller 1998: Ch. Keller, Karolingerzeitliche Töpferöfen in Bornheim, Rhein-Sieg-Kreis. Bonner Jahrb. 198, 1998, 285-348.

2004: Ch. Keller, Badorf, Walberberg und Hunnenschans. Zur zeitlichen Gliederung karolingerzeitlicher Keramik vom Köln-Bonner Vorgebirge. Arch. Korrbl. 34, 2004, 125-137.

Kersten 1941: K. Kersten, Fundbericht: Elmpt, Kr. Erkelenz. Bonner Jahrb. 146, 1941, 406-408.

Müssemeier 2009: U. Müssemeier, Ein römischer Sarkophag im frühmittelalterlichen Töpfereibezirk von Walberberg. Arch. Rheinland 2009, 129-131.

Rech 1982: M. Rech, Mittelalterliche Keramik der Töpfereien um Elmpt und Brüggen aus der Sammlung Franz Janssen, Brüggen. Zeitschr. Arch. Mittelalter 10, 1982, 147-169.

1985: M. Rech, Eine Ausgrabung in der Altstadt von Siegburg, Rhein-Sieg-Kreis. Ausgr. Rheinland 1983/84 (Bonn 1985) 201-204.

1989: M. Rech, Zur frühmittelalterlichen Topographie von Walberberg. Bonner Jahrb. 189, 1989, 285-344.

Sanke 2002: M. Sanke, Die mittelalterliche Keramikproduktion in Brühl-Pingsdorf. Technologie – Typologie – Chronologie. Rhein. Ausgr. 50 (Mainz 2002).

Zusammenfassung / Abstract

Töpfereien und ihre Absatzgebiete aus der Perspektive ländlicher Siedlungen am Beispiel Bonn-Bechlinghoven

Bei den Ausgrabungen von 2010/2011 im rechtsrheinisch gelegenen Bonn-Bechlinghoven ließen sich neben einer merowingerzeitlichen Siedlung auch Siedlungsstrukturen der Karolingerzeit und des Hochmittelalters fassen. Eine klare Bebauung liegt lediglich für das 6. bis Anfang des 8. Jahrhunderts vor. Für die anschließenden Siedlungsphasen ist ausschließlich die äußere Randbebauung mit Grabenstrukturen und Gruben belegt. Das Fundmaterial ist geprägt von Importwaren, die von den Töpfereien in Mayen und dem Köln-Bonner Vorgebirge bezogen wurden. Ab dem Ende des 8. Jahrhunderts ist im Siedlungsmaterial ein Rückgang von Importen aus Mayen zu verzeichnen. Gleichzeitig aber zeichnet sich eine intensivierte Nutzung von Produkten aus den Vorgebirgstöpfereien ab.

Potteries and their distribution areas from the perspective of rural settlements, exemplified by Bonn-Bechlinghoven

During excavations in 2010/2011 in Bonn-Bechlinghoven east of the Rhine a settlement of the Merovingian period, as well as settlement structures of the Carolingian period and the High Middle Ages were uncovered. Obvious settlement structures occur only from the 6th to the start of the 8th century. The subsequent settlement phases were documented exclusively by peripheral constructions of ditches and pits. The find assemblages are dominated by imported wares supplied by the potteries of Mayen and those between Cologne and Bonn (Vorgebirge). The settlement material reveals a decrease of imports from Mayen from the end of the 8th century. Simultaneously there is an increased use of products from the potteries of the Vorgebirge.

Translation: C. Bridger

TORSTEN RÜNGER

DIE KERAMIK DER KAROLINGERZEITLICHEN WASSERMÜHLEN BEI ERFTSTADT-NIEDERBERG (RHEIN-ERFT-KREIS, NORDRHEIN-WESTFALEN)

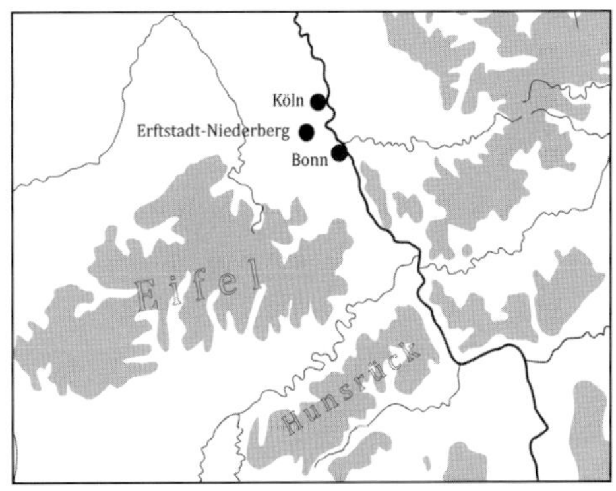

Abb. 1 Lageschema des Fundplatzes bei Erftstadt-Niederberg im Kölner-Bonner Raum.

Im Tal des Rotbachs, unweit südwestlich des Dorfes Erftstadt-Niederberg, wurden zufällig bei Renaturierungsarbeiten des Wasserlaufs im Jahr 2005 die Überreste von zwei karolingerzeitlichen Wassermühlen und einer bereits bekannten, benachbarten römischen *villa rustica* entdeckt, die im Zuge einer zweimonatigen Ausgrabungskampagne durch das zuständige LVR-Amt für Bodendenkmalpflege im Rheinland dokumentiert und geborgen wurden [1]. Die gute Erhaltung der frühmittelalterlichen Befunde unter mächtigen Kolluvien und feuchten Talauensedimenten sowie das aussagekräftige Fundmaterial – zu dem neben karolingerzeitlicher Keramik insgesamt knapp 800 kg Mühlsteinfragmente aus Basaltlava, zahlreiche hölzerne Bauteile, tierisches Knochenmaterial und archäobotanische Überreste gehören – identifizieren den Befund eindeutig als Wassermühlen und weisen auf eine Ausnahmestellung des Fundplatzes unter den wenigen bisher bekannten und vollständig vorgelegten frühmittelalterlichen Mühlenbefunden Deutschlands hin [2].

Das Grabungsareal liegt etwa 25 km südwestlich von Köln in einer seichten Talaue und zählt dank seiner Lage in der fruchtbaren Zülpicher Lössbörde seit je her zu einem Gunstgebiet für den Getreideanbau im Rheinland (**Abb. 1**) [3]. Durch die Kraft des Rotbachs, der sich durch sein gleichmäßiges Abflussverhalten für den Mühlenbetrieb auszeichnet und über das Erftsystem in den Rhein entwässert, wurde das Wasserrad der Mühlen angetrieben [4].

Bei den beiden etwa 20 m voneinander entfernten Befundbereichen handelt es sich um die hölzernen Überreste zweier Mühlengebäude und vermutlich der Mühlgerüste, welche den gewichtigen Mahlgang und Teile der Mühlenmechanik lagerten. Die flussaufwärts gelegene Mühle 1 umfasst noch neun Pfostenstellungen *in situ* innerhalb eines fundreichen Verfärbungsbereichs. Wenige Meter oberhalb dieser Mühle wurden zwei weitere Holzkonstruktionen entdeckt, die am ehesten zu einem Mühlgerinne gehörten. Als Ergebnis der dendrochronologischen Datierung konnte der Zeitraum 816 ± 5 für die Errichtung der Mühlenanlage ermittelt werden. Von der deutlich besser überlieferten Wassermühle 2 waren noch zwölf angespitzte und bis zu 1,97 m lange Pfosten, drei parallel liegende Holzbalken sowie kleinere Flechtwerkgefüge *in situ* überliefert (**Abb. 2**). Zwei der ca. 3 m langen Balken waren an ihren Enden mit Pfosten im Boden verankert und dienten vermutlich als Schwellbalken einer aufgehenden Konstruktion, wie zum Beispiel dem Mühlgerüst. Zum Fundgut zählen Basaltlavafragmente, die zu mindestens fünf Läufer- und sechs Bodensteinen mit einem ursprünglichen Durchmesser zwischen 95 und 100 cm zählen. Bei den stark abgenutzten Steinen handelt es sich um eine charakteristische Mühlsteinform des frühen Mittelalters, die sowohl einen Halskragen am Auge des Läufersteins als auch eine schmetterlingsförmige Aussparung an dessen Unterseite besitzt [5]. Dendrochronologische Analysen datieren die Bauhölzer dieser Anlage auf das Jahr 832, so dass die Errichtung der

Abb. 2 Wassermühle 2 (832 n. Chr.). Zu erkennen sind die drei hölzernen Grundbalken nach der dendrochronologischen Beprobung sowie die zerfaserten Pfostenenden der Mühlenanlage oberhalb des zweiten Planums.

Mühle sicherlich »fällfrisch« im Jahr 833 erfolgte[6]. Nach einer Analyse des Fundguts und der Topographie können beide Wassermühlen als unterschlächtig betriebene Anlagen, die ein vertikales Strauberrad aufwiesen und vorzugsweise aus resistentem Eichenholz gefertigt wurden, rekonstruiert werden. Der Wasserradtyp und die Form der Mahlsteine erfordern ein Winkelgetriebe, das die Bewegung des Wasserrads auf den Mahlgang übersetzte, wie es bereits Vitruv um 33 v. Chr. in seinen Büchern zur Architektur beschrieb[7]. Verblüffend ähnliche Befundsituationen, die ebenso als früh- und hochmittelalterliche Wassermühlen gedeutet werden, finden sich in Deutschland etwa im Paartal bei Dasing, in Greding-Großhöbing oder auch im rheinischen Braunkohlerevier bei Elfgen[8].

Aus den Füllschichten beider Mühlen wurden rund 200 karolingerzeitliche Scherben unterschiedlicher Warenarten geborgen (nachfolgend siehe **Abb. 3**)[9]. Anhand des geringen Fundmaterials wurden keine eigenständigen Warenarten definiert, sondern auf die Beschreibungen der Warengruppen bekannter Produktionszentren zurückgegriffen, so dass sich die Keramik auf die Töpfereizentren des Köln-Bonner Vorgebirges und Mayen bei Koblenz verteilt[10]. Da diese Waren besonders in kleineren Siedlungsbefunden des fortgeschrittenen 9. Jahrhunderts schwer zu unterscheiden sind, wurden sie hier zusammenfassend behandelt[11]. Ausgehend von Brandhärte und Sinterungsgrad handelt es sich bei der vorkommenden Keramik fast

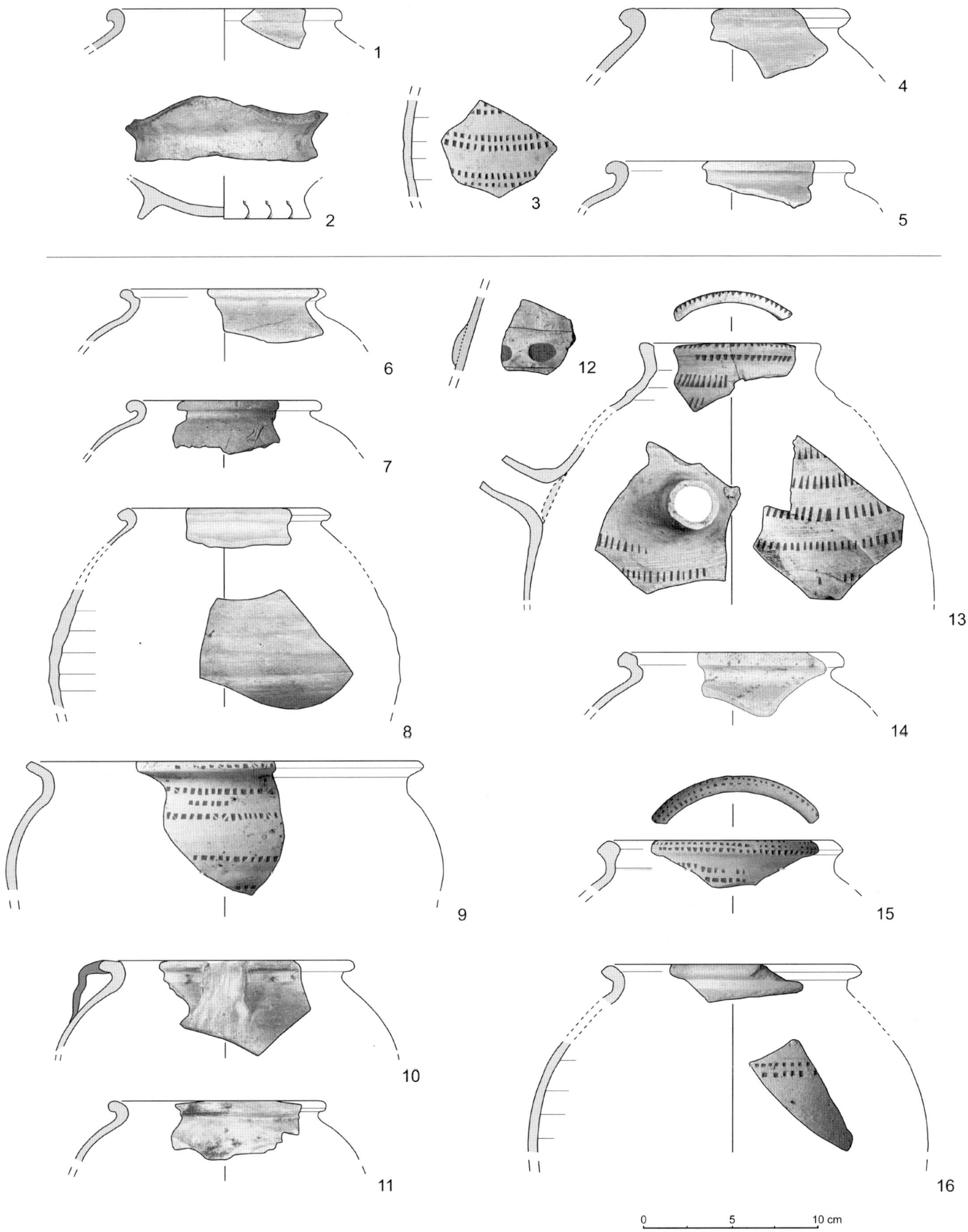

Abb. 3 Erftstadt-Niederberg. Auswahl von Keramikfunden der karolingerzeitlichen Wassermühle 1 (816 ± 5 n. Chr.; 1-5) und Wassermühle 2 (832 n. Chr.; 6-16): **1. 4-8. 11. 14-16** Kugeltopf; **2** Standringboden mit Fingereindrücken; **3** Wandscherbe; **9** Schale; **10** Kugeltopf mit Henkel; **12** Wandscherbe Reliefbandamphore; **13** Tüllenkanne. – 10 Mayener Ware, sonst Badorf/Pingsdorf. – M. 1:3.

ausschließlich um scheibengedrehte, reine Irdenware oder faststeinzeugartig klingend hart gebrannte Ware, die in eine weich-oxidierend oder eine hart-reduzierend gebrannte Machart zweigeteilt werden kann [12]. Im Bereich der Wassermühle 1 konnten 43 % der hart gebrannten Mayener Keramikware ME und 57 % der grob gefassten Warendefinition der Badorf/Pingsdorfer Ware zugeordnet werden. Dagegen entsprechen aus dem Fundhorizont der Mühle 2 nur 21 % der Mayener Ware ME, aber 68 % der Ware Badorf/Pingsdorf. 11 % der Keramik konnte nicht eingeordnet werden.

Das homogene und wenig facettenreiche Typenspektrum der Keramik zeigt fast ausschließlich unterschiedliche Formen von Kugeltöpfen (**Abb. 3, 1. 4-8. 10-11. 13-16**), von denen lediglich einer mit einem bandförmigen Henkel ausgestattet ist (**Abb. 3, 10**). Hinzu kommen die Fragmente einer Schale (**Abb. 3, 9**) und verschiedene Töpfe mit leicht verdickter Lippe und annähernd senkrechter Mündungsöffnung (z. B. **Abb. 3, 15**). Neben einem Wandungsbruchstück einer Reliefbandamphore (**Abb. 3, 12**) enthält das Fundmaterial die Überreste von mindestens einer Tüllenkanne (**Abb. 3, 13**). Bei den wenigen Bodenformen handelt es sich um Linsenbodenfragmente und eine frühe Wellenfußform, die im Fundmaterial des Mühle 1 enthalten ist (**Abb. 3, 2**). Viele der Gefäße sind mit dem zeittypischen Dekor aus rechteckigen Rollstempeln auf der Schulter und/oder dem Rand verziert, die sich in mehreren Reihen übereinander befinden können. Vor allem aber anhand der Randformen der Kugeltöpfe lassen sich die Keramikfunde aus »Vorgebirgsware« in verschiedene, jüngere Chronologiesysteme einhängen [13]. Diese können untereinander korreliert und als weitestgehend gesichert betrachtet werden, wobei die absolut chronologischen Datierungspunkte stellenweise unscharf sind und vom aktuellen Forschungsstand abhängen [14]. Solche Untersuchungen fehlen jedoch bisher zu der in Mayen während des 8.-9. Jahrhunderts produzierten Keramik. Es deutet jedoch vieles darauf hin, dass auch die während der Karolingerzeit dort produzierten Keramikformen chronologische Parallelen zum Formengut des rheinischen Vorgebirges aufweisen (siehe Beitrag Lutz Grunwald). Innerhalb des Fundmaterials beider Mühlen lassen sich nur wenige Gefäßformen den frühen relativ-chronologischen Phasen B und C nach Christoph Keller sicher zuordnen [15]. In Phase B ist der rundliche Rand der Töpfe einfach nach außen gerichtet und besitzt eine leichte Innenkehlung (z. B. **Abb. 3, 6**), während sich in der darauf folgenden Phase C die Ränder leicht verdicken und nach außen hängen können (z. B. **Abb. 3, 14**). Zeitlich passend nach der Errichtung der Mühlenanlagen (s. o.) datieren mindestens 18 Randformen in die Phasen Keller D-E bzw. Sanke 1-2. Generell sind die Ränder der oftmals reich mit Rechteckrollstempeln verzierten Kugeltöpfe während der gesamten Periode D rundlich verdickt oder scharfkantig dreieckig, wobei die Schulterpartie der Gefäße stark gewölbt sein kann. Bei der Fundautopsie des Niederberger Materials zeigte sich, dass vor allem Gefäße der Phase D2 auftreten (vgl. Beitrag Christoph Keller). Eiförmige Töpfe mit leicht nach außen gestellter Mündung und verdickter Lippe, die vielfach auch mit einer Tülle ausgestattet sein können, scheinen hier charakteristisch zu sein. Typologisch entspricht diese Phase vermutlich weitestgehend der nachfolgenden Phase E, jedoch ohne dass bereits Bemalung auf dem Gefäßkörper auftritt. In dieser jüngsten Phase richten sich die Gefäßränder vermehrt zu aufgestellten bis senkrechten Mündungen auf, wobei erneut Tüllen auf der Gefäßschulter erscheinen können. Da im Niederberger Fundmaterial keine Bemalung gesichert nachgewiesen werden kann und sich die Gefäßtypologie der Phasen D2 und E ähneln, spricht vieles dafür, dass die jüngsten Funde der Wassermühle 2 in die Phase Keller D2 datiert werden können (z. B. **Abb. 3, 13. 15-16**).

Der Zeitpunkt der Errichtung und damit der Nutzungsbeginn der Wassermühlen 1 und 2 ist dendrochronologisch gesichert und stellt demnach einen *terminus post quem* für die Erbauung der Mühlen dar. Vorausgesetzt es handelt sich bei beiden Mühlenanlagen um geschlossene Befunde, wäre es anhand der absolutchronologischen Datierungspunkte der Keramikfunde möglich, eine Nutzungsdauer der Mühle 2 (Erbauung kurz nach 832 n. Chr.) zu ermitteln. Da bisher jedoch nur wenige externe Datierungspunkte der Phase D1-D2 vorliegen, kann diese bisher nur grob in die beiden mittleren Viertel des 9. Jahrhunderts gesetzt werden.

Somit erfüllte die Wassermühle 2 nur wenige oder bis zu 50 Jahre ihren Dienst am Rotbach. Aus archäologischen Quellen lässt sich nur schwer ein genauer Zeitpunkt und eine Ursache für die Auflassung der Mühle ableiten[16]. Auffälligerweise stimmt die Nennung von folgenschweren Normanneneinfällen im Rheinland im Jahr 881 zeitlich mit der längst möglichen Nutzungsdauer der Mühle 2 überein. Durch zeitgenössische Quellen wird der Bereich zwischen Bonn, Euskirchen und Zülpich eindeutig genannt, womit die Region um Erftstadt-Niederberg von den Überfällen betroffen sein könnte[17]. Durch das Urbar der Abtei Prüm ist sogar belegt, dass auch Wassermühlen zerstört wurden. Dort heißt es entsprechend in Verbindung mit genannten Einfällen »*Est ibi alter molendinum desertus [...]*«[18]. Auch wenn keine Zerstörung der Wassermühle durch einen entsprechenden Horizont nachgewiesen werden kann, ist doch eine Auflassung der Mühle nach den Normanneneinfällen in der Region denkbar. Eindeutig zu belegen ist dies jedoch nicht.

Durch archäometrische Analysen konnte der Raum um Mayen bei Koblenz als Herkunftsregion einiger Keramik- und Mühlsteinfragmente zuverlässig bestimmt und stellvertretend als Indikator für mögliche Handelskontakte zu den Niederberger Mühlen herangezogen werden (zur Provenienzanalyse der Keramik vgl. Beitrag Wenxing Xu). Demnach wurden mindestens vier Mühlsteine in den dortigen, seit dem Neolithikum genutzten Basaltlavabrüchen gebrochen, wobei es sogar gelang zwischen den Niedermendiger Lavaströmen und denen des Bellerbergs zu differenzieren[19]. Die Probe eines Keramikfragments der Mayener Ware bestätigt die vermeintliche Produktion des Gefäßes in der Region, da sich die ausgewerteten geochemischen Elementmuster sehr homogen zu den mittelalterlichen Referenzgruppen aus Mayen gruppieren.

Verschiedene Schriftquellen, wie das Urbar der Eifeler Abtei Prüm aus dem Jahr 893, weisen darauf hin, dass die in römischer und merowingischer Zeit dicht besiedelte Erftregion spätestens seit karolingischer Zeit zu den frühen Mühlenlandschaften gezählt werden muss[20]. Die Niederberger Mühlen gehörten vermutlich nicht zur Prümer Grundherrschaft, sondern zur nahen Villikation Friesheim und gingen nach einer Schenkung im Jahr 830 in den Besitz des Kölner Erzbistums über[21]. Besonders anhand der Provenienzanalysen kann der Fundplatz in ein überregionales Wirtschaftsgefüge eingebunden werden, in dem die Mayener Region als frühe Basaltlavaindustrie und Keramiklandschaft eine herausragende Stellung einnimmt. Die exportorientierte Ausrichtung Mayens wird sowohl an den dort hergestellten Mühlsteinen als auch an den hochwertigen Keramikerzeugnissen ersichtlich, die sich einer überregionalen Verbreitung erfreuen[22]. Ein gemeinsamer Transport der Mühlsteine mitsamt der Mayener Keramik entlang des Rheinlaufes zu den Wassermühlen bei Erftstadt-Niederberg wäre so zumindest vorstellbar und der Rhein als bedeutende Handelsroute nicht zu unterschätzen.

Anmerkungen

1) Die Leitung der archäologischen Untersuchungen sowie ein erster Vorbericht erfolgte durch Frau Petra Tutlies M. A. (LVR-Amt für Bodendenkmalpflege im Rheinland, Außenstelle Nideggen-Wollersheim). Siehe dazu Tutlies 2005.
2) Eine Gesamtvorlage der frühmittelalterlichen Grabungsbefunde erfolgte in einer Magisterarbeit an der Universität Bonn (Rünger 2010). – Eine Publikation der Ergebnisse in den Bonner Jahrbüchern ist in Planung.
3) Paffen 1959, 836. – Vgl. Gerlach 2006.
4) Kreiner 2006, 14 mit weiterführender Literatur zu Wassermühlen und historischen Hydrographie des Erftgebiets.
5) Mangartz 2008, 123. – Hörter 1994, 40-44. 92.
6) Vgl. Rünger 2010, 33-34. – Zimmermann 1998, 58f.
7) Vgl. Vitruv X, 5.2 originalgetreu zitiert in Baatz 1995, 5.
8) Siehe weiterführend mit umfassender Literatur auch zu internationalen Befunden: Berthold 2008.
9) Es sei darauf hingewiesen, dass alle Waren nach optischen und makroskopischen Kriterien technologisch definiert wurden und keine Provenienzen implizieren (vgl. Beitrag Keller; Keller 2004, 125; Heege 1995, 198f.).
10) Definition der Mayener Ware ME nach Redknap 1999. – Badorfer Ware: Sanke 2001, 189f.; vgl. Beitrag Keller. – Pingsdorfer

Ware: Sanke 2002. – Das Vorkommen von Walberberger Ware, Grauware oder »Hunneschans-Ware« ist nicht gesichert.

11) Vgl. Keller 2004, 125. – Sanke 2002, 195-203.

12) Eine solche bewusste Zweiteilung der Keramikproduktion wurde etwa auch am Pingsdorfer Fundmaterial beobachtet: ebenda 197-201 mit Abb. 81.

13) Vgl. Keller 2004, 126-133. – Sanke 2001, 277-280.

14) Zur Typologie und zeitlichen Ordnung der Vorgebirgskeramik: Vgl. Beitrag Keller; Keller 2004. – Brühl-Pingsdorf: Sanke 2002. – Köln-Heumarkt: Höltken 2003 mit einer Korrelierung der genutzten Chronologiephasen.

15) Alle folgenden Angaben zur Typologie und Chronologie vgl. Beitrag Keller und Keller 2004.

16) Zu denken wäre an dieser Stelle auch an die Lebensdauer der an den Mühlen gefundenen, stark abgenutzten Mahlsteine, die sich an der Mühle 2 zu mindestens sechs Mahlwerksgenerationen – bestehend aus jeweils einem Läufer- und Bodenstein – rekonstruieren lassen. Jedoch ist ihre Lebensdauer nicht exakt zu bemessen, da unbekannt ist wie oft oder intensiv sie genutzt wurden und wie hoch ihr Verschleiß gewesen ist. Bei einer hypothetischen Nutzungsdauer von 50 Jahren könnte ein Mahlgang rund 8,5 Jahre genutzt worden sein, was sich durchaus mit Zeitangaben von anderen Wassermühlen deckt (vgl. z. B. Theißen 2001, 275).

17) Sieper 1963, 24 f.

18) Vgl. Kreiner 1996, 93. – Textstelle des Prümer Urbars zitiert nach: Schwab 1983, 209 fo. 27,10.

19) Vgl. Mangartz 2008. – Zur Provenienzanalyse der Niederberger Mühlsteine siehe Gluhak 2010.

20) Kreiner 2006, 17-20. – Zum frühmittelalterlichen Besiedlungsgang der Region siehe zuletzt: Nieveler 2010.

21) Vgl. Tutlies 2005, 108. – Kreiner 2006, 17 mit Anm. 27.

22) Glauben / Grünewald / Grunwald 2008, 150; vgl. Mangartz 2008.

Literatur

Baatz 1995: D. Baatz, Die Wassermühle bei Vitruv X 5,2. Ein archäologischer Kommentar. Saalburg-Jahrb. 48, 1995, 5-18.

Gerlach 2006: R. Gerlach, Holozän: Die Umgestaltung der Landschaft durch den Menschen seit dem Neolithikum. In: J. Kunow / H.-H. Wegner (Hrsg.), Urgeschichte im Rheinland. Jahrbuch 2005 des Rheinischen Vereins für Denkmalpflege und Landschaftsschutz (Köln 2006) 87-98.

Glauben / Grünewald / Grunwald 2008: A. M. Glauben / M. B. Grünewald / L. Grunwald, Mayen am Übergang von Spätantike zum frühen Mittelalter. In: O. Wagener (Hrsg.), Der umkämpfte Ort – von der Antike zum Mittelalter. Beihefte zur Mediaevistik 10 (Frankfurt a. M. 2008) 135-157.

Gluhak 2010: T. M. Gluhak, Petrologisch-geochemische Charakterisierung quartärer Laven der Eifel als Grundlage zur archäometrischen Herkunftsbestimmung römischer Mühlsteine [Diss. Univ. Mainz 2010]. Online abrufbar unter: http://ubm.opus.hbz-nrw.de/volltexte/2010/2227/pdf/doc.pdf (Stand 11.11.2011).

Heege 1995: A. Heege, Die Keramik des frühen und hohen Mittelalters aus dem Rheinland. Stand der Forschung; Typologie, Chronologie, Warenarten. Arch. Ber. 5 (Bonn 1995).

Höltken 2003: T. Höltken, Keramikfunde des 8.-10. Jahrhunderts vom Heumarkt in Köln. Kölner Jahrb. 36, 2003, 511-566.

Hörter 1994: F. Hörter, Getreidereiben und Mühlsteine aus der Eifel. Ein Beitrag zur Steinbruch- und Mühlengeschichte (Mayen 1994).

Keller 1998: Ch. Keller, Karolingische Töpferöfen in Bornheim-Walberberg, Rhein-Sieg-Kreis. Bonner Jahrb. 198, 1998, 285-348.

2004: Ch. Keller, Badorf, Walberberg und Hunneschans. Zur zeitlichen Gliederung karolingerzeitlicher Keramik vom Köln-Bonner-Vorgebirge. Arch. Korrbl. 34, 2004, 125-137.

Kreiner 1996: R. Kreiner, Städte und Mühlen im Rheinland. Das Erftgebiet zwischen Münstereifel und Neuss vom 9. bis ins 18. Jahrhundert. Aachener Studien zur älteren Energiegeschichte 5 (Aachen 1996).

2006: R. Kreiner, Wassermühlen und historische Hydrographie des Erftgebiets. In: Mühlenverband Rhein-Erft-Rur e. V. (Hrsg.), Mühlen links und rechts des Rheins. Symposium zur Mühlengeschichte im Landschaftskorridor Erft-Rhein-Strunde (Bergheim/Erft 2006) 11-21.

Mangartz 2008: F. Mangartz, Römischer Basaltlava-Abbau zwischen Eifel und Rhein. Monogr. RGZM 75 = Vulkanpark-Forschungen 7 (Mainz 2008).

Nieveler 2010: E. Nieveler, Merowingerzeit im Rheinland. Die Merowingerzeitliche Besiedlung im Rheinland. In: Th. Otten (Hrsg.), Fundgeschichten – Archäologie in Nordrhein-Westfalen [Ausstellungskat. Köln u. a.] (Mainz 2010) 180-182.

Paffen 1959: K. Paffen, Die Niederrheinische Bucht. In: E. Meynen u. a. (Hrsg.), Handbuch der naturräumlichen Gliederung Deutschlands 2 (Bad Godesberg 1959) 822-844.

Redknap 1999: M. Redknap, Die römischen und mittelalterlichen Töpfereien in Mayen. In: H.-H. Wegner (Hrsg.), Ber. Arch. Mittelrhein u. Mosel 6 (= Trierer Zeitschr. Beih. 24) (Trier, Koblenz 1999) 11-401.

Rünger 2010: T. Rünger, Die karolingischen Wassermühlen bei Erftstadt, Rhein-Erft-Kreis [unveröff. Magisterarbeit Univ. Bonn 2010].

Sanke 2001: M. Sanke, Gelbe Irdenware. In: H. Lüdtke / R. Schietzel, Handbuch zur mittelalterlichen Keramik in Nordeuropa 1. Schr. Arch. Landesmus. 6 (Neumünster 2001) 271-428.

2002: M. Sanke, Die mittelalterliche Keramikproduktion in Brühl-Pingsdorf. Technologie – Typologie – Chronologie. Rhein. Ausgr. 50 (Mainz 2002).

Schwab 1983: I. Schwab (Hrsg.), Das Prümer Urbar. Rheinische Urbare 5. Publikationen der Gesellschaft für Rheinische Geschichtskunde XX (Bonn 1983). [Beilagenkarte = Besitzungen der Abtei

Prüm im 9. Jahrhundert. Geschichtlicher Atlas der Rheinlande Beih. VII, 1 (Köln 1982)].

Sieper 1963: W. Sieper, Die normannischen Einfälle in das Gebiet des Kreises Euskirchen und ihre Folgen. Heimatkalender des Kreises Euskirchen (Euskirchen 1963) 24-32.

Theißen 2001: P. Theißen, Mühlen im Münsterland. Der Einsatz von Wasser und Windmühlen im Oberstift Münster vom Ausgang des Mittelalters bis zur Säkularisation 1803 (Münster 2001).

Tutlies 2005: P. Tutlies, Eine karolingische Wassermühle im Rotbachtal. Arch. Rheinland 2005, 106-108.

Zimmermann 1998: W. H. Zimmermann, Pfosten, Ständer und Schwelle und der Übergang vom Pfosten zum Ständerbau. Eine Studie zu Innovation und Beharrung im Hausbau. Zu Konstruktion und Haltbarkeit prähistorischer bis neuzeitlicher Holzbauten von den Nord- und Ostseeländern bis zu den Alpen. Probleme Küstenforsch. Südl. Nordseegebiet 25, 1998, 9-241.

Zusammenfassung / Abstract

Die Keramik der karolingerzeitlichen Wassermühlen bei Erftstadt-Niederberg (Rhein-Erft-Kreis, Nordrhein-Westfalen)

Die systematische Auswertung des archäologischen Quellenmaterials der beiden dendrochronologisch in das erste Drittel des 9. Jahrhunderts datierten Wassermühlen gibt im Rahmen dieser Studie eine ausgesprochen günstige Möglichkeit, eine Fülle neuer Einzelinformationen zu gewinnen, die das Bild dieser alten Wassermühlenlandschaft im Erftgebiet vervollständigen und durch interdisziplinäre Forschungsbeiträge abrunden. Eine Rekonstruktion legt nahe, dass es sich am ehesten um zwei unterschlächtig betriebene Mühlenanlagen handelte, die jeweils ein Strauberrad und Mahlgang besaßen. Mittels einer warentechnologischen und typologischen Untersuchung der Keramik des Fundplatzes wird eine feinchronologische Einordnung in gesicherte Datierungssysteme der rheinischen Keramik vorgenommen, um im besten Fall eine Nutzungsdauer der Wassermühlen eingrenzen zu können. Durch archäometrische Analysen ausgewählter Kugeltopffragmente bestätigt sich, dass neben den Mühlsteinen aus Basaltlava auch ein Teil der Gefäßkeramik im Mayener Raum bei Koblenz produziert wurde und bis in das Rotbachtal bei Niederberg gelangte.

The pottery of the Carolingian water-mills near Erftstadt Niederberg (Rhein-Erft-Kreis, Northrhine-Westphalia)

The systematic evaluation of the archaeological material from the two water-mills, dated dendrochronologically to the first third of the 9th century, has in the course of this study led to the very positive possibility of gaining an abundance of new information which completes the picture of this ancient water-mill landscape in the area of the Erft and rounds it off with interdisciplinary analyses. By means of a reconstruction it is probable that we are dealing with two undershot water-mills which each possessed a start-and-float wheel and a pair of stones. Based upon a study of the pottery wares and typology from the site, a close chronological classification in the well-known dating system of the Rhineland pottery is undertaken, in order to be able to narrow down the period of use of the water-mills as best we can. The archaeometric analyses of selected fragments of round-bottomed pots confirms that, as well as the millstones of basaltic lava, a part of the pottery was also produced in the area of Mayen near Koblenz and succeeded in reaching the Rotbach valley near Niederberg.

Translation: C. Bridger

EMILE MITTENDORFF

USING CERAMICS AS AN INDICATOR FOR ECONOMIC SPECIALIZATION AND SOCIAL STRATIFICATION?

CASE STUDIES IN DEVENTER FROM THE NINTH UNTIL THE TWELFTH CENTURY AD

Deventer is situated in the province of Overijssel, on the right bank of the river IJssel, a distributary of the river Rhine (**fig. 1**). Not much is known about the origins of the city of Deventer. Although clear features of habitation have been found dating from the Mesolithic right through to the Iron Age, we have no indications that this habitation continued into the Roman Age or Early Middle Ages. Historic sources indicate that there was a settlement here from at least the second half of the eighth century onwards. The Anglo-Saxon missionary Lebuin founded a church on this site around AD 770. Roughly a decade earlier, around AD 758, this area was brought under the control of the Franks by their king Pippin the Short[1]. So far, however, very few archaeological features of this settlement have been found. Therefore, the reconstruction of the nature and size of this earliest phase of Deventer is highly hypothetical[2]. There seems to have been a small settlement situated on a natural height, adjacent to a thoroughfare across the IJssel. In the eighth century, the settlement probably consisted of only a few farms. Hardly any traces of this phase have been found during regular excavations. This small centre was extended to a wide zone along the IJssel in the first half of the ninth century.

The few known ground plans from ninth-century houses show a strong resemblance to similar, contemporary structures from clearly rural contexts[3]. These houses are approximately five meters wide and have a minimum length of twelve meters with no internal divisions. The few scattered finds of these structures in Deventer, point to a settlement which was organic in layout. The farmyards seem to have had different orientations and were spaced wide apart. Besides this, there seems to be only a limited amount of imported ceramics present in contexts from this period. In the eighth century, hardly any imported ceramics seem to be present. These import percentages rise slightly in the first half of the ninth century. The foreign wares that are found all come from the region Bonn-Cologne and Mayen. The import percentage of the few contexts known from the ninth century is forty percent at most[4]. The largest part of the ceramics spectrum consists of locally produced, hand-made globular pots (*Kugeltöpfe*) and their typological predecessor Hessens-Schortens. The organic and small-

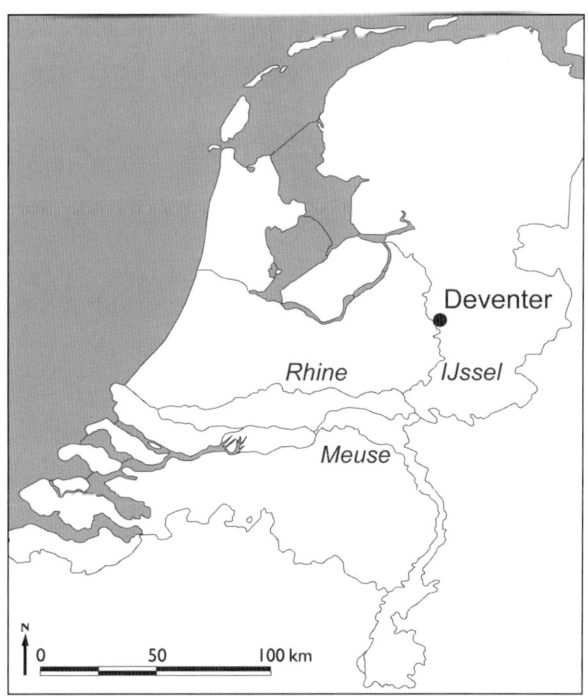

Fig. 1 The location of Deventer.

scale structure of the settlement, the rural house plans and the limited import percentage all point to a predominantly rural settlement. It's possible that there were craft activities here too. Deventer belonged to the king, and was in this phase most likely a royal demesne [5]. In addition, it had a chapter abbey which was connected to the bishop of Utrecht [6].

DEVELOPMENT OF AN AGRICULTURAL SETTLEMENT TO AN EARLY CITY

In the second half of the ninth century a radical change in the settlement layout took place. The settlement plan was reorganized, and from this moment onwards Deventer no longer had an organic structure, but a planned layout [7]. Apart from this, the settlement also grew greatly in surface area. The settlement was divided in small strips orientated at right angles to the river. These plots had an average length of fifty meters and an average width of ten meters. Three streets that lay parallel to the river functioned as a basic framework from which the plots were laid out [8]. The house faces were all built on a communal building line along the street. The ground plans of houses from this period are smaller (ca. 12.5 by 5 m) and rectangular in shape (**fig. 2**). A number of houses has traces of internal divisions into two or three rooms. One of these rooms might have functioned as an artisanal workplace or as a storage space. Finds from this period include waste from craft activities from, amongst others, bone combs and iron objects. Contemporary house plans with similar sizes, construction methods and layout have also been found in Haithabu, Dorestad and Århus [9].
The change in the layout of Deventer implies a change in function. This is indicated, amongst other features, by the new house plans that appear. These clearly deviate from contemporary plans from rural settlements in the region. This house type fits in with the building traditions that were common in eight and ninth century Dorestad and other ninth century centres like Haithabu. The fact that these house types could no longer accommodate cattle also implies that the function of the settlement changed.
The large scale and planned character of the layout change of the settlement in the second half of the ninth century indicate that it was initiated by a strong central authority. This was most probably that of the king, who owned most of the land within the settlement. The territorial division of the Treaty of Verdun in AD 843 placed the county of Hamaland, in which Deventer was situated, in East Francia, while Utrecht and Dorestad became part of Lotharingia [10]. The new layout of Deventer might have taken place relatively soon after that, maybe during the reign of Louis the German. The direct cause cannot yet be determined with certainty, but it might be indirectly connected to the demise of Dorestad as a trade centre. Due to the forced loan of Frisia, including Dorestad, to the Norman leader Rorik in AD 850, Lothair I lost control of this trade centre. From

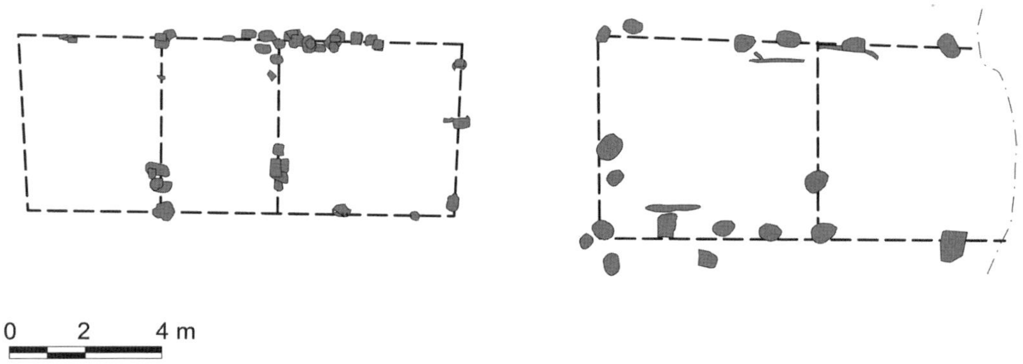

Fig. 2 Two examples of the new urban house type introduced in Deventer in the second half of the ninth century. These house plans were excavated in the Polstraat-area, directly adjacent to the river IJssel. – (After Mittendorff 2007, fig. 10, 10).

the third quarter of the ninth century Dorestad's function as a trade centre dwindled[11]. Deventer might have been consciously restructured by Louis the German in order to offer an alternative location for some of Dorestad's functions[12]. A comparable increase in trade activities is known from settlements in the Scheldt, Meuse and Rhine region[13]. A tenth of Dorestad belonged to the bishop of Utrecht, who, as a result of its conveyance to Rorik, lost direct control over his belongings. In AD 857 bishop Hunger moved to the imperial abbey of St. Odiliënberg because of the Viking attacks. The merchants and artisans of the bishop of Utrecht probably moved to Deventer and Tiel. It does not seem likely that the arrival of this relatively small group of merchants and artisans led to the reorganization of the layout of Deventer. Deventer might have been a good place to settle for these people, because of its newly developed plan and widened area of settlement. The demise of Dorestad in the third quarter of the ninth century also suggests that the king's merchants and artisans left. It is assumed that at least several of these merchants moved to Deventer[14]. The exact moment and therefore the direct cause of the transformation of Deventer, however, cannot be determined yet. It is however certain that Deventer was a royal manor within which the bishop of Utrecht owned property. The abbeys of St. Bertin and Prüm also held property in Deventer that had originally belonged to the king[15]. In AD 896 king Zwentibold confirmed that the privileges that the bishop's men (*homines ecclesiae*) had in Dorestad were also applicable to the men now settled in Deventer and Tiel[16]. Deventer itself was attacked by Vikings in AD 882, who supposedly destroyed large parts of the settlement. In reaction to this attack a large earthen wall was built around the settlement, partly across the destroyed plots[17]. This wall emphasised the contrast between the settlement and its surrounding countryside. Regarding its appearance and structure, Deventer can be called an early town in the second half of the ninth century. The combination of religious and economic functions, amongst others, indicates that Deventer functioned as a central place. Its function as a religious centre was a result of the veneration of Lebuin, which reached beyond the bounds of the diocese of Utrecht[18]. The earthen wall strengthened this function as a central place with a military component. Between AD 885-895, and AD 929 at the utmost, Deventer was the seat of the bishop of Utrecht. The above mentioned developments in the settlement indicate that its agricultural function became less important in comparison to trade and artisanal activities in the second half of the ninth century and the first half of the tenth century. The question is whether this development into a town centre is reflected in the ceramic spectrum of this period. In many places within the settlement the import percentage clearly rose (up to 65 %), but not everywhere. This provokes two questions: The first question to be asked is what this difference implies. The second is: what does the percentage of import wares in fact indicate?

To start with the second question: at first sight it seems logical to link a rise in import percentage to a rise in trade activities. A high import percentage within a settlement, however, does not necessarily mean that this site had a trade function. Two rural settlements, Huis Malburg and Stenen Kamer in the Betuwe, also have a high percentage of import in this period, respectively 74 % and 83 %[19]. In a settlement with a clear trade function, as Dorestad, the import percentage was 87 percent in the Carolingian Age[20].

In the early Middle Ages the exchange and distribution of goods could take place in many different ways, of which trade was only one. Besides trade, there were lots of different social and economic dependencies which manifested themselves in different ways of exchanging goods, for example ceramics. The large production centres of this period, like those in the *Vorgebirge* region, were controlled by the king or religious institutions such as abbeys or bishops[21]. This way of organizing the production in a manorial context made a high-quality mass production possible[22]. Most of the woods in the surroundings that were used for fuel to burn the ovens, moreover, were royal property.

These dependencies of the production centres lead to an important distribution route in compulsory rents. Part of the production had to be paid to the landlord (**fig. 3**, route 1). Parts of these payments were undoubtedly used to fulfil the needs of the landlord himself (for example an abbey or royal manor). The part that was not needed for private use was probably sold on the local market (**fig. 3**, route 3). The same goes for that part of the production that the potter had left after paying rent. It is likely that he could keep this for his own use or sell it freely for a negotiable price[23]. The pots were probably sold on the nearest regional market (**fig. 3**, route 2). On these local markets, often related to abbeys[24], two types of merchants were active. The first group acted on behalf of institutes such as abbeys. The main job of these dependent merchants (*missi)* was to supply the abbeys for whom they operated, and not the making of profit. The second group of merchants was made up of professional free merchants (*mercatores*), some of whom had royal protection. They operated more or less independently with the main goal of making profit. These two groups of merchants operated in two separate circulation circuits of trade goods, the independent merchants who were subject to royal tollage and the dependent merchants who were probably exempt from paying toll[25]. In reality, however, the jobs and social positions of merchants from both groups were not always as sharply defined, and both groups might have overlapped regularly[26]. The ceramics from the regional markets probably ended up in both circulation routes. Abbeys that did not own properties in ceramic production centres could obtain the pots they needed via their *missi* on one of the regional markets (**fig. 3**, route 4). Because this 'institutional' exchange route was exempt from tolls, it seems likely that the pots were directly bought on a market related to the producing abbey. Since the 'commercial' circulation between regional markets was probably done by free merchants (**fig. 3**, route 5), they were subject to toll, which made the products stream downwards more expensive. Another opportunity for fulfilling their own need for ceramics could have been the direct transaction between the consuming abbey and the producing abbey, for example with the exchange of surplus (**fig. 3**, stream 8). Especially in times of shortage this form of exchange could have increased in significance.

The above mentioned circulation models form only a reconstruction of the possible exchange routes between ceramic producers and the big consumers and trade centres. This does not, however, explain the noticed differences in the makeup of ceramic complexes in smaller, mainly rural, settlements. It is possibly that part of these settlements or even separate farmsteads were supplied directly by abbeys or royal demesne centres (**fig. 3**, stream 6). This distribution route might have functioned as an exchange for surplus products or as a gift to confirm the relation between the landlord and his serf. Another route could have been formed by direct purchase of ceramics by farmers on a regional market (**fig. 3**, route 7). Complexes found in settlements or on separated farmsteads, which were dependent on this last route, will contain a relatively lower percentage of import ceramics, while complexes from settlements that were supplied via their landlord (**fig. 3**, route 6) will probably contain comparatively more imported ceramics. These hypothetical distribution routes can possibly explain the strong differences between ceramic complexes of settlements that appear similar in function. Whether this distribution model can be applied to the tenth or eleventh century is uncertain. It seems that the centralized production of ceramics remained under the control of the local landlord well into the twelfth century[27]. This might be an argument for applying this model to periods later then the second half of the ninth century. The social position of the group of dependents (*familia*) of some abbeys, on the other hand, seems to change towards the end of the eleventh century[28].

Since we cannot deduct which route or combination of routes was responsible for the introduction of the imported ceramics, a high import percentage cannot automatically be linked to trade. The functional composition of the ceramic spectrum of a site gives a much clearer indication of the kind of exchange that took place. The complexes of rural settlements as Huis Malburg and Stenen Kamer contain respectively 68 and 62 percent of cooking pots. In Dorestad this percentage is 51, in Deventer for the same period it is approximately 45. Vessels with a storage or container function make up approximately 50 percent of the total, in Dorestad 42 percent. In sites like Huis Malburg and Stenen Kamer this function group forms 30 and 32 percent of the total. This group includes, amongst others, reliefband-amphorae and badorf-type storage

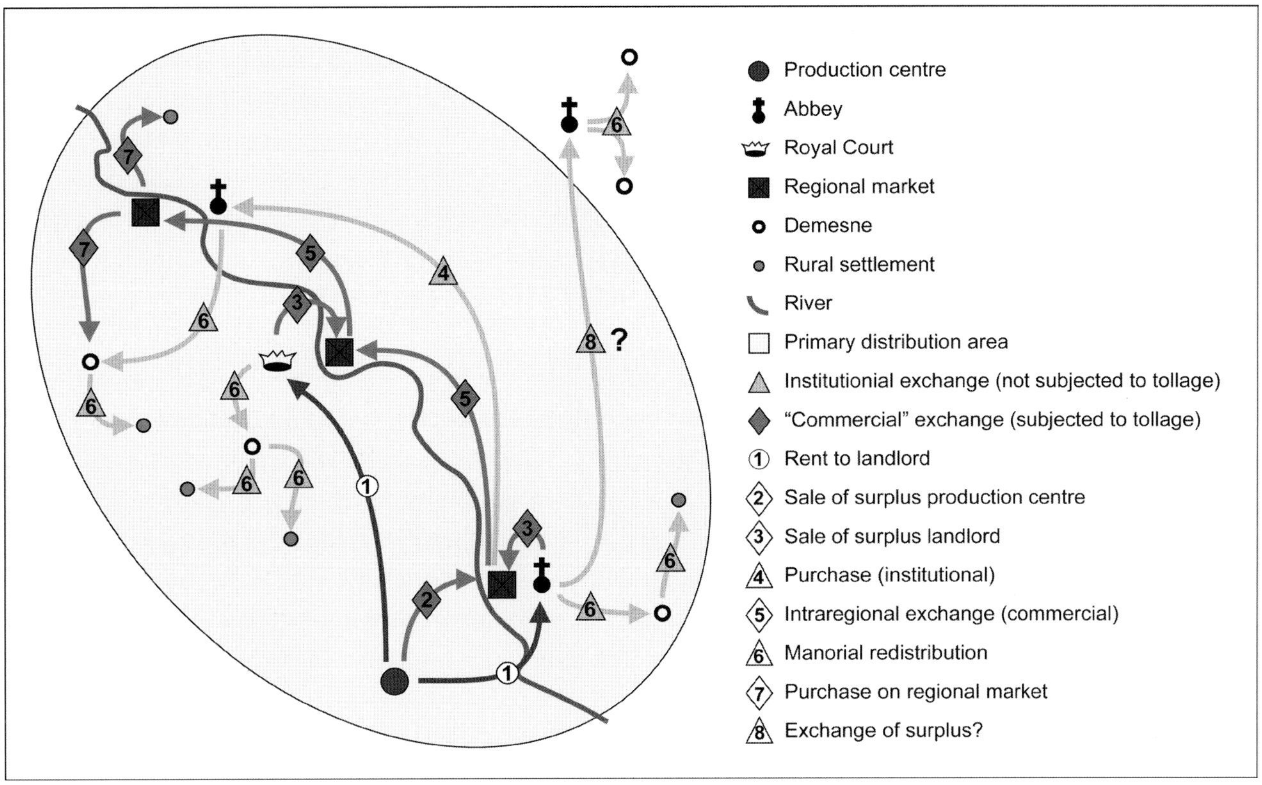

Fig. 3 Theoretical exchange model reflecting the Carolingian economic system. It shows some of the possible exchange routes by which ceramics could have reached consumers.

vessels. Especially the presences of reliefband-amphorae can, because of their supposed function as a wine container, probably be seen as an indicator for trade. At the end of its trade route it can, however, also be used as a storage vessel. The higher percentage of vessels with a transport or storage function in Deventer and Dorestad can in this case, for a large part, be attributed to trade[29]. Dorestad's status as a trade centre is undisputed. For Deventer its position as a trade centre also arises from historical sources, in AD 877 for example it is defined as a *portus*[30]. The settlement Huis Malburg on the other hand can be interpreted as a chain in the manorial system[31].

Even though the amount of import ceramics certainly is a criterion for the extent of the exchange a settlement had with its surroundings, in order for it to give evidence for trade the function of the ceramics needs to be examined to see what exactly is being imported. A large proportion of vessels with a storage or container function indicate a trade function. The archaeological finds themselves, however, cannot show whether this trade was commercial or institutional. This also requires analyzing the contexts of the finds, such as the distribution of finds throughout the settlement and relevant historical sources. The question what the difference in import percentages throughout different parts of the settlement means can, at the moment, not be answered satisfactorily. At first sight Deventer can roughly be divided in two parts. The region directly adjacent to the river yields relatively more import ceramics and has a larger percentage of vessels with a storage or container function than the region further from the river[32]. This could indicate that trade was concentrated in the zone along the river and that the settlement further inland was focused more on artisanal production and agriculture. Due to the limited number of complexes researched in detail this cannot be proven yet and no more than a global view can be given. The spread of trade activities in a large part of the settlement, however, does indicate that there is more going on than just institutional trade for the chapter abbey and the Episcopal court. Since most of Deventer was royal property, a large part of the trade activities will have been conducted by free merchants under royal protection. The presence of a royal Master of the Mint and tollage in the tenth century is a sign of a strong royal control over the trade activities[33].

THE PROCESS OF URBANIZATION AND THE RISE OF URBAN ELITE

From the second half of the tenth century, the urbanization process of Deventer becomes ever more recognizable. In many places within the settlement houses were built using a timber-frame construction[34]. A large part of the houses in the zone along the river, where in the ninth century the trade activities were concentrated, now have basements. It seems likely that these houses were constructed in multiple levels above ground level as well. This increase in floor space per house seems to indicate a rise in the need for storage capacity. There does not seem to be pressure on available space within the defensive wall of the settlement, because large parts of this walled settlement appear to be relatively empty in this period[35]. In the built-up area of the settlement the plots remained largely intact in the ninth century. The change in house type, amongst others, shows an increase in economic specialization. Houses in the ninth century were still multifunctional with a room for storage and one for craft activities. In this period, on the other hand, the large houses with basements were largely designed for the storage of trade goods (or surplus). In the back areas of other plots, small annexes arose, which had an artisanal function. Houses with basements are never found on the same plot as these artisanal structures, which show the economic specialization of the population on plot level[36]. The storage function of these basements is revealed by a find of a large quantity of burned grain in the basement of a burned-down house[37].

The ceramic spectrum shows that the inhabitants of these buildings belonged to the elite. In a number of places along the river, on the plots of houses with basements, examples of ceramic beakers are found that deviate strongly in form from the other ceramic finds[38]. All of these beakers are turned, stocky in form and have flat bases. On the inside these beakers have thick turning grooves. The middle of the base often has a regular, high raised point. Even the outside of the beaker sometimes shows turning grooves, in one case even quite course and irregular (**fig. 4**). The height of these beakers varies between 10 and 11.2 centimetres. The rims measures 9.6 to 11.6 centimetres. The rims are slightly thickened or lightly flattened. In most cases the insides of the rims are grooved. The diameter of the base is smaller than that of the rim and ranges from 5.2 to 7.2 centimetres. The beakers are made of a course ware that has a reasonably rough finish. The fabric is brittle and tempered with quartz grit or sand. It also contains white chalk bits on a regular basis (**fig. 5**). The colour of the fabric is grey to brownish-grey. The core normally has the same colour as the surface. The provenance of this fabric is yet unknown. It is most likely an imported product, but local production cannot be ruled out. Although examples of these beakers have been found regularly in different excavations, they have posed an interpretation problem for many archaeologists. In the past they have been interpreted as Merovingian fabrics[39]. It appears, however, that all documented finds date from the second half of the tenth to the twelfth century[40]. Considering the rough finish, it does not seem likely that these beakers were meant for drinking. They should probably be interpreted as course building ceramics. The loam remains found on the outside of a number of them seems to support this interpretation.

Two likely uses come to mind for these beakers. First of all, they could be used as building ceramics. Piled up, for example, they could be used to create a relatively light loam dome, such as that of a production kiln[41]. There are, however, no indications for such kilns on the plots where the beakers were found. Moreover, such kilns, with a dome construction of piled pots, only occur sporadically north of the Alps[42]. The most

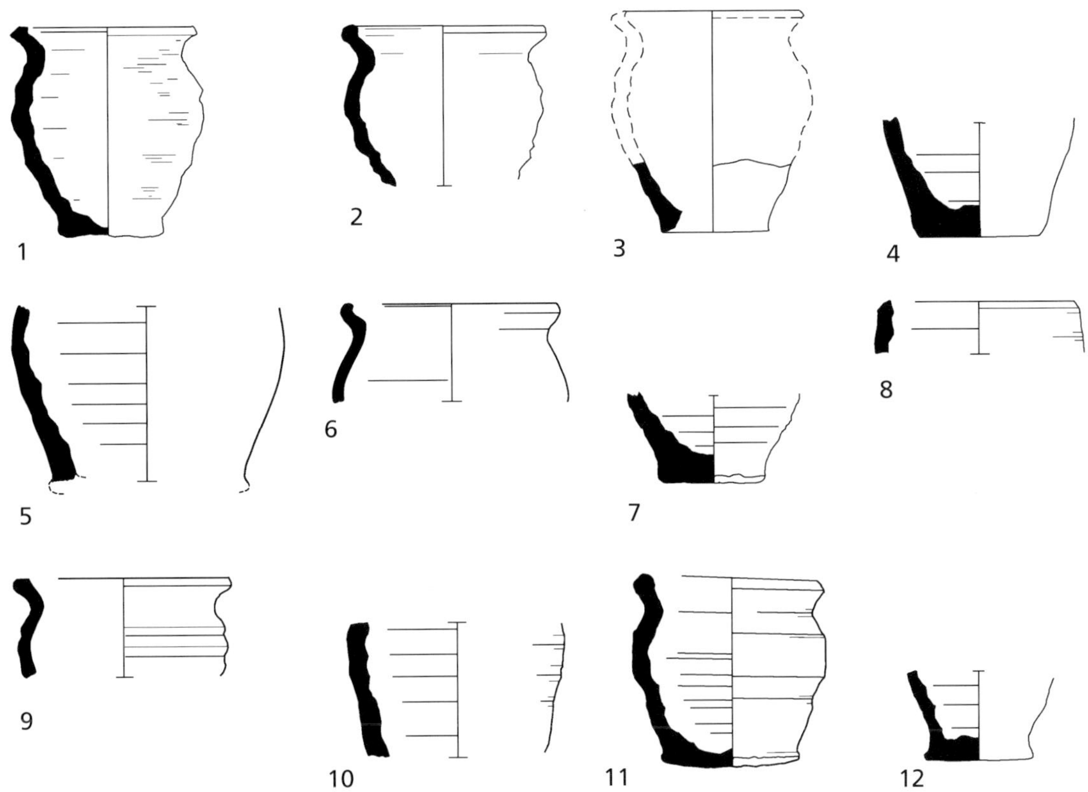

Fig. 4 A selection of the Topfkacheln found in Deventer so far.

Fig. 5 One of the most complete examples of the Topfkacheln, found in the Polstraat-area in Deventer.

likely use for these beakers is as *Topfkacheln* or beaker-shaped stove tiles. These early predecessors of the gothic green-glazed stove tiles were embedded in the loam wall of a stove with their openings pointing outwards. The openings of these *Topfkacheln* facilitated a quick heat emission, heating a room relatively quickly, while the loam stove wall stored the heat for a longer period of time and released it slowly into the room [43]. Most of these kinds of stoves were fired in an adjacent room [44]. An important advantage of this was that the heated room remained free of smoke, and could be heated evenly for a long period of time. Loam remains, which are in some cases still attached to the outside of the found beakers, support their interpretation as *Topfkacheln*. The examples found in Deventer show strong resemblance to *Becherkacheln* type A as defined by Jansen [45]. Examples of this type have also been found in period B of the motte-and-bailey castle Haus Meer near Neuss (ca. AD 1150-1200) [46] and from the period IIIC of Burg Hochstaden (ca. AD 1150) [47]. Jansen dates type A in the (first half of) the twelfth century. As Jansen himself already indicates, most of the finds concern production waste and lack well-datable settlement finds. This is why both the typology and the chronology are somewhat flexible [48]. The bulbous shape of the Deventer examples, however, shows closer similarity to the earliest known forms that were described as *Topfkacheln* by Tauber [49]. They can be recognized by their spiral-shaped structure made by coarse coils. They have a flat base and are only finished on the outside. The rim shape can vary widely, from short and thick to strongly outwards bend. These types are seen as the direct predecessors of the *Becherkacheln*, however only a vague separation can be made between the two. The main difference is the shape, the *Topfkacheln* are more bulbous in form compared to the more conic shape of the *Becherkacheln*. In general the *Becherkacheln* are finer turned and finished more smoothly than the *Topfkacheln*. This early group too, struggles with the lack of sharp-datable contexts. The only site where *Topfkacheln* have been found in a datable context and with a direct connection to a stove construction is the second timber-built phase of the Frohburg near Olten. The imported ceramics connected to this find place it in the second half of the eleventh century [50] The Deventer *Topfkacheln* are by no means the earliest known examples. So far the earliest known examples come from Strasbourg. There, 183 examples were found in a refuse-layer, dating from the seventh right through to the middle of the eleventh century [51]. In this period the shape barely developed, making the younger examples hardly recognizable from the older ones. The examples of Runder Berg near Urach [52] and the sites in the Neckar area too can be dated between the eight and twelfth century according to Gross [53].

In Deventer the finds seem to be connected to the rise of the timber-framed buildings with basements. The stoves were probably not placed in the basement, but stood on the ground floor of these houses [54]. So far, 26 examples are known, found mostly in the zone along the river, among others in the area of the Episcopal *pfalz*. These finds indicate that the houses with basements were inhabited by the social elite of the early-urban community, who manifested itself as such. This makes this group identifiable in the archaeological record of the early town for the first time. This elite will have been mostly made up by episcopal or royal *ministeriales*, but free merchants may qualify as well. The *ministeriales* were unfree in a juridical sense, but held important privileges. They had exclusive access to influential jobs, such as demesne administrator. Especially in times of political crisis they could control considerable economic, political and sometimes even military power [55]. In town they could also present themselves as merchants.

In the second half of the eleventh century this group succeeded in extending their status as an urban elite even further [56]. In the south-western part of the town, large tower-like buildings arose built in tuff, which will have risen high above the timber buildings [57]. These buildings could be square or rectangular in layout. The largest rectangular building measured twenty-two by six meters. The thickness of the walls, over one meter, implies a multi-storied building. They can probably be compared to similar tower-like structures in other towns, like the Frankenturm in Trier or the »Haus zum Stein« in the Weintorstraße in Mainz [58]. The connection of these buildings with the group of episcopal *ministeriales* is implied by the mention of an important *ministerialis* Hendrik, lord of Bergh, who is confirmed to have a stone house in Deventer on loan from the bishop in AD 1233[59]. Finds from a refuse pit from the first half of the thirteenth century situated next to a tuff-house show that the inhabitants of these buildings were also active as merchants. This pit contained surprising amounts of ceramics with a storage function and a large supply of grain[60]. In general these developments can hardly be seen in the changing composition of the ceramic spectrum of this period. The import percentage does rise slightly from the tenth century onwards, but the percentage of storage vessels in comparison to cooking pots remains largely similar compared to the ninth century[61]. The ceramic spectrum scarcely reflects the economic specialization and the rise of an urban elite. The latter is probably caused by the fact that this elite showed its status with other material goods, as for example their residences. The only exception seems to be the *Topfkacheln*, which can certainly be seen as a display of luxury.

CONCLUSIONS

Ceramics as an archaeological finds group provide a reflection of distribution mechanisms and the underlying economic processes. Changes in the ceramic spectrum therefore can reflect changes in function and status of a settlement. Ceramics, however, should not be used as the sole source, but should be studied together with other data such as town planning and house-building. If possible this should be supported by historic data. Important is the understanding of the different exchange processes and the social-political and economic background of the settlement. High percentages of imported ceramics do not automatically indicate the presence of trade, more important is the composition of the complex. It is not the amount of imported ceramics as such that is important, but *what* is being imported. Indicative is the relation between shapes with storage or container function and the forms used for cooking. Summarizing, it may be stated that the ceramic spectrum in ninth century Deventer does indeed make a rise in trade activities likely. The function change of the settlement is also shown in the new planned layout and the early-urban house types from this period.

Ceramics are less useful for recognizing the progress of economic specialization or the formation of urban elite in the early-urban settlement of Deventer. These processes are reflected in other material sources, such as house-building. The exceptions here are the finds of *Topfkacheln* that can be considered manifestations of the luxury of wealthy households.

Annotations

1) Van Vliet 2004, 131.
2) Mittendorff 2007, 23-24.
3) Ibidem 254. – Huijts 1992, 149-160.
4) Mittendorff/Vermeulen 2004, 40-43.
5) Groothedde 2004, 47.
6) Van Vliet 2002, 110-111.
7) Mittendorff 2007, 227.
8) Vermeulen/Nalis/Havers 2006, 54-56.
9) Haithabu: Elsner 1989, 111. It is uncertain whether the houses in Deventer had shores; Dorestad: van Es/Verwers 2009, 81f. fig. 53. – Århus: Skov 2001, 819.
10) Van Vliet 2002, 135.
11) Van Es 1990, 163.
12) This, however, does not mean that Deventer can be regarded as the functional successor of Dorestad. Deventer had, besides a part in the exchange of goods, also a religious function with the veneration of Lebuin and the presence of a community of clergy, who were directly connected to the bishop. This is a fundamental difference with Dorestad that primarily played a role in the exchange of goods and ideas between the Frankish Empire and the north (Theuws 2003, 14-16).
13) Verhulst 1999, 44-67.
14) Groothedde 2004, 45.
15) Ibidem 47.
16) DB nr. 187 (896 06 24): Gijsseling/Koch 1950.
17) Bartels 2006.
18) Van Vliet 2002, 111.
19) Huis Malburg: Kleij 2000, 105. – Stenen Kamer: Kleij 2001, 209.
20) Van Es/Verwers 1980.
21) Sanke 2002, 24f. – Verhulst 2002, 80.
22) Ibidem 79f.
23) Ibidem 89. 103.
24) Verhulst 2000, 115f.
25) Adam 1996, 205.
26) One example of this is a man named Ibbo who, at the end of the eighth century had himself placed under the protection of the abbey of St. Maximin in Trier, after first operating as a free merchant (Johanek 1987, 62).
27) Sanke 2002, 24.
28) Künzel 1997, 156f.
29) The fact that the described exchange model can probably also be applied to goods other than ceramics, for example wine, should be taken in account here. One or a number of pots with a container function in a complex are, therefore, not automatically evidence for trade.
30) Tessier 1952, 462.
31) Kleij 2000, 109.
32) Mittendorff 2007, 234. – Vermeulen/Nalis/Havers 2006.
33) Groothedde 2004, 48.
34) Mittendorff 2007, 255-261.
35) Vermeulen/Nalis/Havers 2006, 59.
36) Mittendorff 2007, 279f.
37) Spitzers 2000, 41.
38) Mittendorff 2007, 226f.
39) Proos 1996, 161f. – Groothedde 1996, 128.
40) Mittendorff 2004, 76.
41) Roth-Kaufmann 1997, 473.
42) Stelzle-Hüglin 2004, 320.
43) Jansen 2001, 198.
44) Roth-Kaufmann 1997, 472.
45) Jansen 2001, 175-179.
46) Janssen/Müller-Wille 1968, 65. In more recent publications of this site these finds were included neither in the text, nor in the catalogue (Janssen/Janssen 1999).
47) Friedrich 1998, 47.
48) Jansen 2001, 197.
49) Tauber 1980, 292-294.
50) Ibidem 294. Tauber supposes a date around AD 1070/ 1080.
51) Châtelet/Schwien 2000.
52) Kaschau 1976.
53) Gross 1991, 140.
54) Stelzle-Hüglin 2004, 326-330.
55) Künzel 1997, 158.
56) Ibidem 171.
57) Mittendorff 2007, 261-268.
58) Wiedenau 1983, 166-169. 249-253.
59) Benders 2004, 45.
60) Bartels 1995.
61) Mittendorff 2007, 236-239.

References

Adam 1996: H. Adam, Das Zollwesen im fränkischen Reich und das spätkarolingische Wirtschaftsleben. Ein Überblick über Zoll, Handel, und Verkehr im 9. Jahrhundert. Vierteljahrschr. Sozial- u. Wirtschaftsgesch. Beih. 126 (Stuttgart 1996).

Bartels 1995: M. H. Bartels, Pottery remains from a fire in a 13th century stone building in Deventer. In: H. Clevis / J. Thijssen (ed.), Assembled articles 1: Symposium in medieval and post-medieval ceramics, Nijmegen 2 and 3 September 1993 (Nijmegen, Zwolle 1995) 153-166.

2006: M. H. Bartels, De wal tegen de Vikingen om middeleeuws Deventer. Archeologisch en historisch onderzoek naar wal en stadsmuren (850-1900) en een vergelijking met andere vroeg-middeleeuwse omwalde nederzettingen. Rapp. Arch. Deventer 18 (Deventer 2006).

Benders 2004: J. F. Benders, Bestuursstructuur en schriftcultuur. Een analyse van de bestuurlijke verschriftelijking in Deventer tot het eind van de 15de eeuw (Kampen 2004).

Châtelet/Schwien 2000: M. Châtelet / J.-J. Schwien, Strasbourg, Place des Bâteliers. La céramique de poêle du haut Moyen Âge. In: A. Richard / J.-J. Schwien (ed.), Archéologie du poêle en céramique du haut Moyen Âge à l'Époque Moderne. Téchnologie – décors – aspects culturels. Actes de la table ronde de Montbéliard 23-24 mars 1995. Révue Arch. Est 15, 2000, 15-31.

Elsner 1989: H. Elsner, Wikinger Museum Haithabu: Schaufenster einer frühen Stadt (Neumünster 1989).

van Es 1990: W. A. van Es, Dorestad centred. In: J. C. Besteman (ed.), Medieval archaeology in the Netherlands. Studies presented to H. H. van Regteren Altena (Assen, Maastricht 1990) 151-182.

van Es/Verwers 1980: W. A. van Es / W. J. H. Verwers, Excavations at Dorestad 1, the harbour: Hoogstraat I. Nederlandse Oudheden 9 (Amersfoort 1980).

2009: W. A. van Es / W. J. H. Verwers, Excavations at Dorestad 3: Hoogstraat 0, II-IV. Nederlandse Oudheden 16 (Amersfoort 2009).

Friedrich 1998: R. Friedrich, Mittelalterliche Keramik aus rheinischen Motten. Funde aus den Regierungsbezirken Köln und Düsseldorf. Rhein. Ausgr. 44 (Köln, Bonn 1998).

Gijsseling/Koch 1950: W. Gijsseling / A. C. F. Koch (ed.), Diplomata Belgica ante annum millesimum centesimum scripta (Brussel 1950).

Groothedde 1996: M. Groothedde, Voor de deur van het bisschopshof. In: J. R. M. Magdelijns et al. (ed.), Het Kapittel van Lebuïnus in Deventer: nalatenschap van een immuniteit in bodem, bebouwing en beschrijving (Nieuwegein 1996) 127-136.

2004: M. Groothedde, Enige feiten en hypothesen over de oorsprong van Deventer en de Deventenaren. In: E. Kleeman et al. (ed.), De onderste steen. Essays over de cultuurgeschiedenis van Deventer. Liber amoricum voor Hans Magdelijns (Deventer 2004) 43-51.

Gross 1991: U. Gross, Mittelalterliche Keramik zwischen Neckarmündung und Schwäbischer Alb. Bemerkungen zur räumlichen Entwicklung und zeitlichen Gliederung. Forsch. u. Ber. Arch. Mittelalter Baden-Württemberg 12 (Stuttgart 1991).

Huijts 1992: C. S. T. J. Huijts, De voor-historische boerderijbouw in Drenthe. Reconstructiemodellen van 1300 vóór tot 1300 na Chr. (Arnhem 1992).

Jansen 2001: L. Jansen, Hochmittelalterliche Ofenkacheln im nördlichen Rheinland. Zeitschr. Arch. Mittelalter 29, 2001, 171-206.

Janssen/Janssen 1999: W. Janssen / B. Janssen, Die frühmittelalterliche Niederungsburg bei Haus Meer, Kreis Neuss. Archäologische und naturwissenschaftliche Untersuchungen. Rhein. Ausgr. 46 (Köln, Bonn 1999).

Janssen/Müller-Wille 1968: W. Janssen / M. Müller-Wille, Das Fundmaterial der Grabungen 1962-1964 auf der Niederungsburg bei Haus Meer, Gemeinde Büderich, Kreis Grevenbroich. In: M. Müller-Wille (ed.), Beiträge zur Archäologie des Mittelalters. Rhein. Ausgr. 1 (Köln 1968) 56-79.

Johanek 1987: P. Johanek, Der fränkische Handel der Karolingerzeit im Spiegel der Schriftquellen. In: K. Düwel / H. Jankuhn / H. Siems / D. Timpe (ed.), Untersuchungen zu Handel und Verkehr der vor- und frühgeschichtlichen Zeit in Mittel- und Nordeuropa IV. Der Handel der Karolinger- und Wikingerzeit. Abh. Akad. Wiss., Phil.-Hist. Kl. F. 3, 144 (Göttingen 1987).

Kaschau 1976: B. Kaschau, Der Runde Berg bei Urach. Die Drehscheibenkeramik aus den Plangrabungen 1967-1972 (Sigmaringen 1976).

Kleij 2000: P. Kleij, Aardewerk. In: J. W. M. Oudhof / J. Dijkstra / A. A. A. Verhoeven (ed.), Archeologie in de Betuweroute, 'Huis Malburg' van spoor tot spoor. Een middeleeuwse nederzetting in Kerk-Avezaath. Rapp. Arch. Monumentenzorg 81 (Amersfoort 2000) 97-138.

2001: P. Kleij, Keramiek, kleipijpen en bouwmaterialen. In: A. A. A. Verhoeven / O. Brinkkemper (ed.), Twaalf eeuwen bewoning langs de Linge bij de Stenen Kamer in Kerk-Avezaath. Rapp. Arch. Monumentenzorg 85 (Amersfoort 2001) 201-283.

Künzel 1997: R. Künzel, Beelden en zelfbeelden van middeleeuwse mensen. Historisch – antropologische studies over groepsculturen in de Nederlanden, 7de-13de eeuw (Nijmegen 1997).

Mittendorff 2004: E. S. Mittendorff, Kelders vol scherven. Onderzoek naar keramiekcomplexen uit de 9de tot de 12de eeuw afkomstig uit de Polstraat te Deventer. Rapp. Arch. Deventer 13 (Deventer 2004).

2007: E. S. Mittendorff, Huizen van Heren. Archeologisch onderzoek naar het proces van verstedelijking en de vorming van een stedelijke elite in het Polstraatkwartier van Deventer, ca 800-1250. Rapp. Arch. Deventer 20 (Deventer 2007).

Mittendorff/Vermeulen 2004: E. S. Mittendorff / B. Vermeulen, Ambachtslieden, arme vrouwen en arbeiders. Archeologisch onderzoek naar de vroegmiddeleeuwse ambachtswijk en latere periodes aan de Bruynssteeg te Deventer. Rapp. Arch. Deventer 14 (Deventer 2004).

Proos 1996: R. H. P. Proos, Archeologisch onderzoek in en om Sandrasteeg 8. In: J. R. M. Magdelijns et al. (ed.), Het Kapittel van Lebuïnus in Deventer: nalatenschap van een immuniteit in bodem, bebouwing en beschrijving (Nieuwegein 1996) 144-162.

Roth Kaufmann 1997: E. Roth Kaufmann, Ofen und Wohnkultur. In: G. de Boe / F. Verhaeghe (ed.), Material Culture in Medieval Europe. Papers of the »Medieval Europe Brugge 1997« Conference. IAP Rapporten 7 (Zellik 1997) 471-483.

Sanke 2002: M. Sanke, Die mittelalterliche Keramikproduktion in Brühl-Pingsdorf. Technologie – Typologie – Chronologie. Rhein. Ausgr. 50 (Mainz 2002).

Skov 2001: H. Skov, House types in Århus, Denmark, c. 900-1600 AD. In: M. Gläser (ed.), Lübecker Kolloquium zur Stadtarchäologie im Hanseraum III: Der Hausbau (Lübeck 2001) 819-832.

2005: H. Skov, Aros 700-1100, the houses. In: A. Damm (ed.), Viking Aros (Højbjerg 2005) 22-24.

Spitzers 2000: T.A. Spitzers, Archeologisch onderzoek Polstraat 69/71 te Deventer 1998-1999. 1100 jaar bouwen en leven in de Polstraat. BAAC-rapport 99.006 (Deventer 2000).

Stelzle-Hüglin 2004: S. Stelzle-Hüglin, Von Kacheln und Öfen im Mittelalter. Eine quellenkritische Betrachtung zum Forschungsstand. Jahrb. Hausforschung 50, 2004, 319-339.

Tauber 1980: J. Tauber, Herd und Ofen im Mittelalter. Untersuchungen zur Kulturgeschichte am archäologischen Material vornehmlich der Nordwestschweiz (9.-14. Jahrhundert). Schweizer Beitr. Kulturgesch. u. Arch. Mittelalter 7 (Olten 1980).

Tessier 1952: G. Tessier, Recueil des actes de Charles II le Chauve, roi de France (Paris 1952).

Theuws 2003: F. Theuws, De sleutel van Sint Servaas. Uitwisseling, religie, indenteit en centrale plaatsen in de Vroege Middeleeuwen (Amsterdam 2003).

van Vliet 2002: K. van Vliet, In kringen van kanunniken. Munsters en kapittels in het bisdom Utrecht 695-1227 (Zutphen 2002).

2004: K. van Vliet, De Kerk van Deventer: scharnier van de Utrechtse missie. In: E. Kleeman et al. (ed.), De onderste steen. Essays over de cultuurgeschiedenis van Deventer. Liber amoricum voor Hans Magdelijns (Deventer 2004) 128-136.

Verhulst 1999: A. Verhulst, The rise of cities in Northwest Europe (Cambridge 1999).

Verhulst 2000: A. Verhulst, Roman cities, emporia and new towns (sixth-ninth century). In: I. L. Hansen / C. Wickham, The long eighth century. The transformation of the Roman world 11 (Leiden 2000) 105-120.

2002: A. Verhulst, The Carolingian economy (Cambridge 2002).

Vermeulen/Nalis/Havers 2006: B. Vermeulen / H. Nalis / G. Havers, Razende mannen, onrustige vrouwen. Archeologisch onderzoek naar de vroegmiddeleeuwse nederzetting, een adellijke hofstede en het St. Elisabethsgasthuis te Deventer. Rapp. Arch. Deventer 17 (Deventer 2006).

Wiedenau 1983: A. Wiedenau, Katalog der romanischen Wohnbauten in westdeutschen Städten und Siedlungen (ohne Goslar und Regensburg) (Tübingen 1983).

Zusammenfassung / Abstract

Keramik als Anzeiger der wirtschaftlichen Spezialisierung und sozialen Schichtung? Fallstudien aus Deventer vom 9. bis 12. Jahrhundert

Etwa ab Mitte des 9. Jahrhunderts erhielt die Siedlung von Deventer ein neue, geplantes Stadtbild. Zur selben Zeit wurde ein neuer urbaner Haustyp eingeführt. Der Anstieg von importierter Keramik, besonders von Gefäßen zur Aufbewahrung und Speicherung, zeigt, dass dieser Strukturwechsel mit einem Anstieg der Handelsaktivitäten einherging. Ab dem 10. Jahrhundert förderte der Urbanisierungsprozess zudem den Aufstieg einer städtischen Elite. Diese Elite kann archäologisch erkannt werden an ihren steinernen Wohngebäuden, in denen frühe Ofenkacheln Verwendung fanden.

Using ceramics as an indicator for economic specialization and social stratification? Case studies in Deventer from the ninth until the twelfth century AD

Case studies in Deventer from the ninth until the twelfth century AD. From ca. AD 850 onwards, the settlement of Deventer was given a new, planned layout. At the same time a new, urban house-type was introduced. The rise in imported ceramics, especially vessels with a storage or container function, shows that this change in layout coincided with an increase in trade activity. From the tenth century onwards, the process of urbanization gave rise to an urban elite. This elite can be archaeologically recognized by the stone buildings in which they lived and their use of early stove tiles.

LUTZ GRUNWALD · HEIDI PANTERMEHL · RAINER SCHREG

HOCHMITTELALTERLICHE KERAMIK AM RHEIN – EIN RÉSUMÉ

Die Idee und Initiative zur Tagung »Hochmittelalterliche Keramik am Rhein«, die am 6. und 7. Mai 2011 im Römisch-Germanischen Zentralmuseum in Mainz abgehalten wurde, ergab sich aus zwei laufenden Forschungsprojekten. Das von der Leibniz-Gemeinschaft geförderte Projekt »Reiterkrieger, Burgenbauer – Die frühen Ungarn und das ›Deutsche Reich‹ vom 9. bis zum 11. Jahrhundert« vereinigt Studien zu den gesellschaftlichen Umstrukturierungen zur Zeit der Ungarneinfälle. Für die Untersuchung von Siedlungs- und Burgenlandschaften stellen die Keramikfunde nicht nur für die Chronologie, sondern auch bei Fragen nach den sozialen und wirtschaftlichen Rahmenbedingungen das entscheidende Rückgrat dar. Von Anbeginn des Projektes waren entsprechende Studien zur Keramik in Ungarn vorgesehen, die in einem eigenen Sammelband vorgelegt werden sollen. Bei der Bearbeitung der von der Forschung als ungarnzeitlich angesprochenen »Fluchtburgen« in der Südpfalz (H. Pantermehl) zeigte sich indes sehr bald, dass man es hier mit einer eigenen Keramiklandschaft zu tun hat, die nur bedingt an den inzwischen prinzipiell gar nicht so schlechten Forschungsstand in Südwestdeutschland anzuschließen ist.
Im Rahmen des interdisziplinären Forschungsprojektes »Keramik für den europäischen Markt – Die römischen und mittelalterlichen Töpfereien von Mayen« (L. Grunwald / W. Xu) stellte sich sehr schnell für den Zeitraum vom 4. bis in das 14. Jahrhundert die große wirtschaftliche Bedeutung der in Mayen produzierten Keramik für das über die Rheinschiene zu erreichende Wirtschaftsgefüge heraus. Die Grundlage dieses von der Stiftung Innovation für Rheinland-Pfalz geförderten Projektes bildete eine in den Jahren 1986/87 durch das Landesamt für Denkmalpflege, Abteilung Archäologische Denkmalpflege, Amt Koblenz (jetzt Generaldirektion Kulturelles Erbe [GDKE], Abteilung Landesarchäologie, Außenstelle Koblenz) innerhalb des bekannten mittelalterlichen Töpfereiareals durchgeführte Großgrabung. Die Bearbeitung der dort gefertigten Produkte konfrontierte besonders für die Zeitspanne vom 8./9. bis in das 11./12. Jahrhundert mit dem Phänomen eines Wandels von Produktionstechnologie und Absatzstrukturen. Somit ergaben sich nicht nur für das lokale Wirtschaftsumfeld von Mayen – was sich schon in der Einbettung des Vorhabens in den Forschungsschwerpunkt »Entstehung einer Industrielandschaft. Das antike Steinbruch- und Bergwerksrevier zwischen Eifel und Rhein« des Römisch-Germanischen Zentralmuseums widerspiegelt – sondern auch für den Fernhandel mit Mayener Tonwaren übergreifende Fragestellungen und Forschungsansätze.
Da es sich sowohl bei dem Wirtschafts- als auch bei dem Technologieaspekt um grundlegende Themenfelder der Keramikforschung in der Archäologie des Mittelalters handelt, bot es sich an, die Diskussion auf breiterer Basis zu führen und durch eine Tagung genauer nach dem Quellenwert der Keramik für den Wandel von Produktion und Alltagsbedingungen im Früh- bis Hochmittelalter zu fragen.

Der Zeitraum vom 9. bis zum 12. Jahrhundert stellt eine Zeitspanne dar, die vielfältige Veränderungen der ökonomischen und ökologischen Grundlagen Europas erlebt hat. Markant sind in den chronikalen Quellen die mehrere Jahrzehnte andauernden Normannen- und Ungarneinfälle zu greifen, die man schon lange mit dem damals zu beobachtenden Wandel der Grundherrschaft, aber auch mit einer Verfestigung politischer Räume in Verbindung gebracht hat. In diese Phase fallen auch die Anfänge einer Markt- und schließlich Stadtentwicklung sowie Prozesse von Landesausbau und Rodung. Für die Keramikforschung stellt sich daher nicht nur die Frage nach der chronologischen Gliederung des Fundmaterials, sondern auch die Überlegung, ob die Keramik diese Entwicklungen widerspiegelt und welchen Quellenwert sie zu deren

Erforschung besitzt. Die Tagung fragte daher nach formalen und dekorativen, v.a. aber auch nach den technologischen Veränderungen sowohl der Herstellungstechnik der Gefäße als auch der Bauweise der Töpferöfen. In die Überlegungen flossen aber auch Gedankengänge zu den Veränderungen der Absatz- und Nutzungsbedingungen der Produkte ein. Angestrebt wird somit ein besseres Verständnis der historischen Importströme sowie der sich ergebenden Brüche und Kontinuitäten im Wirtschaftsgefüge während des 9. bis 12. Jahrhunderts.
Exemplarisch steht der Rhein als wichtige Handels- und Kommunikationsroute im Mittelpunkt der Betrachtungen. An diesem großräumig verbindenden Strom stoßen diverse historische Regionen aneinander, deren jeweilige Keramik verschiedene Entwicklungen durchlaufen hat. Der Rhein bietet somit einen Querschnitt durch Europa und ermöglicht eine vergleichende Perspektive der unterschiedlichen, aber miteinander verwobenen Entwicklungsstränge.
Durch die überregionale und mehrere Jahrhunderte umfassende Perspektive konnte die Tagung großräumige Zusammenhänge aufzeigen und einige wiederkehrende Muster deutlich machen. Beispielsweise zeigte sich zwischen dem 8./9. und dem 11./12. Jahrhundert zumindest für die Region der Mittelgebirge vom Köln-Bonner Raum über das Mittelrheintal bis nach Mainz, Trier oder an die Maas eine relativ einheitliche Grundtendenz in der Formentwicklung der Keramik. Flächig scheinen sich im letzten Viertel des 8. Jahrhunderts ein Abrücken von der römischen Formtradition und die Einführung von neuen Gefäßausprägungen – wie z.B. dem Kugeltopf – abzuzeichnen. Auch bei der Ofenbautechnik kristallisieren sich für diesen Raum ähnliche Entwicklungsstränge heraus.
In Südwestdeutschland hingegen zeichnen sich am Hoch- und Oberrhein andere Entwicklungen ab. Auch hier verlieren spätantik-römische Traditionen an Bedeutung; der Bruch ist mit dem Aufkommen der nachgedrehten Ware indes eine viel tiefgreifendere Zäsur. Eine genaue zeitliche Parallelisierung der Entwicklungen im Bereich von Mittel- und Niederrhein auf der einen und dem Raum von Hoch- und Oberrhein auf der anderen Seite ist bisher allerdings nur bedingt möglich. Dieses liegt an der momentan noch ungelösten Frage, in welcher zeitlichen Relation das Aufkommen der Älteren gelben Drehscheibenware in Südwestdeutschland und das Einsetzen der klingend hart gebrannten Keramikvariante der Mayener Warenart ME stehen. Ungeklärt bleibt bisher auch, ob sich die Krisenzeiten der Ungarn- und Wikingereinfälle mit Veränderungen im europäischen Markt verbinden lassen. Für Mayen scheint sich dieses durch einen reduzierten Keramikexport an den Niederrhein abzuzeichnen. In Südwestdeutschland mag das Aufkommen der nachgedrehten Keramik auf soziale und wirtschaftliche Veränderungen zurückgehen, die durch die Ungarneinfälle angestoßen oder zumindest begünstigt worden sind.

Der Verlauf der Tagung und die positive Resonanz der Teilnehmer zeigten, dass der Blick über die Grenzen der oft kleinräumigen Forschungsvorhaben für die methodische Diskussion, die Definition von Warenarten und die Kenntnis von Importen aus den Nachbarregionen unabdingbar ist. Insofern war die Tagung aus unserer Sicht für eine stets fortgesetzte Reflektion über Aussagemöglichkeiten und -methoden der Keramikforschung sowie den wissenschaftlichen Austausch der beteiligten Forscher wichtig. Viele der während der Tagung angesprochenen Aspekte und Hypothesen bedürfen einer Vertiefung und Verfeinerung. So wäre noch genauer nach den gesellschaftlichen Kontexten der Keramikproduktion und -nutzung zu fragen und dabei insbesondere die Determinanten der Verbreitung der Warenarten zu untersuchen. Hier knüpfen sich konkrete Problemstellungen an, von denen an dieser Stelle nur beispielhaft die Rolle der in zahlreichen Rheinstädten belegten Friesenniederlassungen für den Keramikhandel genannt werden soll. Mittelfristig muss jedoch ein zeitlich wie geographisch noch breiter gefasster Raum in die Betrachtungen einbezogen werden. Welche Rolle spielte z.B. der Horizont der Stadtgründungen seit dem 12. Jahrhundert für die Produktion und Nutzung von Keramik? Wie entwickelten sich die römischen Traditionen über die

Merowingerzeit hinweg? Welchen Einfluss hatten mittel- und osteuropäische (»germanische« bzw. »slawische«) Keramiktraditionen? Diese und ähnliche Problemstellungen gilt es in der Zukunft in den Fokus der Forschung einzubinden.

DANK

Als Veranstalter haben wir allen am 6. und 7. Mai 2011 anwesenden Kolleginnen und Kollegen für die Beteiligung an der Tagung und den Autoren dieses Sammelbandes für die rasche Abfassung der druckfertigen Manuskripte zu danken.

Die ReferentInnen und Organisatoren der Tagung (v. l. n. r.): Rainer Schreg, Emile Mittendorff, Wenxing Xu, Petra Hanauska, Ronald Knöchlein, Heidi Pantermehl, Lutz Grunwald, Uwe Gross, Kurt Zubler, Christoph Keller, Ulrike Müssemeier.

VERZEICHNIS DER AUTOREN

Dorothee Ade
IKU Institut für Kulturvermittlung
Hirschgasse 3
72108 Rottenburg
dorade@archaeo.de

Dieter Barz
Freiherr-vom-Stein-Str. 19
55232 Alzey
barz.burgen@t-online.de

Marianne Dumitrache
Kantstr. 7
70193 Stuttgart
m.dumitrache@gmx.de

Uwe Gross
Landesdenkmalpflege Baden-Württemberg
Regierungspräsidium Stuttgart
Referat 85
Berliner Str. 12
73728 Esslingen am Neckar
uwe.gross@rps.bwl.de

Lutz Grunwald
Römisch-Germanisches Zentralmuseum
Forschungsinstitut für Archäologie
Forschungsbereich VAT
An den Mühlsteinen 7
56727 Mayen
grunwald@rgzm.de

Andreas Haasis-Berner
Regierungspräsidium Freiburg
Referat 26 – Denkmalpflege
Fachgebiet Archäologie
Günterstalstr. 67
79100 Freiburg
Andreas.Haasis-Berner@rpf.bwl.de

Petra Hanauska
Goethe-Universität
Institut für Archäologische Wissenschaften
Abt. Vor- und Frühgeschichte
Grüneburgplatz 1
60323 Frankfurt a. M.
hanauska@em.uni-frankfurt.de

Wolfgang Hofmeister
Johannes Gutenberg-Universität
Institut für Geowissenschaften
Becherweg 21
55099 Mainz
hofmeister@uni-mainz.de

Christoph Keller
LVR – Amt für Bodendenkmalpflege im Rheinland
Endenicher Straße 133
53115 Bonn
c.keller@lvr.de

Ronald Knöchlein
Am Wasserwerk 22
55120 Mainz
ronald.knoechlein@archaeologie-mainz.de

Agnieszka Koziol
Pôle d'Archéologie Interdépartemental Rhénan
2 allée Thomas Edison
Zone Sud – Cirsud
F - 67600 Sélestat
agnieszka.koziol@pair-archeologie.fr

Reto Marti
Archäologie Baselland
Amtshausgasse 7
CH - 4410 Liestal
reto.marti@bl.ch

Emile Mittendorff
Archeologie Deventer
Gemeente Deventer
Postbus 5000
NL - 7400 GC Deventer
e.mittendorff@deventer.nl

Ulrike Müssemeier
LVR-Amt für Bodendenkmalpflege im Rheinland
Endenicher Str. 133
53115 Bonn
ulrike.muessemeier@lvr.de

Ralf Obst
Kantstr. 4
96052 Bamberg
Ralf.Obst@web.de

Heidi Pantermehl
Römisch-Germanisches Zentralmuseum
Forschungsinstitut für Archäologie
Abteilung Frühmittelalter
Ernst-Ludwig-Platz 2
55116 Mainz
pantermehl@rgzm.de

Torsten Rünger
Rheinische Friedrich-Wilhelms-Universität
Vor- und Frühgeschichtliche Archäologie
Regina-Pacis-Weg 7
53113 Bonn
Truenger@uni-bonn.de

Eveline Saal
Thalhof 2
53577 Neustadt
eveline.saal@yahoo.de

Michael Schneider
LVR-Amt für Bodendenkmalpflege im Rheinland
Endenicher Str. 133
53115 Bonn
michael.schneider@lvr.de

Valerie Schoenenberg
Marienstr. 32
79356 Eichstetten am Kaiserstuhl
vs@archist-online.de

Rainer Schreg
Römisch-Germanisches Zentralmuseum
Forschungsinstitut für Archäologie
Abteilung Frühmittelalter
Ernst-Ludwig-Platz 2
55116 Mainz
schreg@rgzm.de

Thorsten Sonnemann
Goethe-Universität
Institut für Archäologische
Wissenschaften
Abt. Vor- und Frühgeschichte
Grüneburgplatz 1
60323 Frankfurt a. M.
sonneman@em.uni-frankfurt.de

Ivonne Weiler-Rahnfeld
Ackerstr. 161
40233 Düsseldorf
ivrahnfeld@web.de

Wenxing Xu
Johannes Gutenberg-Universität
Institut für Geowissenschaften
Becherweg 21
55099 Mainz
xuw@uni-mainz.de

Kurt Zubler
Pestalozzistr. 40
CH - 8200 Schaffhausen
kurt.zubler@ktsh.ch